KU-599-853

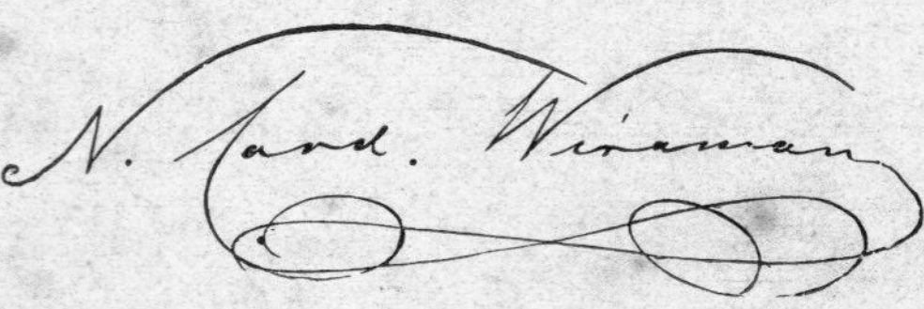

FABIOLA

OU

l'Église des Catacombes

PAR SON ÉMINENCE

Le Cardinal WISEMAN

Archevêque de Westminster

TRADUIT DE L'ANGLAIS

Par F. PASCAL-MARIE

Religieux de l'Ordre des Frères Mineurs de Saint-François Conventuels

---

SEULE TRADUCTION FRANÇAISE AUTORISÉE

PARIS
LIBRAIRIE INTERNATIONALE CATHOLIQUE
Rue Bonaparte, 66

LEIPZIG
L.-A. KITTLER, COMMISSIONNAIRE
Sternwartenstrasse, 46

H. & L. CASTERMAN
ÉDITEURS PONTIFICAUX, IMPRIMEURS DE L'ÉVÊCHÉ
TOURNAI

Hæc, sub altari sita sempiterno,
Lapsibus nostris veniam precatur
Turba, quam servat procerum creatrix
Purpureorum.

(*Prudentius*. Περι στεφ., carm. IV, 189.)

La terre où ces martyrs ont conquis leur couronne,
Fière de ses enfants que la pourpre environne,
Les conserve couchés sous l'immuable autel.
Nos péchés lassent-ils la divine justice,
Leur prière s'élève, il faut que Dieu fléchisse,
Et le pardon descend du ciel.

PRÉFACE DE L'ÉDITION ANGLAISE.

Lorsque le plan de la *Bibliothèque catholique populaire* fut formé en Angleterre, l'auteur de cet ouvrage fut appelé à émettre son avis sur ce projet. Non-seulement il y donna toute son approbation, mais il se hasarda à proposer une série de récits qui présenteraient un tableau fidèle de la situation de l'Église dans les différentes périodes de son existence passée. Le premier de ces récits, par exemple, pourrait avoir pour titre l'*Église des catacombes;* le second s'appellerait l'*Église des basiliques;* chacun d'eux embrasserait une période de trois cents ans; un troisième pourrait traiter de l'*Église du cloître;* et l'on en pourrait peut-être faire un quatrième, qu'on appellerait l'*Église des écoles*.

En émettant cette idée, il ajouta — le lecteur trouvera peut-être que c'était bien indiscret à lui — qu'il se sentait à demi-disposé à entreprendre la première partie de ce travail, ne fût-ce que pour indiquer la manière dont il comprenait le plan qu'il proposait. Il a été pris au mot, et on le pressa vivement de se mettre à l'œuvre. Après réflexion, il y consentit, tout en y mettant cette réserve, que ce ne serait pas, de sa part, un travail sérieux, mais seulement un passe-temps pour ses heures de loisir. C'est sous cette condition que l'ouvrage a été commencé dans les premiers jours de cette année, et il a été continué de la même manière.

Ce livre a donc été écrit en divers temps et en divers lieux; tantôt le matin, tantôt le soir, quand aucun autre devoir ne pressait, quand on en avait le temps; par pièces et par morceaux, quand le corps et l'esprit étaient trop fatigués pour se pouvoir prêter à un travail plus sérieux; dans l'auberge du bord de la route, dans une halte de voyage, chez les étrangers, dans toutes sortes de situations et de circonstances, quelquefois même dans des circonstances désagréables. C'est ainsi que le livre s'est fait pas à pas, dix lignes aujourd'hui, cinq à six pages demain, et presque toujours sans que l'auteur eût sous la main les livres et les documents, qu'il eût pu consulter. Mais du premier jour où il a mis la main à l'œuvre, il a trouvé ce qu'il cherchait — un plaisir, une distraction et souvent même une consolation, un soulagement. Des souvenirs heureux se sont réveillés en lui, de nouveaux rapprochements se sont opérés dans son esprit; il a rassemblé les fragments épars d'anciennes études et de lectures oubliées, et s'est reporté en idée à des temps et à des choses moins tristes que ce que nous voyons de nos jours.

Mais quelle nécessité de dire tout cela au lecteur? — Deux motifs nous y engagent.

En premier lieu, il n'est pas impossible que cette manière de travailler ait influé sur l'ouvrage lui-même : peut-être le trouvera-t-on décousu et sans suite; peut-être verra-t-on des disparates entre les différentes parties dont il se compose. Nous avons dû prévoir le cas, et en faire connaître les causes.

En second lieu, le lecteur saura ainsi, dès l'abord, qu'il ne doit pas s'attendre à trouver ici un traité savant et approfondi touchant les antiquités ecclésiastiques. Rien n'eût été plus facile que de jeter sur cet ouvrage un vernis d'érudition, et de remplir de notes et de commentaires la moitié de chaque page. Mais telle n'a jamais été la pensée de l'auteur.

Son désir a été plutôt de familiariser son lecteur avec les usages, les habitudes, la condition, les idées, les sentiments et l'esprit des premiers âges du christianisme. Pour cela, il fallait certaine connaissance des lieux et des choses qui se rapportent à cette période primitive; il fallait être familiarisé avec les récits de l'époque, et cela, par la pratique habituelle, bien plus encore que par l'étude. Il était nécessaire que l'auteur eût une connaissance parfaite des écrits du temps, par exemple, des Actes des premiers martyrs qu'il a dû lire attentivement à plusieurs reprises, pour se bien pénétrer de l'esprit qui y respire, et non pour les examiner au point de vue de la science ou de la critique de l'antiquaire. C'est ainsi que les localités et les monuments qu'il a dépeints ont dû, en quelque sorte, surgir et se placer devant lui, dès qu'il les a été chercher dans ses souvenirs, et cela bien mieux que s'il n'en avait eu connaissance que par des livres.

Une autre source d'instruction a été largement mise à profit. Tous ceux qui connaissent le Bréviaire romain ont dû observer que, dans les offices de certains saints, domine un style particulier qui présente, sous une forme distincte et caractéristique, le bienheureux dont la mémoire est célébrée. Ceci ne vient pas tant du fond du récit que de certaines expressions mises dans la bouche du saint, ou de narrations succinctes de tel ou tel événement particulier de leur existence, qui se répètent fréquemment, sous forme d'antiennes, de répons aux leçons ou même de versets; si bien que de l'ensemble résulte pour nous une individualité complète, un portrait exact et saisissant, d'une rare excellence. Tels sont, entre autres, les offices des saintes Agnès, Agathe, Cécile et Lucie, et ceux de saint Clément et saint Martin. Chacun de ces saints personnages se place devant nous avec ses traits distincts, son caractère particulier, comme si nous les avions vus et connus.

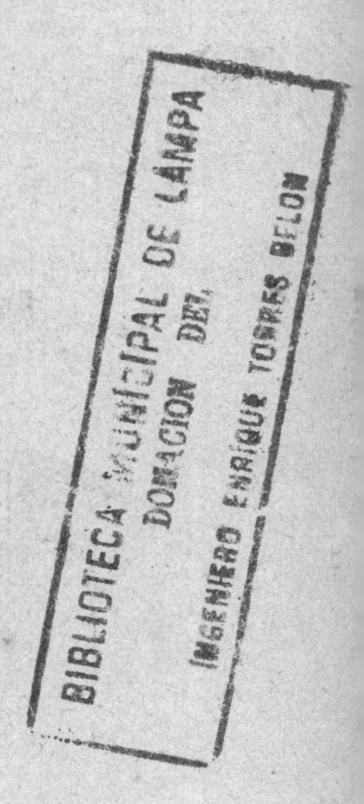

Prenons, par exemple, l'office de la sainte que nous avons nommée la première; nous y découvrons, à première vue, les circonstances suivantes : il est évident qu'elle est poursuivie par quelque admirateur païen, dont elle repousse, à différentes reprises, la fortune et la main. Quelquefois elle lui dit qu'il a été devancé par un autre à qui elle est fiancée; quelquefois elle décrit, sous différentes images, cet objet de son choix, le représentant comme l'objet de l'hommage même de la lune et du soleil. Dans une autre occasion, elle décrit les riches présents qu'il lui a faits, ou les magnifiques parures dont il l'a ornée, et les chastes caresses par lesquelles il s'est fait aimer d'elle. Puis enfin, comme si elle était pressée plus importunément encore, elle rejette formellement l'amour d'un homme périssable, d'un misérable mortel « aliment de la mort, » et se proclame triomphalement l'épouse du Christ. On a recours aux menaces; mais elle se déclare sous la protection d'un ange qui la défend contre toute attaque.

L'histoire de cette sainte est aussi formellement écrite dans les divers fragments qui composent son office, qu'est écrit un mot avec les lettres éparses qui le composent lorsqu'elles sont une fois réunies. Mais, dans l'ensemble, on distingue une autre particularité, et l'une des plus belles, sans aucun doute, de son caractère. Il nous est clairement démontré que la sainte avait toujours devant les yeux l'objet invisible de son amour; elle le voyait, elle l'entendait, elle le sentait, et entretenait avec lui un échange d'affection pure et réelle, telle qu'en peuvent éprouver ici-bas des cœurs sincères. Elle semble sous le charme incessant d'une vision perpétuelle, presque d'une extase suprême qui la fait jouir de la présence de son céleste époux. Il lui a réellement mis au doigt l'anneau de mariage, il a empourpré ses joues de son sang et il l'a couronnée de roses naissantes. L'œil d'Agnès est bien réellement fixé sur lui, et ils échangent de doux regards d'ineffable affection.

Quel est l'auteur qui, mettant en scène un personnage semblable, se permettrait d'en altérer le caractère? qui oserait tenter de lui en substituer un autre? ou qui pourrait espérer de tracer un portrait plus fidèle et plus vivant que celui qu'en a fait l'Eglise? D'ailleurs, mettant de côté toute recherche quant à l'authenticité réelle des Actes dans lesquels se trouvent ces passages, et sans nous préoccuper surtout de la question de savoir si la critique sévère d'un siècle passé n'a pas trop légèrement rejeté ces documents ecclésiastiques comme le prétend Gueranger, — il n'en reste pas moins établi pour nous que l'Église, dans l'office de sainte Agnès, a voulu nous mettre sous les yeux un type de suprême vertu personnifiée dans le caractère de cette sainte. L'auteur du livre qu'on va lire a donc cru devoir se placer au même point de vue.

A-t-il atteint le but qu'il s'était proposé? Ce sera au lecteur à en juger. Quoi qu'il en soit, et même en regardant la somme plus ou moins grande d'instruction qu'on peut attendre d'un livre de ce genre, c'est-à-dire d'un ouvrage fait pour la simple lecture, on pourra constater par la comparaison des sujets par nous traités — soit directement, soit indirectement — avec les sujets semblables exposés dans les ouvrages élémentaires — par exemple les *Mœurs des chrétiens*, de Fleury, livre qui embrasse plusieurs siècles de plus — que nous avons donné dans ces pages tout autant de connaissances positives sur les pratiques et les croyances de ces temps primitifs, qu'on en pourrait trouver dans des ouvrages d'une forme plus didactique.

En même temps, le lecteur se souviendra toutefois que ce livre n'est nullement historique. Il ne comprend qu'une période de quelques mois, renfermés dans quelques chapitres rapides. C'est plutôt une série de tableaux qu'une narration d'événements proprement dite. Aussi on y trouvera réunis dans un petit espace des faits qui se sont passés à différentes époques et dans des pays différents. Il n'a été tenu aucun compte de la chronologie historique. Ainsi la date de l'édit de Dioclétien a été avancée de deux mois; le martyre de sainte Agnès a été transféré d'une année entière; la période de saint Sébastien, bien qu'incertaine, a été placée plus près de nous. Cependant tout ce qui touche à la topographie chrétienne a été observé aussi fidèlement que possible; seulement le récit d'un martyre a été placé à Imola au lieu d'être à Fundi.

Il était nécessaire de présenter quelques appréciations de la morale et des opinions du monde païen, pour faire contraste avec les opinions et la morale des chrétiens. Mais les teintes les plus repoussantes de ce triste tableau ont été soigneusement adoucies, car nous ne voulions rien montrer à nos lecteurs qui pût blesser l'œil ou la pensée d'un esprit chrétien. Nous avons désiré que cet ouvrage — écrit par l'auteur pour se délasser — pût être également pour le lecteur une diversion accidentelle à des occupations plus sérieuses; mais nous avons désiré aussi qu'il pût, après l'avoir lu, se rendre ce témoignage qu'il n'a pas perdu son temps, et qu'il n'a pas occupé son esprit d'objets frivoles. Nous avons espéré surtout qu'il pourrait puiser dans ces pages quelque sentiment d'admiration et d'amour pour ces temps primitifs, qu'une curiosité exagérée, touchant des époques plus nouvelles et plus brillantes de l'Eglise, tend à diminuer et à obscurcir.

8 Septembre 1854.

FABIOLA

OU L'ÉGLISE DES CATACOMBES.

PREMIÈRE PARTIE.

PAIX.

I. — LA MAISON CHRÉTIENNE.

C'est par une après-midi de septembre, en l'an de grâce 302, que nous invitons notre lecteur à nous accompagner dans les rues de Rome. Le soleil est sur son déclin ; dans deux heures il aura quitté l'horizon : le ciel est pur et la chaleur du jour a diminué de telle sorte, que les gens, sortant de leurs demeures, se dirigent, les uns vers les jardins de César, les autres vers ceux de Salluste, pour faire leur promenade du soir, et apprendre les nouvelles de la journée.

Mais le quartier de la ville dans lequel nous voulons conduire notre bienveillant lecteur est celui qui est connu sous le nom de champ de Mars. Il comprenait, à cette époque, la plaine d'alluvions qui est située entre le Tibre et les sept Collines de Rome antique. Dès la fin de la période républicaine, cet espace, jadis consacré aux exercices athlétiques ou militaires du peuple, avait déjà commencé à être envahi par quelques édifices publics. Pompée y avait élevé son théâtre ; peu après, Agrippa y bâtissait le Panthéon et les bains qui l'avoisinent. Par degré, ce terrain se couvrit aussi d'habitations particulières, tandis que les hauteurs, quartiers aristocratiques de la ville sous l'empire naissant, semblaient appeler les grands édifices. C'est ainsi qu'après l'incendie allumé par Néron, le Palatin se trouva, en quelque sorte, trop étroit pour la résidence impériale et le cirque Maximus qui y touche. L'Esquilin fut envahi par les bains de Titus, bâtis sur les ruines de la Maison d'Or ;

l'Aventin disparut sous les bains de Caracalla, et, à l'époque dont nous nous occupons, l'empereur Dioclétien, sur le mont Quirinal et non loin des jardins de Salluste, que nous avons nommés, prenait, pour y élever ses Thermes (bains chauds), un espace qui eût suffi à plusieurs demeures seigneuriales.

L'endroit particulier du champ de Mars vers lequel nous dirigeons nos pas est un de ceux dont la situation est tellement précisée, qu'il est aisé à quiconque est versé dans la topographie de Rome ancienne ou dans celle de Rome moderne de l'indiquer exactement. Du temps de la République, il y avait dans le champ de Mars un vaste espace carré entouré de palissades et divisé en différents enclos, dans lesquels se tenaient les comices ou assemblées électorales du peuple. Cet espace s'appelait *septa* (clos) ou *ovile* (bergerie), à cause de sa ressemblance avec un parc ou bergerie. Auguste réalisa le projet dont parle Cicéron dans une de ses lettres à Atticus (liv. IV, ép. 6), et qui consistait à changer cette construction grossière en un solide et magnifique édifice. La *septa Julia*, comme on l'appela dans la suite, formait un superbe portique de mille pieds de long sur cinq cents de large, soutenu par des colonnes et orné de riches peintures. On en retrouve encore maintenant les ruines : il occupait l'emplacement (en longeant le Corso actuel) que couvrent aujourd'hui les palais Doria et Verospi, le collége Romain, l'église de Saint-Ignace et l'oratoire de la Caravita.

La maison dans laquelle nous introduirons le lecteur est située précisément en face et un peu à l'est de cet édifice : elle comprend dans son enceinte l'emplacement de l'église actuelle de Saint-Marcel, d'où elle s'étend par derrière jusqu'au pied du mont Quirinal, couvrant, comme faisaient beaucoup de nobles maisons romaines, une étendue considérable de terrain. A l'extérieur, elle ne présente qu'un aspect triste et morne. Les murs sont simples, sans aucun ornement d'architecture, peu élevés et à peine interrompus par de rares fenêtres. Au milieu d'une des faces de ce quadrilatère est une porte *in antis*, c'est-à-dire qu'elle n'est relevée que d'un simple tympan ou corniche triangulaire reposant sur deux demi-colonnes. Usant, en qualité « d'inventeur de fictions, » du privilége d'ubiquité invisible, nous allons pénétrer dans cette demeure avec notre ami lecteur ou « notre ombre, » comme on l'appelait dans l'antiquité. En entrant sous le porche, sur le pavé duquel on lit, avec plaisir, le bienveillant *salve* (*Salut*, ou *soyez le bienvenu*), incrusté en mosaïque, nous nous trouvons dans l'*atrium*, la première cour du logis, laquelle est entourée d'un portique ou colonnade[1].

Au centre de cette cour, dallée en marbre, se fait entendre le doux murmure d'un jet d'eau limpide amenée, par l'aqueduc de Claude, des hauteurs de Tusculum. Le liquide cristal s'élance dans l'air, tantôt plus haut, tantôt plus bas, et retombe dans un bassin supérieur en marbre rouge, des bords duquel il s'échappe en nappes ondoyantes; mais, avant d'atteindre le bassin inférieur, qui est aussi le plus vaste, il répand une douce rosée sur les belles plantes rares placées dans des vases élégants disposés à l'entour. Sous le portique, on voit des meubles riches et parfois précieux : ce sont des lits incrustés d'ivoire et même d'argent; des tables de bois d'Orient, chargées de candélabres, de lampes et d'autres objets usuels, en bronze ou en argent; des bustes merveilleusement sculptés, des vases, des trépieds, des chefs-d'œuvre de l'art. Les murs sont ornés de peintures qui datent évidemment d'une époque ancienne, mais qui ont néanmoins conservé tout l'éclat de leur coloris et toute la fraîcheur de leur exécution. Ces tableaux sont séparés les uns des autres par des niches garnies de statues qui représentent bien, à la vérité, ainsi que les peintures, des sujets tirés de la mythologie ou de l'histoire; mais nous ne pouvons nous empêcher de remarquer que les yeux ne rencontrent rien qui puisse blesser l'âme la plus délicate. Çà et là, une niche demeurée vide ou un tableau couvert d'un voile prouve que ces lacunes ne sont pas le résultat d'un accident.

Comme le plafond cintré, qui se projette à l'extérieur des colonnes, offre à son centre une large ouverture carrée, nommée *impluvium*, une tenture, un rideau de toile épaisse s'y déroule et en défend l'entrée contre le soleil et la pluie. Un demi-jour artificiel nous permet donc seul de voir tout ce que nous avons décrit, mais il ne donne que plus d'effet à ce qui se trouve au-delà. A travers une arcade, ouverte en face de celle par laquelle nous sommes entrés, nous pouvons jeter un coup d'œil dans une cour intérieure plus riche encore que la première : elle est pavée de marbres variés et ornée de dorures éclatantes. Le voile de l'ouverture supérieure qui, cependant, est fermée ici d'un verre épais ou de talc, *lapis specularis*, en est à demi-tiré, et laisse pénétrer un rayon clair mais adouci du soleil couchant, jusqu'à un endroit où nous

(1) La cour d'une maison de Pompeï, au *Palais de cristal,* aura sans doute familiarisé beaucoup de nos lecteurs avec les dispositions des demeures antiques.

découvrons enfin, et pour la première fois, que nous n'errons pas dans une demeure enchantée, mais que nous sommes bien dans une maison habitée.

Auprès d'une table et à l'extérieur d'une colonnade en marbre phrygien, une femme est assise ; elle n'a pas dépassé l'âge moyen de la vie, et ses traits nobles, mais doux, portent les traces de chagrins profonds éprouvés dans sa jeunesse. Cependant une puissante influence semble en avoir vaincu la mémoire ou du moins l'avoir tempérée par une pensée plus douce, de façon que toutes deux sont unies dans son cœur et y demeurent inséparables depuis longtemps. La simplicité de son extérieur contraste étrangement avec la richesse de tout ce qui l'entoure; sa chevelure, sillonnée çà et là de quelques fils prématurément argentés, est découverte et arrangée sans art; ses vêtements sont simples de couleur et de façon, dépourvus de broderie et d'ornements, si ce n'est la bordure de pourpre, appelée *segmentum* (galon) dont ils sont entourés, et qui est un signe de veuvage; on ne découvre enfin sur elle ni pierreries ni aucun de ces bijoux précieux dont les dames romaines étaient si prodigues. La seule chose qui semble se rapprocher du luxe est une mince chaîne ou un léger lacet d'or qu'elle porte au cou, et qui paraît soutenir un objet soigneusement caché dans le haut de sa tunique.

Au moment où nous l'apercevons, elle est activement occupée d'un travail qui n'est évidemment pas destiné à son usage personnel. C'est une longue bande de drap d'or qu'elle brode d'un fil d'or plus riche encore : de temps en temps, son aiguille va chercher dans plusieurs petites cassettes élégantes, ouvertes sur la table, tantôt une perle, tantôt une pierre précieuse enchâssée dans l'or, et dont elle parsème sa broderie. On dirait que ce sont des bijoux, ses parures aux jours passés, qu'elle emploie à un plus noble usage.

Mais, à mesure que le temps s'écoule, une légère inquiétude semble envahir peu à peu ses pensées que jusqu'ici son travail absorbait, selon toute apparence. Elle relève souvent la tête et jette un regard vers la porte : quelquefois elle prête l'oreille au bruit des pas, et son visage exprime le désappointement. Elle regarde tour à tour le soleil et la clepsydre qui est placée sur une console auprès d'elle ; mais, au moment où un sentiment plus prononcé d'anxiété commence à se peindre sur sa physionomie, un coup vif et joyeux retentit à la porte d'entrée, et radieuse, elle se penche en avant pour accueillir le visiteur impatiemment attendu.

II. — LE FILS DU MARTYR.

C'est un jeune homme plein de grâce, de vivacité et de candeur qui, d'un pas alerte et léger, traverse l'atrium et se dirige vers la cour intérieure, si prestement que nous aurons à peine le temps d'esquisser sa personne. Il est âgé d'environ quatorze ans, mais il est grand pour son âge, et sa démarche est à la fois pleine d'élégance et de fermeté. Son cou nu et ses membres ont ce développement que donnent les exercices salutaires ; ses traits révèlent un cœur ardent et sincère, tandis que son front élevé, entouré de cheveux bruns bouclés naturellement, rayonne d'intelligence. Il porte le vêtement ordinaire des jeunes gens, la courte tunique *prétexte,* qui lui descend au-dessous du genou ; une boule creuse en or, nommée *bulla,* est suspendue à son cou. Une liasse de papiers et des rouleaux de *velum* (vélin, sorte de parchemin), attachés ensemble, et portés par un vieux serviteur qui le suit, nous indiquent qu'il revient de l'école[1].

Tandis que nous l'avons dépeint, il a reçu les embrassements de sa mère et s'est assis à ses pieds. La matrone le regarde en silence pendant quelques instants, comme pour lire dans ses traits la cause de son retard inusité, car il y a une heure qu'il devait être de retour. Mais le regard du jeune homme soutient celui de sa mère avec tant d'assurance, qu'elle sent aussitôt se dissiper en elle tout nuage de soupçon, et qu'elle s'adresse à lui dans les termes suivants :

— Qu'est-ce qui vous a retenu aujourd'hui, mon bien cher enfant? J'aime à croire qu'aucun accident ne vous a arrêté en chemin.

— Oh! aucun, je vous assure, très-douce mère[2]; au contraire, il ne m'est rien arrivé que de très-agréable — de si agréable même, que je ne sais vraiment si je me hasarderai à vous le raconter.

Un regard qui exprimait une douce curiosité provoqua chez le jeune homme un frais éclat de rire, et il continua :

— Allons, je vois bien qu'il faut tout vous dire. Vous savez que je ne suis heureux, que je ne puis m'endormir que lorsque je vous ai raconté

(1) Cette coutume a suggéré à saint Augustin cette belle pensée, que les Juifs étaient les pédagogues du christianisme, parce qu'ils portaient pour les chrétiens des livres qu'eux-mêmes ne pouvaient comprendre.

(2) C'était l'expression particulière usitée dans les Catacombes.

tout ce que j'ai fait, en bien comme en mal, pendant la journée. — La mère sourit de nouveau, en se demandant ce que pouvait être ce mal. — Je lisais l'autre jour, que, chaque soir, les Scythes jettent dans une urne une pierre blanche ou une noire, selon que la journée leur a été heureuse ou néfaste ; si j'avais à faire de même, ces pierres me serviraient à marquer, en noir ou en blanc, les jours où j'aurais ou n'aurais pas eu l'occasion de vous rendre compte de toutes mes actions. Cependant aujourd'hui, pour la première fois, j'ai un doute, un scrupule de conscience qui me fait hésiter à tout vous dire.

Le cœur de la mère battit-il plus vite qu'à l'ordinaire comme à une première inquiétude, ou ses yeux indiquèrent-ils une plus tendre sollicitude ? nous l'ignorons ; mais le jeune homme lui prit la main et la porta affectueusement à ses lèvres, en ajoutant :

— Ne craignez rien, mère bien-aimée, votre fils n'a rien fait qui puisse vous affliger. Dites-moi seulement si vous désirez savoir *tout* ce qui m'est arrivé aujourd'hui, ou uniquement la cause de mon retard.

— Dites-moi *tout*, cher Pancrace, répondit-elle : rien de ce qui vous concerne ne peut m'être indifférent.

— Eh bien ! donc, pour la dernière fois que je vais à l'école, la journée me paraît avoir été particulièrement bénie, et pourtant elle est pleine d'étranges incidents. D'abord j'ai été couronné premier dans la déclamation [1] que notre bon maître Cassianus nous avait donnée pour tâche pendant les heures de la matinée, et ceci a amené de singulières découvertes, comme vous allez l'entendre. Il s'agissait de prouver que « le vrai philosophe doit être toujours prêt à mourir pour la vérité. » Je n'ai jamais rien entendu d'aussi froid, d'aussi insipide (je crois qu'il n'y a pas de mal à le dire) que les compositions que mes compagnons ont lues tour à tour. Pauvres amis ! ce n'est pas leur faute : quelle vérité peuvent-ils posséder ? quels motifs peuvent-ils avoir de mourir pour le soutien de leurs vaines opinions ? Mais à un chrétien, quelles délicieuses idées un pareil sujet ne suggère-t-il pas naturellement ! J'en ai fait l'expérience. Plein des principes que vous m'avez enseignés, des exemples domestiques que j'ai sous les yeux, mon cœur s'embrasait, ma tête semblait en feu. Le fils d'un martyr pourrait-il sentir différemment ? Aussi, quand est venu mon tour de lire ma déclamation, mes sentiments ont manqué de me trahir d'une manière fatale. Dans la chaleur de mon débit, le mot de « chrétien » s'échappait de mes lèvres

(1) Nom que donnaient les Romains à ce que nous appelons *thèse* aujourd'hui.

au lieu de « philosophe, » et je disais « foi » au lieu de « vérité. » A la première méprise, je vis tressaillir Cassianus ; à la seconde, une larme a brillé dans ses yeux, lorsque, se penchant affectueusement vers moi, il m'a dit tout bas : « Prenez garde, mon enfant, il y a ici des oreilles indiscrètes qui écoutent. »

— Eh quoi! interrompit la mère, Cassianus serait-il chrétien? J'ai choisi son école pour vous parce qu'elle jouit de la plus haute réputation sous le rapport de la science et de la moralité, et, en vérité, je rends grâce au Ciel aujourd'hui de l'avoir fait. Hélas ! aux temps de dangers et d'inquiétudes où nous vivons, nous sommes forcés d'agir en étrangers dans notre propre patrie, et nous connaissons à peine les visages de nos frères. Certes, si Cassianus avait proclamé sa foi, son école eût été bientôt déserte. Mais continuez, mon cher enfant; ses appréhensions étaient-elles fondées?

— J'en ai peur ; car, tandis que la plupart de mes condisciples, sans faire attention à mes méprises, applaudissaient vivement à ma chaleureuse déclamation, j'ai vu les yeux noirs de Corvinus se fixer menaçants sur moi, tandis qu'il se mordait les lèvres avec une colère concentrée.

— Et qui est-il donc, mon enfant, celui qui s'est montré si irrité, et pourquoi cette colère?

— C'est le plus âgé et le plus fort, mais, malheureusement, le plus stupide de l'école. A la vérité ce n'est pas sa faute, n'est-ce pas? Seulement, et je ne sais pourquoi, il a toujours semblé avoir contre moi un mauvais vouloir, une rancune dont je ne puis comprendre la cause.

— Vous a-t-il dit ou fait quelque chose?

— Oui, et c'est là le motif de mon retard. Tandis que nous revenions de l'école par la plaine qui longe la rivière, il s'est mis à m'insulter devant tous nos camarades. « Eh bien! Pancrace, m'a-t-il dit, c'est aujourd'hui, je pense, la dernière fois que nous nous rencontrons *ici* (et il appuyait avec intention sur le mot), mais avant tout, j'ai un compte à régler avec vous. Vous avez pris plaisir à étaler à l'école votre supériorité sur moi et sur bien d'autres qui sont plus âgés et qui valent mieux que vous. J'ai vu votre regard dédaigneux se fixer sur moi pendant que vous nous débitiez vos phrases ampoulées. Oui, certes... j'en ai même retenu des expressions dont vous pourrez avoir à vous repentir, et cela bientôt, car mon père, vous le savez bien, est préfet de la cité (la mère tressaillit légèrement), et il se prépare en ce moment quelque chose qui pourrait vous toucher de près. Avant que vous ne nous quittiez, je veux prendre ma revanche. Si vous êtes digne de votre nom de Pancrace[1], et si ce n'est pas pour vous un mot vide de sens, combattons d'une façon un peu plus virile que dans ces assauts de styles et de tablettes[2]. Venez vous mesurer avec moi à la lutte ou au ceste[3]. Je brûle de vous humilier comme vous le méritez devant tous ces témoins de vos insolents triomphes.

La mère inquiète se penchait en avant comme pour mieux entendre. Respirant à peine, elle s'écria :

— Et qu'avez-vous répondu, mon cher fils ?

— Je lui ai fait observer avec calme qu'il était complétement dans l'erreur ; que je n'avais jamais eu l'intention de faire quoi que ce fût qui pût l'affliger, lui ou mes autres condisciples ; que jamais je n'avais songé à me prévaloir d'une supériorité quelconque. « Et quant à ce que vous me proposez, ai-je ajouté, vous savez, Corvinus, que je me suis toujours refusé à prendre part aux luttes corps à corps : elles commencent par de tranquilles essais d'adresse et se terminent par des combats furieux, acharnés, et par la soif de la vengeance. Combien plus dois-je m'y refuser aujourd'hui que vous avouez vous-même être animé des mauvais sentiments qui en sont, d'ordinaire, la conséquence? » — Cependant nos camarades avaient fait cercle autour de nous, et je voyais bien qu'ils étaient tous contre moi, car ils avaient compté sur le plaisir d'assister à l'un de leurs cruels passe-temps ; aussi ai-je gaîment ajouté : « Et maintenant, adieu, mes amis, que le bonheur vous accompagne ! je vous quitte comme j'ai toujours vécu avec vous, c'est-à-dire en paix. » — Non pas ! s'écria Corvinus, le visage pourpre de colère, non pas, vous...

Une rougeur subite couvrit le front du jeune homme, sa langue hésita, tout son corps tressaillit, et d'une voix entrecoupée il ajouta avec effort : « Je ne puis continuer, je n'ose dire le reste... »

— Pour l'amour de Dieu, par la mémoire de votre père, dit la matrone en posant la main sur la tête de son fils, je vous en conjure, ne me cachez rien. Il n'est plus de repos pour moi, si vous ne me révélez tout. Que vous a encore dit et fait ce Corvinus?

(1) Le *pancratium* était l'exercice qui réunissait tous les autres genres de combats individuels, tels que la lutte, le pugilat, etc.

(2) Les styles et les tablettes étaient les instruments dont on se servait pour écrire dans les écoles ; les tablettes étaient enduites de cire, on y traçait des lettres avec la pointe du style, et on les effaçait avec l'autre bout, qui était arrondi.

(3) Les gantelets employés pour les combats à coups de poing.

Le jeune homme se remit, après une pause d'un moment et une silencieuse prière ; puis il reprit :

— « Non pas ! s'est écrié Corvinus, non pas, vous ne nous quitterez pas ainsi, lâche adorateur d'une tête d'âne[1]. Vous nous avez caché votre demeure, mais je saurai vous trouver ; d'ici là, emportez ce gage de mon dessein bien arrêté de me venger de vous ! » — Et, ce disant, il m'a donné au visage un coup furieux qui m'a fait chanceler, pendant que de sauvages éclats de rire s'élevaient du groupe des écoliers qui nous entouraient.

L'enfant se mit à pleurer ; ses larmes le soulagèrent, car il poursuivit :

— Oh ! comme à ce moment j'ai senti mon sang bouillonner dans mes veines ! comme mon cœur bondissait dans ma poitrine, tandis qu'une voix railleuse sembla murmurer à mon oreille l'injurieux nom de « lâche ! » C'était sûrement la voix de l'esprit du mal. Je me sentais assez fort — ma colère s'éveillant me rendait ainsi — pour saisir à la gorge mon brutal adversaire, et pour le jeter haletant à mes pieds. J'entendais déjà en idée retentir autour de moi les applaudissements qui auraient salué ma victoire et tourné les esprits en ma faveur. Ce fut la plus terrible tentation de ma vie ; jamais la chair et le sang ne se révoltèrent en moi avec plus de force. O mon Dieu ! puissent-ils ne plus me faire sentir leur redoutable empire !

— Et qu'avez-vous fait alors, mon cher enfant ? murmura la mère d'une voix défaillante.

— Mon bon ange triompha du démon qui me tentait. J'ai pensé à notre divin Sauveur qui, dans la maison de Caïphe, entouré d'ennemis le raillant et le menaçant, a été frappé, lui aussi, ignominieusement à la joue, et qui pourtant pardonna sans murmure. Pouvais-je vouloir agir autrement[2] ? J'ai tendu la main à Corvinus en lui disant : « Puisse Dieu vous pardonner aussi entièrement que je vous pardonne, et puisse-t-il répandre sur vous ses bénédictions les plus abondantes ! » A ce moment est arrivé Cassianus qui, de loin, avait assisté à cette scène, et, à son aspect, tous les écoliers ont pris la fuite. Je l'ai supplié, au nom de notre commune foi, aujourd'hui reconnue entre nous, de ne pas inquiéter Corvinus pour ce qu'il m'a fait, et j'ai obtenu qu'il me le promît. Et maintenant, douce mère, murmura l'enfant d'une voix

(1) C'était là une des nombreuses calomnies qui avaient cours parmi les païens.

(2) Cette scène est prise d'un fait véritable.

caressante, en appuyant sa tête sur le sein de sa mère, et maintenant, ne pensez-vous pas que je puis appeler ce jour-ci un jour heureux?

III. — LA DÉDICACE.

Pendant cette conversation, le jour était rapidement tombé. Une servante âgée entra sans être remarquée, alluma les lampes des candélabres de marbre et de bronze, et se retira sans bruit. Une éclatante lumière envahit, à son insu, le groupe touchant de la mère et du fils qui étaient restés silencieux, car Lucine, la sainte matrone, n'avait répondu à la dernière question de Pancrace que par un fervent baiser sur son front brûlant. Ce n'était pas uniquement une émotion maternelle qui agitait sa poitrine; ce n'était même pas l'heureux sentiment qu'éprouve une mère quand, après avoir élevé son enfant dans des principes généreux et difficiles à observer, elle voit ceux-ci soumis à la plus rude épreuve et son fils sortir vainqueur de la lutte. Ce n'était pas non plus la joie d'avoir un enfant qu'elle trouvait si héroïquement vertueux dans un âge si tendre; et pourtant, avec bien plus de raison que la mère des Gracques, montrant ses fils aux matrones étonnées de la République romaine en leur disant : « Voici mes seuls joyaux; » cette mère chrétienne eût pu être fière, devant l'Eglise, du fils qu'elle avait élevé.

Mais c'était un sentiment plus profond, ou, pour mieux dire, un sentiment plus sublime qui l'occupait. Il était enfin venu le moment qu'elle avait attendu avec angoisses pendant bien des années, et pour lequel elle avait souvent prié avec toute la ferveur dont une mère seule est capable. Pieuse, plus d'une, dès le berceau, a voué son enfant à l'état le plus saint et le plus noble qui soit sur la terre; plus d'une a prié et supplié pour le voir grandir et devenir d'abord un lévite sans tache, puis un saint prêtre à l'autel; surveillant avec anxiété chacune de ses inclinations naissantes et s'efforçant doucement de diriger ses jeunes pensées vers le sanctuaire du Dieu des armées. Et si cet enfant était un fils unique, comme Samuël l'était pour Anne, cette offrande de tout ce qu'il y a de cher à sa profonde affection peut, à juste titre, être considérée comme un acte d'héroïsme maternel. Que peut-on dire alors des matrones antiques, de Félicité, de Symphorose, de la mère innommée des Machabées, qui ont offert ou dévoué à Dieu leurs enfants — non pas un, mais plusieurs, mais tous, oui tous — et non pour les voir prêtres s'approcher seulement de l'autel, mais pour les y voir sacrifiés en holocauste?

Une pensée semblable remplissait, à cette heure, le cœur de Lucine, tandis que, les yeux fermés, elle l'élevait au ciel et demandait le courage. Elle se sentait appelée à faire un généreux sacrifice de ce qu'elle avait de plus précieux sur la terre, et quoiqu'elle eût prévu et appelé de tous ses vœux le moment où il devait se consommer, ce n'était pas sans de cruelles angoisses maternelles, elle le sentait bien, qu'elle pourrait en recueillir les mérites. Et que se passait-il dans l'esprit du jeune homme, demeuré, lui aussi, rêveur et silencieux? Il n'a nulle idée de la haute destinée qui l'attend. Aucune vision ne lui représente une basilique vénérable que, seize cents ans plus tard, l'antiquaire sacré et le pieux pèlerin visitent avec empressement, et qui donne son nom à l'une des portes de Rome[1]. Il ne se doute pas qu'aux bords de la Tamise lointaine, dans les siècles fidèles encore à la foi, une église s'élèvera en son honneur, et que cette église, bien que profanée depuis, sera aimée et choisie avec empressement pour leur sépulture par les cœurs demeurés fidèles aux dogmes de sa Rome tant aimée[2]. Il était loin de prévoir qu'un dais ou *ciborium*, tout d'argent et du poids de deux cent quatre-vingt-sept livres, dût être dressé, par les soins du pape Honorius Ier,[3] au-dessus de l'urne de porphyre, qui renfermerait ses cendres. Il ne s'imaginait pas que, *devenu l'enfant martyr de l'Eglise primitive*, son nom allait être inséré dans tous les martyrologes, et son image fixée sur de nombreux autels, la tête ceinte d'une couronne de rayons. C'était alors tout simplement le jeune chrétien au cœur pur et droit, qui considérait comme une chose toute naturelle l'obéissance à la loi de Dieu et à son Evangile, et qui se sentait, ce jour-là, tout heureux d'avoir fait son devoir, surtout quand l'accomplissement de ce devoir avait été soumis à des épreuves exceptionnelles. Il n'y avait dans ses réflexions ni orgueil, ni admiration de lui-même, autrement il n'y aurait eu aucun héroïsme dans sa conduite.

(1) L'église de la porte de San-Pancrazio.

(2) Old. S.-Pancras, le lieu de sépulture des catholiques de Londres, et préféré par eux à tout autre, jusqu'aux jours où ils ont eu des cimetières particuliers.

(3) *Anastasius, biblioth. in vita Honorii.*

Quand il releva les yeux, après avoir donné un paisible cours à ses calmes pensées, et que, à l'éclat de la lumière nouvelle qui brillait dans la salle, il les attacha sur sa mère, il fut surpris de l'expression de majesté et de tendresse empreinte dans le regard qu'elle jetait sur lui, et qu'il ne se souvenait pas lui avoir vue avant ce moment. Elle paraissait inspirée ; sa figure était comme celle d'une vision, ses yeux comme ceux qu'il aurait supposés à un ange. En silence et presque à son insu, il avait changé de position et s'était agenouillé devant elle. Il le pouvait sans doute : n'était-elle pas pour lui un ange gardien qui l'avait toujours garanti du mal? ne pouvait-il pas à juste titre voir en elle la vivante sainte dont les vertus lui avaient, depuis son enfance, servi de modèle? D'une voix profondément émue, Lucine rompit le silence :

— Il est enfin venu, mon cher enfant, dit-elle, ce temps qui a toujours été le sujet de mes ferventes prières, ce temps auquel j'ai aspiré dans l'excès de mon amour maternel. J'ai, avec ardeur, épié en toi le développement du germe de chaque vertu chrétienne, et j'ai remercié Dieu quand elles se sont manifestées. J'ai observé ta docilité, ta douceur, ton zèle, ta piété et ton amour pour Dieu et pour ton prochain. J'ai vu avec joie ta foi vive, ton indifférence pour les choses du monde et ta tendresse pour les pauvres. Mais j'ai attendu avec anxiété l'heure où il me serait montré d'une manière décisive si tu te contenterais d'hériter des humbles qualités de ta mère, ou si tu es bien véritablement l'héritier des nobles vertus de ton père, d'un martyr. Cette heure, Dieu en soit béni! cette heure a sonné aujourd'hui.

— Qu'ai-je donc fait pour changer et relever ainsi l'opinion que vous avez de moi? demanda Pancrace.

— Écoute-moi, mon fils. En ce jour, qui est le dernier de ta vie d'écolier, il me semble que le Seigneur miséricordieux a voulu te donner une leçon qui vaut toutes les autres, pour me prouver que tu as dépouillé tout ce qui appartient à l'enfance et qu'à l'avenir il faut te traiter en homme, puisque tu sais penser, parler et même agir comme un homme.

— Que voulez-vous dire, ô ma mère?

— Ce que tu m'as dit de ta déclamation de ce matin, reprit-elle, me prouve combien ton cœur doit être plein de nobles et généreux sentiments : tu es trop sincère et trop droit pour avoir écrit et chaleureusement exprimé que c'est un glorieux devoir de mourir pour la foi si tu ne l'avais pas cru et senti.

— Et vraiment je le crois et je le sens, interrompit l'enfant. Quel plus grand bonheur un chrétien peut-il désirer sur la terre?

— Oui, mon enfant, tu dis bien, continua Lucine; mais je ne me serais point contentée de simples paroles. Ce qui vient de t'arriver m'a démontré que tu sais supporter avec patience et intrépidité, non pas seulement la douleur, mais, ce qui a dû paraître bien plus cruel encore à ton jeune sang patricien, tu as supporté l'ignominie sanglante d'un honteux soufflet et les sarcasmes et les regards railleurs d'une multitude impitoyable. Bien plus, tu t'es montré assez fort pour pardonner à ton ennemi et prier pour lui. En ce jour tu as gravi les sentiers les plus élevés de la montagne, les épaules pesamment chargées de la croix; un pas encore, et tu la planteras à son sommet. Tu t'es montré le vrai fils du martyr Quintinus : veux-tu lui ressembler tout à fait?

— Ma mère, ma mère très-aimée, très-douce mère! s'écria le jeune homme d'une voix haletante, serais-je véritablement son fils si je ne désirais lui ressembler? Bien que je n'aie jamais eu le bonheur de le connaître, son image n'est-elle pas toujours présente à mon esprit? N'est-il pas l'orgueil de toutes mes pensées? Lorsque chaque année ramène la commémoration solennelle de son martyre, lorsqu'on l'honore comme soldat de cette « phalange à la robe éclatante qui entoure le trône de l'Agneau, dans le sang duquel il a purifié ses vêtements[1], » oh! que mon cœur et ma chair tressaillent de sa gloire! Combien je l'ai prié, dans l'ardeur de ma piété filiale, pour qu'il m'obtienne, non la renommée, les honneurs, les richesses ou les joies de la terre, mais ce qu'il estimait bien au-dessus de tout cela; enfin, pour que la seule chose qu'il a laissée ici-bas puisse être destinée à l'emploi qu'il considère lui-même, je le sais, comme le plus utile, comme le plus sublime de tous!

— Et qu'a-t-il laissé, mon fils?

— Son sang, reprit le jeune homme, son sang qui coule encore dans mes veines et dans les miennes seulement. Je sais que son vœu doit être que ce sang soit un jour versé comme le sien, pour l'amour de son Rédempteur et en témoignage de sa foi.

— Assez, assez, mon enfant! s'écria la mère, frémissant d'une sainte émotion. Détache de ton cou ces insignes de l'enfance; j'ai une marque de distinction plus précieuse à te donner.

Il obéit et ôta la boule d'or qui ornait sa poitrine.

(1) *Apocal.*, ch. VII, v. 9.-14.

— Tu as hérité de ton père, dit la mère d'une voix plus solennelle encore, un noble nom, un rang élevé, de grandes richesses, tous les avantages de ce monde. Mais, de cet héritage, il est encore un trésor que je t'ai réservé jusqu'à ce que tu en fusses digne. Jusqu'à ce jour, je te l'ai caché, et cependant je le prisais plus haut que l'or et les pierreries. Il est temps qu'il te soit transmis.

D'une main tremblante elle ôta de son cou la chaîne d'or qui l'entourait, et, pour la première fois, le fils vit que cette chaîne supportait un petit sachet richement brodé et orné de joyaux. Elle l'ouvrit et en tira une éponge qui, bien que sèche, était encore fortement colorée.

— Et voici également le sang de ton père, ô Pancrace! dit-elle d'une voix défaillante et les yeux en pleurs. Je l'ai recueilli moi-même des lèvres de sa blessure mortelle, le jour où, sous un déguisement, j'étais à ses côtés et le vis mourir sous les coups qu'il avait reçus pour le Christ.

Elle tenait les yeux tendrement fixés sur cette relique si chère et la baisait avec ferveur : ses larmes ruisselantes l'arrosèrent et l'humectèrent de nouveau. Alors le sang, redevenu liquide, sembla reprendre sa couleur éclatante, sa chaleur vitale, comme s'il venait de jaillir du cœur du martyr.

La sainte matrone l'approcha des lèvres frémissantes de son fils, et ce contact sanctifiant les empourpra. Il vénéra la relique sacrée avec les sentiments les plus profonds d'un chrétien et d'un fils : il lui semblait que l'esprit de son père était descendu en lui et avait remué jusque dans ses profondeurs l'abîme de son cœur, afin que les ondes de la grâce pussent l'envahir plus librement. Toute la famille se trouvait, pour ainsi dire, de nouveau réunie. Lucine, replaçant son trésor dans le sachet, le suspendit au cou de son fils en disant : « Quand de nouveau cette éponge s'humectera, que ce soit de flots plus nobles que ceux qui peuvent jaillir des yeux d'une pauvre femme! » — Mais le Ciel ne jugeait pas comme elle de ces derniers flots, et le futur combattant fut oint, le futur martyr fut sacré par le sang de son père, mêlé aux larmes de sa mère.

IV. — LA FAMILLE PAIENNE.

Tandis que se passaient les faits rapportés dans les chapitres précédents, une scène toute différente avait lieu dans une autre maison située dans la vallée qui sépare le Quirinal de l'Esquilin. C'était la maison de Fabius, citoyen romain de l'ordre équestre, dont la famille avait amassé d'immenses richesses en affermant les revenus des provinces d'Asie. Sa maison était plus grande et plus magnifique que celle que nous venons de visiter. Elle contenait un troisième péristyle ou vaste cour entourée d'immenses appartements, et, outre les nombreux trésors des arts de l'Europe, elle abondait encore des plus rares produits de l'Orient. Des tapis de Perse couvraient le sol; des soies de Chine, des étoffes aux mille couleurs tissées à Babylone, des broderies d'or venues de l'Inde et de la Phrygie garnissaient l'ameublement, tandis que, partout disséminés, se multipliaient des objets d'ivoire ou de métal curieusement travaillés et attribués à l'adresse des habitants des îles de l'Océan indien, hommes de formes monstrueuses, disait-on, et de fabuleuse origine.

Fabius lui-même, le possesseur de tous ces trésors et d'immenses domaines, était le type parfait du Romain à l'humeur facile, et bien déterminé à jouir tout à son aise de la vie présente. A vrai dire, il ne soupçonnait pas qu'il pût y en avoir une autre. Ne croyant à rien et toutefois adorant, à l'occasion et par convenance, chacune des déités de l'Empire, suivant l'ordre dans lequel les saisons en ramenaient le culte public, il passait pour un homme de bien au même titre que ses voisins, et personne n'eût eu le droit d'exiger davantage. Il dépensait la plus grande partie de la journée à l'un ou l'autre des grands bains publics, lesquels, outre l'usage qu'indique leur nom, servaient encore, dans leurs vastes dépendances, à ce que nous nommerions aujourd'hui des clubs, des salons de lecture, des maisons de jeu, des jeux de paume et des gymnases. Il y prenait le bain, causait, lisait, et *tuait* le temps. Parfois il allait au Forum écouter le discours de quelque orateur en renom ou la plaidoirie de quelque avocat célèbre; ou bien il entrait dans l'un des nombreux jardins publics où se réunissait le monde élégant. Il rentrait enfin chez lui pour prendre part à un souper délicat, qui se servait vers l'heure où nous prenons notre dîner : il y amenait quotidiennement des hôtes qu'il avait invités à l'avance ou recrutés dans la journée, parmi les nombreux parasites toujours à l'affût de quelque bon repas.

Chez lui c'était un maître bon et indulgent. Sa maison était soigneusement entretenue par une nuée d'esclaves, et comme la gêne était ce qu'il craignait le plus au monde, aussi longtemps que tout allait bien, que le service était régulièrement et activement fait, il abandonnait les choses à leur pente tranquille, sous la direction de ses affranchis.

Mais ce n'est pas lui toutefois que nous tenons à présenter à notre lecteur; c'est une autre personne qui habite sous le même toit, qui partage la splendeur de son luxe et qui est l'unique héritière de son immense fortune. C'est sa fille, qui, selon la coutume romaine, porte le nom de son père, adouci toutefois par un diminutif : elle se nomme Fabiola[1]. Nous allons tout d'abord introduire le lecteur dans ses appartements, ainsi que nous l'avons fait pour la mère de Pancrace : un escalier de marbre qui part de la seconde cour nous y conduira. Il se compose d'une suite de salles formant les côtés de cette cour et s'ouvrant toutes sur une terrasse que rafraîchit et décore une gracieuse fontaine et qu'embellit une profusion de plantes exotiques des plus rares. Ces salons offrent la réunion de tout ce que l'art romain et l'art étranger ont produit de plus curieux. Un goût raffiné, disposant de ressources considérables, et profitant d'heureuses occasions, a évidemment présidé à la réunion et à l'arrangement de toutes ces merveilles. Au moment où nous pénétrons chez Fabiola, l'heure du repas du soir est proche, et nous trouvons la maîtresse de cette somptueuse demeure se préparant à y assister dans une parure digne d'elle-même.

La jeune femme est étendue sur une couche travaillée à l'athénienne et incrustée d'argent : la salle où elle se trouve est disposée à la cyzicaine, c'est-à-dire éclairée par de grandes fenêtres qui descendent jusqu'au plancher et s'ouvrent sur la terrasse fleurie. Contre le mur, en face d'elle, est suspendu un miroir d'argent poli de grandeur suffisante pour réfléchir toute une figure en pied ; à côté, sur une table de porphyre, se trouve une collection complète de ces innombrables et rares essences et cosmétiques dont les dames romaines étaient devenues si passionnées, et auxquels elles sacrifiaient des sommes fabu-

(1) Dans la prononciation, on met l'accent tonique sur l'*i*.

leuses[1]. Sur une autre table de bois de sandal indien, s'étalaient de riches bijoux, de magnifiques joyaux renfermés dans des cassettes de grand prix et parmi lesquelles il n'y avait qu'à choisir la parure du jour.

Nous n'avons ni l'intention ni le don de décrire des figures et de tracer des portraits; nous préférons nous occuper des esprits. En conséquence, nous nous contenterons de dire que Fabiola, âgée de vingt ans en ce moment, ne le cédait en rien aux jeunes Romaines de son rang, de son âge et de sa fortune, et que le nombre de ceux qui aspiraient à sa main était considérable. Elle différait essentiellement de son père, quant à l'humeur et au caractère. Fière, hautaine, impérieuse et irritable, elle gouvernait en impératrice tous ceux qui l'entouraient, et, à une ou deux exceptions près, elle exigeait de tous ceux qui l'approchaient un humble et respectueux hommage. Enfant unique (sa mère était morte en lui donnant le jour), elle avait été élevée avec une facile indulgence par son père, homme insoucieux et débonnaire; elle avait eu les meilleurs maîtres, elle possédait tous les arts d'agrément et pouvait se permettre toutes ses fantaisies. Jamais elle n'avait su ce que c'était que se refuser quelque chose.

Ayant été abandonnée de bonne heure à elle-même, elle avait beaucoup lu et principalement des ouvrages sérieux. Elle était devenue ainsi une sorte de philosophe de la secte épicurienne raffinée, secte incrédule et sensuelle, si fort en honneur à cette époque dans la société romaine. Elle ne connaissait absolument rien du christianisme, dont elle n'avait entendu parler que comme d'une chose vulgaire, basse et matérielle : elle le dédaignait trop, en somme, pour songer à s'enquérir de sa doctrine. Quant au paganisme, avec ses dieux, ses vices, ses fables et son idolâtrie, elle le méprisait tout simplement, bien qu'elle le pratiquât au dehors. De fait, elle ne croyait à rien au-delà de la vie présente et ne songeait qu'à jouir de ses plaisirs les plus recherchés. Cependant son orgueil même protégeait sa vertu; elle était dégoûtée de la corruption de la société païenne, et dédaignait les jeunes gens frivoles qui la poursuivaient de leurs attentions jalouses, tout en s'amusant de leurs extravagances : elle passait pour égoïste et froide, mais ses mœurs étaient irréprochables.

Si, au début de notre récit, nous semblons nous complaire dans les

(1) Le lait de cinq cents ânesses était employé pour un des cosmétiques dont se servait Poppée, femme de Néron.

descriptions, nous espérons que notre lecteur comprendra qu'elles sont nécessaires pour le mettre au courant de la situation matérielle et sociale de Rome à l'époque dont nous allons l'entretenir, et qu'elles doivent lui rendre les faits plus intelligibles. S'il s'imaginait que nous décrivons les choses trop magnifiques et trop raffinées pour une époque où les arts et le bon goût étaient en décadence, nous prendrions la liberté de lui rappeler que l'année pendant laquelle nous sommes censés visiter Rome n'est pas aussi éloignée des plus brillantes périodes de l'art romain — du temps des Antonins, par exemple, — que nous le sommes aujourd'hui du siècle de Cellini, de Raphaël ou de Donatello; et pourtant, dans combien de palais d'Italie ne conserve-t-on pas encore les chefs-d'œuvre de ces grands-maîtres, chefs-d'œuvre bien et dûment appréciés, et qui, malheureusement, n'ont plus d'imitateurs? Il en était sans doute de même dans les maisons qui apppartenaient aux anciennes et opulentes familles de Rome.

Nous trouvons donc Fabiola étendue sur sa couche athénienne; elle tient de la main gauche un miroir d'argent à poignée, et de la droite un instrument étrange pour une si belle main. C'est un stylet aigu à manche d'ivoire délicatement sculpté et terminé par un anneau d'or que l'on passait au doigt. Telle était l'arme favorite à l'aide de laquelle les dames romaines punissaient leurs esclaves ou exhalaient leur colère sur elles, au moindre accès de vapeurs nerveuses, d'impatience ou de mauvaise humeur. Trois esclaves sont, en ce moment, occupées autour de leur maîtresse. Elles appartiennent à des races différentes, et ont été achetées à grands frais, non pas tant pour leur beauté personnelle que pour les rares talents qu'on leur attribue. L'une d'elles est noire, non de la race dégradée du nègre, mais de celle qui a les traits aussi réguliers que les peuples asiatiques et tels qu'on les trouve chez les Abyssiniens et les Numides. On la dit très-habile dans la connaissance des plantes, dans celle de leurs propriétés salutaires et curatives, peut-être aussi dans leurs usages plus dangereux — c'est-à-dire dans la composition des philtres, des charmes et probablement des poisons. Elle n'est désignée que par le nom de ce pays; on l'appelle *Afra* (l'Africaine). Une Grecque vient ensuite; celle-ci a été choisie pour son goût exquis dans l'art de la parure et pour l'élégance et la pureté de son accent; aussi l'appelle-t-on *Graïa* (la Grecque). Le nom que porte la troisième, *Syra* (la Syrienne), nous indique qu'elle vient de l'Asie; elle se distingue par son adresse dans la broderie et son assiduité à ses devoirs. Elle est paisible, silencieuse et toujours absorbée par les travaux qui lui sont imposés aujourd'hui. Les deux autres, au contraire, sont bruyantes, légères et font valoir bien haut le peu qu'elles font. A tout moment elles adressent à leur jeune maîtresse les flatteries les plus extravagantes, ou cherchent à favoriser, auprès d'elle, les intérêts de l'un ou de l'autre des jeunes débauchés qui aspirent à sa main et qui ont le mieux ou le plus récemment payé cette protection.

— Que je serais heureuse, très-noble maîtresse, dit l'Africaine, si je pouvais seulement me trouver ce soir dans le *triclinium*[1] lorsque vous y ferez votre entrée, pour jouir de l'effet puissant que fera sur vos hôtes notre nouveau *stibium*[2]! Il m'en a coûté bien des peines avant de parvenir à le faire aussi parfait, mais je gagerais bien que le pareil est encore à trouver dans Rome.

— Quant à moi, interrompit l'artificieuse Grecque, je n'oserais aspirer à tant d'honneur. Je serais satisfaite de demeurer sur le seuil de la porte, afin de voir, de là, le magnifique effet de cette merveilleuse tunique de soie qui nous est venue d'Asie avec le dernier envoi d'or des tributs. Rien n'en saurait égaler la beauté; mais, je puis le dire, la façon et la coupe, fruit de mes études, ne sont pas indignes de l'étoffe.

— Et toi, Syra, dit la maîtresse avec un dédaigneux sourire, que désirerais-tu? et qu'as-tu fait aujourd'hui qui te semble mériter des éloges?

— Je n'ai rien à désirer, noble maîtresse, sinon de vous voir toujours heureuse; je n'ai rien à vanter dans ce que j'ai fait, car je suis convaincue de n'avoir fait que mon devoir.

Telle fut la modeste et sincère réponse de l'esclave.

Elle déplut cependant à l'orgueilleuse patricienne, qui reprit : « Il me semble, esclave, que tu n'es guère prodigue de louanges ; rarement on entend une parole agréable sortir de ta bouche. »

— Et de quelle valeur serait-elle, venant de moi, répondit Syra, venant d'une pauvre esclave et adressée à une noble dame, accoutumée à en entendre prononcer toute la journée, et cela par les lèvres les plus éloquentes et les plus polies de la ville? Croyez-vous à la louange, quand elle vous vient d'*elles?* Ne la dédaignez-vous pas, quand elle vous vient de *nous?*

Les deux compagnes de Syra lui jetèrent un regard plein de dépit;

(1) La salle à manger. (2) Pâte d'antimoine dont on se peignait les paupières.

Fabiola aussi était piquée de ce qui lui semblait un reproche : un sentiment élevé chez une esclave!

— Faut-il donc te rappeler encore, répondit-elle avec hauteur, que tu es à moi, et que tu as été achetée par moi, et fort cher, pour me servir comme *je* l'entendrai? J'ai tout autant de droits à l'office de ta langue qu'à celui de tes bras, et, s'il me convient d'être louée, et flattée, et chantée même par toi, tu me loueras, tu me flatteras et tu me chanteras, que tu le veuilles ou non. Plaisante idée, vraiment! une esclave avoir une volonté autre que celle de sa maîtresse, quand sa vie même appartient à celle-ci!

— C'est vrai, répondit l'esclave d'un ton calme et digne, ma vie vous appartient, ainsi que tout ce qui finit avec la vie : mon temps, ma santé, ma force, mon corps et jusqu'à mon souffle même. Tout cela, vous l'avez payé de votre or, tout cela est devenu votre propriété; mais il me reste un bien que tous les trésors d'un empereur ne peuvent acheter, qu'aucune chaîne d'esclavage ne saurait arrêter, que les bornes de la vie même ne peuvent retenir.

— Et quel est ce bien, je te prie?

— Une âme.

— Une âme! répéta Fabiola étonnée, — car elle n'avait jamais, avant ce moment, entendu une esclave revendiquer des droits à une pareille propriété; dis-nous donc, je t'en prie, ce que tu entends par ce mot.

— Je ne sais pas parler la langue des philosophes, répondit l'esclave, mais j'entends, par ce mot, cette conscience intime qui vit en moi, qui me fait sentir que j'ai droit à une autre existence en compagnie de choses meilleures que celles qui m'environnent, conscience qui recule sensitivement devant la destruction et instinctivement devant tout ce qui en est proche, comme la maladie l'est de la mort. C'est pourquoi cette conscience abhorre toute flatterie et déteste le mensonge. Tant que je posséderai cet invisible don, et il ne peut mourir, l'un comme l'autre me sera impossible.

Les deux autres esclaves n'avaient compris que peu de chose à ces paroles; aussi étaient-elles restées immobiles de stupeur en présence de l'audace de leur compagne. Fabiola elle-même était comme étourdie; mais, son orgueil reprenant le dessus, elle s'écria avec une impatience visible :

— Où as-tu été apprendre toutes ces extravagances? qui t'a enseigné à pérorer de la sorte? Pour ma part, il y a plusieurs années que j'étudie, et j'en suis arrivée à conclure que toutes ces idées d'existence spirituelle sont des rêves de poètes et de sophistes, et je les méprise comme telles. Prétendrais-tu, par hasard, toi, une esclave ignorante et grossière, prétendrais-tu en savoir plus que ta maîtresse? ou bien te figures-tu vraiment que lorsque, après ta mort, ton corps sera jeté pêle-mêle avec ceux d'autres esclaves morts d'excès de boisson ou sous les coups, pour être enfin brûlés ensemble sur un bûcher ignominieux, puis lorsque vos cendres auront été confondues dans une fosse commune, te figures-tu que tu survivras, *toi*, comme un être ayant conscience de lui-même, et qu'il te restera encore une existence de joie et de liberté à dépenser?

— *Non omnis moriar*, je ne mourrai pas tout entière, comme l'a dit un de vos poètes, répondit l'esclave étrangère avec modestie, mais avec une expression de ferveur qui étonna sa maîtresse; oui, j'espère bien plus, je *veux* survivre à tout cela. Bien plus encore, je crois et je sais que, du milieu de ce charnier que vous venez de décrire avec tant de vigueur, une main rassemblera tous les fragments desséchés de mon corps. Et il est une puissance qui appellera les quatre vents du ciel et leur fera rendre chaque atome de ma cendre qu'ils auront dispersée, et je serai rétablie de nouveau dans ce même corps, non plus pour être votre esclave ou celle d'une autre, mais pour être libre, mais pour être joyeuse, comblée de gloire, aimante et aimée à jamais. « Cette espérance assurée repose en mon cœur[1]. »

— Quelles sont ces folles visions d'une imagination orientale, qui ne font que te rendre incapable de remplir tes devoirs? Il faut t'en guérir. Dans quelle école de philosophie as-tu appris toutes ces absurdités? Je n'ai rien lu de pareil dans aucun auteur grec ou latin.

— Dans une école de mon pays; une école où l'on ne connaît, où l'on n'admet pas de distinction entre le Grec et le Barbare, entre l'homme libre et l'esclave.

— Eh quoi! s'écria la superbe Romaine indignée, quoi! sans même attendre cette existence idéale qui suit la mort, tu oserais, dès à présent, te dire mon égale? et qui sait? peut-être revendiquer la supériorité sur moi? Voyons, dis-moi à l'instant, sans équivoque et sans déguisement, s'il en est ainsi, oui ou non?

Et elle se souleva dans l'attitude d'une vive curiosité. A chaque parole de la réponse pleine de calme qui lui avait été faite, son agita-

(1) Job, XIX, 27.

tion s'était augmentée, et le conflit des passions les plus violentes se manifestait en elle, lorsque Syra lui dit :

— Très-noble maîtresse, vous m'êtes bien supérieure par le rang et par la puissance, par l'instruction, par le génie et par tout ce qui enrichit et embellit l'existence; par toutes les séductions de la figure et des traits, par le charme de vos manières et de votre langage, vous êtes bien au-dessus de toute rivalité et, en conséquence, bien loin de l'atteinte d'une pensée envieuse de la part d'une créature aussi infime et aussi insignifiante que moi. Mais, pourtant, s'il me faut répondre la simple vérité à la question si positive que vous daignez me faire... — elle s'arrêta en hésitant, mais un geste impérieux de sa maîtresse l'obligea à poursuivre, — je m'en remets à votre propre jugement, pour décider si une pauvre esclave qui a l'invincible conviction de posséder en elle une intelligence spirituelle et vivante, une intelligence dont l'existence n'a d'autre mesure que l'éternité, dont l'unique et véritable demeure est par delà les cieux, dont le seul prototype légitime est la Divinité, si cette pauvre esclave enfin peut se croire inférieure en dignité morale, ou, dans la sphère de la pensée, s'estimer au-dessous de la patricienne qui, malgré tous les dons qu'elle possède, avoue qu'elle n'ambitionne pas de destinée plus haute, reconnaît qu'elle n'a pas de fin plus noble que celle qui attend les jolis petits chanteurs ailés, mais privés de raison, qui se heurtent, sans espoir de liberté, aux barreaux dorés de cette cage[1].

Les yeux de Fabiola étincelèrent de fureur; elle se sentait réprimandée, humiliée pour la première fois de sa vie, et cela par une esclave! De la main droite elle saisit son stylet, et en porta à la courageuse fille un coup presque aveugle. Syra avança instinctivement le bras pour se protéger, mais elle n'en reçut pas moins le coup qui, parti de la couche élevée et dirigé de haut en bas, lui fit une blessure plus profonde que celles qu'elle avait déjà reçues. La douleur fut telle, que ses larmes coulèrent, tandis que le sang ruisselait en filets nombreux. Fabiola, au même moment, eut honte de son action cruelle, bien qu'involontaire, et se sentit encore plus humiliée aux yeux de ses esclaves.

— Va, va, dit-elle à Syra qui étanchait le sang avec son mouchoir, va trouver Euphrosyne, et fais-lui panser ta blessure. Je ne croyais

(1) Voir la noble réponse faite au juge par Evalpistus, esclave de l'Empereur, dans les *Actes de saint Justin, Ruinard,* tome 1.

pas te faire autant de mal. Mais attends un instant ; il faut que je te dédommage un peu. Puis, après avoir cherché dans ses bijoux étalés sur la table : « Tiens, dit-elle, prends cette bague ; de plus, je te dispense de tout service pour la soirée. »

La conscience de Fabiola était entièrement apaisée : au moyen d'un riche présent fait à une humble servante, elle croyait l'avoir amplement dédommagée du mal qu'elle lui avait causé. Et le dimanche suivant, dans le *titre* (église ou chapelle) de Saint-Pastor, voisin de la maison de Fabius, parmi les aumônes recueillies pour les pauvres, on trouva une précieuse émeraude montée en bague ; le bon prêtre Polycarpe crut y reconnaître l'offrande de quelque Romaine opulente ; mais Celui qui, de ses yeux attendris, surveillait le tronc des aumônes à Jérusalem et qui y remarqua le denier de la veuve, Celui-là seul vit que le joyau était tombé de la main d'une esclave étrangère, dont le bras était entouré de linges ensanglantés.

V. — LA VISITE.

Pendant la dernière partie de la conversation que nous venons de rapporter et au moment de la catastrophe qui la termina, la chambre de Fabiola s'ouvrit pour une personne dont l'apparition eut sans doute mis fin à l'une et prévenu l'autre, si la jeune patricienne l'avait aperçue. Les appartements intérieurs des maisons romaines étaient fermés par des rideaux tendus à l'entrée, plus ordinairement que par des portes ; de façon qu'il était aisé d'y pénétrer sans être remarqué, surtout pendant une scène aussi violente que celle qui venait d'avoir lieu. C'était le cas ici ; et quand Syra se retourna pour quitter la salle, elle fut presque effrayée en apercevant debout, et comme un magnifique relief devant la tapisserie rouge foncé qui servait de portière, une figure qu'elle reconnut aussitôt, et que nous allons dépeindre brièvement.

C'était celle d'une jeune fille ou plutôt d'une enfant, âgée de douze ou treize ans tout au plus, vêtue entièrement de blanc et sans le moindre ornement. Dans sa physionomie on pouvait voir réunies la simplicité de l'enfance et l'intelligence d'un âge plus mûr. Non-seulement ses yeux brillaient de cette innocence de colombe dont parle le poète sacré[1], mais souvent encore il s'en échappait une sorte d'éclat d'amour pur, comme s'ils découvraient, par delà les objets qui les frappaient, un être invisible pour tout le monde, mais pour elle réellement présent et qu'elle chérissait avec ardeur. Son front était le siége de la candeur; pur et ouvert, il brillait d'une sincérité non fardée; un doux sourire se jouait sur ses lèvres, et ses traits pleins de fraîcheur et de jeunesse, en passant rapidement d'un sentiment à un autre, selon que son cœur tendre et impressionnable le ressentait, exprimaient tour à tour une sensibilité et une ardeur ingénues. Ceux qui la connaissaient disaient qu'elle ne pensait jamais à elle-même, mais qu'elle était sans cesse partagée entre sa bienveillance pour tous ceux qui l'entouraient, et son affection pour l'objet invisible de son amour.

Quand Syra aperçut devant elle cette belle vision, semblable à celle d'un ange, elle s'arrêta un moment; mais l'enfant lui prit la main, et, l'ayant respectueusement baisée, lui dit : « J'ai tout vu ; trouvez-vous dans la petite salle auprès de l'entrée quand je sortirai d'ici. »

Puis elle s'avança ; et, quand Fabiola l'aperçut, une rougeur subite couvrit ses joues, car elle craignait que l'enfant n'eût été le témoin de son aveugle accès de colère. D'un signe de la main elle congédia ses esclaves, et s'empressa de faire à sa jeune parente (car elles étaient unies par le sang) un accueil plein d'affection.

Nous avons dit que l'humeur de Fabiola admettait peu d'exceptions dans le droit qu'elle s'arrogeait de faire tout plier sous sa volonté. L'une de ces exceptions était sa nourrice Euphrosyne, vieille esclave affranchie, qui administrait sa maison particulière et dont l'unique croyance se bornait à ceci, savoir : que Fabiola était la plus parfaite des créatures, et la plus sage, la plus accomplie, la plus admirable jeune fille qui fût dans Rome. La seconde exception était sa jeune visiteuse, qu'elle aimait sincèrement, qu'elle traitait avec la plus tendre affection et dont elle recherchait assidûment la société.

— Il est vraiment aimable à vous, chère Agnès, dit Fabiola d'une voix radoucie, de vous rendre aussi promptement à la prière que je vous ai faite de venir souper ce soir avec nous. Mais le fait est que mon père a invité un ou deux étrangers et que je désirais avoir quelqu'un avec qui je fusse, en quelque sorte, obligée de faire la conversation. Cependant je dois avouer qu'il est un de nos nouveaux hôtes qui excite assez vivement ma curiosité. C'est Fulvius, dont on vante partout les

(1) Tes yeux sont pareils à ceux des colombes. (*Cantiq.* I, 14.)

grâces, les richesses et les talents, bien que personne ne paraisse savoir qui il est, ni d'où il vient.

— Chère Fabiola, répondit Agnès, vous savez que je suis toujours heureuse de vous rendre visite, et mes bons parents y consentent de grand cœur; ne me faites donc pas trop de remercîments.

— Ainsi vous voilà, selon votre habitude, reprit Fabiola d'un ton enjoué, toujours en robe blanche comme la neige, sans bijoux ni parures, comme si tous les jours vous alliez vous fiancer. Vous me faites l'effet de célébrer des épousailles perpétuelles. Mais, juste Ciel! qu'est-ce ceci? Etes-vous blessée? savez-vous bien qu'il y a, juste au corsage de votre tunique, une large tache rouge, — on dirait du sang... Laissez-moi vous faire changer de toilette.

— Pour rien au monde, Fabiola; c'est le seul joyau, le seul ornement que je veuille porter ce soir. C'est, en effet, du sang et du sang d'une esclave; mais du sang plus pur et plus généreux à mes yeux que celui qui coule dans mes veines ou dans les vôtres.

La triste vérité se fit jour à l'instant dans l'esprit de Fabiola; Agnès avait tout vu : aussi, humiliée au dernier point, elle répondit avec une certaine aigreur : « Tenez-vous donc à donner au monde entier une preuve de la fougue de mon caractère, qui m'a fait châtier trop sévèrement peut-être, une esclave insolente? »

— Non, chère cousine, loin de là. Je veux seulement conserver pour moi-même le souvenir d'une leçon de courage et d'élévation d'esprit qui m'a été donnée par une esclave, et que peu de philosophes patriciens pourraient nous fournir.

— Quelle étrange idée! En vérité, Agnès, j'ai toujours trouvé que vous faisiez trop de cas de cette espèce de gens. Après tout, que sont-ils?

— Des êtres humains tout comme nous, doués de la même raison, des mêmes sentiments, de la même organisation. Vous m'accorderez du moins cela, pour ne pas dire plus. Ils font donc partie de la même famille que nous, et si le Dieu même de qui *nous* tenons la vie est par là notre père, *Il* est aussi le leur, et par conséquent ces gens sont nos frères.

— Un esclave mon frère!... une esclave ma sœur, Agnès? Les dieux nous en préservent! Ces gens-là sont notre propriété, notre bien, et je ne m'explique pas qu'il leur soit permis de se mouvoir, d'agir, de penser, si ce n'est de la façon qui convient à leurs maîtres ou pour *leur* avantage.

— Allons, allons, dit Agnès de sa voix la plus douce, ne nous engageons pas dans une discussion trop vive. Vous êtes trop sincère et trop loyale pour ne pas sentir, et n'être pas prête à reconnaître que vous avez été vaincue, aujourd'hui même, par une esclave dans tout ce que vous admirez le plus, c'est-à-dire en esprit, en raisonnement, en sincérité et en héroïsme. Ne me répondez pas : je lis votre réponse dans cette larme. Mais, ma chère cousine, je veux vous épargner le retour d'un pareil chagrin : voulez-vous m'accorder une grâce?

— Tout ce qui sera en mon pouvoir.

— Eh bien, vendez-moi Syra; c'est ainsi, je pense, qu'on la nomme? Vous n'aimeriez plus à la voir autour de vous?

— Vous vous trompez, Agnès. Je veux, pour cette fois, dompter mon orgueil et avouer qu'à l'avenir je l'estimerai; j'irai peut-être même jusqu'à l'admirer. C'est un sentiment nouveau chez moi pour une fille de son espèce.

— Mais, Fabiola, je crois que je pourrais la rendre plus heureuse qu'elle ne l'est.

— Sans nul doute, chère Agnès, car vous avez le don de rendre heureux tous ceux qui vous entourent. Je n'ai jamais vu d'intérieur de famille semblable au vôtre. Vous semblez mettre en pratique l'étrange philosophie dont parlait Syra et qui n'établit pas de distinction entre l'homme libre et l'esclave. Tout le monde chez vous a l'air souriant et s'acquitte gaîment de ses devoirs; et cependant on dirait que personne ne songe à y commander. Allons, dites-moi votre secret. (Agnès sourit.) Je soupçonne, petite enchanteresse, que, dans cette chambre mystérieuse dont vous m'avez toujours interdit l'accès, vous gardez les charmes et les philtres à l'aide desquels vous vous faites aimer de tous et de tout. Si vous étiez chrétienne, et si l'on vous exposait dans l'amphithéâtre, je suis certaine que les léopards eux-mêmes, prêts à vous défendre, viendraient se coucher à vos pieds. Mais pourquoi prendre cet air sérieux, chère enfant? Vous savez bien que je veux plaisanter.

Agnès paraissait absorbée; son regard, dirigé devant elle, avait pris cette expression douce et ardente à la fois dont nous avons parlé; on eût dit qu'elle voyait, et bien mieux encore, qu'elle entendait un être invisible et tendrement aimé. La vision disparut sans doute, car elle reprit gaîment :

— Eh bien, mais on a vu des choses plus étranges; et, en tout cas, si un événement aussi terrible devait arriver, Syra serait précisément la personne que chacun voudrait voir auprès de soi dans un pareil moment : ainsi donc, il faut, en vérité, que vous me la cédiez.

— Pour l'amour du Ciel, Agnès, ne donnez pas à mes paroles une portée aussi sérieuse. Je vous assure que je les ai dites pour plaisanter. J'ai trop bonne opinion de votre bon sens pour croire à la possibilité d'un pareil malheur. Mais, quant au dévoûment de Syra, vous avez raison. L'été dernier, pendant votre absence, j'ai été dangereusement malade d'une fièvre contagieuse; pour forcer mes autres esclaves à s'approcher de moi, il fallait employer le fouet, tandis que la pauvre créature voulait à peine me quitter; elle m'a veillée, m'a soignée jour et nuit; et je crois, en vérité, qu'elle a de beaucoup hâté ma guérison.

— Et ne l'avez-vous pas aimée en reconnaissance d'un pareil service?

— L'aimer? aimer une esclave! enfant! Sans doute j'ai pris soin de la récompenser généreusement; et cependant je ne puis deviner l'emploi qu'elle fait de ce que je lui donne. Les autres esclaves m'affirment qu'elle ne met rien de côté, et, toutefois, elle ne dépense rien pour elle. Bien mieux, j'ai entendu dire qu'elle partage sottement sa nourriture de chaque jour avec une fille aveugle. Quelle étrange fantaisie, n'est-ce pas?

— Très-chère Fabiola, il faut que Syra soit à moi! s'écria Agnès. Vous vous êtes engagée à m'accorder ma requête. Dites-moi votre prix, et laissez-moi l'emmener dès ce soir.

— Eh bien donc, qu'il en soit ainsi, irrésistible solliciteuse. Mais nous n'allons pas marchander ensemble. Envoyez demain quelqu'un à l'intendant de mon père, et tout s'arrangera. Et, maintenant que cette grande affaire est terminée entre nous, descendons et allons trouver nos hôtes.

— Mais vous avez oublié de mettre vos bijoux?

— N'importe, je m'en passerai pour cette fois : ils n'ont pour moi aucun attrait ce soir.

VI. — LE BANQUET.

Elles trouvèrent, en descendant, tous les convives réunis dans la salle de conversation. Ce n'était pas un festin d'apparat auquel elles allaient assister, c'était le repas ordinaire d'une maison riche, où l'on est toujours en mesure de recevoir quelques amis. Nous nous contenterons donc de dire que tout y était exquis et élégant, tant pour les mets que pour le service, et nous nous bornerons à ne rapporter des incidents du repas que ceux qui jettent quelque lumière sur notre récit.

Lorsque les deux jeunes filles entrèrent dans l'*exedra* (salle de réunion), Fabius, après avoir embrassé sa fille, s'écria : « Eh! mais, mon enfant, quoique vous soyez en retard, votre toilette est à peine terminée. Vous avez oublié de mettre vos bijoux, votre parure habituelle. »

Fabiola rougit. Elle ne savait que répondre; elle était honteuse de la faiblesse qu'elle avait montrée à propos de son accès de colère, et plus encore de la façon dont elle s'en punissait et qu'elle trouvait maintenant ridicule. Agnès vint à son aide et dit, en rougissant aussi : « C'est moi, cousin Fabius, qui suis la cause de son retard d'abord, et ensuite de la simplicité de sa toilette. Je l'ai retenue par mon babillage, et elle a voulu, sans doute, en s'habillant aussi simplement, éviter de me faire ombrage et me tenir compagnie.

— Vous, chère Agnès, répondit le père, vous avez le privilége d'agir comme bon vous semble; mais, pour parler sérieusement, je dois dire que, même pour vous, c'eût été une raison valable tant que vous n'étiez qu'une enfant; aujourd'hui que vous êtes en âge d'être mariée[1], il faut commencer à faire un peu plus de frais et chercher à conquérir le cœur de quelque beau jeune homme d'un rang convenable. Par exemple un collier précieux, comme vous en avez tant chez vous, ne vous rendrait pas moins séduisante. Mais vous ne m'écoutez pas; allons, allons, je gagerais que vous avez déjà jeté les yeux sur quelqu'un.

Pendant la plus grande partie de ces propos, qui lui étaient tenus

(1) Douze ans était l'âge légal fixé par la loi romaine.

dans les meilleures intentions possibles, et qui ne respiraient que les principes les plus mondains, Agnès semblait être tombée dans une de ses rêveries habituelles; son regard ravi, comme l'appelait Fabiola, paraissait fixé, dans une douce extase, sur un être invisible, sans toutefois qu'elle perdît le fil de la conversation et sans rien dire qui fût hors de place. Elle répondit donc aussitôt à Fabius : « Oh! oui, très-certainement, quelqu'un qui a déjà retenu ma foi en me mettant au doigt l'anneau des fiançailles, et qui m'a parée de magnifiques joyaux[1]. »

— En vérité! s'écria Fabius; et lesquels?

— Oh! répondit Agnès avec un air de profonde conviction et une inflexion de voix ingénue et sans art, il a entouré de pierres précieuses et mon bras et mon cou; il a suspendu à mes oreilles des perles d'une beauté sans égale[2].

— Bonté céleste! et qui cela peut-il être? Voyons, Agnès, quelque jour vous me direz votre secret. C'est sans doute votre premier amour? puisse-t-il durer longtemps et vous rendre heureuse!

— Heureuse à jamais, répondit-elle en se tournant pour rejoindre Fabiola et entrer avec elle dans la salle à manger. Par bonheur pour Agnès, sa cousine n'avait pas entendu tout ce dialogue, car elle eût été sans doute blessée au vif de ce qu'Agnès lui eût dissimulé à elle, sa meilleure amie, une pensée qu'elle considérait comme la plus importante de son âge. Mais, tandis qu'Agnès la défendait, elle s'était éloignée de son père et s'entretenait avec les autres convives. L'un d'eux, nommé Calpurnius, était un lourd sophiste romain, au cou de taureau, une sorte de marchand de science universelle. Le deuxième, Proculus, était un habitué de la maison et grand amateur de bonne chère. Mais il y en avait encore deux autres, qui méritent une mention spéciale. Le premier, qui était évidemment un ami particulier de Fabiola et d'Agnès, avait le rang de tribun, officier supérieur dans la garde prétorienne ou de l'empereur. Bien qu'âgé de trente ans à peine, il s'était déjà fait remarquer par sa valeur et jouissait de la plus haute faveur auprès des deux empereurs, Dioclétien en Orient et Maximien Hercule à Rome. Quoique bien fait de sa personne, il était simple dans ses manières et dans son habillement; doué au plus haut

(1) *Annulo fidei suæ subarrhavit me, et immensis monilibus ornavit me.* (Office de sainte Agnès.)

(2) *Dexteram meam et collum meum cinxit lapidibus pretiosis, tradidit auribus meis inæstimabiles margaritas.* (Ibid.)

degré du talent de la conversation, il méprisait ouvertement les sujets futiles, qui défrayent en général les entretiens de société. En somme, il offrait le type parfait du jeune homme au cœur noble, plein d'honneur et de généreuses pensées ; fort et courageux sans l'ombre d'orgueil ou de jactance.

Le dernier des invités formait un contraste frappant avec lui : c'était le nouvel astre de la société romaine, le beau Fulvius, celui dont Fabiola avait déjà parlé. Jeune et d'un visage presque efféminé, toujours vêtu avec la recherche la plus élégante, les doigts chargés de brillants anneaux, couvert de bijoux jusque sur ses habits mêmes, d'un langage affecté et légèrement empreint d'accent étranger, d'une politesse exagérée, mais en apparence obligeant et d'un bon naturel, il était, en peu de temps, parvenu à se frayer un chemin jusqu'au milieu de la plus haute société de Rome. Il devait ces prompts succès en partie à l'accueil qu'il avait reçu de l'empereur, et en partie à la séduction de ses manières. Il était arrivé à Rome accompagné d'un seul serviteur, d'un âge mûr, qui lui était évidemment très-attaché. Etait-ce un esclave, un affranchi, un ami? c'est ce que personne ne savait. Ils conversaient toujours ensemble dans une langue étrangère, et les traits basanés, les yeux farouches et l'air repoussant du domestique inspiraient un certain degré de terreur au reste de ses subalternes, car Fulvius avait pris sa demeure dans ce que l'on nommait *insula* ou maison louée par parties : il avait meublé son appartement avec luxe et y entretenait un nombre d'esclaves assez considérable pour un homme seul. La profusion plutôt que l'abondance distinguait chacun de ses arrangements domestiques, et dans le monde corrompu et dégradé de la Rome païenne, l'obscurité de ses antécédents et la soudaineté de son apparition furent bientôt effacées par l'éclat de ses richesses et les charmes de sa conversation frivole. Cependant un habile observateur aurait bientôt remarqué la mobilité incessante de son regard, qui cherchait à tout voir; son application singulière à prêter l'oreille, comme pour tout entendre autour de lui, deux signes qui trahissaient une insatiable curiosité; enfin, dans ses moments d'oubli, le sombre éclat qui, de dessous ses sourcils froncés, partait de ses yeux ardents, le sourire sardonique de sa lèvre supérieure inspiraient un sentiment de méfiance, et faisaient venir cette idée que cet extérieur charmant ne servait qu'à déguiser une âme d'une malignité toute féline.

Les convives furent bientôt à table ; et , comme les femmes

demeuraient assises, tandis que les hommes s'étendaient sur des lits pour prendre leur repas, Fabiola et Agnès se trouvèrent à côté l'une de l'autre; les deux jeunes gens par nous dépeints en dernier lieu se placèrent en face d'elles, et le maître de la maison, entre ses deux amis plus âgés, prit place au centre, si toutefois on peut s'exprimer ainsi pour indiquer la position qu'ils occupaient autour des trois quarts seulement d'une table ronde; le *sigma*[1] ou couche demi-circulaire formait le fer à cheval, et un côté restait vide et ouvert pour la facilité du service. Nous ferons observer, en passant, que la table était couverte d'une nappe, raffinement de luxe encore inconnu du temps d'Horace, mais qui était alors devenu d'un usage ordinaire.

Quand les premières exigences de la faim ou celles de la sensualité eurent été satisfaites, la conversation devint plus générale.

— Quelles nouvelles aux bains aujourd'hui? demanda Calpurnius; car, pour moi, je n'ai guère le loisir de m'occuper de ces bagatelles.

— De très-intéressantes en vérité, répondit Proculus. Il paraît certain que le divin Dioclétien a donné des ordres pour que ses Thermes fussent achevés d'ici à trois ans.

— Impossible! s'écria Fabius. L'autre jour, en me rendant aux jardins de Salluste, j'ai jeté un coup d'œil sur les travaux, et j'ai trouvé qu'ils avaient fort peu avancé pendant l'année dernière. Il reste encore beaucoup de gros ouvrages à faire : par exemple des marbres à tailler, des colonnes à dégrossir.

— Cela est vrai, fit observer Fulvius; mais je sais que des ordres ont été expédiés dans toutes les parties de l'empire pour faire venir à Rome tous les prisonniers et tous les individus condamnés aux mines en Espagne, en Sardaigne, et même dans la Chersonèse, dont il sera possible de disposer, pour les faire travailler à l'achèvement des Thermes. Quelques milliers de chrétiens employés à cette besogne l'auront promptement terminée.

— Et pourquoi des chrétiens plutôt que d'autres criminels? demanda Fabiola, non sans curiosité.

— En vérité, répondit Fulvius avec son sourire le plus séduisant, je puis à peine vous en dire la raison; mais le fait n'en existe pas moins. Quant à moi, je m'engage à reconnaître un chrétien au milieu de cinquante de ces condamnés.

(1) Ainsi nommé à cause de sa ressemblance aves la lettre C, qui était le caractère primitif du *sigma*, Σ.

— Vraiment! firent plusieurs voix en même temps, et comment cela?

— Les condamnés ordinaires, reprit-il, n'ont naturellement pas un bien grand amour pour leur travail, et il faut à chaque instant employer le fouet pour les faire avancer : l'œil de l'inspecteur cesse-t-il d'être fixé sur eux, l'ouvrage ne va guère. De plus, ils sont (et cela se comprend) grossiers, stupides, querelleurs et murmurant toujours. Mais les chrétiens, quand ils sont condamnés à ces travaux publics, paraissent, au contraire, satisfaits, et se montrent toujours joyeux et obéissants. J'ai vu en Asie, employés ainsi, de jeunes patriciens, de qui les mains n'avaient jamais auparavant touché une pioche, dont les épaules délicates n'avaient jamais porté le moindre fardeau; ils travaillaient cependant avec ardeur, et semblaient du moins, suivant toute apparence, aussi heureux que dans leurs foyers. Naturellement, cela n'empêche pas les inspecteurs de faire sur eux un fréquent emploi du fouet et du bâton, et ce n'est que juste, puisque la volonté des divins empereurs est que leur sort soit rendu aussi dur que possible : eh bien, malgré tout cela, ils ne se plaignent jamais.

— Je ne puis dire que j'admire beaucoup ce genre de justice, répliqua Fabiola; mais quelle race étrange ce doit être! Je serais très-curieuse de connaître la cause de la stupidité ou de l'insensibilité contre nature de ces chrétiens.

Proculus répondit d'un air railleur : « Voici Calpurnius qui pourra sans doute nous instruire; car c'est un philosophe, et je me suis laissé dire qu'il pouvait pérorer pendant une heure sur un sujet quelconque, depuis les Alpes jusqu'à une fourmilière. »

Calpurnius, mis ainsi au défi, et convaincu que cette raillerie était un compliment, prit la parole d'un air solennel : « Les chrétiens, dit-il, forment une secte étrangère dont le fondateur florissait en Chaldée il y a bien des siècles. Sa doctrine fut apportée à Rome, du temps de Vespasien, par deux frères nommés Pierre et Paul. Certaines gens soutiennent que ce sont deux frères jumeaux, les mêmes que les Juifs appellent Moïse et Aaron, et dont le second a vendu à l'autre son droit d'aînesse pour un chevreau, de la peau duquel il avait besoin pour se faire des *chirotèques* (*chirotecæ*, gants). Mais je n'admets pas cette identité, attendu qu'il est rapporté dans les livres mystiques des Juifs que le second de ces frères, voyant que les victimes de l'autre rendaient des augures plus favorables que les siens, le tua, comme notre Romulus l'a fait de Rémus, mais avec cette différence qu'il se servit, pour cela, d'une mâchoire d'âne. C'est en punition de ce crime qu'il fut pendu par Mardochée, roi de Macédoine, à un gibet haut de cinquante coudées, sur la requête de leur sœur Judith. Quoi qu'il en soit, Pierre et Paul étant venus à Rome, ainsi que je l'ai déjà dit, le premier fut reconnu n'être qu'un esclave fugitif de Ponce-Pilate, et crucifié sur le Janicule par ordre de son maître. Leurs partisans, qui devinrent nombreux, prirent la croix pour symbole, et ils l'adorent; ils considèrent comme le plus grand honneur d'être frappés de coups, et ils regardent même une mort ignominieuse comme le meilleur moyen de ressembler à leurs maîtres, et — du moins ils se le figurent — d'aller les rejoindre dans je ne sais quel lieu par de là les nuages[1]. »

Cette lucide explication de l'origine du christianisme fut écoutée avec admiration par tous les assistants, à l'exception de deux. Le jeune guerrier jeta du côté d'Agnès un regard de pitié dédaigneuse qui semblait dire : « Répondrai-je à ce sot, ou me bornerai-je à rire de lui? » Mais la jeune fille porta un doigt à ses lèvres, et sourit d'un air qui demandait le silence.

— Eh bien, donc, le résultat de tout ceci, fit remarquer Proculus, c'est que les Thermes seront bientôt achevés, et que nous aurons de glorieuses réjouissances. Ne dit-on pas, Fulvius, que le divin Dioclétien viendra lui-même assister à la dédicace?

— Cela est positif, et à cette occasion les fêtes seront splendides et les jeux magnifiques. Mais nous n'aurons pas si longtemps à attendre; déjà, et dans un autre but, des ordres ont été expédiés en Numidie pour que l'on eût à y rassembler avant l'hiver un nombre illimité de lions et de léopards. Puis, se tournant vivement vers son voisin, il lui dit, en attachant un regard curieux sur sa physionomie : « Un soldat valeureux comme vous, Sébastien, doit trouver ses délices dans les nobles spectacles de l'amphithéâtre, surtout lorsque ceux qui en font les frais sont les ennemis des augustes empereurs et de la république[2]. »

Le guerrier se souleva sur sa couche, tourna vers son interrogateur un visage majestueux et sévère, et répondit avec calme :

— Fulvius, je ne mériterais pas le titre que vous me donnez si je pouvais regarder avec plaisir et de sang-froid la lutte, bien qu'on ne

(1) Lucien. *De morte Peregrini.*

(2) *Respublica,* la chose publique, l'Etat, même sous les empereurs.

puisse l'appeler ainsi, qui se livre entre une bête féroce et un enfant ou une femme sans défense, car tels sont ces nobles spectacles, comme vous voulez bien les nommer. Certes, je serai toujours prêt à tirer l'épée contre tout ennemi des princes ou de l'Etat; mais je la tirerais tout aussi volontiers contre le lion ou le léopard qui s'élancerait sur un innocent ou un être sans défense, fût-ce même par l'ordre de l'empereur. » Fulvius fit un mouvement pour protester, mais Sébastien posa sa main puissante sur le bras du jeune homme et continua : « Ecoutez-moi jusqu'au bout. Je ne suis ni le premier Romain, ni le plus noble qui ait pensé ainsi. Rappelez-vous les paroles de Cicéron : « Ces jeux sont magnifiques sans doute, mais quelle jouissance peut » trouver un esprit délicat à voir un homme faible déchiré par une » bête d'une force prodigieuse, ou un noble animal percé d'une » javeline[1]? » Je ne rougis pas de partager l'opinion du plus grand des orateurs romains. »

— C'est nous dire que nous ne nous verrons jamais dans l'amphithéâtre, Sébastien? demanda Fulvius d'une voix douce, mais où l'on sentait de la raillerie.

— Si vous m'y voyez jamais, répliqua le soldat, ce sera, soyez-en certain, du côté de la victime sans défense, et non pas du côté des brutes qui voudraient la déchirer.

— Bien dit, Sébastien, s'écria Fabiola en battant des mains, et je clos la discussion par mes applaudissements. Je n'ai jamais entendu Sébastien prendre la parole que pour exprimer des sentiments nobles et généreux.

Fulvius se mordit les lèvres et tout le monde se leva pour se séparer.

VII. — RICHE ET PAUVRE.

Pendant la dernière partie de la conversation que nous venons de rapporter, Fabius était demeuré comme absorbé en lui-même : il

(1) « *Magnificæ nemo negat; sed quæ potest esse homini polito delectatio, quum aut homo imbecillus a valentissima bestia laniatur, aut præclara bestia venabulo transverberatur?* » (*Ep. ad. Fam.*, lib. VII. Ep. 1.)

réfléchissait aux quelques mots qu'il avait échangés avec Agnès. Avec quelle aisance elle avait su dissimuler son secret! Mais qui donc pouvait être l'heureux mortel qui avait déjà su gagner son cœur? Sa mémoire lui en rappelait un grand nombre, mais aucun ne lui semblait justifier cette préférence. Ce présent de riches joyaux surtout l'embarrassait étrangement. Il ne connaissait aucun jeune patricien romain qui pût les posséder, et, si une pareille commande avait été faite dans une des boutiques de la ville, il en eût eu connaissance à coup sûr, lui qui, dans son oisiveté, les parcourait toutes chaque jour. Tout à coup une idée lumineuse lui vint à l'esprit : c'est que Fulvius, qui étalait journellement de nouvelles et magnifiques pierreries apportées de climats lointains, devait être le seul homme capable de lui avoir fait de pareils présents. Il crut aussi avoir remarqué que le bel étranger avait, par moments, jeté du côté de sa jeune cousine des regards qui ne lui permirent plus de douter qu'il ne fût violemment épris d'elle; et si Agnès semblait ne pas s'apercevoir de l'admiration qu'elle excitait, c'était sans doute une partie du plan de conduite qu'elle avait adopté. Une fois qu'il en fut venu à cette importante conclusion, il se résolut à favoriser les vœux du jeune couple, et à surprendre sa fille, un jour, par le récit de la sagacité qu'il comptait déployer.

Mais il nous faut quitter nos nobles hôtes pour de plus humbles scènes, et suivre Syra à dater du moment où elle a quitté l'appartement de sa maîtresse. Quand elle se présenta chez Euphrosyne, la bonne nourrice fut indignée à la vue de la blessure et fit entendre une exclamation de pitié. Mais, reconnaissant aussitôt que c'était l'ouvrage de Fabiola, elle se trouva partagée entre deux sentiments contraires. « Pauvre créature, disait-elle en s'occupant de laver d'abord la blessure, puis de la panser, c'est une affreuse plaie! Qu'as-tu donc fait pour mériter cela? Que tu as dû souffrir, ma pauvre fille! Il faut que tu aies été bien méchante pour t'attirer un pareil traitement. C'est une blessure barbare, et cependant elle a été infligée par la plus douce des créatures! — Tu dois être épuisée d'avoir perdu autant de sang! prends ce cordial pour te remettre — sans aucun doute, tu l'as obligée à te frapper. »

— En effet, dit Syra avec un sourire, la faute est tout entière à moi. Je n'avais pas besoin de raisonner avec ma maîtresse.

— Raisonner avec elle! — Raisonner! Dieux immortels! a-t-on jamais entendu dire qu'une esclave pût s'aviser de raisonner avec sa noble maîtresse, et surtout avec une maîtresse aussi savante que la nôtre! Eh! mais, Calpurnius lui-même aurait peur de discuter contre elle. Je ne m'étonne plus vraiment qu'elle ait été si... si agitée, qu'elle ne s'aperçût pas qu'elle te blessait. Du reste il faut taire cela : il ne faut pas qu'on sache que tu as eu un tort aussi grave. N'as-tu pas quelque écharpe, quelque joli voile que l'on puisse mettre autour de ton bras, comme si c'était un ornement? Toutes les autres, je le sais, en ont en quantité, qu'on leur donne ou qu'elles achètent; mais toi, tu ne sembles pas attacher grand prix à toutes ces jolies bagatelles. Allons voir.

Elle se rendit au dortoir des esclaves, qui était voisin de sa chambre, ouvrit la *capsa* (ou coffre) de Syra, et, après en avoir bouleversé longtemps le maigre contenu, elle tira du fond un voile carré de l'étoffe la plus riche, brodé magnifiquement et même orné de perles. Syra rougit beaucoup et la supplia de ne pas l'obliger à porter un objet aussi déplacé pour sa condition, appuyant particulièrement sur ce que c'était un souvenir de jours meilleurs, et qu'elle l'avait conservé depuis longtemps et à grand'peine. Mais Euphrosyne, jalouse de cacher la faute de sa maîtresse, fut inexorable, et la riche écharpe fut nouée gracieusement autour du bras blessé.

L'opération étant achevée, Syra se rendit à la petite salle située en face de la chambre du gardien de la porte, et dans laquelle les esclaves supérieurs pouvaient voir leurs amis. Elle tenait à la main une corbeille recouverte d'un linge. Au moment où elle passait le seuil, un pas léger traversa la chambre en hâte et vint à sa rencontre. C'était celui d'une jeune fille de seize à dix-sept ans, vêtue de la façon la plus pauvre, mais non sans décence et propreté, qui jeta ses bras autour du cou de Syra, avec un visage si riant, une joie si franche, qu'un témoin de cette scène aurait eu peine à supposer que ses yeux, privés de la lumière, n'avaient jamais connu le monde extérieur.

— Asseyez-vous, chère Cœcilia, dit Syra du ton de la plus sincère affection, en la conduisant vers un siége; je vous apporte aujourd'hui un repas délicat, vous allez souper somptueusement.

— Comment cela? mais il me semble que je soupe fort bien tous les jours.

— Oui, mais aujourd'hui ma maîtresse a été assez bonne pour m'envoyer un plat exquis de sa propre table, et je vous l'apporte.

— Quelle bonté de sa part! mais de la vôtre, ma sœur, quelle bonté plus grande encore! Cependant pourquoi n'en avoir pas pris vous-même votre part? Ce plat vous était destiné, et non à moi.

— C'est que, à vous dire la vérité, c'est un plus grand plaisir pour moi de vous voir jouir de quelque chose que d'en jouir moi-même.

— Non, chère Syra, non; cela ne doit pas être : Dieu a voulu que je fusse pauvre, et je dois m'efforcer de faire sa volonté. Il ne m'appartient pas plus de songer à me nourrir comme les riches qu'à me vêtir comme eux, tant que je puis avoir la nourriture et l'habillement des pauvres. J'aime à partager avec vous votre *pulmentum* (soupe), qui m'est donné, je le sais, par charité, et de la main de quelqu'un aussi pauvre que moi. Je vous procure le mérite des bonnes œuvres, vous me donnez la consolation de sentir que je ne suis toujours devant Dieu qu'une pauvre créature aveugle. Je m'imagine qu'il m'aimera mieux ainsi que si je me nourrissais avec délicatesse. J'aimerais mieux être à la porte avec Lazare, qu'à table avec le mauvais riche.

— Combien vous êtes meilleure et plus sage que moi, ma chère enfant! Il en sera comme vous le désirez. Je vais donner ce plat à mes compagnes, et, en attendant, voici, devant vous, votre humble repas ordinaire.

— Merci, merci, chère sœur; j'attendrai votre retour.

Syra se rendit à l'appartement des femmes et posa le plat d'argent devant ses jalouses et avides compagnes. Comme leur maîtresse avait quelquefois pour elles des attentions de ce genre, elles ne se montrèrent pas fort surprises de celle-ci. Mais la pauvre Syra fut assez faible pour rougir de paraître devant ses camarades avec la riche écharpe dont son bras était enveloppé. Elle l'ôta donc avant d'entrer; puis, pour ne pas déplaire à Euphrosyne, elle la remit d'une main, le mieux qu'elle put, en sortant. Elle se trouvait en bas, dans la cour, se hâtant d'aller retrouver son amie, la jeune aveugle, lorsqu'elle aperçut un des nobles hôtes de sa maîtresse qui, seul et l'air préoccupé, se dirigeait vers la porte. Elle s'arrêta derrière une colonne afin d'éviter toute espèce de brutalité, chose qui n'était pas rare. C'était Fulvius; et à peine eut-elle, inaperçue, jeté un regard sur lui, qu'elle demeura comme clouée au sol. Son cœur bondissait contre sa poitrine, puis frémissait comme s'il allait cesser de battre : ses genoux s'entre-choquaient, un tremblement convulsif agitait tout son corps, tandis qu'une sueur froide perlait sur son front. Ses yeux, démesurément ouverts, étaient fascinés comme ceux de l'oiseau devant le serpent. Elle leva la main vers sa poitrine, y traça le signe de la vie, et le charme fut rompu. En un moment elle prit la fuite sans avoir été vue, et à peine venait-elle de disparaître, sans bruit, derrière la draperie dont se fermait l'entrée de l'escalier, que Fulvius, toujours les yeux baissés, passa à l'endroit auquel elle s'était arrêtée. Il fit un bond en arrière, comme épouvanté à la vue de ce qu'il voyait à terre, devant lui. Il se prit à trembler violemment, mais bientôt, se remettant par un prompt effort sur lui-même, il jeta les yeux autour de lui et vit qu'il était seul. Personne ne l'avait vu, personne, excepté Celui dont il ne s'inquiétait guère et qui lisait en ce moment dans son cœur perfide. Il reporta son regard sur l'objet qui l'avait effrayé et voulut le ramasser, mais sa main étendue s'y refusa plusieurs fois. Tout à coup il entendit des pas qui s'approchaient et reconnut la marche ferme de Sébastien; il saisit brusquement alors, sur le sol, le riche voile, qui s'était détaché du bras de Syra. En frémissant, il le replia, et quand il eut vu, avec horreur, les taches, toutes fraîches encore, du sang qui avait percé à travers les bandages de la blessure, il se dirigea vers la porte en chancelant comme un homme ivre et s'enfuit vers sa demeure.

Pâle, défait, se soutenant à peine, il gagna son appartement, en repoussant brusquement les services officieux de ses esclaves; seulement il fit signe à son fidèle domestique de le suivre et de verrouiller la porte de la chambre. Une lampe brûlait auprès d'une table sur laquelle Fulvius, sans dire un mot, jeta l'écharpe brodée, en indiquant les taches de sang qui la couvraient. L'homme au visage de bronze n'ouvrit pas la bouche, mais ses rudes traits pâlirent, tandis que ceux de son maître étaient devenus livides et blêmes de terreur.

— C'est bien la même, il n'y a pas à en douter, dit enfin le serviteur dans la langue étrangère qu'il parlait toujours à son maître, et cependant elle est bien certainement morte.

— En es-tu sûr, Eurotas? demanda celui-ci en attachant sur lui un de ses regards perçants comme ceux d'un oiseau de proie.

— Aussi sûr qu'un homme peut l'être d'une chose qu'il n'a pas vue de ses yeux. Où as-tu trouvé cela? et d'où vient ce sang?

— Je te dirai tout cela demain; je suis trop agité ce soir. Quant à ces taches qui étaient tièdes encore lorsque je ramassai cet objet, je ne sais d'où elles pourraient venir, à moins que ce ne soient des présages de vengeance, ou qu'elles-mêmes n'en soient

D'une main tremblante elle ôta de son cou la chaîne d'or qui l'entourait. (P. 24.)

une, et une terrible, atroce, telle que les Furies seules peuvent en inventer pour la déchaîner ensuite sur les mortels. Ce sang n'a pas été versé *tout à l'heure*.

— Allons, allons, ce n'est pas le moment de s'abandonner à des rêves et à des chimères. Quelqu'un vous a-t-il vu ramasser ce... cet objet?

— Personne, j'en suis certain.

— Alors nous sommes sauvés : il vaut mieux qu'il soit dans nos mains que dans celles d'un autre. Une nuit de repos nous portera conseil.

— Tu as raison, Eurotas; mais, cette nuit, tu coucheras dans ma chambre.

Tous deux gagnèrent leurs couches : Fulvius se jeta sur un lit somptueux, Eurotas sur une estrade peu élevée, du haut de laquelle, appuyé sur son coude, il regarda longtemps, d'un œil sombre et inquiet, à la lueur de la lampe, le sommeil troublé du jeune homme dont il était à la fois le gardien dévoué et le mauvais génie. Fulvius s'agitait et gémissait en dormant, car ses rêves étaient funèbres et sinistres. Il voit d'abord, dans une contrée lointaine, se dessiner une ville florissante que traverse un fleuve limpide comme du cristal. Une galère s'y balance, elle lève l'ancre, et, du haut du pont, quelqu'un agite vers lui, en signe d'adieu, une écharpe richement brodée. Puis la scène change : le vaisseau est en mer, il lutte contre une tempête furieuse, tandis qu'au haut du mât flotte doucement la même écharpe, comme une flamme de navire que la brise respecte et ménage. Tout à coup le vaisseau se brise contre un rocher, un cri épouvantable se fait entendre et tout disparaît dans l'abîme. Mais la cime du mât se montre encore au-dessus des vagues, son brillant pavillon y flotte toujours tranquillement, lorsque, au milieu des oiseaux de mer qui voltigent à l'entour en poussant de grands cris, une figure apparaît, soutenue sur de grandes ailes noires retentissantes; sa main est armée d'une torche : la figure vole vers l'écharpe, l'enlève de la hampe qui la supporte, et, dans son vol, s'arrêtant devant lui, elle l'étale à ses yeux d'un air d'indignation et de courroux. Sur le voile il lit, tracé en lettres de feu, le nom de *Némésis* (vengeance).

Mais il est temps de retourner à nos autres connaissances de la maison de Fabius.

Quand Syra eut entendu la porte se fermer sur Fulvius, elle

s'arrêta pour se remettre, fit une prière secrète et alla retrouver son amie. La jeune aveugle avait fini son repas frugal et attendait patiemment le retour de l'esclave. Syra se livra alors envers elle à ses devoirs quotidiens de bienveillance et d'hospitalité; elle apporta de l'eau, lui lava les mains et les pieds conformément à l'usage des chrétiens; elle lui peigna les cheveux et les lui arrangea, comme si la pauvre créature eût été sa propre fille. Et en vérité, bien qu'à peine plus âgée qu'elle, son regard, en se penchant sur son amie, était si tendre, sa voix si douce, toutes ses manières étaient tellement maternelles, que l'on eût dit une mère soignant sa fille plutôt qu'une esclave servant une mendiante. Et, de son côté, cette mendiante semblait si heureuse, parlait avec tant de gaîté et disait des choses si sublimes, que Syra interrompait sa besogne pour la regarder et l'écouter.

Ce fut à ce moment qu'Agnès arriva au rendez-vous indiqué, suivie de Fabiola qui avait voulu l'accompagner jusqu'à la porte. Mais quand Agnès, soulevant doucement la portière, vit la scène qui se passait derrière, elle fit signe à Fabiola de venir regarder, tout en lui demandant le silence d'un geste muet. L'aveugle était assise en face, ayant auprès d'elle sa servante volontaire, qui ne se doutait pas qu'elle eût des témoins. Le cœur de Fabiola fut touché : elle n'avait jusque-là jamais imaginé qu'il existât sur cette terre une chose telle que l'amour désintéressé entre personnes étrangères; quant à la charité, c'était un mot inconnu en Grèce ou à Rome; Fabiola se retira sans bruit, les yeux humides de larmes, et dit à Agnès en s'éloignant :

— Je vous quitte; cette fille, comme vous le savez, m'a prouvé tantôt qu'une esclave peut avoir une tête : elle vient de me montrer qu'elle peut avoir un cœur. Lorsque vous m'avez demandé, il y a quelques heures, si je n'aimais pas une esclave, je suis demeurée stupéfaite. Je crois qu'en ce moment je pourrais presque aimer Syra, et je regrette à demi d'avoir consenti à m'en séparer.

Comme elle reprenait le chemin de la cour intérieure, Agnès, de son côté, entrait dans la petite salle, disant en souriant :

— Enfin, Cœcilia, j'ai donc découvert votre secret. Voici donc cette amie dont vous prétendez la table si fort au-dessus de la mienne, que vous refusez de venir manger chez moi. A coup sûr, si le dîner n'est pas meilleur, je conviendrai, du moins, que vous avez rencontré une hôtesse qui vaut mieux que moi.

— Oh! ne dites pas cela, douce Agnès, répondit l'aveugle; en vérité c'est le dîner qui est meilleur. Vous avez de nombreuses occasions de pratiquer la charité, tandis qu'une pauvre esclave ne le peut faire qu'autant qu'elle trouve plus pauvre et plus dénué qu'elle, comme moi par exemple. Cette pensée donne à la nourriture qu'elle m'offre une saveur plus grande.

— En effet, vous avez raison, dit Agnès, et je ne suis pas fâchée que vous soyez ici pour entendre les bonnes nouvelles que j'apporte à Syra : elles vous rendront heureuse aussi. Fabiola m'a permis de devenir votre maîtresse, Syra, et de vous emmener avec moi. Demain vous serez libre, et je vous regarderai comme une sœur bien-aimée.

Cœcilia battit des mains avec joie, et, mettant ses bras autour du cou de Syra, elle s'écria : « Oh! quel bonheur! que vous allez être heureuse, chère Syra! »

Mais Syra semblait profondément émue, et d'une voix tremblante elle répondit : « O noble et douce Agnès, que vous êtes généreuse de penser autant à une pauvre créature comme moi! Mais pardonnez-moi si je vous supplie de me laisser où je suis : je vous assure, chère Cœcilia, que je suis très-heureuse ici. »

— Et pourquoi refuser votre liberté? demanda Agnès.

— Parce qu'il est plus parfait de demeurer avec Dieu dans l'état auquel il lui a plu de nous appeler[1]. J'avoue que l'esclavage n'est pas celui dans lequel je suis née, j'y ai été entraînée par d'autres... Et un accès de larmes la força de s'arrêter un moment, après quoi elle reprit : « Mais il n'en est que plus certain, pour moi, que Dieu a voulu que je le servisse dans cette condition. Comment souhaiterais-je donc de la quitter? »

— Eh bien, dit Agnès avec plus d'insistance encore, nous pouvons aisément arranger cela. Je ne vous affranchirai pas, et vous demeurerez mon esclave. Cela reviendra tout à fait au même.

— Non, non, dit Syra en souriant, cela ne se peut. Les instructions que nous donne, à nous, notre grand apôtre, portent : « Serviteurs, soyez en toute crainte soumis à vos maîtres, et non-seulement à ceux qui sont doux et bons, mais aussi à ceux qui sont méchants[2]. » Je suis loin de dire que ma maîtresse soit du nombre de ces derniers, mais vous, noble Agnès, vous êtes trop douce et trop bonne pour

(1) Corinth., VII. 24. (2) 1 Pierre, II. 14.

moi. Où serait donc ma croix si je vivais avec vous? Vous ignorez combien, de ma nature, je suis orgueilleuse et obstinée; et je craindrais pour moi-même si je n'avais quelque épreuve et quelque humiliation. »

Agnès se sentait presque vaincue, mais elle n'en était aussi que plus jalouse de posséder un pareil trésor de vertu, et elle ajouta : « Je vois bien, Syra, qu'aucun motif d'intérêt personnel ne peut vous ébranler; il faut alors que j'aie recours à un argument qui vient d'une source plus égoïste. J'ai besoin de vous avoir auprès de moi, afin de devenir meilleure par vos conseils et par vos exemples. Allons, vous ne pouvez repousser une pareille requête. »

— Egoïste! reprit l'esclave, vous ne le serez jamais. C'est pourquoi j'en appellerai à vous-même de votre demande. Vous connaissez Fabiola et vous l'aimez. Quelle âme noble et quelle splendide intelligence elle possède! Que de hautes qualités, que de talents brillants, s'ils pouvaient seulement réfléchir les rayons de la vérité! Avec quel soin jaloux elle conserve en elle-même cette perle des vertus dont nous seules pouvons apprécier la valeur! Quelle chrétienne vraiment grande ne ferait-elle pas!

— Achevez, pour l'amour de Dieu, chère Syra, s'écria Agnès avec vivacité ; avez-vous donc quelque espoir?

— C'est là ma prière du jour et de la nuit; c'est là ma pensée principale, mon unique but; c'est l'occupation de toute ma vie. Je veux essayer de la gagner par ma patience, par mon assiduité, et même par des discussions inusitées, pareilles à celle que nous avons eue aujourd'hui. Et quand tout aura été épuisé, il me restera encore une ressource.

— Quelle est-elle? demandèrent à la fois les deux jeunes filles.

— De donner ma vie pour sa conversion. Je sais qu'une pauvre esclave telle que moi a peu de chances d'obtenir l'honneur du martyre. On assure cependant qu'une persécution s'apprête, plus violente que les précédentes; peut-être ne dédaignera-t-elle pas des victimes aussi humbles? Mais qu'il en soit de ceci comme il plaira à Dieu; ma vie pour son âme à elle est mise entre ses mains. Ainsi donc, ô vous la plus chère, la meilleure des jeunes filles, dit-elle en touchant à genoux et en mouillant de ses larmes les mains d'Agnès, je vous en supplie, ne vous placez pas entre ma conquête et moi.

— Vous l'emportez, ô Syra! ô ma sœur (ne m'appelez plus désormais d'un autre nom)! dit Agnès. Restez à votre poste; une vertu aussi pure, aussi généreuse, doit triompher. Elle est trop sublime pour fleurir sous un toit aussi humble que le mien.

— Quant à moi, ajouta Cœcilia d'un air de gravité feinte, je dois déclarer qu'elle a osé avancer une chose très-blâmable et blessé gravement la vérité.

— Que voulez-vous dire, ma chère enfant? demanda Syra avec un sourire.

— Eh bien, mais n'avez-vous pas prétendu que je suis meilleure et plus sage que vous, parce que j'ai refusé de manger d'un mets délicat qui aurait flatté mon goût pendant quelques instants aux dépens d'un acte de sensualité? Vous, cependant, vous sacrifiez votre liberté, votre bonheur, le libre exercice de votre religion, et jusqu'à votre vie même s'il le faut, pour le salut de votre tyran et de votre bourreau. Pouvez-vous bien soutenir encore que je suis meilleure que vous?

A ce moment un domestique entra pour annoncer que la litière d'Agnès était à la porte : et celui qui aurait vu les adieux affectueux qu'échangèrent entre elles la jeune patricienne, l'esclave et la mendiante, celui-là se serait sans doute écrié, ainsi que bien des gens l'avaient déjà fait auparavant : « Voyez donc comme ces chrétiens s'aiment les uns les autres! »

VIII. — FIN DU PREMIER JOUR.

Si nous nous arrêtons un instant à la porte pour voir partir Agnès, et si nous prêtons l'oreille à la conversation joyeuse qui s'établit entre elle et Cœcilia, nous entendrons Agnès proposer à celle-ci de la faire accompagner jusque chez elle par une de ses femmes, attendu qu'il est nuit; nous jouirons de la gaîté qu'excite cette proposition chez la jeune aveugle, qui rappelle à sa riche compagne que pour elle la nuit et le jour sont indifférents, et que c'est même en raison de cette indifférence qu'elle a été choisie pour guide des Catacombes dont les détours lui sont aussi familiers que les rues de Rome, où elle circule à toute heure en sécurité. Si nous tardons ainsi pendant quelques instants à rentrer dans l'intérieur, pour nous informer de l'état où se trouve la maîtresse du logis, après les événements de la journée, nous trouvons toute la maison dans l'agitation. Des esclaves armés de flambeaux et de torches courent dans tous les sens; ils visitent tous les endroits possibles et impossibles de la demeure, et semblent chercher un objet perdu. Euphrosyne veut que cet objet se retrouve, mais on y renonce en désespoir de cause. Le lecteur aura probablement deviné d'avance le mot de cette énigme. Selon l'ordre qui lui en a été donné, Syra est revenue pour faire panser sa blessure, et c'est alors qu'on s'aperçoit que l'écharpe qui entourait son bras a disparu. Elle ne peut expliquer cette disparition, sinon en avouant qu'elle a ôté le précieux tissu pour un instant et qu'elle l'a remis aussitôt, mais moins bien sans doute qu'Euphrosyne ne l'avait fait; elle va même jusqu'à dire le motif qui le lui a fait ôter, tant elle a horreur du mensonge, et elle ajoute qu'elle ne s'est aperçue de cette perte que dans l'instant. La bonne nourrice se montre violemment contrariée de ce contre-temps; elle déplore qu'un accident pareil soit arrivé précisément à une pauvre esclave qui destinait sans doute cet objet au rachat de sa liberté. Syra aussi est affligée, mais pour des raisons dont elle n'aurait pu faire apprécier la gravité à l'indulgente nourrice.

Euphrosyne interroge tous les domestiques, en visite même plusieurs, au grand chagrin de Syra; puis ordonne de nouvelles recherches dans toutes les parties de la maison où Syra a pu passer. Qui donc aurait jamais pu soupçonner, même pour un moment, qu'un des nobles convives de la table du maître se fût emparé d'un objet quelconque, précieux ou non? La vieille femme de charge en vint donc à conclure que l'écharpe avait été enlevée au moyen de quelque procédé magique, et soupçonna même violemment l'esclave noire, Afra, dont elle connaissait la haine pour Syra, d'avoir employé quelque maléfice pour affliger la pauvre fille. Elle croyait fermement la négresse une véritable Canidia[1], car elle était obligée de la laisser souvent sortir seule et pendant la nuit, sous le prétexte d'aller, à l'époque de la pleine lune, cueillir les herbes nécessaires à ses préparations cosmétiques, comme si, cueillies en d'autres temps, ces herbes n'auraient pas possédé les mêmes vertus. Euphrosyne soupçonnait donc Afra de ne sortir ainsi que pour se procurer des plantes véné-

(1) Sorcière fameuse du temps d'Auguste.

neuses, tandis que, dans le fait, ce n'était que pour aller, avec d'autres gens de sa race, se mêler aux hideuses orgies du fétichisme[1], ou donner audience aux dupes qui ajoutaient foi à sa science magique imaginaire. Cependant, ce ne fut qu'après avoir abandonné toutes recherches et en se retrouvant seule que Syra, repassant plus tranquillement dans sa mémoire les événements de cette journée, se rappela que Fulvius s'était arrêté, en traversant la cour, à l'endroit précis qu'elle venait elle-même de quitter; puisqu'il avait, aussitôt après, gagné la porte à pas précipités. Elle conçut à l'instant l'idée qu'elle avait laissé tomber son écharpe en cet endroit et qu'il devait l'y avoir ramassée, car elle considérait comme impossible que, l'ayant reconnue, il eût passé à côté avec indifférence. Elle était donc convaincue que le voile se trouvait aux mains de Fulvius. Après avoir longuement réfléchi aux conséquences possibles que cet événement pourrait avoir pour elle, se trouvant hors d'état d'en venir à une conclusion satisfaisante, elle résolut de s'en remettre entièrement à la volonté de Dieu, et chercha ce repos qu'une bonne conscience doit toujours rendre doux et bienfaisant.

Après avoir pris congé d'Agnès, Fabiola s'était retirée dans son appartement : elle y avait reçu de ses deux autres esclaves et d'Euphrosyne les services ordinaires, et les avait congédiées avec plus de bienveillance qu'elle ne leur en avait jamais montré. Aussitôt que ses femmes se furent retirées, elle se disposait à s'étendre sur la couche où nous l'avons déjà vue, quand elle y découvrit, non sans dégoût, le stylet qui lui avait servi à blesser Syra. Elle ouvrit un coffret, y jeta avec horreur l'arme cruelle, et, à dater de ce jour, elle ne s'en servit jamais.

Elle prit alors un volume dont elle avait interrompu la lecture et qui l'avait d'abord beaucoup intéressée; il lui sembla insipide et frivole. Elle le mit de côté et donna un libre cours à ses réflexions sur tout ce qui s'était passé ce jour-là. Le souvenir d'Agnès lui revint en premier lieu : « Que ma cousine est une étrange enfant! se disait-elle; quel désintéressement! quelle pureté! quelle simplicité! et en même temps comme elle est raisonnable, comme elle est sensée même! » — Elle prit la résolution de devenir sa protectrice en toutes choses et d'agir avec elle comme sa sœur aînée. Aussi bien que son père, elle avait été frappée des regards fré-

(1) Religion des tribus de l'intérieur de l'Afrique.

quents que Fulvius avait jetés sur elle; ce n'était pas, à la vérité, de ces regards libertins tels qu'elle-même en avait souvent supporté avec mépris; mais des regards artificieux et faux qui, dans sa pensée, à elle, décelaient une ruse, un plan dont Agnès aurait pu devenir la victime. Elle résolut de déjouer ce plan, quel qu'il fût, et en vint, sur Fulvius, à une opinion toute différente de celle que son père avait conçue à son égard. Elle se décida à empêcher l'étranger d'avoir accès auprès d'Agnès, ou du moins dans sa maison, et elle s'en voulut même d'avoir exposé une enfant aussi jeune au contact de l'étrange société qui se réunissait souvent à la table de son père, d'autant plus que les motifs qui l'avaient poussée à le faire étaient, elle ne pouvait se le dissimuler, purement égoïstes. Elle se disait tout cela presqu'au même moment où Fulvius, s'agitant sur sa couche, prenait la résolution de ne jamais franchir de nouveau le seuil de la porte de Fabius, et de repousser ou d'éluder toute invitation qui viendrait de lui.

Fabiola avait sondé le caractère du jeune étranger; elle avait saisi de son œil pénétrant toute l'affectation de ses manières et la fausseté de son regard. Elle ne pouvait s'empêcher de les comparer à l'air ouvert du franc et généreux Sébastien : « Quel noble jeune homme! se disait-elle; qu'il est différent de tous les autres jeunes gens qui viennent ici! jamais un mot léger ne s'échappe de ses lèvres, jamais un regard malveillant ne part de ses yeux où siégent la franchise et la gaîté. Comme il est sobre à table, ainsi qu'il convient à un soldat! comme il est réservé, ainsi qu'il convient à un héros, relativement à sa valeur et à ses hauts faits à la guerre qui font cependant le sujet de tant d'éloges. Oh! s'il pouvait ressentir pour moi ce que les autres prétendent éprouver!... » Elle n'acheva pas sa phrase, mais une mélancolie profonde sembla s'emparer de son âme tout entière.

Puis la conversation de Syra et les suites qu'elle avait eues se représentèrent à son esprit : le souvenir lui en était pénible, et elle ne pouvait s'empêcher de s'y arrêter; il lui semblait que le jour qui venait de s'écouler était un jour décisif dans son existence. Son orgueil avait été humilié par une esclave et son humeur s'était adoucie sans qu'elle sût comment. Si les yeux de son intelligence avaient été ouverts à cette heure, s'ils avaient pu s'élever au-dessus des choses du monde, ils auraient vu un nuage léger, semblable à la fumée de l'encens, mais teint des plus riches reflets, monter du chevet d'une esclave prosternée. C'était la prière et le sacrifice volontaire de la vie de cette esclave, tous deux soupirés en même temps vers le ciel. Ce nuage s'arrêta au marchepied éclatant du trône de la Miséricorde céleste, et retomba comme une rosée de grâce sur le cœur aride de la jeune païenne.

Mais Fabiola ne pouvait pas voir cette merveille, qui cependant n'en était pas moins réelle : bientôt, épuisée de fatigues, elle alla chercher le repos. Des rêves désolants la poursuivirent, elle aussi. Elle vit un site ravissant semblable à un jardin brillamment éclairé, comme par la lumière du jour, mais d'un éclat plus doux encore; tout autour de ce lieu régnaient des ténèbres épaisses. Des fleurs charmantes émaillaient les gazons, des plantes couvertes des plus riches bourgeons s'élançaient comme des festons d'arbre en arbre, et ces arbres supportaient des fruits d'or. Au milieu de ce séjour, elle vit, assise sur l'herbe, la jeune aveugle dont le visage rayonnait de bonheur : d'un côté, Agnès avec son regard candide et pur : de l'autre, Syra avec son calme et patient sourire, se penchaient vers elle, et semblaient lui prodiguer des marques de tendresse. Fabiola éprouvait un désir irrésistible d'être avec elles; il lui semblait qu'elles jouissaient toutes trois d'une félicité qu'elle n'avait jamais connue et dont elle n'avait jamais été témoin. Elle crut voir même que toutes trois lui faisaient signe de venir les rejoindre. Elle s'élança aussitôt, lorsque tout à coup, à sa grande terreur, elle se trouva séparée d'elles par un abîme profond, large et sombre, au fond duquel mugissait un torrent impétueux. Mais voilà que les eaux du torrent s'élèvent par degrés jusqu'à ce qu'elles aient atteint le bord de l'abîme; puis, malgré leur profondeur, elles reprennent leur cours et s'écoulent en flots brillants, étincelants et pleins de fraîcheur. Oh! si elle avait le courage de se jeter dans cette onde qui seule la sépare de l'autre rive! si elle pouvait y aborder en sûreté! Et cependant ses trois compagnes l'invitent du geste à tenter l'entreprise. Mais, tandis qu'elle demeure au rivage en se tordant les mains de désespoir, voici que Calpurnius semble se détacher de l'obscurité dont elle est environnée; il déploie à ses regards un lourd et large voile chargé de toutes sortes de figures monstrueuses et de hideuses chimères enlacées, entremêlées les unes aux autres; ce voile se développe, s'étend et finit par dérober à ses yeux la vision enchantée qui les charmait. Elle s'en afflige encore, lorsque tout à coup il lui semble découvrir un brillant Génie (c'est ainsi qu'elle l'appelle du moins) dans les traits duquel elle croit saisir une ressemblance idéale avec Sébastien, qu'elle avait remarqué se tenant à quelque distance d'un air affligé : il s'approche d'elle à ce moment, et, tout en lui souriant, il rafraîchit, du battement de ses ailes de pourpre et d'or, le front brûlant de Fabiola, puis la vision se perd dans un sommeil calme et réparateur.

IX. — RÉUNIONS.

De toutes les collines de la ville de Rome, celle dont on retrouve les contours avec le plus de certitude, est, sans contredit, le mont Palatin. Auguste l'ayant choisi pour y établir sa résidence, plusieurs empereurs suivirent son exemple; mais ils transformèrent peu à peu la modeste demeure en un *palais* dont les bâtiments envahirent bientôt la colline tout entière. Néron toutefois, peu satisfait des dimensions de l'édifice, détruisit les quartiers qui l'environnaient en y mettant le feu et étendit ainsi la résidence impériale jusqu'au pied du mont Esquilin qui l'avoisine, s'emparant ainsi de tout l'espace situé entre les deux collines et qu'occupe aujourd'hui le Colisée. Vespasien abattit cette *Maison d'Or* dont les voûtes, couvertes de peintures magnifiques, subsistent encore, et de ses matériaux construisit l'amphithéâtre que nous venons de nommer, ainsi que d'autres bâtiments. L'entrée du palais, peu de temps après cette époque, vint s'ouvrir sur la *Via sacra* ou voie sacrée, à côté de l'arc de Titus. En traversant un péristyle, le visiteur se trouvait dans une cour magnifique, dont on peut encore très-distinctement suivre le plan. Tournant ensuite à gauche, il entrait dans un immense espace carré planté d'arbres, de buissons et de fleurs, disposé par Domitien et consacré par lui à Adonis. En appuyant toujours sur la gauche, on pénétrait dans une série d'appartements construits par Alexandre Sévère en l'honneur de sa mère Mamméa dont ils portaient le nom. Ils s'ouvraient sur le mont Cœlius, juste à l'angle de cette colline qui s'élève en face de l'arc de triomphe de Constantin, construit plus tard, et de la fontaine appelée *Meta sudans*[1]. C'était là que se

(1) « La borne qui sue. » C'était un obélisque de briques (il existe encore) revêtu de

trouvait l'appartement qu'occupait Sébastien, en sa qualité de tribun ou d'officier supérieur de la garde impériale. Cet appartement se composait de quelques chambres très-modestement meublées, ainsi qu'il convenait à un soldat et à un chrétien. Sa maison se bornait à quelques affranchis et à une vénérable matrone qui avait été sa nourrice et qui l'aimait comme son fils. Tous étaient chrétiens, de même que les hommes de sa cohorte ; les uns l'étaient devenus par leur conversion ; les autres, et c'était le plus grand nombre, avaient été recrutés avec soin parmi les fidèles.

Quelques jours s'étaient écoulés depuis les scènes décrites dans le dernier chapitre. Environ deux heures après le coucher du soleil, Sébastien, accompagné d'un jeune homme que nous connaissons déjà, montait les marches du péristyle dont nous venons de parler. Pancrace admirait et aimait Sébastien de cette sorte d'affection que l'on peut supposer exister chez un jeune et ardent officier pour un brave capitaine plus âgé que lui, qui veut bien l'admettre à son amitié. Cependant ce n'était pas en sa qualité de soldat de César, mais bien comme champion du Christ, que le jeune écolier estimait le vaillant tribun, dont la générosité, l'élévation d'âme et la bravoure étaient voilées sous tant de douceur et de simplicité, et accompagnées de tant de prudence et de discrétion, qu'il inspirait la confiance et l'abandon à tous ceux qui se trouvaient en rapport avec lui. De son côté, Sébastien n'aimait pas moins Pancrace à cause de son ardeur pleine de simplicité, et de l'innocence et de la candeur de son âme. Il prévoyait les dangers auxquels pouvaient l'entraîner son impétuosité et sa chaleur juvénile, et l'encourageait à se rapprocher de lui, afin d'être mieux à même de le guider, et peut-être de le retenir.

Au moment où ils pénétraient dans cette partie du palais dont la garde était commise à la cohorte de Sébastien, celui-ci dit à son compagnon :

— Chaque fois que j'entre ici, je suis frappé de la bonté de la Providence divine, qui a voulu que l'on érigeât, en quelque sorte à la porte même du palais des Césars, l'arc de triomphe qui rappelle à la fois et la chute du premier grand système qui était l'antagoniste du christianisme, et l'accomplissement de la plus grande prophétie

marbre, du sommet duquel s'échappait une nappe d'eau qui coulait jusqu'au bas comme une couche de cristal, pour se perdre dans un bassin placé au-dessous.

de l'Evangile, c'est-à-dire la destruction de Jérusalem par la puissance romaine[1]. Je ne puis m'empêcher de penser qu'un autre arc de triomphe s'élèvera quelque jour aussi en mémoire d'une victoire non moins grande sur le second ennemi de notre religion, sur l'empire de Rome païenne elle-même.

— Eh quoi! considérez-vous le renversement de ce vaste empire comme le moyen d'établir le christianisme?

— Dieu m'en garde! Pour le maintenir, je verserais les dernières gouttes de mon sang, comme j'en ai déjà versé les premières. Mais, soyez-en certain, lorsque l'empire sera converti, ce ne sera pas d'une façon graduelle, et pas à pas, ainsi que nous le voyons aujourd'hui; ce sera par quelque moyen tellement surhumain, tellement divin, que nous ne pouvons l'imaginer, même dans nos aspirations les plus ambitieuses; tous s'écrieront d'une voix commune : Ceci est le changement opéré par la droite du Très-Haut!

— Je le crois aussi! mais votre idée d'un arc de triomphe chrétien suppose un instrument terrestre : où pensez-vous qu'il réside?

— Mais, à vous dire vrai, Pancrace, mes pensées, je l'avoue, se tournent vers la famille de l'un de nos Augustes, comme présentant déjà un germe de dispositions meilleures : je veux parler de Constance Chlore.

— Cependant, Sébastien, si vous vous exprimiez ainsi devant les plus instruits et les plus vertueux de nos vieillards, combien d'entre eux vous diraient, et disent même, que de semblables espérances se sont éveillées sous les règnes d'Alexandre, de Gordien ou d'Aurélien, et se sont évanouies. Pourquoi, demandent-ils, pourquoi devrions-nous nous attendre à de plus heureux résultats?

— Je ne le sais que trop, mon cher Pancrace, et j'ai souvent déploré avec amertume ces sombres prévisions qui éteignent notre énergie; ces pensées décourageantes que la vengeance est perpétuelle et la miséricorde seulement temporaire; que le sang des martyrs, que les prières des vierges n'ont pas le pouvoir d'abréger les temps d'épreuves et de hâter les jours de grâce.

En s'entretenant de la sorte, ils étaient arrivés à l'appartement de Sébastien, dont la pièce principale était éclairée et évidemment préparée pour une réunion. Vis-à-vis de la porte était une fenêtre

(1) L'arc de triomphe de Titus, sur lequel sont représentées les dépouilles du temple de Jérusalem.

s'ouvrant jusqu'au parquet, et donnant sur une terrasse qui régnait tout le long de cette partie du bâtiment. Elle laissait apercevoir une nuit si sereine, que tous les deux traversèrent la chambre sans y penser et ne s'arrêtèrent que sur la terrasse. Une vue ravissante, splendide s'offrait à leurs regards. La lune brillait au plus haut des cieux; elle semblait y flotter de cette façon particulière qui n'appartient qu'aux nuits italiennes : ce n'était pas une surface plate et sans relief; c'était un globe plein et saillant, baigné dans l'atmosphère ambiante de son éclat resplendissant. Les étoiles en avaient pâli; aussi paraissaient-elles s'être retirées en groupes pressés et plus brillants, jusque dans les parties les plus reculées de l'azur du ciel. Ce fut dans une nuit pareille que, bien des années plus tard, Monique et Augustin, assis près d'une fenêtre à Ostie, s'entretenaient des choses célestes.

Et, à vrai dire, tout ce que découvraient les deux jeunes gens, tout, au-dessous d'eux, autour d'eux, était grand et magnifique. D'un côté, le Colisée, ou amphithéâtre de Flavien, se développait dans toute son immensité, et le doux murmure de la fontaine, en laissant couler son onde argentée sur les parois de l'obélisque, comme la vague marine qui glisse sur un rocher incliné, arrivait harmonieux à l'oreille. De l'autre côté, s'élevait le bâtiment superbe nommé le *Septizonium* de Sévère; en face, et se dressant au-dessus du mont Cœlius, les bains somptueux de Caracalla réfléchissaient les rayons d'une lune d'automne sur leurs murailles de marbre et leurs piliers massifs. Mais tous ces monuments merveilleux de la gloire terrestre demeuraient inaperçus des deux jeunes chrétiens qui se tenaient debout et silencieux : le plus âgé avait passé son bras droit autour du cou de son compagnon dont l'épaule lui servait d'appui. Après une longue pause, il reprit le fil de l'entretien qu'il avait interrompu, et dit d'une voix plus douce :

— J'allais vous montrer, quand nous nous sommes avancés jusqu'ici, l'endroit que vous voyez à nos pieds et sur lequel j'ai souvent pensé que s'élèverait un jour l'arc de triomphe dont je vous parlais tout à l'heure[1]. Mais pourrait-on penser à ces misérables choses d'ici-bas, en présence de cette voûte magnifique qui, illuminée avec tant d'éclat, s'arrondit au-dessus de nous comme pour attirer en haut et nos yeux et nos cœurs?

(1) L'arc de Constantin s'élève précisément au-dessous de l'endroit où se passait la scène qui est ici racontée.

— C'est vrai, Sébastien; et j'ai quelquefois pensé que si la partie du firmament vers laquelle peut se tourner l'œil humain, tout pécheur et tout misérable que soit l'homme, est si belle et si brillante, que doit donc être la partie supérieure sur laquelle daigne s'arrêter l'œil de Celui dont la gloire ne connaît point de bornes. Je m'imagine que ce doit être comme un voile richement brodé, dont le tissu laisse échapper quelques fils d'or, seules beautés que nous puissions en apercevoir. Oh! de quelle magnificence vraiment royale doit être cette surface supérieure qu'effleurent les pieds légers des anges et ceux des justes qui sont arrivés à la perfection!

— C'est une pensée gracieuse que vous avez là, Pancrace, et qui n'en est pas moins vraie. Elle nous montre que le voile étendu entre nous qui travaillons ici-bas, et l'Eglise triomphante assise là-haut dans sa gloire, est léger et facile à traverser.

— Et, pardonnez-moi, Sébastien, dit le jeune homme en attachant sur son ami le même regard calme et pensif qu'il opposait, quelques soirées auparavant, au regard inspiré de sa mère; pardonnez-moi si, tandis que vous parlez avec tant de certitude de cet arc futur qui doit rappeler le triomphe du christianisme, je vois déjà devant moi, construit et tout ouvert, l'arc par lequel, tout faibles que nous sommes, nous pouvons rapidement mener l'Eglise au triomphe de la gloire, et arriver nous-mêmes à celui de la félicité.

— Où est cet arc dont vous voulez parler, mon cher enfant?

Pancrace étendit la main vers la gauche avec fermeté, et dit :

— Ici, noble Sébastien, et c'est chacun des arceaux de l'amphithéâtre de Flavien qui conduit aux arènes au-dessus desquelles, aussi léger que le tissu qui abrite les spectateurs, s'étend le voile dont vous venez de parler. Mais écoutez!

— C'est le rugissement du lion qui se fait entendre au pied du mont Cœlius! s'écria Sébastien étonné. Des bêtes féroces doivent être arrivées au *vivarium*[1] de l'amphithéâtre, car il n'y en avait point hier, je le sais.

— Oui, écoutez! continua Pancrace sans paraître remarquer l'interruption. Ce sont les accents de la trompette qui nous appellent; c'est la musique dont les sons doivent nous accompagner dans notre triomphe.

Tous deux se turent quelque temps; Pancrace rompit le premier

(1) L'endroit où l'on gardait les bêtes féroces destinées aux spectacles des arènes.

le silence : — Ceci me rappelle une affaire sur laquelle j'ai besoin de prendre votre avis, mon conseiller fidèle ; votre société arrivera-t-elle bientôt ?

— Pas encore ; et ils ne viendront qu'un à un : jusqu'à ce qu'ils arrivent, venez dans ma chambre, où personne ne nous interrompra.

Ils longèrent la terrasse et entrèrent dans la dernière pièce de l'appartement : cette pièce était située au coin de la colline, exactement vis-à-vis de la fontaine, et les seuls rayons de la lune, pénétrant par la fenêtre ouverte, y jetaient quelque clarté. Le soldat s'arrêta auprès de la fenêtre ; Pancrace s'assit sur l'étroite couche militaire de son ami.

— Quelle est cette grande affaire, Pancrace, sur laquelle vous désirez avoir ma sage opinion ? dit l'officier en souriant.

— Ce sera peut-être, dit le jeune homme timidement, une bagatelle pour un homme généreux et entreprenant comme vous ; mais, pour un enfant inexpérimenté et faible comme moi, c'est une affaire très-importante.

— Dans tous les cas, ce ne peut être qu'une chose vertueuse et louable, je n'en doute pas : contez-la-moi, et je vous promets de vous aider.

— Eh bien donc, Sébastien — vous ne vous moquerez pas de moi, n'est-ce pas ? — continua Pancrace hésitant et rougissant à chaque mot. Vous savez que j'ai à la maison une assez grande quantité de vaisselle d'argent qui ne me sert pas — véritable embarras chez nous, pour le genre de vie simple que nous menons, comme vous savez. Quant à ma mère bien-aimée, malgré tout ce que je puis dire, elle ne veut pas porter ses nombreux bijoux qui sont devenus d'un goût suranné ; ils demeurent donc enfermés et inutiles à tout le monde. Je n'ai personne à qui ces biens puissent retourner en héritage. Je suis et je serai le dernier de ma race. Vous m'avez souvent dit quels étaient, en pareils cas, les héritiers naturels d'un chrétien — la veuve, l'orphelin, le pauvre, celui qui est sans appui sur la terre. Pourquoi ceux-ci attendraient-ils, jusqu'à ma mort, ce qui leur revient de droit ? et si une persécution est proche, pourquoi courir le risque de voir ces richesses confisquées par l'Etat, ou pillées par les licteurs au détriment de nos héritiers légitimes, lorsqu'on nous demandera jusqu'à notre vie même ?

— Pancrace, dit Sébastien, je vous ai écouté jusqu'au bout sans interrompre par une observation vos nobles paroles. Je voulais vous laisser le mérite de les exprimer tout entières. Mais dites-moi, maintenant, qu'est-ce qui vous fait douter en cette circonstance et hésiter sur le parti que vous désirez prendre?

— Eh bien, à vous dire vrai, je crains qu'il ne soit bien présomptueux et bien inconvenant pour un jeune homme de mon âge de m'offrir à faire ce que certaines gens considèreront sans doute comme quelque chose de grand et de généreux; tandis qu'il n'en est rien, je vous l'assure, mon cher Sébastien, car je ne tiens nullement à tous ces objets; ils ne sont pour moi d'aucune valeur, mais ils peuvent l'être pour les pauvres, surtout aux jours d'épreuve qui s'avancent.

— Et Lucine, sans doute, y consent?

— Oh! soyez sans crainte à cet égard. Je ne toucherais pas même à un grain de poussière d'or sans son agrément. Mais voici surtout ce qui me fait vous demander votre assistance. Je ne pourrais jamais supporter l'idée que l'on sût que j'ai eu la hardiesse de faire quoi que ce soit d'étrange, particulièrement pour un enfant. Vous me comprenez. Ainsi ce dont j'ai besoin et ce dont je vous prie, c'est que la distribution ait lieu dans quelque autre maison que la mienne et comme venant de... de quelqu'un qui a bien besoin des prières des fidèles, des pauvres principalement, et qui désire demeurer inconnu.

— Je vous rendrai ce service avec bonheur, cher et vraiment généreux enfant. Mais chut! n'avez-vous pas entendu dans l'instant prononcer le nom de la noble Fabiola? Tenez, encore! et l'on vient d'y ajouter une épithète qui n'exprime pas la bienveillance.

Pancrace s'approcha de la fenêtre; deux voix se faisaient entendre, et si près d'eux, que la corniche seule leur cachait les deux interlocuteurs, dont l'un était une femme évidemment; l'autre un homme. Quelques moments après, tous deux s'avancèrent un peu et se trouvèrent éclairés par la lune, dont la lumière était presque aussi éclatante que celle de l'astre du jour.

— Je connais cette négresse, dit Sébastien; c'est Afra, l'esclave noire de Fabiola.

— Et l'homme, ajouta Pancrace, est Corvinus, mon ancien compagnon d'école.

Les deux amis crurent de leur devoir de saisir, s'il était possible, le fil de ce qui ressemblait à un complot; mais comme les deux interlocuteurs se promenaient en causant, les deux chrétiens ne pouvaient saisir que des phrases sans suite. Quant à nous, sans nous borner à ces fragments, nous rapporterons la conversation dans son entier. Un mot seulement, avant d'aller plus loin, sur les deux interlocuteurs.

Nous connaissons suffisamment l'esclave africaine. Corvinus, nous l'avons déjà dit, était le fils de Tertullus, autrefois préfet du Prétoire. Cette charge, inconnue sous la république et de création impériale, avait, depuis le règne de Tibère, successivement absorbé presque toute la puissance tant civile que militaire; et celui qui en était investi remplissait souvent aussi les devoirs de juge suprême de la justice criminelle dans Rome. Il fallait avoir l'âme peu sensible pour occuper cet emploi à la satisfaction de maîtres despotiques et inexorables. Etre assis, pendant tout le jour, dans un tribunal entouré de hideux instruments de torture, demeurer insensible aux cris et aux gémissements des femmes, des vieillards et des enfants auxquels on les appliquait; savoir diriger d'un côté un tranquille interrogatoire contre un malheureux étendu sur le chevalet et palpitant dans les angoisses de l'agonie; d'un autre, faire exécuter la sentence qui condamnait un infortuné à périr sous les fouets armés de balles de plomb; dormir d'un sommeil calme après de telles scènes et se lever avec le désir de les voir se renouveler, c'était là une occupation à laquelle tout membre du barreau de Rome n'était pas supposé devoir aspirer. Tertullus avait été rappelé de Sicile pour remplir cette charge; non qu'il fût cruel, mais parce que c'était un homme au cœur froid, incapable de pitié et de partialité. Toutefois son tribunal fut la première école de Corvinus; étant encore enfant, il savait rester des heures entières assis aux pieds de son père, se repaissant des spectacles cruels qui se donnaient sous ses yeux et montrant du dépit quand un accusé s'en allait absous. Il grandit de cette façon en stupidité, en rudesse et en brutalité, et il n'avait pas encore atteint l'âge de condition d'homme, que son visage, couvert de taches et de pustules, ses yeux rouges, dont l'un était à moitié fermé, annonçaient déjà des mœurs dissolues et débauchées. Sans goût pour les choses délicates, sans dispositions pour l'étude, il réunissait en lui une certaine somme de courage et de force physique avec une mesure considérable de ruse vulgaire. Jamais son cœur n'avait ressenti de sentiments généreux, jamais il n'avait dompté une passion mauvaise. Nul homme ne lui avait fait une offense, qu'il ne l'exécrât et ne cherchât à en tirer vengeance. Il y avait surtout deux individus auxquels il avait juré de ne jamais pardonner; c'était le maître d'école qui l'avait souvent châtié pour son impudente paresse, et le condisciple qui avait répondu par une bénédiction à son outrage brutal. Qu'on lui fît justice ou miséricorde, du bien ou du mal, on lui devenait également odieux.

Tertullus n'avait pas de fortune à lui laisser, et, quant à lui, il paraissait peu apte à s'en faire une par ses talents. En posséder, cependant, était son unique désir, car les richesses pouvant lui permettre de satisfaire tous ses goûts, étaient dès lors pour lui la suprême félicité. Une riche héritière, ou plutôt une riche dot lui semblait le moyen le plus simple pour atteindre son but. Trop ignorant, trop gauche et trop maladroit pour se pousser dans le monde, il cherchait par d'autres moyens, plus analogues à son humeur, à parvenir au but de ses désirs ambitieux ou cupides. Sa conversation avec l'esclave noire nous les fera apprécier mieux que tous nos discours ne le pourraient faire.

— Je suis venu te trouver encore à la *Meta sudans*, et, pour la quatrième fois, à cette heure incommode. Quelle nouvelle as-tu pour moi?

— Aucune, sinon que ma maîtresse part après-demain pour sa villa de *Cajeta* (Gaëte) et que, naturellement, je pars avec elle. J'aurai donc besoin de plus d'argent pour poursuivre les opérations que j'ai entreprises en votre faveur.

— De l'argent? encore! Je t'ai déjà donné tout ce que j'ai reçu de mon père depuis plusieurs mois.

— Mais savez-vous bien ce qu'est Fabiola?

— Oui, sans doute; c'est le plus riche parti de Rome.

— L'orgueilleuse et insensible Fabiola n'est pas facile à gagner.

— Et cependant tu m'avais promis que tes philtres et tes charmes m'assureraient sa main ou du moins sa fortune. Qu'est-ce que tout cela peut coûter?

— Très-cher, en vérité. J'ai besoin des ingrédients les plus précieux, et il faut les acheter. Et puis, croyez-vous que je sois d'humeur à aller au milieu des tombeaux de la voie Appienne, à une heure semblable, pour y recueillir les simples qui me sont nécessaires, et tout cela sans être convenablement récompensée? Mais que comptez-vous faire pour seconder mes efforts? Je vous ai déjà dit que cela devait en hâter le succès.

— Eh! que puis-je faire? Tu sais que ni la nature ni l'éducation ne m'ont taillé de façon à produire une bien grande impression sur le cœur de qui que ce soit. Je me fierais plutôt à la puissance de ton art mystérieux.

— En ce cas, laissez-moi vous donner un conseil, si vous n'avez ni grâces ni dons naturels qui puissent vous gagner le cœur de Fabiola.

— Sa fortune, tu veux dire?

— L'un ne va pas sans l'autre : soyez sûr qu'il est un moyen que vous pouvez employer et qui est irrésistible.

— Quel est ce moyen?

— L'or.

— L'or! et où en trouver? c'est précisément ce que je cherche.

La négresse sourit avec malignité et continua :

— Que n'en gagnez-vous comme Fulvius en gagne?

— Et comment le gagne-t-il?

— Par le sang.

— Comment sais-tu cela?

— J'ai fait la connaissance d'un vieux serviteur qui l'accompagne et qui, s'il n'a pas la peau tout à fait aussi noire que la mienne, se rattrape largement par la noirceur de son âme. Son langage et le mien ont assez de rapport pour que nous puissions nous comprendre. Il m'a fait de nombreuses questions au sujet des poisons, et m'a donné à entendre qu'il rachèterait ma liberté et m'emmènerait dans son pays pour m'épouser : mais j'ai en vue quelque chose de mieux, je l'espère. Quoi qu'il en soit, j'ai tiré de lui tout ce que je voulais savoir.

— Et qu'as-tu appris?

— Que Fulvius a découvert une grande conspiration ourdie contre Dioclétien, et, à un clin d'œil significatif du vieux scélérat, j'ai compris tout d'abord que c'était lui-même qui l'avait tramée. Il a été envoyé à Rome avec de puissantes recommandations pour y être employé dans le même commerce.

— Mais je ne suis habile, ni à ourdir ni à découvrir des conspirations; tout au plus serais-je bon pour punir les conspirateurs.

— Il y a cependant un moyen facile.

— Quel est-il?

— Il existe dans mon pays une sorte de grands oiseaux que vous tenteriez en vain d'atteindre à la course, même en étant monté sur le cheval le plus rapide, mais qui, si vous vous mettez doucement à leur recherche, sont les premiers à se trahir, car ils ne cachent que leurs têtes.

— Qui veux-tu désigner par cette allégorie?

— Les chrétiens. Ne dit-on pas qu'une persécution va bientôt sévir contre eux?

— Oui, et une persécution terrible, une persécution telle, qu'on n'en a point encore vu jusqu'ici.

— En ce cas, suivez mon conseil. Ne vous fatiguez pas à les chasser pour ne saisir, après tout, qu'un maigre gibier; ouvrez l'œil et mettez-vous à l'affût d'une ou deux pièces des plus grasses, de celles qui ne se cachent qu'à demi : fondez tout à coup sur elles, sachez tirer une large part de la confiscation de leurs biens, puis venez nous offrir une bonne poignée d'or pour en obtenir deux en retour.

— Merci, merci; je te comprends. Tu ne les aimes donc pas non plus, ces chrétiens?

— Si je les aime? — J'ai en horreur toute leur race entière. Les esprits que j'adore en exècrent jusqu'à leur nom. — Puis elle ajouta avec un affreux sourire de haine : « Je soupçonne une de mes compagnes d'appartenir à cette secte odieuse. Oh! que je la déteste! »

— Qui te le fait soupçonner?

— D'abord elle ne ferait pas un mensonge pour tout au monde, et elle nous met à chaque instant dans les plus terribles embarras par son absurde véracité.

— Bien! et puis?

— Et puis, elle ne tient ni à l'argent ni aux présents, et cela fait que l'on ne vient pas nous en offrir.

— Encore mieux!

— Et enfin elle est...

Le dernier mot vint s'éteindre dans l'oreille de Corvinus, qui répliqua :

— A merveille! en vérité : je suis sorti aujourd'hui des portes de la ville pour aller à la rencontre d'une caravane de tes compatriotes qui sont arrivés, mais tu l'emportes sur eux tous.

— Vraiment! s'écria Afra enchantée, et qu'était-ce que cette caravane?

— Des africains[1], tout bonnement, répliqua Corvinus en riant . des lions, des panthères, des léopards.

— Misérable! est-ce ainsi que vous osez m'outrager?

— Allons, allons, apaise-toi. On les amène tout exprès pour te débarrasser de tes odieux chrétiens. Quittons-nous bons amis. Voici

(1) Nom générique donné à toutes les bêtes sauvages de cette partie du monde, pour les distinguer des ours et des autres espèces originaires du Nord.

ton argent. Mais que ce soit le dernier, et fais-moi savoir quand tes philtres commenceront à opérer. Je n'oublierai point tes avis à propos de l'or des chrétiens : ces conseils me vont parfaitement.

Comme il s'éloignait par la voie sacrée, la négresse fit semblant de prendre par la voie *Carinæ*, sise entre le Palatin et le mont Cœlius : puis, revenant sur ses pas et le suivant des yeux ; « Insensé ! dit-elle de croire que je vais, pour un être tel que toi, faire des expériences sur une femme de l'humeur de Fabiola ! »

Elle le suivit à distance, puis tout à coup se détourna et entra dans le vestibule du palais, à ce que crut voir Sébastien et à son grand étonnement. Il résolut aussitôt de mettre Fabiola en garde contre ce complot ; mais il lui fallait attendre, pour cela, que la jeune fille fût revenue de la campagne.

X. — AUTRES RÉUNIONS.

Quand les deux jeunes gens rentrèrent dans la chambre par laquelle ils avaient pénétré d'abord dans l'appartement, ils y trouvèrent réunie toute la société qu'ils attendaient. Un repas frugal avait été placé sur la table, afin surtout de justifier la réunion aux yeux de tout importun qui se serait présenté au milieu d'elle sans être attendu. L'assemblée était nombreuse et variée : il y avait des prêtres, des laïques, des hommes et des femmes. Le but de la réunion était de se concerter sur les mesures à prendre par suite d'un fait qui avait eu lieu tout récemment dans le palais, et que nous allons raconter brièvement.

Investi de la confiance illimitée de l'empereur, Sébastien employait toute l'influence qu'elle lui donnait pour propager la foi chrétienne dans l'intérieur du palais. De nombreuses conversions avaient eu lieu successivement ; mais, quelque temps avant l'époque dont nous écrivons l'histoire, il s'en était opéré une en masse et dont nous trouvons les détails consignés dans les Actes authentiques de ce glorieux soldat. En vertu des lois anciennes, un bon nombre de chrétiens avaient été arrêtés et soumis à un interrogatoire qui souvent se terminait par la mort. Deux frères, Marcus et Marcellianus, avaient été accusés ainsi, et n'attendaient plus que l'exécution de leur sentence, lorsque leurs parents, ayant été admis à les visiter, les supplièrent avec des larmes de sauver leurs jours par une apostasie. Ils parurent ébranlés et promirent de délibérer. Sébastien l'apprit et courut à la prison afin de les sauver de leur perte. Il était trop connu pour que l'on osât lui en refuser l'entrée, et semblable à un ange de lumière, il pénétra dans leur sombre séjour. Il consistait en une chambre solidement bâtie, de la maison même du magistrat qui avait été commis à leur garde; d'ordinaire, le choix du local destiné à la détention des accusés était laissé au soin de ce fonctionnaire, et, en ce moment, Tranquillinus, père des deux jeunes gens, avait obtenu pour un délai de trente jours, afin d'essayer d'ébranler leur constance; pour seconder ses efforts, le magistrat préposé à leur garde, Nicostrate, leur avait donné sa propre maison pour prison. L'entreprise de Sébastien était donc hardie et pleine de dangers. Outre les deux captifs chrétiens, seize autres prisonniers, mais tous idolâtres, étaient rassemblés en ce lieu; puis les parents de ces infortunés jeunes gens, pleurant sur eux, et les couvrant de caresses pour les déterminer à se dérober au triste sort qui les menaçait; venaient ensuite Claudius, leur geôlier, le juge Nicostrate lui-même avec Zoé, sa femme, que la pitié attirait, et qui souhaitaient ardemment de voir ces jeunes gens échapper à la mort. Sébastien pouvait-il espérer que, parmi tant de personnes, il ne s'en trouverait pas une qui, par un sentiment de devoir officiel, l'espérance du pardon ou la haine du christianisme, ne s'empressât de le trahir, s'il se déclarait chrétien? et ne savait-il pas qu'une pareille révélation entraînait son supplice?

Il le savait cependant, mais que lui importait? Si, au lieu de deux martyrs, il en devait être offert trois à Dieu, tant mieux! tout ce qu'il redoutait, c'est qu'il n'y en eût point. La chambre était une salle de banquet, rarement ouverte pendant le jour, et qui, par conséquent, n'avait pas besoin d'être fort éclairée; ce qu'elle recevait de lumière venait, comme dans le Panthéon, d'une ouverture pratiquée au plafond; et Sébastien, désireux d'être vu de tous les assistants, se plaça dans le rayon du jour qui pénétrait par le haut et qui, lumineux et éclatant là où il tombait, laissait cependant le reste de la salle dans la demi-teinte. Ce rayon se jouait sur l'or et sur les pierreries de sa riche armure de tribun, et à chaque mouvement de Sébastien se répandait en étincelles de teintes diverses jusque dans les coins les plus reculés de la sombre prison, tandis qu'il descendait tranquille et ferme sur la tête nue du jeune soldat, faisant ressortir ses nobles traits qu'adoucissait le sentiment d'une tendre pitié, quand ses yeux s'arrêtaient sur les deux confesseurs ébranlés. Quelques moments s'écoulèrent avant qu'il pût exprimer par des paroles toute la violence de sa douleur ; à la fin, elle se fit jour, mais d'une voix altérée.

— Saints et vénérables frères, dit-il, vous qui avez rendu témoignage au Christ, vous qui êtes en prison pour Lui, vous dont les membres gardent encore les traces des chaînes que vous avez portées pour sa cause, vous qui avez goûté les tortures ainsi que Lui, — je devrais tomber à vos pieds, vous rendre hommage, et implorer vos prières au lieu de me présenter devant vous pour vous encourager, bien moins encore pour vous reprendre. Ce que j'ai entendu dire est-il donc bien vrai? quoi! au moment où les anges attachaient la dernière fleur à vos couronnes, vous les auriez invités à s'arrêter, et même vous auriez eu la pensée de leur dire de les défaire, et d'en jeter les fleurs aux vents? Puis-je croire que vous dont les pieds touchent déjà le seuil du paradis, vous songiez à les retirer en arrière pour revenir fouler de nouveau cette vallée d'exil et de larmes?

Les deux jeunes gens baissèrent la tête en pleurant, confessant humblement ainsi leur faiblesse. Sébastien continua :

— Vous ne pouvez soutenir le regard d'un pauvre soldat tel que moi, du dernier des serviteurs du Christ : comment soutiendrez-vous donc le regard irrité du Seigneur que vous songez à renier devant les hommes (mais que vous ne pouvez renier au fond de votre cœur) dans ce jour terrible où Lui vous reniera à son tour devant les anges? Que ferez-vous, lorsqu'au lieu de vous présenter devant lui sans crainte, ainsi qu'il convient à de bons et fidèles serviteurs, comme demain vous l'auriez pu faire, vous aurez à paraître en sa présence après avoir, en rampant, traversé quelques années d'infamie et rejetés par l'Eglise, méprisés de ses ennemis mêmes, et, ce qui est plus cruel encore, rongés par le ver éternel de la conscience et victimes d'un remords incessant?

— Arrêtez; oh! par pitié! arrêtez, jeune homme, qui que vous soyez! s'écria Tranquillinus, le père des deux jeunes gens. Cessez de parler à mes fils avec autant de sévérité; s'ils ont été ébranlés, c'est aux larmes de leur mère, c'est à mes supplications qu'ils ont cédé, je l'atteste, et non pas aux tortures qu'ils ont endurées avec tant de courage. Pourquoi abandonneraient-ils à la misère et à la douleur leurs infortunés parents? Est-ce là ce que votre religion commande, et pouvez-vous bien la dire sainte?

— Prends patience, bon vieillard, dit Sébastien avec un regard et un accent pleins de douceur, et laisse-moi d'abord parler à tes fils. Ils comprennent mes paroles, et c'est ce que tu ne peux faire encore, mais avec la grâce de Dieu tu le pourras bientôt. — En effet, votre père a raison de dire que c'est pour l'amour de lui, pour l'amour de votre mère que vous avez hésité afin de savoir si vous ne les préféreriez pas à Celui qui vous a dit : « Celui qui aime son père et sa mère plus que moi, celui-là n'est pas digne de moi. » Vous ne pouvez espérer acquérir la vie éternelle pour vos vieux parents en la perdant vous-mêmes. Voulez-vous les rendre chrétiens en abandonnant le christianisme? Voulez-vous les faire soldats de la Croix en désertant son étendard? Voulez-vous leur enseigner que ses préceptes sont plus précieux que la vie, en préférant la vie à ses préceptes? Voulez-vous gagner pour eux, non la vie mortelle d'un corps périssable, mais la vie éternelle de l'âme? Hâtez-vous alors de la conquérir vous-mêmes : allez déposer aux pieds de votre Sauveur les couronnes qui vous attendent, allez le supplier de vous accorder le salut de vos parents.

— Assez, assez, Sébastien; nous sommes décidés! s'écrièrent à la fois les deux frères.

— Claudius, dit l'un, rechargez-moi des chaînes que vous m'aviez ôtées.

— Nicostrate, ajouta l'autre, donnez des ordres pour que la sentence soit exécutée.

Mais ni Claudius ni Nicostrate ne bougèrent.

— Adieu, père bien-aimé, adieu, mère tant chérie, dirent tour à tour les deux martyrs en embrassant leurs parents.

— Non, reprit le père, nous ne vous quitterons plus. Nicostrate, allez dire à Chromatius qu'à partir de ce moment je suis chrétien comme mes fils; je veux mourir avec eux pour une religion qui, de deux enfants, sait faire deux héros.

— Et moi, dit à son tour la mère, je ne veux pas être séparée de mon mari et de mes enfants. »

La scène qui suivit est au-dessus de toute description. Tous les assistants étaient émus, tous pleuraient; les prisonniers s'unissaient tous ensemble dans ce tumulte de sentiments nouveaux; et Sébastien se vit aussitôt entouré par un groupe de femmes et d'hommes que la grâce avait touchés, qu'elle avait attendris par son influence, qu'elle avait subjugués par son pouvoir, et cependant tout était perdu si un seul d'entre eux demeurait en arrière. Sébastien comprit le danger qui menaçait, non sa personne, mais l'Église, mais ces âmes hésitant à entrer dans la vie, si la moindre trahison avait lieu. Tous l'entouraient; les uns s'attachaient à ses bras, les autres embrassaient ses genoux, d'autres enfin lui baisaient les pieds, comme s'il eût été un esprit de paix tel que celui qui visita Pierre dans la prison de Jérusalem.

Parmi les assistants, il en était deux cependant qui n'exprimaient aucune pensée. Nicostrate semblait, à la vérité, être ému, mais il n'était nullement vaincu. Ses sentiments étaient agités, mais ses convictions demeuraient inébranlables. Zoé, sa femme, alla, d'un air suppliant, s'agenouiller devant Sébastien, tendit les mains vers lui, mais sans dire un mot.

— Allons, Sébastien, dit le gardien des archives, car tel était l'emploi de Nicostrate, il est temps pour toi de partir. Je ne puis m'empêcher d'admirer la sincérité de croyance et la générosité de cœur qui peuvent te faire agir comme tu l'as fait, et qui poussent ces jeunes gens à embrasser la mort; mais mon devoir est impérieux, et il doit l'emporter sur mes sentiments personnels.

— Et ne crois-tu pas comme les autres?

— Non, Sébastien, je ne cède pas aussi aisément; il me faut des preuves plus évidentes que ne l'est ta vertu même.

— Oh! parle-lui donc alors toi, dit Sébastien à Zoé, parle, femme fidèle, parle au cœur de ton époux, car, ou je m'abuse, ou tes regards me disent que *toi,* du moins, tu crois.

Zoé se couvrit le visage de ses deux mains, et éclata en sanglots.

— Tu l'as affligée jusqu'au fond de l'âme, Sébastien, dit le mari; ne sais-tu pas qu'elle est muette?

— Je l'ignorais, noble Nicostrate; mais, lorsque je la vis autrefois en Asie, elle pouvait parler, ce me semble.

— Depuis six ans, reprit ce dernier d'une voix défaillante, sa langue, jadis éloquente, est paralysée et n'a proféré aucune parole.

Sébastien demeura un instant silencieux, puis il ouvrit tout à coup les bras et les étendit en avant, ainsi que faisaient toujours les chrétiens pendant leur prière, et levant les yeux au ciel, il s'écria :

— O Dieu! père de Notre-Seigneur Jésus-Christ, le commencement de cette œuvre t'appartient, fais que son accomplissement appartienne également à Toi seul. Déploie ta puissance, car elle est nécessaire; confie-la, un moment, au plus faible, au plus pauvre des instruments. Laisse-moi, tout indigne que j'en suis, laisse-moi me servir de l'arme de ta Croix victorieuse, de telle sorte que les esprits des ténèbres s'enfuient devant elle, et que ton salut puisse nous environner tous. Zoé, lève encore les yeux vers moi.

Les spectateurs gardèrent le silence, lorsque Sébastien, après avoir prié en secret pendant quelques instants, fit de la main droite le signe de la croix sur la bouche de la muette, en disant : « Zoé, parle; crois-tu? »

— Je crois en Notre-Seigneur Jésus-Christ, répondit-elle d'une voix claire et ferme; et elle tomba aux pieds de Sébastien.

Ce fut presque un rugissement que poussa Nicostrate en se jetant à genoux également et en baignant de ses larmes la main droite de Sébastien.

Le triomphe était complet. Tous étaient vaincus, et sur-le-champ on prit des mesures pour prévenir la découverte du fait. La personne à la responsabilité de laquelle les prisonniers étaient commis pouvait les garder où elle voulait ; et Nicostrate leur donna, ainsi qu'à Tranquillinus et à sa femme, la pleine jouissance de sa maison. Sébastien, sans perdre de temps, les plaça sous la direction du saint prêtre Polycarpe du *titre* de Saint-Pastor. C'était une circonstance si extraordinaire, qui demandait tant de mystère, les temps étaient si menaçants et toute cause d'irritation nouvelle devait être évitée avec tant de soin, que l'instruction des néophytes fut pressée et continuée jour et nuit, de façon que le baptême leur fut promptement conféré.

Le nouveau troupeau de fidèles fut bientôt encouragé et consolé par un nouveau miracle. Tranquillinus, qui souffrait cruellement de la goutte, fut instantanément et complétement rendu à la santé par le baptême. Chromatius était en ce moment préfet de la cité, et c'était à lui que Nicostrate devait compte de ses prisonniers : il était donc difficile de cacher longtemps à ce fonctionnaire ce qui s'était passé. C'était pour chacun d'eux un cas de vie ou de mort, mais tous, fortifiés par la foi, s'étaient préparés à l'une comme à l'autre. Chromatius était un homme d'un esprit droit, ennemi de la persécution : il écouta avec intérêt le récit qui lui fut fait. Mais lorsqu'il eut appris la guérison de Tranquillinus, il parut vivement frappé, car il était également victime de la même maladie et il en souffrait des douleurs atroces. « Si ce que vous me racontez est vrai, dit il, et si je puis acquérir l'expérience personnelle de cette puissance curative, je ne résisterai certainement pas à l'évidence. »

Sébastien fut appelé; mais administrer le baptême, sans le faire précéder de la foi et uniquement dans le but d'essayer sa vertu curative, eût été une superstition. Sébastien eut recours à un autre moyen que nous rapporterons plus loin, et Chromatius guérit complétement. Bientôt il reçut le baptême, et avec lui, son fils Tibertius.

Dès lors, il était clair qu'il ne pouvait continuer à remplir sa charge, et il avait, en effet, envoyé sa démission à l'Empereur. Le père de ce Corvinus qui donnait de si brillantes espérances, Tertullus, préfet du Prétoire, avait été nommé son successeur. Le lecteur comprend déjà sans doute que les faits que nous venons de rapporter, et qui sont tirés des actes de Sébastien, s'étaient passés quelque temps avant le commencement de notre histoire, car, dans un de nos premiers chapitres, nous avons parlé du père de Corvinus, comme exerçant déjà les fonctions de préfet de la cité.

Revenons maintenant à cette soirée, pendant laquelle Sébastien et Pancrace trouvèrent rassemblés dans la demeure de l'officier la plupart des personnages que nous venons d'énumérer. Plusieurs d'entre eux habitaient le palais ou dans le voisinage; on remarquait en outre Castulus, qui occupait un haut emploi à la cour[1], et Irène, sa femme. Plusieurs réunions avaient déjà eu lieu pour aviser aux mesures à prendre afin d'assurer une instruction plus complète aux nouveaux convertis, et pour soustraire à l'observation publique tant de gens, dont le changement de vie et la retraite de tout emploi ne pourraient manquer d'exciter l'étonnement et la curiosité. Sébastien avait obtenu de l'Empereur, pour Chromatius, la permission de se retirer dans une villa qu'il possédait en Campanie; et il avait été décidé qu'un nombre considérable de néophytes iraient l'y rejoindre pour n'y former qu'une famille, y continuer leur éducation religieuse, et s'unir dans des exercices communs de piété. On était arrivé à la saison de l'année où tout le monde se retire à la campagne; l'Empereur lui-même se rendait sur la côte de Naples, et se proposait de partir, de là, pour un voyage dans l'Italie méridionale. Le moment était donc bien choisi pour mettre à exécution le plan concerté. Et, en effet, il est rapporté que le Pape lui-même, après avoir célébré les saints mystères dans la maison de Nicostrate, le dimanche qui suivit cette conversion, avait conseillé cet éloignement de la ville.

Dans cette réunion on en régla tous les détails; différentes troupes devaient partir dans le courant des jours suivants, et par des routes

(1) Il n'est pas dit quel était précisément cet emploi.

diverses : les unes par la voie Appienne, les autres par la voie Latine, d'autres encore, contournant la ville de Tibur, par le chemin des montagnes, devaient traverser Arpinum; mais toutes devaient se réunir à la villa, située près de Capoue. Pendant tout le temps que dura la discussion que nécessitaient ces mesures peut-être trop minutieuses, Torquatus, un des prisonniers précédemment convertis par la visite de Sébastien, se montrait hardi, impatient, téméraire. Il trouvait à redire à toutes les dispositions, paraissait mécontent des instructions qu'on lui donnait, parlait avec mépris de cette fuite, comme il l'appelait, à la vue du danger, et se vantait d'être prêt, pour sa part, à se rendre dès le lendemain au Forum, à y renverser un autel païen quelconque, et à s'y déclarer chrétien en présence du premier magistrat venu. On dit et l'on fit tout pour le calmer et l'amener à des idées plus raisonnables, car il fut reconnu qu'il était de la dernière importance de le faire partir avec les autres pour la campagne : mais il insista cependant pour agir à sa guise.

Il ne restait plus qu'un point à décider : c'était de savoir qui se mettrait à la tête de la petite colonie, et en dirigerait les opérations. Ici se renouvela une touchante contestation de charité entre le saint prêtre Polycarpe et Sébastien; chacun d'eux voulait rester à Rome et courir le premier la chance du martyre. La difficulté fut tranchée par une lettre apportée de la part du Pape et adressée à son « bien-aimé fils Polycarpe, prêtre du *titre* de Saint-Pastor, » par laquelle il lui commandait de suivre les convertis et de laisser Sébastien au devoir difficile d'encourager les confesseurs de la foi et de protéger les chrétiens dans Rome. Entendre, c'était obéir, et l'assemblée se sépara après la prière d'action de grâces.

Après avoir pris affectueusement congé de tous ses amis, Sébastien insista pour reconduire Pancrace jusque chez lui. Au moment de quitter la salle, ce dernier dit :

— Sébastien, je n'aime pas ce Torquatus. J'ai peur qu'il ne nous attire quelque difficulté.

— A dire vrai, répondit le soldat, j'aimerais mieux qu'il fût autrement; mais il faut nous rappeler que c'est un néophyte : il se corrigera avec le temps et la grâce.

Comme ils traversaient la cour d'entrée du palais, ils entendirent un grand tumulte produit par un mélange de sons étranges, de grossiers éclats de rire, de hurlements sauvages, qui semblaient partir de la cour voisine où était établi le quartier des archers mauritaniens.

Un grand feu devait y être allumé, car la fumée et les étincelles s'élevaient au-dessus des portiques environnants.

Sébastien accosta la sentinelle qui veillait dans la cour qu'ils traversaient, et lui dit :

— Ami, que se passe-t-il donc chez nos voisins les archers?

— L'esclave noire, répondit l'homme, qui est leur prêtresse et qui doit épouser leur capitaine, si elle peut racheter sa liberté, est venue pour quelque cérémonie nocturne, et cette horrible bacchanale a lieu chaque fois qu'elle vient.

— En vérité? dit Pancrace; et pourriez-vous me dire quelle espèce de religion suivent ces Africains?

— Je n'en sais rien, maître, répondit le légionnaire, à moins qu'ils ne soient de ces gens que l'on nomme des chrétiens.

— Qu'est-ce qui vous fait penser ainsi?

— Mais j'ai entendu dire que les chrétiens s'assemblent la nuit pour chanter des chansons abominables, pour commettre toutes sortes de crimes, et pour cuire et manger la chair d'un enfant égorgé à cet effet[1], précisément comme cela paraît se passer ici en ce moment.

— Bonne nuit, camarade, dit Sébastien; puis, en sortant du vestibule, il s'écria : « N'est-il pas étrange, Pancrace, qu'en dépit de tous nos efforts, nous qui sommes certains d'adorer en esprit et en vérité le seul Dieu vivant, qui savons quel soin nous prenons de nous conserver purs de tout péché, et qui voudrions mourir plutôt que de prononcer une parole déshonnête, nous soyons, après trois cents ans, confondus par le peuple avec les sectateurs des superstitions les plus dégradées, et que notre culte soit mis au rang de l'idolâtrie que nous détestons par-dessus toutes choses? — Combien de temps cela doit-il durer, ô Seigneur, combien de temps?

— Aussi longtemps, dit Pancrace en s'arrêtant sur les degrés extérieurs du péristyle, et levant les yeux vers la lune qui commençait à descendre, aussi longtemps que nous continuerons à marcher à la lueur de cette pâle lumière, et jusqu'à ce que le soleil de justice se lève sur notre patrie, dans toute sa beauté, et l'enrichisse de sa splendeur. Sébastien, dites-moi, de quel endroit préférez-vous voir le lever du soleil?

— Le plus beau lever du soleil que j'aie jamais vu, répliqua le soldat, prenant plaisir à entrer dans la question bizarre de son com-

(1) Tels étaient, en effet, les idées générales du peuple sur le culte des chrétiens.

pagnon, c'était du sommet de la montagne *Latiale*[1], près du temple de Jupiter. Le soleil se levait derrière la montagne, dont il projetait l'ombre, en immense pyramide, jusque sur la plaine et au loin sur la mer; puis, à mesure qu'il s'élevait, cette pyramide diminuait en se retirant; et de moment en moment quelque nouvel objet s'inondait de lumière : ce furent d'abord les galères et les barques sur les ondes lointaines, puis ce fut le rivage et ses vagues bondissantes, puis successivement les blancs édifices étincelèrent les uns après les autres sous de nouveaux rayons, tant qu'à la fin Rome elle-même apparut avec ses toits élevés, et, majestueuse, se baigna tout entière dans la splendeur du jour. C'était un glorieux coup d'œil en vérité, et tel que n'auraient pu le voir, ni même l'imaginer ceux qui étaient au bas de la montagne.

— C'est bien là le tableau auquel je m'attendais, Sébastien, dit Pancrace, et c'est ainsi qu'il en sera lorsque cet autre soleil plus brillant encore se lèvera sur cette contrée endormie dans les ténèbres. Qu'il sera beau alors de voir se retirer les ombres, et, de moment en moment, toutes les beautés encore voilées de notre sainte foi et de notre culte resplendir de lumière l'une après l'autre, jusqu'à ce que la cité impériale elle-même brille de son éclat, comme un type saint de la cité de Dieu! Ceux qui vivront alors verront-ils ces beautés, et les apprécieront-ils dignement? Ou bien se borneront-ils à regarder uniquement l'espace étroit qu'ils occuperont, et, mettant leurs mains devant leurs yeux, chercheront-ils à se défendre de l'éclat de cette lumière soudaine? Je n'en sais rien, cher Sébastien, mais j'espère que, pour admirer ce grand spectacle, nous serons placés, vous et moi, au seul lieu d'où il puisse être entièrement apprécié; au sommet de cette montagne, plus élevée que celle de Jupiter, qu'il soit d'Albe ou d'Olympie, « au sommet de cette montagne sacrée où se tient l'Agneau et d'où jaillissent les sources de la vie[2]. »

Ils continuèrent à marcher en silence au travers des rues brillamment éclairées[3]; quand ils furent arrivés devant la maison de Lucine

(1) Aujourd'hui Monte Cavo, au-dessus d'Albano.

(2) « *Vidi supra montem Agnum stantem, de sub cujus pede fons vivus emanat.* » (*Office de saint Clément.*)

(3) Ammien Marcellin nous apprend que, sur la fin de l'empire, les rues étaient éclairées pendant la nuit de façon à rivaliser avec le jour. « *Et hæc confidenter agebat (Gallus) ubi pernoctantium luminum claritudo dierum solet imitari fulgorem.* » (Liv. XIV. chap. 1.)

et qu'ils eurent échangé leurs souhaits affectueux pour la nuit, Pancrace parut hésiter un moment, puis il dit :

— Sébastien, vous avez dit ce soir une chose dont je souhaiterais beaucoup avoir l'explication.

— Et quelle est cette chose?

— Tandis que vous discutiez avec Polycarpe pour savoir qui de vous deux irait en Campanie ou resterait à Rome, vous avez promis, pour le cas où vous resteriez, de vous montrer très-prudent et de ne pas vous exposer à des dangers inutiles; puis vous avez ajouté que vous nourrissiez en ce moment un projet qui vous retiendrait efficacement, mais qu'aussitôt qu'il serait accompli vous auriez de la peine à modérer votre ardent désir de donner votre vie pour le Christ.

— Et pourquoi, Pancrace, pourquoi désirez-vous tant connaître mon bizarre projet?

— Parce que je suis réellement curieux, je l'avoue, d'apprendre quel motif est assez puissant pour arrêter en vous un désir que vous considérez, je le sais, comme tendant au but le plus sublime qu'un chrétien puisse se proposer.

— Je suis désolé, mon cher enfant, de ne pouvoir vous le dire en ce moment; mais vous le saurez quelque jour.

— Me le promettez-vous?

— Oui, et très-solennellement. Que Dieu vous accompagne!

XI. — UN MOT AU LECTEUR.

Nous profiterons du jour de fête qui se célèbre à Rome, et qui en fait sortir tous les habitants pour les envoyer parcourir les collines voisines ou le rivage de la mer depuis Gênes jusqu'à Pœstum, en quête des plaisirs que l'on trouve sur la terre ou sur les eaux, et nous allons nous efforcer de communiquer aux lecteurs, sous une forme purement didactique, des renseignements qui pourront jeter quelque lumière sur ce que nous avons déjà écrit et préparer ce qui va suivre.

L'histoire de l'Eglise primitive étant en général étudiée d'une façon assez succincte, et les biographies des Saints, telles que nous les lisons d'ordinaire, étant disposées avec assez peu d'ordre quant à la chronologie, il en résulte que nous pouvons facilement contracter des idées inexactes sur la situation des premiers chrétiens nos ancêtres. Cela arriverait de deux manières différentes.

Nous nous imaginons, peut-être, que, pendant les trois premiers siècles, l'Eglise était souffrante, poursuivie sans trêve, et toujours sous le coup d'une active persécution; que les fidèles ne se livraient à l'exercice de leur culte qu'avec crainte et tremblement, et ne vivaient que dans les catacombes; que la religion se bornait uniquement à être, n'ayant que de rares occasions de se développer au dehors, ou de s'organiser au dedans, et aucune facilité pour manifester sa splendeur; en un mot, que ces trois siècles ne furent qu'une période de luttes et de tribulations, sans un moment de paix ou de consolation. D'autre part, nous supposons peut-être que ces trois siècles ont été divisés en époques par dix persécutions distinctes, chacune d'une durée plus ou moins longue, mais toutes séparées les unes des autres par des périodes de repos complet.

Ces deux manières de voir sont erronées, et nous désirons établir d'une manière plus exacte la condition véritable de l'Eglise chrétienne dans les diverses circonstances de cette portion la plus intéressante de son histoire.

On peut dire que du moment où la persécution eut éclaté contre l'Eglise, elle ne s'est jamais relâchée entièrement si ce n'est à la pacification finale sous Constantin. Un édit de proscription, une fois rendu par un empereur, était rarement rapporté, et bien que sa rigueur pût s'apaiser par degrés ou même s'éteindre par suite de l'avénement d'un prince plus doux, néanmoins il ne devenait jamais une lettre morte, mais il demeurait, au contraire, une arme dangereuse entre les mains d'un gouverneur de ville ou de province, cruel ou fanatique. C'est ce qui fait que dans les intervalles qui séparent les persécutions générales les plus importantes ordonnées par un décret nouveau, nous trouvons cependant de nombreux martyrs qui durent leur couronne soit à la fureur populaire, soit à la haine des administrateurs locaux pour le christianisme. C'est ce qui fait également que l'histoire rapporte qu'une persécution sévissait avec violence dans une partie de l'empire, tandis que les autres provinces jouissaient d'une paix profonde.

Quelques exemples, choisis dans les différentes phases de la persécution, feront peut-être apprécier, mieux qu'une simple description, les relations réelles de l'Eglise primitive avec l'Etat. Le lecteur plus versé qu'un autre dans ces matières pourra passer cette digression, ou il faudra qu'il ait la patience d'entendre répéter des choses qui lui sont si bien connues, qu'elles lui paraîtront de véritables lieux communs.

Trajan ne peut certainement pas être mis au rang des empereurs cruels; loin de là : d'habitude il était juste et clément. Cependant, bien qu'il ne rendît jamais de nouveaux édits contre les chrétiens, plusieurs nobles martyrs, — et parmi eux saint Ignace, évêque d'Antioche, et saint Siméon, sous son règne, glorifièrent le Christ en mourant, l'un à Rome, l'autre à Jérusalem. Cependant lorsque Pline le jeune le consulta sur la manière dont il devait traiter les chrétiens qui pourraient être cités à son tribunal, en sa qualité de gouverneur de Bithynie, l'Empereur lui traça la ligne de conduite qu'il aurait à suivre, par une réponse qui prouve une équité de bien bas aloi. Il dit qu'il ne fallait pas les rechercher, mais que si on les accusait il fallait les punir. Adrien, qui n'a pas non plus rendu de décret de persécution, a fait une réponse semblable à une question pareille que lui adressait Serenius Granianus, proconsul d'Asie. Et cependant sous son règne, et même par ses ordres l'intrépide Symphorose et ses sept fils souffrirent un cruel martyre à Tibur, aujourd'hui Tivoli. Une belle inscription trouvée dans les catacombes fait mention de Marius, jeune officier qui versa son sang pour le Christ sous cet empereur[1]. Et enfin le martyr saint Justin, le grand apologiste du christianisme, nous apprend qu'il a dû sa conversion à la constance admirable des martyrs qui ont souffert sous le même prince.

De la même manière, avant que l'empereur Septime Sévère eût publié ses édits de persécution, bien des chrétiens avaient souffert les tourments de la mort. Tels furent les martyres célèbres de Scillita en Afrique, de sainte Perpétue et de sainte Félicité avec leurs compagnes. Les Actes de ce martyre qui contiennent le journal de la vie de la première qui n'était âgée que de vingt ans, journal écrit par elle-même et qui va jusqu'à la veille de sa mort, forment un des documents les plus touchants et les plus parfaitement beaux qui nous aient été conservés de l'ancienne Eglise.

D'après ces faits historiques, il résulte jusqu'à l'évidence que, s'il y avait de temps en temps et dans tout l'empire, une persécution plus active, plus sévère et plus générale contre le nom chrétien, il y avait

(1) *Rom. Subterr.* L. XII. c. XXII.

aussi des suspensions partielles locales, quelquefois même générales, de sa rigueur. Une occurrence de ce genre nous a fourni plusieurs renseignements intéressants qui se rattachent à notre sujet. Tandis que la persécution de Sévère se ralentissait dans d'autres parties de l'empire, il arriva que Scapula, proconsul d'Afrique, la poursuivait dans sa province avec une inflexible cruauté. Il avait, entre autres, condamné Mavilus d'Adrumète à être dévoré par les bêtes, quand tout à coup il fut attaqué d'une maladie dangereuse. Tertullien, le plus ancien des écrivains chrétiens latins, lui adressa une lettre dans laquelle il le suppliait de profiter de l'avertissement que lui donnait cette visitation céleste, et de se repentir de ses crimes, lui rappelant les nombreux châtiments qui, dans diverses parties du monde, étaient venus fondre sur les juges cruels des chrétiens. Et telle était pourtant la charité de ces pieux disciples du Christ, dit-il, qu'ils offraient au Ciel de ferventes prières pour la guérison de leur ennemi!

Il continue sa lettre en lui disant qu'il peut parfaitement remplir les devoirs de sa charge sans se livrer à des cruautés et en agissant comme d'autres magistrats l'avaient fait. Il citait l'exemple de Cincius Sévérus qui suggérait aux accusés les réponses qu'ils devaient faire pour être acquittés; celui de Vespronius Candidus libérant un chrétien, sous prétexte que sa condamnation pouvait fomenter des troubles; celui d'Asper, qui, voyant un accusé près de céder à un commencement de tortures, cessa de le presser davantage et exprima ses regrets de ce qu'une pareille cause eût été portée devant lui; enfin celui de Pudens, qui, après avoir lu un acte d'accusation, le déclara irrégulier parce qu'il était calomnieux, et, à ce titre, le déchira.

Nous voyons donc, par tous ces faits, l'influence que pouvaient avoir le caractère et peut-être les tendances des gouverneurs et des juges sur la manière d'appliquer les édits impériaux de persécution. Saint Ambroise nous apprend que plusieurs gouverneurs se vantaient d'avoir rapporté de leurs provinces leurs épées vierges de sang chrétien (*incruentos enses*).

Nous pouvons donc facilement comprendre comment il se faisait qu'à certaines époques une persécution cruelle désolât soit la Gaule, soit l'Afrique, soit l'Asie, tandis que la plus grande partie de l'Eglise jouissait de la paix. Cependant Rome était, sans contredit, de toutes les localités la plus exposée à ces explosions fréquentes d'esprit hostile; de façon que l'on peut considérer comme un privilége de ses souverains pontifes pendant les trois premiers siècles, d'apporter le témoignage de leur sang à la foi qu'ils enseignaient. Etre élu Pape était équivalent à être voué au martyre.

A l'époque où s'ouvre notre récit, l'Eglise était dans un des plus longs intervalles de cette paix relative qui lui permettait de prendre un grand développement. Depuis la mort de Valérien, arrivée en 268, il n'y avait pas eu de nouvelle persécution formelle, bien que ce laps de temps eût été illustré par plus d'un martyre. Durant de pareilles périodes, les chrétiens étaient à même de mettre en pratique leur système religieux dans son entier et même avec une certaine splendeur. La cité était divisée en districts ou paroisses, chacune ayant son *titre*, c'est-à-dire son église desservie par des prêtres, des diacres et des ministres inférieurs. Les pauvres étaient soulagés, les malades visités, les catéchumènes instruits ; les sacrements étaient administrés, les devoirs du culte quotidien s'accomplissaient, et les canons pénitentiaux étaient mis en vigueur par les prêtres de chaque église ; des collectes étaient faites pour toutes ces fins et pour toutes celles qui se rattachent à la charité religieuse et à l'hospitalité qui en est la conséquence. Il est rapporté que, en 250, sous le pontificat de Corneille, il y avait à Rome quarante-six prêtres et cent cinquante-quatre ministres inférieurs qui étaient, ainsi que quinze cents pauvres, supportés par les aumônes des fidèles[1]. Ce nombre de prêtres correspond à peu près à celui des *titres* qui existaient alors dans Rome, à ce que nous apprend saint Optat.

Bien que les tombeaux des martyrs dans les catacombes continuassent à être l'objet de la dévotion durant ces périodes plus paisibles, et que ces asiles des persécutés fussent tenus en bon ordre et soigneusement réparés, cependant on ne s'en servait plus alors comme places ordinaires du culte. Les églises dont nous avons parlé ci-dessus étaient souvent publiques, grandes et même splendides; les païens assistaient parfois aux sermons qui s'y prononçaient, ainsi qu'à celles des parties de la liturgie qui se célébraient sous les yeux des catéchumènes. Mais, en général, les églises étaient situées dans les maisons particulières; il est probable que l'on employait à cet usage les *triclinia*, c'est-à-dire les plus grandes salles que renfermassent alors les demeures les plus opulentes. Les traditions nous apprennent que bon nombre de *titres* à Rome étaient originairement de ce genre. Tertullien parle des cimetières chrétiens dans des termes et avec des

(1) *Eusèbe*. E. II, I. VI, c. 43.

circonstances qui indiquent qu'ils se trouvaient à l'extérieur du sol, car il les compare à des « aires, » ce qui implique nécessairement l'exposition à la lumière.

Une coutume de la vie romaine antique lèvera l'objection que l'on pourrait faire sur les moyens qu'employaient les multitudes considérables de gens qui se rassemblaient dans ces églises particulières, pour le faire sans attirer l'attention, et, par conséquent, la persécution. Il était d'usage que les riches tinssent tous les matins ce que nous pourrions appeler « un lever, » auquel assistaient leurs subordonnés, leurs clients, les messagers, — esclaves ou affranchis — de leurs amis : quelques-uns d'entre ces visiteurs étaient admis dans la cour intérieure et en la présence du maître, tandis que d'autres se bornaient à se montrer, puis étaient congédiés aussitôt. De cette façon, des centaines de personnes pouvaient entrer dans une maison et en sortir, outre la foule des esclaves du logis, des marchands et autres individus qui y avaient accès, soit par l'entrée principale, soit par les portes de dégagement, et cela sans attirer l'attention ou du moins en ne l'éveillant que légèrement.

Il est, dans la vie sociale des premiers chrétiens, un autre phénomène que l'on pourrait s'expliquer avec peine si la preuve ne nous en était fournie par les actes les plus authentiques des martyrs et par l'histoire ecclésiastique : c'est l'art avec lequel ils parvenaient à se cacher à tous les yeux. On ne peut douter qu'il n'y eût des chrétiens dans les plus hauts rangs de la société, dans les emplois publics les plus élevés, autour de la personne même des empereurs, et cependant ils n'étaient pas soupçonnés d'être tels, même par leurs amis les plus intimes qui étaient païens. Bien plus, il n'était pas rare que les plus proches parents fussent dans l'ignorance la plus complète sur ce point. Aucun mensonge, aucune fraude, aucune action contraire à la moralité, à la véracité chrétienne, n'était cependant mise en usage pour assurer un tel secret; mais on prenait toutes les précautions compatibles avec la plus stricte droiture pour tenir caché aux regards du public le mystère du christianisme[1].

(1) Aucun secret n'est, à coup sûr, plus difficile à dissimuler à un mari que celui de la religion de sa femme. Cependant Tertullien suppose que ce cas n'était pas rare. En effet, parlant d'une femme mariée qui se communiait elle-même dans sa demeure, conformément à l'usage reçu dans ces temps de persécution, il dit : « Cachez à votre mari ce que vous goûtez en secret avant toute autre nourriture, et, s'il découvre le pain, qu'il ne sache point qu'il est ce qu'on l'appelle. » (*Ad Uxor.*, lib. II, c. v.) Dans un autre endroit,

Quelque nécessaire que fût cette conduite prudente pour prévenir toute persécution, elle avait souvent de funestes conséquences pour ceux qui l'adoptaient. Le monde païen, le monde de la puissance, de l'influence, des dignités, le monde qui forgeait ses lois à sa guise et qui les exécutait de même, le monde qui aimait la prospérité terrestre et qui haïssait la foi, ce monde se sentait entouré, rempli, pénétré d'un système mystérieux qui s'étendait sans que l'on sût comment, et qui exerçait une influence dont la source restait inconnue. Les familles demeuraient stupéfaites en venant à découvrir qu'un fils ou une fille avait embrassé cette religion nouvelle avec laquelle on ne soupçonnait même pas qu'ils eussent été en contact, et que l'on considérait, dans des rêveries chimériques et grossières, comme une loi stupide, dégradante et antisociale. De là ce mélange de haine politique et de haine religieuse contre le christianisme : le système tout entier était regardé comme antiromain, comme ayant un intérêt directement opposé au développement et à la prospérité de l'empire, et comme soumis à un pouvoir spirituel et occulte. Les chrétiens avaient été déclarés *irreligiosi in Cœsares*, c'est-à-dire déloyaux envers les empereurs, et cela suffisait. La paix et la sécurité de l'Eglise dépendaient donc, en grande partie, de la situation des sentiments populaires. Dès qu'un démagogue, cruel ou fanatique, était parvenu à exciter l'opinion publique contre les chrétiens, vainement ceux-ci repoussaient-ils les accusations dont on les accablait, vainement ils invoquaient leur conduite paisible et les droits de la vie civile ; rien ne pouvait les garantir des mesures persécutrices que l'on croyait pouvoir diriger contre eux en toute sécurité.

Ces préliminaires une fois posés, nous allons reprendre et renouer le fil de notre récit interrompu par ces digressions.

XII. — LE LOUP ET LE RENARD.

Les insinuations de l'esclave africaine n'étaient pas demeurées stériles dans l'âme sordide de Corvinus. La haine personnelle qu'elle

Tertullien parle d'un mari catholique et de sa femme qui s'administraient l'un à l'autre la sainte communion. (*De monogamia*, c. II.)

avait pour le christianisme venait de ce qu'une de ses anciennes maîtresses, s'étant faite chrétienne et ayant affranchi toutes ses autres esclaves, l'avait revendue, elle, à un autre propriétaire, trouvant sans doute dangereux de jeter dans la vie sociale une créature d'un esprit aussi pervers que l'était Afra ou plutôt Jubala (car tel était son véritable nom).

Corvinus s'était souvent trouvé avec Fulvius aux bains et dans les autres lieux publics de réunion; il l'avait admiré et lui avait porté envie à cause de sa bonne mine, de son élégance et de sa conversation. Par une gaucherie, une sauvagerie qui lui était habituelle, il n'aurait jamais eu le courage de lui adresser la parole, s'il n'avait su maintenant que le brillant étranger, bien que plus raffiné que lui, n'en était pas moins, tout comme lui, un profond scélérat. L'esprit et l'adresse de Fulvius devaient remplacer en lui-même ces qualités qui lui manquaient, tandis que la force brutale et la hideuse insensibilité qui le distinguaient pouvaient devenir de puissants auxiliaires aux qualités plus brillantes de Fulvius. Il tenait le jeune étranger en son pouvoir au moyen de la découverte qu'il avait faite de son véritable emploi. Il prit en conséquence la résolution de ne rien négliger pour se faire un allié d'un homme qui, autrement, pouvait devenir un rival dangereux pour lui.

Environ dix jours après la rencontre que nous avons rapportée, Corvinus se rendit dans les jardins de Pompée pour y passer le temps. Ces jardins couvraient l'espace qui entourait le théâtre du même nom, dans le voisinage de la place Farnèse actuelle. Sous le règne de Carinus un incendie avait détruit une partie de cet édifice, et Dioclétien l'avait réparé avec une grande magnificence. Les jardins qui en dépendaient se faisaient remarquer, entre tous les autres, par des avenues de platanes qui donnaient un délicieux ombrage. Des sculptures, représentant des animaux sauvages, des fontaines, des ruisseaux artificiels en grand nombre embellissaient ces lieux. En marchant au hasard, Corvinus aperçut Fulvius de loin, il se dirigea tout d'abord de son côté.

— Que désirez-vous de moi? demanda l'étranger avec un air de surprise et de dédain à la vue de la mise négligée de Corvinus.

— Je voudrais avoir avec vous un entretien qui pourra tourner à votre avantage... et au mien.

— Que pouvez-vous avoir à me proposer qui puisse être à mon avantage?... vous voulez dire au vôtre, sans doute?

— Fulvius, je parle tout simplement et sans avoir la prétention de vous égaler en habileté et en élégance; mais nous faisons tous deux le même métier, et nous devons nous entendre.

Fulvius tressaillit en rougissant; puis, prenant un air de hauteur : « Que voulez-vous dire, drôle? » reprit-il.

— Si vous serrez les poings pour me montrer les riches anneaux qui ornent vos doigts délicats, c'est fort bien : mais si vous avez la prétention de m'intimider par une menace, vous ferez mieux de remettre votre main dans les plis de votre toge : c'est beaucoup plus gracieux.

— Cessez cette plaisanterie. Je vous le demande une seconde fois, que voulez-vous dire?

— Voici, Fulvius. — Et il lui glissa à l'oreille ces mots : « Vous êtes un espion et un délateur! »

Fulvius demeura frappé de stupeur; mais, se remettant bientôt, il reprit :

— De quel droit osez-vous formuler contre moi une aussi odieuse accusation?

— Vous *avez découvert* — et Corvinus parlait avec une emphase triomphante — une conspiration en Orient, et Dioclétien....

Fulvius arrêta la phrase commencée en disant : « Quel est votre nom? qui êtes-vous? »

— Je me nomme Corvinus, et je suis le fils de Tertullus, le préfet de la cité.

Cette réponse parut tout expliquer à Fulvius; aussi il reprit en baissant la voix :

— Pas un mot de plus ici : je vois venir des amis là-bas. Venez me trouver demain, au point du jour, et sous un déguisement, dans la voie Patricienne (*vicus patricius*), sous le portique des bains de Novatus, nous y causerons plus à loisir.

Corvinus rentra chez lui assez satisfait de ses premiers essais en diplomatie. Il emprunta à l'un des esclaves de son père des vêtements encore plus flétris que ne l'étaient les siens, et, dès les premières lueurs du jour, il se trouvait au rendez-vous indiqué. Il lui fallut attendre un temps assez long, et il commençait à perdre patience, quand il vit enfin s'approcher son nouvel ami.

Fulvius était soigneusement enveloppé dans un large manteau, dont un des pans ramené sur sa tête, lui voilait la face. Il salua Corvinus par ces mots :

— Bonjour, camarade; je crains de vous avoir fait attendre un peu trop peut-être à l'air frais du matin, d'autant plus que vous êtes assez légèrement vêtu.

— J'avoue, reprit Corvinus, que je serais fatigué et ennuyé, si ce que je viens de voir ici ne m'avait passablement amusé et intrigué en même temps.

— Qu'est-ce que c'est?

— Voici : depuis l'aube du jour, et même longtemps avant mon arrivée, comme je le soupçonne, il est venu, de tous les côtés et entré dans la maison que vous voyez là-bas, par la porte de derrière donnant sur cette étroite ruelle, la plus curieuse collection de malheureux que vous ayez jamais vue : c'étaient des aveugles, des estropiés, des manchots, des paralytiques, des infirmes de toute espèce; tandis que, de l'autre côté, la grande porte livrait passage à d'autres visiteurs; seulement, ceux-ci étaient évidemment d'une classe toute différente.

— A qui appartient cette maison? le savez-vous? elle paraît grande et vieille, et de plus, assez mal entretenue.

— C'est la demeure d'un vieux patricien très-riche et que l'on dit très-avare. Mais, voyez, en voici d'autres qui arrivent.

En ce moment s'avançait un homme courbé par l'âge, et s'appuyant sur le bras d'une jeune fille, à l'air avenant, qui l'aidait à marcher, tout en lui adressant des paroles d'encouragement et de douceur.

— Nous y sommes, lui disait-elle; quelques pas encore, et vous pourrez vous asseoir et vous reposer.

— Merci, mon enfant, répondait le vieillard; que vous êtes bonne d'être venue me chercher ainsi, à une heure si matinale!

— Je savais, dit-elle, que vous auriez besoin d'aide, et comme je suis, de toutes les personnes de votre voisinage, la plus inutile, j'ai cru bien faire en venant vous chercher.

— J'ai souvent entendu dire que les aveugles sont égoïstes, et cela semblerait assez naturel; mais vous, Cœcilia, vous faites certainement exception à cette règle.

— En aucune façon; seulement c'est là ma manière, à moi, de montrer mon égoïsme.

— Que voulez-vous dire?

— Ecoutez-moi : d'abord je jouis de l'avantage de vos yeux; ensuite j'ai la satisfaction de guider vos pas. J'étais « l'œil de l'aveugle, » — c'est vous — « et le pied de l'infirme » — c'est moi[1].

(1) *Job.* XXXIX. 15.

Comme elle disait ces mots, elle disparaissait avec son compagnon par la porte de la maison que Corvinus avait indiquée.

— Cette fille est aveugle, dit Fulvius, ne voyez-vous pas comme elle marche droit devant elle, sans regarder à droite ni à gauche?

— En effet; mais, à coup sûr, ce n'est pas à l'endroit dont on parle si souvent, où se réunissent tant de mendiants, et où les aveugles voient, où les boiteux marchent et où tous festoient ensemble. D'ailleurs, j'ai déjà remarqué que ces gens-là diffèrent des mendiants que l'on voit sur le pont d'Aricia[1]. Ils ont l'air respectable, ils semblent même heureux, et pas un seul d'entre eux ne m'a demandé l'aumône en passant.

— C'est étrange, en vérité, et je serais curieux d'approfondir ce mystère; on pourrait peut-être en tirer bon parti. Vous dites que le vieux patricien est très-riche?

— Immensément.

— Hum!... Comment faire pour pénétrer là-dedans?

— J'y suis! Je vais ôter mes sandales, traîner la jambe comme un boiteux, me joindre au premier groupe d'infirmes qui passera, et entrer hardiment avec eux, en faisant comme je leur verrai faire.

— Je crains que vous ne réussissiez pas : chacun de ces gens-là, soyez-en sûr, est connu dans la maison.

— Je suis sûr du contraire, car plusieurs d'entre eux m'ont demandé si ce logis n'était pas celui de la patricienne Agnès.

— De qui? demanda Fulvius en bondissant.

— Oh! oh! qu'avez-vous donc?... C'est la demeure de ses parents; mais la jeune fille est mieux connue qu'eux, attendu que c'est une jeune héritière presque aussi riche que sa cousine Fabiola.

Fulvius s'arrêta un moment : un violent soupçon, trop subtil et trop important à la fois pour qu'il le communiquât à son compagnon, venait de lui traverser l'esprit. Il dit donc à Corvinus :

— Si vous êtes sûr que ces gens-là ne soient point des familiers de la maison, essayez de votre plan. J'ai déjà eu occasion de voir cette jeune fille dans le monde, et je me hasarderai à prendre par la grande entrée. De cette façon, nous aurons deux chances de succès au lieu d'une.

— Savez-vous bien, Fulvius, ce que je me disais là, tout à l'heure?

(1) L'endroit de Rome où se rassemblent le plus volontiers les mendiants pleureurs et importuns.

— Ce doit être quelque chose de fort remarquable...

— Je me disais que, si nous nous unissions, vous et moi, pour toutes nos entreprises, nous aurions toujours deux chances.

— Et lesquelles?

— Celles du loup et du renard, quand ils conspirent ensemble pour piller un troupeau.

Fulvius lui jeta un regard de dédain, auquel Corvinus répondit par un ricanement hideux; et ils se séparèrent pour se rendre chacun à son poste.

XIII. — CHARITÉ.

Comme il ne peut nous convenir d'entrer dans la maison d'Agnès, soit avec le loup, soit avec le renard, nous prendrons un moyen plus ingénieux pour y pénétrer, et nous nous transporterons d'emblée à l'intérieur.

Les parents d'Agnès étaient les représentants d'une longue suite d'ancêtres illustres; la conversion de sa famille n'était point de date récente, car elle professait le christianisme depuis plusieurs générations. De même que, dans les familles païennes, on conservait la mémoire de ceux qui avaient eu les honneurs du triomphe ou rempli des postes importants dans l'Etat, de même, dans la famille d'Agnès et dans d'autres maisons chrétiennes, on conservait avec un pieux respect et un orgueil affectueux le souvenir des parents qui avaient remporté le palme du martyre ou occupé les dignités les plus sublimes de l'Eglise dans la période des cent cinquante années, ou environ, qui venaient de s'écouler. Mais, bien qu'anobli par le sacrifice de ses plus nobles branches, bien qu'épuisé par les flots de sang qu'il avait versés pour le Christ, l'arbre de la noble famille s'était maintenu, le tronc n'avait point été abattu, et il avait fait tête aux coups répétés des orages. Ceci peut paraître étrange; et cependant, si nous songeons au grand nombre de soldats qui supportent toute une campagne marquée d'engagements nombreux, et cela, sans recevoir la moindre blessure; au grand nombre de familles qui traversent impunément une période d'épidémie, nous cesserons de nous étonner de ce que la Providence, qui veillait au salut de son Eglise, se soit plu à conserver, par le moyen d'une succession de familles anciennes, une longue chaîne non interrompue de traditions, permettant par là aux fidèles de dire : « Si le Seigneur des armées ne nous avait laissé de la postérité, nous aurions été comme Sodome, nous aurions été semblables à Gomorrhe[1]. »

Tous les honneurs et toutes les espérances de cette famille se réunissaient en ce moment sur une seule personne dont le nom est déjà connu de nos lecteurs, Agnès, la fille unique de cette ancienne maison. Donnée à ses parents à l'époque où ils commencèrent à perdre l'espoir d'avoir jamais lignée, elle avait montré, dès l'enfance, un naturel si doux, un esprit si docile et si intelligent, tant de simplicité et d'innocence, qu'elle était devenue l'objet de l'amour et presque du respect de toute la maison, depuis ses parents jusqu'aux plus humbles serviteurs. Rien encore n'avait terni ou même effleuré l'angélique pureté de son âme; ses bonnes qualités s'étaient sans cesse développées en elle dans une mesure égale, de façon qu'à l'âge, si tendre encore, où nous la trouvons, elle réunissait la grâce et la sagesse. Elle partageait tous les vertueux sentiments de ses parents, et, à leur exemple, elle faisait peu de cas du monde. Elle vivait avec eux dans une partie retirée de la maison, montée avec élégance, mais sans aucun luxe, et leur manière de vivre était en rapport avec leurs besoins. C'est là qu'ils accueillaient les rares amis avec lesquels ils conservaient des relations familières : toutefois ces amis étaient en petit nombre, attendu que la famille ne recevait pas et n'allait jamais dans le monde. Fabiola leur faisait de temps en temps visite; mais Agnès préférait aller la voir chez elle, et souvent celle-ci avait exprimé à sa jeune amie combien il lui tardait de voir le jour où, convenablement mariée, elle ouvrirait de nouveau à la société la splendide demeure qu'elle embellirait. Car, malgré la loi Voconienne « sur l'exhérédation des femmes[2], » loi tout à fait oubliée. Agnès avait reçu, de sources collatérales, de considérables additions à la fortune personnelle qu'elle tenait de sa famille.

— En général — et il en devait être ainsi — le monde païen qui les visitait attribuait à l'avarice ce qu'il découvrait, et calculait les immenses trésors que l'avare famille devait entasser. On finissait par

(1) Isaïe. I, 9.

(2) « *Ne quis hæredem virginem neque mulierem faceret.* — Que personne n'instituerait pour héritier une jeune fille ou une femme. (*Cicéron, Discours contre Verrès.*)

conclure que toute la partie de la maison cachée par le pan de mur qui fermait la seconde cour était abandonnée et tombait en ruines.

Il n'en était cependant pas ainsi. La partie intérieure du logis, consistant en une vaste cour, avec un jardin et une salle de banquet, ou *triclinium*, laquelle avait été convertie en église, puis la partie supérieure de la maison, où l'on n'avait accès que par l'église, tout avait été consacré à l'administration de cette charité abondante que l'Eglise pratiquait comme la grande *affaire* de sa vie. Cette administration était confiée à la discrétion du diacre Reparatus et de son exorciste Secundus, tous deux officiellement désignés par le souverain Pontife pour prendre soin des malades, des pauvres et des étrangers, dans l'une des sept régions dans lesquelles le pape Cajus, cinq ans auparavant, avait, à cet effet, divisé la ville de Rome, plaçant chacune de ces régions sous la surveillance de l'un des sept diacres de la sainte Eglise romaine.

Des logements particuliers avaient été disposés pour recevoir les étrangers qui venaient de loin, et qui étaient recommandés par leurs églises; une table frugale était à leur disposition. A l'étage supérieur se trouvaient des salles servant d'hôpital pour les malades, les vieillards et les infirmes : ce service était dirigé par les diaconesses et par ceux des fidèles qui aimaient à les aider dans cette œuvre de charité. C'était en ce lieu que Cœcilia, la jeune aveugle, avait sa modeste cellule, bien qu'elle ne prît pas sa nourriture dans la maison, ainsi que nous l'avons vu. Le *tablinum* ou cabinet des archives, qui d'ordinaire était isolé des autres appartements et situé au milieu du corridor, qui reliait entre elles les cours intérieures, servait de bureau d'affaires pour les transactions et la correspondance de cet établissement charitable; on y conservait tous les documents locaux, tels que les actes des martyrs que recueillait et coordonnait l'un des sept notaires institués à cet effet par saint Clément Ier, pour les régions de Rome.

Une porte de communication permettait à la famille de prendre part à ces œuvres de charité, et Agnès avait été accoutumée, dès son enfance, à y passer plusieurs heures chaque jour. Sa vue, comme celle d'un ange de lumière, répandait la joie et la consolation parmi les malades et les affligés. Cette maison pouvait donc, à juste titre, être appelée l'aumônerie de la région, ou du district de charité et d'hospitalité dans lequel elle était située : on y pénétrait, à cet effet, par le *posticum*, ou porte de service qui s'ouvrait sur une ruelle étroite et peu fréquentée. On comprend maintenant qu'avec un établissement pareil la fortune des sept maîtres du logis trouvât une application facile.

Nous avons entendu Pancrace prier Sébastien de se charger de la distribution de sa vaisselle et de ses bijoux aux pauvres, sans faire connaître la source de ce bienfait. L'officier n'avait pas perdu de vue cette commission, et il avait désigné la maison d'Agnès comme la plus convenable pour l'exécution de ce projet. Or c'était précisément dans cette matinée que la distribution devait avoir lieu; les autres régions de la ville avaient envoyé leurs pauvres que les diacres avaient accompagnés. Sébastien, Pancrace, et d'autres d'un rang encore plus élevé, étaient venus assister au partage. C'étaient ceux-là que Corvinus avait vus entrer par la porte principale.

XIV. — LES EXTRÊMES SE TOUCHENT.

Un groupe de pauvres qui se dirigeaient vers l'entrée ouverte sur la ruelle offrit à Corvinus l'occasion qu'il cherchait. Il se mêla à eux, en les imitant assez bien en tous points — sauf dans la modestie de leur maintien. Il se tenait assez près d'eux pour entendre chacun d'eux dire en entrant « *Deo gratias!* grâces soient rendues à Dieu! » C'était un mot de passe, non-seulement chrétien, mais éminemment catholique, car saint Augustin nous apprend que les hérétiques se moquaient des catholiques parce qu'ils s'en servaient, se fondant sur ce que ce n'était pas une salutation mais une réponse; et que cependant les catholiques l'employaient parce que c'était un pieux usage consacré par la tradition. De nos jours encore on l'emploie en Italie de la même manière.

Corvinus prononça les paroles mystiques, et il lui fut permis d'entrer. Tout en suivant ceux qui le précédaient, et tout en copiant leurs manières et leurs gestes, il se trouva bientôt dans la cour intérieure du logis, laquelle était déjà remplie de pauvres et d'infirmes. Les hommes étaient rangés d'un côté, les femmes de l'autre. Sous le portique, à l'extrémité, étaient placées des tables chargées de riche vaisselle; tout auprès, d'autres tables étaient couvertes de joyaux précieux. Deux orfèvres s'occupaient à peser et à estimer avec un soin scrupuleux la valeur de ces trésors ; à côté se trouvait l'argent qui devait en payer le prix et être distribué, en parts égales, à tous les pauvres.

Corvinus dévorait ce spectacle d'un œil de convoitise. Il eût donné tout au monde pour se rendre maître de ces richesses, et il se sentait entraîné à se saisir de quelque objet et à fuir avec sa proie. Mais il comprit bientôt la folie d'un pareil projet, et se décida à attendre qu'on lui donnât sa part d'aumône. Cependant, il tenait note pour Fulvius de tout ce qu'il voyait. Il ne tarda pas, toutefois, à reconnaître tout ce que sa position avait d'embarrassant. Tant que les pauvres demeurèrent tous confondus ensemble en se promenant dans la cour, il n'attira pas l'attention. Mais bientôt il vit plusieurs jeunes gens de manières particulièrement affables, mais actives, qui semblaient être revêtus d'une certaine autorité. Ils portaient le costume connu de Corvinus sous le nom de *dalmatique*, à cause de son origine dalmate ; c'est-à-dire que, par-dessus la tunique, ils portaient, au lieu de la toge, une seconde tunique plus étroite et plus courte, avec des manches amples, mais d'une largeur et d'une longueur modérées. C'était le costume adopté et porté par les diacres, non-seulement lorsqu'ils exerçaient les fonctions plus solennelles du culte, mais encore lorsqu'ils s'acquittaient des devoirs secondaires qu'ils avaient à remplir à l'égard des malades et des pauvres.

Ces officiers dirigeaient les démarches des assistants ; chacun d'eux connaissait évidemment ceux de son district et les conduisait à un endroit particulier sous les portiques. Mais comme personne ne reconnaissait Corvinus et ne venait le réclamer comme l'un de ses pauvres, il finit par se trouver tout seul au milieu de la cour. Quelque épais que fût son esprit, il comprit bientôt qu'il s'était mis dans une position critique. Lui, le fils du préfet de la cité, du magistrat dont le devoir était de châtier tout violateur des droits domestiques, il s'était glissé dans le lieu le plus retiré d'une demeure patricienne ; il s'y était faufilé comme un intrus, par ruse, sous l'habit d'un mendiant, et se mêlant à de pareilles gens dans une intention qui pouvait être mauvaise et en tout cas certainement contraire à la légalité. Il regardait la porte et se préparait à fuir : par malheur elle etait gardée par un vieillard nommé Diogène et par ses deux fils, robustes jeunes hommes qui semblaient retenir avec peine les éclats de leur courroux, bien qu'il ne se révélât que par leurs regards indignés et le grincement de leurs lèvres. Il vit qu'il était le sujet de l'entretien des jeunes diacres, qui, par moment, attachaient sur lui des yeux attentifs : il lui semblait que les aveugles même le regardaient fixement, et que les impotents allaient se servir contre lui de leurs béquilles menaçantes pour le châtier de son insolente curiosité. Une seule chose le rassurait : il était évident qu'il n'était pas connu, et il espérait pouvoir forger une excuse plausible pour se tirer d'embarras.

Enfin le diacre Reparatus vint droit à lui, et lui adressant la parole du ton de la plus obligeante courtoisie :

— Ami, lui dit-il, vous semblez n'appartenir à aucune des régions invitées aujourd'hui. Où demeurez-vous ?

— Dans la région de l'*alta semita*[1].

Cette réponse indiquait la division civile et non la division ecclésiastique de Rome. Reparatus ajouta cependant, sans paraître s'étonner :

— L'*alta semita* est dans ma région ; pourtant, je ne me rappelle pas vous avoir jamais vu.

Comme il disait ces mots, il vit avec surprise l'étranger pâlir et chanceler comme s'il allait tomber ; tandis que ses yeux demeuraient attachés sur la porte de communication qui s'ouvrait sur l'intérieur de la maison, Reparatus suivit la direction de ce regard, et aperçut Pancrace qui venait d'entrer et demandait en hâte quelques renseignements à Secundus. Le dernier espoir de Corvinus s'évanouit, et l'instant d'après il était confronté avec le jeune homme, qui pria Reparatus de se retirer. Ils se trouvaient tous deux encore dans la même position que lors de leur dernière rencontre : seulement, au lieu d'avoir un cercle d'admirateurs et de complices, Corvinus se voyait entouré de tous côtés d'une foule qui n'avait de sympathies que pour son rival. Il ne pouvait s'empêcher de remarquer le gracieux développement et la mâle prestance que l'espace de quelques semaines avait donnés à son ancien condisciple. Il s'attendait à une sortie de reproches amers de sa part, et peut-être à un châtiment tel que lui-même n'aurait pas manqué d'en infliger à quelqu'un en pareille circonstance. Quel ne fut pas son étonnement, quand Pancrace lui dit avec douceur :

— Corvinus, êtes-vous réellement réduit à la détresse et devenu estropié par un accident ? Auriez-vous quitté la maison de votre père ?

(1) La partie supérieure du Quirinal, qui conduisait à la porte Nomentane, *Porta Pia*.

— Je n'en suis pas encore là, répondit le brutal, que la bienveillance de ces paroles rappelait à son insolence naturelle ; vous ne seriez sans doute pas fâché de me voir dans cet état-là ?

— Vous vous trompez, je vous l'assure ; je ne vous en veux nullement. Aussi, dans le cas où vous auriez besoin d'assistance, dites-le-moi ; et, bien que vous n'ayez pas le droit de vous trouver ici, je vous emmènerai dans une salle particulière où vous pourriez recevoir des secours à l'insu de tous.

— Eh bien, je vais vous dire aussi la vérité : je suis entré ici par pure plaisanterie, et je ne serais pas fâché si vous pouviez me faire sortir tout doucement.

— Corvinus, reprit le jeune homme d'un air assez sérieux, c'est là une grave offense. Que dirait votre père si je commandais à ces jeunes gens — et ils m'obéiraient sans nul doute — de vous prendre tel que vous voilà, pieds nus, vêtu comme un esclave, contrefaisant l'infirme, et de vous conduire en plein Forum, devant son tribunal, pour vous y accuser publiquement d'un délit contre lequel se soulèverait tout Romain, — la violation du domicile d'un patricien ?

— Par tous les immortels ! mon bon Pancrace, ne m'infligez pas un aussi terrible châtiment.

— Vous savez, Corvinus, que votre propre père serait obligé de jouer envers vous le rôle de Junius Brutus, c'est-à-dire de vous condamner lui-même, sous peine de perdre sa charge.

— Je vous en conjure par tout ce qui vous est cher, par tout ce que vous avez de sacré, ne me déshonorez pas aussi cruellement, moi et les miens. C'est mon père, c'est ma famille entière, ce n'est pas moi tout seul que vous jetteriez pour toujours dans la honte et dans la misère. Je suis prêt à me mettre à vos genoux, à vous demander pardon de mes injures passées, si vous voulez seulement vous montrer généreux.

— Arrêtez, arrêtez, Corvinus ; je vous ai dit que tout cela était oublié depuis longtemps. Mais, écoutez-moi bien ; tous ceux qui nous entourent ont été, à l'exception des aveugles, les témoins de l'outrage que vous avez commis : cent voix s'élèveraient au besoin contre vous. Si vous veniez donc à parler jamais de cette réunion, si surtout vous tentiez jamais d'inquiéter à ce sujet quelqu'un d'ici, souvenez-vous que nous avons le pouvoir de vous traduire devant le tribunal de votre propre père. Me comprenez-vous, Corvinus ?

— Oui, oui, je vous comprends, répondit le captif d'une voix

Je crois en Notre-Seigneur Jésus-Christ, répondit-elle d'une voix claire et ferme ; et elle tomba aux pieds de Sébastien. (P. 74.)

dolente. Jamais, tant que je vivrai, jamais âme qui vive ne m'entendra dire que je suis entré dans ce terrible lieu. Je le jure par le...

— Assez, assez, nous n'avons pas ici besoin de ces serments. Prenez mon bras et venez avec moi. — Puis, se tournant vers ses amis, il continua : « Je connais ce jeune homme ; il est entré ici par suite d'une méprise. »

Les spectateurs, qui avaient pris les gestes suppliants et les prières du misérable pour l'accompagnement obligé du récit de ses infortunes et de sa demande de secours, s'écrièrent à la fois : « Pancrace, vous ne le renverrez sans doute pas à jeun et sans l'avoir assisté ?

— Rapportez-vous-en à moi, répondit-il.

Les officieux gardiens de la porte s'écartèrent devant le jeune homme, menant Corvinus, qui continuait à faire semblant de boiter. Arrivé à la rue, il le congédia en lui disant : « Corvinus, nous voilà quittes; mais songez à votre promesse. »

Cependant Fulvius, ainsi que nous l'avons vu, était allé tenter la fortune du côté de la porte principale. Il la trouva ouverte, suivant la coutume romaine ; et d'ailleurs, qui eût jamais soupçonné qu'un étranger pût se présenter à pareille heure? Au lieu d'un portier, il ne trouva, pour garder la porte, qu'une jeune fille simple et candide, âgée de douze à treize ans et revêtue de l'habit des paysannes. Elle était seule, et Fulvius trouva l'occasion excellente pour vérifier le soupçon vivace qui germait déjà dans sa tête. En conséquence, il s'adressa ainsi à la petite portière :

— Quel est votre nom, mon enfant, et qui êtes-vous?

— Je suis, répondit-elle, Emerantiana, la sœur de lait de la noble Agnès.

— Etes-vous chrétienne? demanda-t-il vivement.

La pauvre petite paysanne ouvrit de grands yeux pleins d'étonnement et d'ignorance, et répondit :

— Non, seigneur.

Il était impossible de résister à l'évidence de sa simplicité, et Fulvius demeura convaincu qu'il s'était trompé. Par le fait, l'enfant était la fille d'une paysanne qui avait été la nourrice d'Agnès. Sa mère venait de mourir, et la généreuse patricienne s'était empressée de réclamer l'orpheline avec l'intention de la faire instruire et baptiser plus tard. Elle n'était arrivée que de l'avant-veille, et elle était encore totalement étrangère à l'objet de la question de Fulvius.

Celui-ci cependant se trouvait assez embarrassé de sa contenance.

La solitude qui régnait autour de lui le gênait autant que la foule avait gêné Corvinus. Il songeait bien à se retirer, mais le faire, c'était détruire toutes ses espérances : il voulait avancer, puis il s'arrêtait, dans la crainte de se compromettre d'une façon désagréable. A cet instant critique, qui voit-il traversant la cour d'un pas léger? La jeune maîtresse du logis elle-même : elle s'avance gaie, heureuse, épanouie, radieuse! Dès qu'elle l'eut aperçu, elle s'arrêta comme pour recevoir le message dont elle le supposait porteur, tandis que Fulvius s'approchait avec le plus flatteur de ses sourires et le plus gracieux de ses gestes.

— J'ai osé devancer, lui dit-il, l'heure ordinaire des visites, et je crains bien de vous paraître importun, charmante Agnès; mais j'étais impatient de m'inscrire parmi les plus humbles clients de votre noble maison.

— Notre maison, reprit Agnès en souriant, ne fait pas vanité de ses nombreux clients, et nous ne les recherchons point, car nous n'avons aucune prétention à l'influence ni au pouvoir.

— Pardonnez-moi : avec l'être adorable qui la gouverne, votre maison possède la plus haute des influences, et le plus puissant des pouvoirs : le pouvoir qui domine, sans effort, sur le cœur heureux de son esclavage.

Incapable de s'imaginer que ces paroles pussent s'adresser à elle-même, Agnès reprit avec une simplicité ingénue :

— Oh! que vos paroles sont vraies! l'être adorable qui dirige cette maison est en effet le souverain de tous les cœurs et l'objet de l'affection de tous ceux qui habitent sous ce toit.

— Quant à moi, reprit Fulvius, je veux parler de cet empire plus tendre et plus doux, de cet empire que les charmes de la grâce peuvent seuls exercer sur ceux qui sont à même de les voir de plus près.

Agnès paraissait plongée dans le ravissement de l'extase : ses yeux contemplaient une image bien différente de celle du misérable flatteur qui lui parlait : son regard passionné cherchait le ciel. Elle s'écria :

— Oui! Celui dont la beauté fait l'admiration du soleil et de la lune, dans les profondeurs du firmament, c'est à Lui seul que j'ai voué mon amour et ma foi[1].

Fulvius était frappé de stupeur. Le regard inspiré, l'attitude ravie

(1) « *Cujus pulchritudinem sol et luna mirantur, ipsi soli servo fidem.* » (*Office de sainte Agnès.*)

de la jeune fille, le son vibrant de sa voix en prononçant ces paroles, leur sens mystérieux, enfin l'étrangeté de cette scène, tout contribuait à le tenir comme cloué au sol, à le forcer au silence. Il ne tarda cependant pas à s'apercevoir qu'il perdait ainsi la seule occasion peut-être qu'il eût de déclarer sa pensée — nous n'osons dire son affection — et il reprit avec audace :

— C'est de vous-même que je parle, belle Agnès, et je vous conjure de croire à la sincérité de mon admiration pour vos charmes et de mon attachement sans bornes pour votre personne. Et, en disant ces mots, il tomba à genoux devant elle, en cherchant à s'emparer de sa main : mais la jeune fille bondit en arrière avec un mouvement d'horreur, et de ses mains tremblantes se voila le visage.

Fulvius se releva aussitôt, car il venait d'apercevoir Sébastien qui cherchait Agnès pour la mener vers les pauvres, désireux de la voir. L'officier s'avança, respirant l'indignation ; mais Agnès prenant la parole :

— Sébastien, lui dit-elle, retenez votre courroux ; cet homme est sans doute entré ici par quelque méprise involontaire ; laissez-le s'éloigner tranquillement. — Et en disant ces mots, elle se retira.

Sébastien attacha alors sur l'audacieux intrigant un regard calme et énergique, sous lequel celui-ci se prit à trembler.

— Fulvius, lui dit-il enfin, que faites-vous ici ? quelle affaire vous y amène ?

— Mais je suppose, répliqua-t-il en reprenant courage, que m'étant trouvé avec la jeune maîtresse de cette maison dans le même lieu que vous, à la table de sa noble cousine, j'ai le droit de lui rendre visite en même temps que d'autres clients non moins empressés.

— Soit ; mais pourquoi prendre une heure aussi peu convenable ?

— L'heure qui est convenable pour un jeune officier, repartit Fulvius avec insolence, ne l'est pas moins, je l'espère, pour un homme qui n'appartient pas à l'armée.

Sébastien appela à son aide tout l'empire qu'il avait sur lui-même pour contenir son indignation, en reprenant :

— Fulvius, prenez garde à ce que vous dites, et songez que deux personnes peuvent être sur un pied tout différent dans une même maison. Du reste, la familiarité même la plus intime, à plus forte raison une connaissance faite à table, ne pourrait autoriser ni justifier l'insolence de votre conduite à l'égard de la jeune maîtresse du logis, il n'y a qu'un instant.

— Oh! vous êtes jaloux, à ce que je puis voir, mon brave capitaine, reprit Fulvius du ton le plus moqueur. On prétend que vous êtes l'aspirant très-acceptable, sinon même accepté, à la main de Fabiola. Elle est à la campagne en ce moment, et, sans nul doute, vous voulez vous assurer la fortune de l'une ou l'autre des deux plus riches héritières de Rome. Il n'y a rien de tel que d'avoir deux cordes à son arc.

Cet amer et grossier sarcasme blessa au vif les sentiments les plus délicats du jeune officier, et s'il n'avait su, dès longtemps, courber son caractère sous la mansuétude chrétienne, son impétuosité naturelle l'eût emporté sur sa raison.

— Il ne vaut rien, ni pour vous ni pour moi, de rester ici plus longtemps. Le congé poli que vous avez reçu de la noble jeune fille si gravement insultée par vous ne vous a pas suffi; il faut donc que j'exécute ses ordres avec plus de rigueur. Et, ce disant, il prit par le bras l'importun visiteur, et l'étreignant de sa main puissante, il l'entraîna vers la porte. Quand il l'eut mis dehors, il lui dit, tout en le maintenant encore immobile : « Va en paix, Fulvius, et souviens-toi qu'en ce jour tu t'es exposé à la vindicte des lois par ton indigne conduite. Je t'épargnerai, si tu te conduis à l'avenir avec plus de discrétion; mais il est bon que tu saches que je connais l'honorable métier que tu fais à Rome, et que je tiens, suspendue sur ta tête, comme une menace, ton insolence de ce matin pour garantie contre toi, au cas où tu viendrais à t'oublier encore. Et maintenant, je te le répète, va en paix. »

Mais à peine avait-il lâché le bras de Fulvius, qu'il se sentit tiré en arrière par un assaillant invisible et d'une force athlétique. C'était Eurotas, auquel Fulvius n'osait rien cacher, qui, connaissant son projet d'entrevue avec Corvinus, l'avait suivi et veillait de loin sur lui. Il savait, par l'esclave noire Afra, quel était le caractère pervers et dangereux du jeune adepte de ses artifices magiques, et il avait craint quelque piége. Quand il vit l'espèce de lutte qui se passait à la porte, il se glissa à la dérobée derrière Sébastien qu'il prenait pour le nouvel allié de son maître, et se jeta sur lui avec la rage aveugle de l'ours fondant sur sa proie; mais celui auquel il s'attaquait n'était pas un adversaire facile à vaincre. Il tenta vainement, bien qu'aidé à son tour par Fulvius, de terrasser le soldat : aussi, désespérant de le vaincre de cette manière, il prit à sa ceinture une arme petite, mais mortelle; c'était une sorte de masse en acier du travail syrien le plus exquis. Il la brandissait par derrière sur la tête de Sébastien, lorsque tout à coup elle lui fut arrachée de la main, et lui-même, saisi comme dans une étreinte de fer, fut soulevé du sol, et lancé avec une violence telle, qu'il alla tomber au milieu de la rue après avoir roulé deux ou trois fois sur la poussière.

« Je crains que vous n'ayez blessé ce malheureux, cher Quadratus, » dit Sébastien au centurion, qui, passant pour aller rejoindre ses frères en religion, venait d'employer si à propos la force herculéenne dont il était doué.

— Il le méritait, tribun, pour la lâcheté de son agression, reprit Quadratus. Et tous deux rentrèrent dans la maison.

Les deux étrangers quittèrent, tout confus, le théâtre de leur défaite. Au moment où ils tournaient le coin de la rue, ils aperçurent Corvinus qui, loin de boiter, courait, au contraire, à toutes jambes, pour s'éloigner de cette funeste porte de service qui lui avait procuré tant d'humiliations. Bien souvent les deux complices se revirent par la suite, mais jamais ils ne firent la moindre allusion aux événements de cette matinée. Chacun d'eux savait que l'autre n'avait rencontré que honte et confusion, et tous deux en vinrent à se dire qu'il y avait au moins à Rome un troupeau que le loup et le renard essayeraient en vain d'attaquer.

XV. — LES BÉNÉFICES DE LA CHARITÉ.

Quand le calme, troublé par ces doubles événements, eut été rétabli, la besogne de la journée se poursuivit tranquillement. Outre les grandes aumônes de l'Eglise, telles qu'en fit saint Laurent, il n'était pas rare, dans ces temps primitifs, de voir des personnes qui voulaient quitter le monde, se dépouiller de leurs biens en faveur des pauvres[1]. En effet, on devait naturellement s'attendre à ce que la noble charité de l'Eglise apostolique de Jérusalem ne fût pas un exemple stérile pour celle de Rome. Mais, on le comprendra, ces sacrifices extraordinaires avaient lieu plus fréquemment que jamais aux époques où l'Eglise se préparait à la persécution, et où les chrétiens qui, par leur position et les circonstances, pouvaient aspirer au martyre, voulaient

(1) Il est dit de Népotien que, lors de sa conversion, il distribua tous ses biens aux pauvres. Saint Paulin de Nole fit la même chose.

se préparer au combat en débarrassant, pour ainsi dire, leurs âmes de tout ce qui les retenait à la terre, et leurs demeures de tout ce qui eût pu devenir la proie du soldat impie, au lieu de retourner au pauvre à titre d'héritage[1].

On ne perdait cependant pas de vue le grand principe qui veut que, d'un côté, l'on fasse briller aux yeux des hommes la lumière des bonnes œuvres, tandis que, d'autre part, la main qui remplit la lampe verse son huile en secret et n'est connue que de Celui à qui rien n'est caché. Quand la vaisselle et les bijoux d'une noble famille étaient publiquement évalués et vendus, quand le prix en avait été distribué aux pauvres, ce devait être là un magnifique exemple de charité qui consolait l'Eglise, animait les âmes généreuses, faisait rougir les avares, touchait le cœur des catéchumènes et attirait les bénédictions et les prières sur les lèvres de l'indigent. Cependant la main droite de chaque individu généreux demeurait absolument ignorée de la main gauche; et l'humilité et la modestie du noble donateur restaient cachées dans le sein de Celui au nom de qui se faisaient ces sacrifices terrestres et qui les payait avec usure de ses trésors infinis et éternels.

Il en était ainsi dans le cas qui nous occupe en ce moment. Quand tout fut prêt, Denis, le prêtre, — qui, en même temps, était le médecin aux soins duquel les malades étaient confiés, et qui avait succédé à Polycarpe dans la cure de la chapelle de Saint-Pastor, — Denis parut, et ayant pris place sur un siége élevé, placé à l'une des extrémités de la cour, il s'adressa en ces termes à l'assemblée :

— Chers frères, notre Dieu, dans sa miséricorde, a daigné toucher le cœur d'un chrétien charitable qui a eu compassion de ses frères moins heureux, et qui s'est dépouillé de ses biens terrestres pour l'amour du Christ. Quel est-il? Je l'ignore, et je ne veux même pas chercher à le connaître. C'est un de ceux qui n'aiment pas à posséder ces trésors « que la rouille peut détruire, que les voleurs peuvent dérober; » c'est un de ceux qui, à l'exemple du bienheureux Laurent, préfèrent les remettre aux mains des pauvres de Jésus-Christ, afin qu'ils les déposent dans les célestes trésors.

« Recevez donc comme un présent de Dieu, inspirateur de cette charité, le partage qui va avoir lieu et qui peut vous être d'un utile

(1) « *Dabis impio militi quod non vis dare sacerdoti, et hoc tollit fiscus quod non accipit Christus.* » (*Saint Augustin.*)

secours pour les temps de tribulations qui nous sont réservés. Tout ce qui vous est demandé, en retour, c'est de vous unir tous ensemble dans cette prière familière que nous récitons chaque jour pour tous ceux qui nous donnent ou nous font du bien. »

Pendant cette courte exhortation, le pauvre Pancrace ne savait quelle contenance tenir et n'osait lever les yeux. Il s'était glissé dans un coin, derrière les assistants, et Sébastien, ayant pitié de son embarras, était allé se mettre devant lui et prenait le plus de place possible, afin de le mieux cacher. Néanmoins son émotion manqua de le trahir, lorsque toute l'assemblée se mit à genoux, et, les mains et les yeux levés au ciel, s'écria avec ferveur et d'une seule voix :

« *Retribuere dignare, Domine, omnibus nobis bona facientibus, propter Nomen tuum, vitam æternam. Amen*[1]. »

Puis les aumônes furent distribuées ; elles étaient plus considérables que l'on ne s'y était attendu. On servit aussi un repas abondant, et un joyeux banquet termina cette scène édifiante. Il était de bonne heure encore, et plusieurs personnes d'entre les assistants ne prirent point part au repas : une nourriture spirituelle et bien autrement délicieuse se préparait pour elles dans l'église titulaire voisine.

Quand tout fut terminé, Cœcilia insista pour reconduire son pauvre paralytique : « Elle voulait, disait-elle, le *voir* en sûreté chez lui ; elle voulait porter sa lourde bourse de toile. » Chemin faisant, elle entretint si gaîment son compagnon, qu'il fut tout étonné de se trouver, sans y penser, à la porte de son humble, mais décente demeure Sa conductrice aveugle lui glissa vivement sa bourse dans la main et lui jetant un adieu précipité, s'éloigna, légère, et fut bientôt hors de vue. La bourse semblait singulièrement pleine ; le vieillard se mit à en compter le contenu, et, à sa grande surprise, trouva double part d'aumône. Il recommença son calcul et arriva encore au même résultat. A la première occasion, il prit des informations auprès de Reparatus, mais celui-ci ne put lui donner aucun renseignement à ce sujet. Et pourtant, s'il avait vu Cœcilia s'arrêter dès qu'elle eut tourné le coin de la rue et sourire avec malice comme si elle venait de jouer quelque bon tour ; s'il l'avait vu courir, alerte et légère comme si rien ne gênait sa marche, le vieillard eût facilement trouvé le mot de l'énigme qui l'embarrassait.

(1) « Seigneur, daignez donner la vie éternelle en retour à tous ceux qui nous font du bien pour l'amour de vous. »

XVI. — LE MOIS D'OCTOBRE.

Le mois d'octobre, en Italie, est certainement une magnifique époque de l'année. Le soleil a tempéré sa chaleur mais non pas son éclat ; il est moins ardent, mais non moins radieux. Quand il se lève le matin, il sème au loin les feux de ses rayons sur la nature qui s'éveille, comme un prince indien qui, avant d'entrer dans la salle du trône, répand parmi la foule des poignées d'or et de pierreries ; et les montagnes semblent dresser leurs cimes rocheuses, et les bois semblent tendre vers lui leurs branches élevées, avides qu'elles sont de recevoir ses royales largesses. Puis, lorsque après avoir parcouru sa carrière dans un ciel sans nuage, il atteint son but, il trouve sa couche d'or liquide qui l'attend sur la mer Occidentale, sous un dais de nuages empourprés, aux franges aériennes plus éclatantes et plus brillantes que celles que fournissait la cité d'Ophir pour la couche du roi Salomon. A mesure qu'il décline, son disque glorieux se dilate, s'étend et adoucit sa lumière comme pour dire adieu à la route qu'il vient de parcourir ; puis, après avoir disparu, il nous envoie encore, du monde nouveau qu'il éclaire et vivifie, quelques brillants rayons, comme des promesses d'un prompt retour. Si le soleil d'octobre est moins puissant, ses rayons sont, à coup sûr, plus actifs et plus fécondants. Il leur a fallu des mois entiers pour faire saillir, du cep ridé et desséché de la vigne d'abord les feuilles vertes, puis les bourgeons tendres et élancés, et enfin de petites grappes aux baies dures et aiguës : la maturité a été longue et faible. Mais maintenant les feuilles sont devenues larges et touffues, à ce point qu'elles reçoivent, dans les pays vinicoles, un nom tout spécial (*pampres, pampinus, pampino*) ; les petits corymbes épars se sont enflés pour former de luxuriantes grappes de raisins. Déjà les unes revêtent leur teinte ambrée, tandis que les autres, avant de se couvrir d'une riche pourpre impériale, s'y préparent toutefois en passant par cette nuance opaline non moins séduisante.

Qu'il est doux alors de s'asseoir au penchant d'une colline, sous un frais ombrage, et de lever parfois les yeux de dessus son livre pour les promener sur le paysage varié qui se déroule au loin en changeant d'aspect à tout moment. Et en effet, lorsque la brise se joue dans le feuillage des oliviers qui tapissent la colline, lorsqu'elle y fait tour à tour miroiter l'ombre et la lumière en retournant les feuilles aux doubles teintes; quand le soleil se voile sous les nuages, ou quand, splendide, il éclate sur les vignobles d'alentour, sur les vallées environnantes, la brillante tenture des pampres demeure seule immobile, se bornant à déployer sa verdure jaunissante ou brunie, mais toujours délicieuse. Ajoutez à cela le chatoiement des autres teintes sans nombre qui émaillent le paysage depuis le noir cyprès, l'yeuse plus sombre encore, le riche marronnier, les pommeraies rougissantes, l'éteule brûlée par le soleil, le pin mélancolique — qui est à l'Italie ce qu'est le palmier pour l'Orient — dominant de leurs cimes altières le buis, l'arbousier, les lauriers des villas, figurez-vous toutes ces splendeurs végétales disséminées sur la montagne, sur la colline et dans la plaine, mêlées aux fontaines jaillissantes, aux cascades qui s'élancent des rochers, aux portiques de marbres éclatants, aux statues de bronze et de pierre, aux chaumières coquettement enluminées, aux parterres de fleurs innombrables, aux pelouses verdoyantes, et vous n'aurez encore qu'une faible idée des séductions qui, au mois d'octobre, attiraient alors comme de nos jours toute la noblesse hors de Rome et lui faisaient fuir ce qu'Horace appelle « le fracas et la fumée de la ville, pour réjouir ses yeux du spectacle des beautés plus calmes de la campagne.

Et voilà ce qui faisait qu'à l'approche de cet heureux mois toutes les villas s'ouvraient pour aspirer l'air, que des essaims d'esclaves s'empressaient de ranger, nettoyer, disposer toutes choses, taillant les haies en figures fantastiques, nettoyant les conduits des eaux artificielles, arrachant des allées les herbes parasites qui les déshonorent. Le *villicus*, l'intendant de campagne, préside à tous ces travaux; il surveille, il dirige tout, et tantôt par des paroles menaçantes, tantôt même par des coups, il fait des malheureux en grand nombre pour les plaisirs honteux d'un seul homme.

Enfin les voies poudreuses s'encombrent de véhicules de tous genres depuis le lourd chariot chargé de meubles et lentement traîné par des bœufs jusqu'au char élégant et léger que font voler de fringants chevaux barbes; et, comme les plus belles routes d'alors étaient encore fort étroites, comme les conducteurs d'autrefois n'étaient pas mieux appris que ceux d'aujourd'hui, on peut se figurer le bruit, le tumulte et la confusion qui régnaient sur les chemins publics. Il en était de même partout : nulle route n'était plus favorisée que les autres. Les hauteurs de la Sabine, celles de Tusculum, celles d'Albe étaient semées de villas splendides ou de maisons plus modestes, telles qu'en pouvaient habiter un Mécène ou un Horace; aujourd'hui même encore, la surface si plane de la *campagna Romana* est couverte de ruines d'immenses villas anciennes; tandis que, depuis l'embouchure du Tibre, le long de la côte, de Laurentum à Lanuvium et à Antium, puis jusqu'à Cajeta et à Baïa et les autres villes de bains élégants qui entouraient le Vésuve, les somptueuses résidences d'été ne formaient, pour ainsi dire, qu'une chaîne non-interrompue, et ces limites mêmes ne suffisaient pas pour satisfaire la fièvre périodique de villégiature qui, tous les ans, s'emparait de Rome. Le bord du lac Benacus (aujourd'hui le lac Majeur, au nord de Milan), ceux du lac de Côme et les rives délicieuses de la Brenta, recevaient de nombreux visiteurs venus non-seulement des cités voisines ou du fond de la Germanie, mais même de la capitale impériale.

C'était à l'un de ces « beaux yeux de l'Italie, » comme Pline appelle les villas, (*ocelli Italiæ*), parce qu'elles en font la beauté principale, que Fabiola s'était hâtée de se rendre, avant l'encombrement des routes, le jour qui avait suivi l'entrevue de l'esclave noire avec Corvinus. Sa villa était située sur le versant de la colline qui descend jusqu'à la baie de Gaëte; et, comme son habitation de Rome, elle était remarquable par le bon goût qui avait présidé à l'arrangement de toutes les parties dont elle se composait. De la terrasse qui régnait au devant, on découvrait le calme azur de la baie, encadrée dans la plus riche des côtes, comme un miroir dans un cadre ciselé et émaillé; de temps en temps, la plaine liquide est animée par de blanches voiles qu'éclaire le soleil et qui appartiennent aux yachts, aux galères, aux barques de plaisir, aux canots de pêche. Du sein de ces esquifs s'élèvent les rires des passagers, les chants qu'accompagne la harpe de famille, ou les cris moins harmonieux des pêcheurs, ces laboureurs des mers. Une galerie de treillage, couverte de plantes grimpantes, conduisait aux bains de la plage; à mi-chemin, cette galerie s'ouvrait sur une pelouse de verdure, endroit charmant où un ruisseau d'eau pure et claire comme le cristal, jaillissant des flancs d'un rocher, entretenait une délicieuse fraîcheur. Ce ruisseau, retenu un moment dans un bassin naturel, y bouillonnait un instant, puis s'élevant au-dessus de ces bords, s'échappait en murmurant et glissait tout doucement le long du treillis pour s'aller perdre dans la mer. Deux antiques platanes répandaient leur ombre protectrice sur ce terrain classique, que Platon et Cicéron n'auraient pas dédaigné pour en faire le théâtre favori de leurs discussions philosophiques. Les fleurs les plus belles, les plantes les plus rares des pays éloignés avaient été acclimatées dans cet endroit enchanteur, où elles étaient également à l'abri de la sécheresse et de la froidure.

Pour des raisons que nous développerons plus tard, Fabius ne faisait guère à sa villa que de rares visites, et même alors il ne s'y montrait qu'en passant pour aller à quelque rendez-vous plus brillant de la mode romaine, où il avait ou prétendait avoir affaire. Par ce motif, sa fille y était presque toujours seule, et y jouissait d'une délicieuse solitude. Outre une bibliothèque bien fournie, qui restait à demeure dans la villa et qui se composait principalement de traités d'agriculture ou de livres d'un intérêt local, chaque année l'on apportait de Rome une ample provision de manuscrits. C'étaient d'anciens auteurs favoris, ou des nouveautés — dont Fabiola avait soin de se procurer à grands frais une des premières copies ; — c'était aussi une quantité de ces ouvrages d'art plus familiers et moins sérieux, qui, répartis çà et là dans une demeure nouvelle, y font retrouver aussitôt d'anciennes habitudes. La plus grande partie de ses matinées se passait dans la retraite favorite que nous venons de décrire : elle y restait des heures entières, ayant avec elle une cassette de livres et prenant tantôt un volume, tantôt un autre. Aussi, grand eût été l'étonnement d'une personne qui lui eût fait visite cette année en découvrant que Fabiola, d'ordinaire toujours seule, était presque toujours en compagnie — et en compagnie d'une esclave.

On peut juger de sa surprise lorsque, le lendemain du dîner qui avait eu lieu, Agnès lui apprit que Syra avait refusé de quitter son service, bien que la liberté eût été offerte à la généreuse fille. Mais son étonnement fut bien plus grand encore, quand elle apprit que le motif de ce refus était dans l'attachement que son esclave avait conçu pour elle. Vainement elle cherchait la cause de cet attachement : elle n'avait jamais témoigné à sa pauvre servante la moindre bienveillance, elle ne lui avait même jamais montré la moindre reconnaissance des soins que celle-ci lui avait prodigués pendant sa maladie. Aussi son premier mouvement fut-il de croire Syra une créature privée de raison. Mais cette explication ne pouvait satisfaire son esprit toujours si juste. A la vérité elle avait bien ouï conter, et elle avait bien lu quelques exemples de fidélité et de dévoûment de la part de certains esclaves, même envers les maîtres qui les persécutaient[1]; mais, en général, on regardait ces

(1) Tels sont les exemples cités par Macrobe dans ses *Saturnalia*, liv. 1, et par Valère-Maxime.

rares individus comme des exceptions à la règle commune, et d'ailleurs qu'était-ce qu'une vingtaine de cas isolés qui prouvaient quelque affection chez des esclaves, cas qu'il fallait rechercher dans autant de siècles, comparés aux milliers d'exemples de haines qu'on avait chaque jour sous les yeux? Et cependant elle en possédait un à son tour, et il était clair et palpable ; aussi la frappa-t-il vivement. Elle attendit quelque temps et épia attentivement son esclave, pour voir si elle ne découvrirait pas dans sa conduite certains airs, certains indices qui laissassent supposer qu'elle sentait avoir fait quelque chose de généreux et dont sa maîtresse devait lui savoir gré. Elle ne put rien découvrir. Syra continuait à s'acquitter de ses devoirs journaliers avec la même simplicité, avec la même diligence; rien, en elle, ne faisait penser qu'elle se crût moins esclave qu'auparavant. Le cœur de Fabiola s'attendrissait de plus en plus, et elle commençait à trouver qu'il n'était pas aussi difficile d'aimer une esclave, chose que, dans sa conversation avec Agnès, elle avait déclarée impossible. A cette découverte venait s'en joindre une autre : c'est qu'il *pouvait* y avoir dans le monde des dévoûments désintéressés, et des affections qui ne demandaient pas à être payées de retour.

Les entretiens qu'elle avait eus avec l'humble fille, après la scène violente que nous avons rapportée, lui avaient prouvé que Syra avait reçu une éducation distinguée. Elle était trop délicate pour la questionner sur l'histoire de ses premières années, car il arrivait souvent que les maîtres faisaient donner à de jeunes esclaves une brillante éducation pour augmenter leur valeur. Mais elle découvrit bientôt que Syra lisait les auteurs grecs et les poètes latins avec facilité et élégance, et qu'elle écrivait également bien dans les deux langues. Par degrés, elle améliora la position de la jeune esclave, au grand ennui des jalouses compagnes de cette dernière. Elle ordonna à Euphrosyne de lui donner une chambre séparée, ce qui fut pour la pauvre fille une précieuse consolation, et bientôt elle l'attacha à sa personne en qualité de lectrice et de secrétaire. Et néanmoins elle ne pouvait découvrir de changement dans sa conduite; on n'y remarquait ni orgueil, ni prétentions. Au contraire, chaque fois qu'il se présentait une tâche qui rentrait dans l'humble domaine de ses premières occupations, Syra ne laissait pas à d'autres le soin de la remplir; elle s'en acquittait elle-même joyeusement et sans aucune affectation.

Les lectures les plus habituelles de Fabiola étaient, comme nous l'avons déjà dit, d'un genre abstrait et relevé; elles consistaient principalement en ouvrages de littérature philosophique. Et cependant il arrivait souvent, à la grande surprise de Fabiola, que son esclave, par une simple remarque, refutait une maxime, solide en apparence, renversait un grand échafaudage de déclamations ampoulées, ou faisait naître dans son esprit des aperçus de vérités morales et pratiques beaucoup plus élevés que n'en proposaient jamais dans leurs écrits les auteurs qu'elle avait le plus admirés. Cela ne venait pas, chez Syra, d'une grande perspicacité de jugement, d'une vive pénétration d'esprit; cette faculté n'était pas, chez elle, le résultat de lectures soutenues, de longues réflexions, ou de la supériorité de son éducation première. Car bien que l'on vît des traces de tout cela dans les paroles, les idées, la conduite de Syra, cependant les livres et les principes qu'elle étudiait en ce moment étaient évidemment nouveaux pour elle. Il semblait pourtant y avoir dans l'esprit de l'humble esclave une pierre de touche, un type de vérité, latent, mais infaillible, une clef qui lui servait à ouvrir également tous les dépôts de science morale les mieux fermés, une fibre bien accordée qui vibrait à l'unisson de tout ce qui était droit et juste et qui résonnait en désaccord avec tout ce qui était mal, vicieux ou même inexact. Quel était ce secret? Fabiola désirait le connaître; il lui semblait que c'était plutôt une intuition que tout ce qu'elle avait vu jusque-là. Elle n'était pas encore en position de comprendre que le plus petit et le dernier dans le royaume des cieux — et quoi de plus humble qu'une esclave? — est plus grand en sagesse spirituelle, en lumière intellectuelle et en priviléges célestes, que ne l'a jamais été le saint Précurseur lui-même[1].

Par une délicieuse matinée d'octobre, Fabiola et son esclave, toutes deux assises auprès de la source, s'adonnaient à la lecture. La première, fatiguée du livre trop sérieux qui l'occupait, désira un ouvrage plus neuf et d'un style plus léger. Elle prit un manuscrit dans la cassette, et dit à Syra :

— Tiens, mets de côté ce livre maussade. Voici quelque chose de tout nouveau et de très-amusant, à ce que l'on m'a dit. Cela nous intéressera toutes deux.

La servante fit ce que lui commandait sa maîtresse, prit le volume, en examina le titre et rougit aussitôt. Elle parcourut rapidement les premières lignes, et toutes ses craintes se confirmèrent. Elle vit que c'était un de ces ouvrages futiles qui circulaient alors librement, comme le faisait remarquer saint Justin, bien que profondément immo-

(1) *S. Matthieu.* XII, 14.

raux et se jouant de la vertu, tandis qu'au contraire tous les écrits chrétiens étaient supprimés ou du moins peu favorisés. Syra déposa le volume d'un air tranquille et résolu, en disant :

— Par grâce, ma bonne maîtresse, ne me demandez pas de vous lire ce livre. C'est une lecture qu'il ne m'est pas permis de vous faire et que vous ne pouvez entendre.

Fabiola demeura tout interdite. Elle n'avait jamais eu l'idée qu'on pût lui parler de se restreindre dans ses lectures. Ce qui, de nos jours, passerait pour inconvenant à lire formait alors une partie de la littérature usuelle du monde élégant. Depuis Horace jusqu'à Ausonius, tous les auteurs latins prouvent ce que nous avançons. Et, en effet, sur quels principes de vertu aurait-on pu s'appuyer pour stigmatiser l'inconvenance d'un écrit qui ne faisait que reproduire avec la plume un système de morale que le pinceau et le ciseau rendaient chaque jour plus familier à tous les regards ? Pour discerner le bien du mal, Fabiola n'avait pas d'autre mesure que le système d'éducation dans lequel elle avait été élevée.

— Quel mal ce livre peut-il nous faire ? demanda-t-elle en souriant. Je suppose bien qu'il rapporte une foule de crimes et d'actions honteuses ; mais cela ne nous engage nullement à les commettre nous-mêmes, et de plus, il est amusant de les lire comme ayant été commis par d'autres.

— Et voudriez-vous, à quelque prix que ce fût, vous en rendre coupable ?

— Non, certes ! pour rien au monde.

— Et cependant, lorsque vous en lisez le récit, leur image doit nécessairement préoccuper votre esprit ; puisqu'elles vous amusent, ces descriptions, vos pensées s'y arrêtent sans doute avec plaisir ?

— Certainement, et ensuite ?

— Cette image est de la corruption, ces pensées sont mauvaises.

— Comment cela est-il possible ? Pour qu'il existe en réalité, le crime ne doit-il pas avoir été commis ?

— Vous avez raison, ô ma généreuse maîtresse, et qu'est-ce que la pensée sinon l'action de l'esprit, l'action de ce que j'appelle l'âme ? Une fureur qui vous fait *désirer* un meurtre, est l'action de ce pouvoir invisible, et insaisissable comme la passion elle-même ; le coup qui accomplit le projet homicide n'est que l'action machinale du corps, action perceptible comme son origine. Mais qui commande, dans le fait, et qui obéit ? A qui incombe la responsabilité du résultat final ?

— Je te comprends, dit Fabiola avec embarras, après un moment de silence. Cependant il reste encore une difficulté à résoudre. A t'entendre, il existerait une responsabilité attachée à l'acte intérieur comme à l'acte extérieur. Et envers qui existe cette responsabilité, je te prie? Si l'action suit la pensée, je conçois que l'on ait à répondre des deux agents, envers la société, envers les lois, envers les principes de la justice, car de tristes conséquences peuvent en découler. Mais si l'acte intérieur seul existe, envers qui peut-il y avoir responsabilité? Qui est-ce qui le voit? Qui peut s'arroger le droit de le juger, de le contrôler?

— Dieu, répondit Syra d'un air sérieux et simple à la fois.

Fabiola fut déconcertée. Elle s'attendait à entendre son esclave lui développer quelque théorie nouvelle, quelque principe nouveau; et voilà que d'un mot, d'un seul mot, Syra avait rejeté l'entretien dans ce qu'elle ne regardait que comme une superstition, bien que son opinion se fût modifiée sur ce point. « Quoi! Syra, reprit-elle, crois-tu réellement à Jupiter, à Junon ou peut-être à Minerve, qui est à peu près la seule honnête personne de tout l'Olympe? Crois-tu que ces trois divinités s'occupent beaucoup de nos affaires? »

— Bien loin de là; j'ai leurs noms même en horreur, et je déteste les crimes que leurs histoires ou leurs fables symbolisent sur la terre. Non : je n'ai pas parlé des dieux et des déesses; j'ai parlé de *Dieu*, du Dieu unique et tout-puissant.

— Et ce Dieu, comment l'appelles-tu, Syra, dans ton système de religion?

— Il n'a pas d'autre nom que DIEU, et, ce nom, les hommes le Lui ont donné afin de pouvoir le désigner quand ils parlent de Lui; mais ce nom n'exprime ni sa nature, ni son origine, ni ses qualités.

— Et cette nature, cette origine, ces qualités, quelles sont-elles? demanda la maîtresse dont la curiosité s'éveillait.

— Simple comme la lumière est sa nature; elle est une et la même partout indivisible, pure; elle pénètre tout et se répand partout, elle est ubiquaire et illimitée. Il existait avant tout commencement, et il sera encore après toute fin. La puissance, la sagesse, la bonté, l'amour, la justice, l'infaillibilité lui appartiennent par nature, et ces qualités sont aussi illimitées, aussi infinies que sa nature elle-même. Lui seul peut créer, Lui seul conserve, Lui seul détruit.

Fabiola avait souvent entendu parler des regards inspirés qui animaient la sibylle ou la pythonisse d'un oracle; mais jamais jusqu'alors elle ne les avait vus. La physionomie de l'esclave rayonnait; ses yeux brillaient d'un doux éclat, son corps était immobile, et les paroles s'échappaient de ses lèvres comme le son s'échappe d'un instrument magique animé par un souffle étranger. L'expression de son visage, tout son ensemble rappelait involontairement à Fabiola ce regard abstrait et mystérieux qu'elle avait si souvent remarqué chez Agnès. Seulement, chez l'enfant, ce regard était plus tendre et plus gracieux; chez la femme, il était plus sérieux et presque inspiré. « Comme ces imaginations orientales s'enthousiasment et s'exaltent facilement! » se disait Fabiola en regardant Syra; « je ne m'étonne pas que l'Orient soit nommé la terre de la poésie et de l'inspiration. » Lorsqu'elle vit que Syra était calmée et que la tension de son esprit s'était relâchée, elle lui dit du ton le plus dégagé qu'elle pût prendre : « Mais, Syra, peux-tu penser qu'un Être tel que celui que tu viens de décrire et dont la conception dépasse toutes les données de nos anciennes fables, penses-tu qu'il daigne veiller constamment, non-seulement sur les actions mais encore sur les misérables pensées des millions de créatures qui peuplent l'univers? »

— Ce n'est pas une occupation, ma noble maîtresse, ce n'est pas même un léger soin. Je L'ai appelé lumière. Pour le soleil, est-ce une occupation, un travail que d'envoyer ses rayons à travers le cristal de cette fontaine, jusqu'au gravier qui en forme le lit? Voyez comme ces rayons illuminent non-seulement les beautés, mais encore les défauts qu'il recèle; non-seulement les étincelles liquides qui jaillissent de chaque goutte en tombant sur la roche, non-seulement les bulles d'air qui s'élèvent du fond, brillent un instant et s'évanouissent à la surface, non-seulement les poissons d'or qui se jouent dans les feux de l'onde, mais encore les êtres rampants et hideux qui cherchent à se cacher et à disparaître dans les recoins les plus obscurs et qui ne peuvent y parvenir, car la lumière les y poursuit encore. Y a-t-il dans tout cela, pour le soleil qui les visite ainsi, une fatigue, une occupation quelconque? C'en serait bien plutôt une pour lui, s'il lui fallait arrêter ses rayons à la surface de l'élément transparent et les empêcher d'y répandre leur clarté. Et ce qu'il fait ici, le soleil le fait avec une égale facilité dans le ruisseau voisin, dans celui qui est à cent lieues d'ici, et quels qu'en soient le nombre et l'étendue, ils ne pourront jamais être tels, que nous en venions à croire ou à imaginer que les rayons manqueraient ou que la lumière ferait défaut pour les éclairer tous.

— Ces théories sont toujours bien belles, Syra, et si elles sont vraies, elles méritent toute notre admiration, dit Fabiola après un moment de silence, pendant lequel ses yeux étaient restés attachés sur la fontaine, comme si elle eût voulu y découvrir la vérité des paroles de Syra.

« Et elles semblent vraies, ajouta-t-elle, car le mensonge pourrait-il être plus beau que la réalité? Mais quelle effrayante pensée que de se dire qu'on n'a jamais été seule, qu'on n'a jamais formé un désir, jamais entretenu de pensée secrète, jamais conçu de projet né d'un cerveau puéril ou orgueilleux, qu'ils n'aient tous été connus d'un Être en qui tout est parfait! Terrible pensée, si tu dis vrai, que de savoir que l'on vit constamment sous le regard immobile de cet œil dont le soleil lui-même n'est encore que l'ombre, car il ne pénètre pas du moins jusque dans nos âmes. Il suffirait de cette pensée pour que l'on se détruisît quelque soir, afin de se soustraire aux tortures de cette impitoyable surveillance. Et pourtant, tes paroles ont l'air d'être vraies. »

En parlant ainsi, Fabiola avait le regard égaré. L'orgueil de son cœur païen se soulevait en elle avec violence, et elle se révolait contre cette supposition qu'elle ne pourrait plus jamais, à l'avenir, se sentir seule avec ses pensées, et qu'il existait une puissance qui avait le droit de contrôler ses désirs les plus intimes, ses pensées les plus secrètes, ses caprices les plus fantasques. Et cependant la même idée lui revenait toujours : « Cela semble si vrai! » Sa généreuse intelligence luttait contre la passion qui se tordait comme un serpent sous les serres d'un aigle, combattant plus du regard que du bec et des ongles l'ennemi qui s'affaiblit à chaque effort. Après une lutte intérieure et visible, dont sa physionomie et ses traits attestaient la violence, le calme reparut en elle. Pour la première fois, elle semblait sentir la présence d'un Être plus grand qu'elle-même, d'un Être qu'elle craignait et qu'elle eût cependant voulu aimer. Elle courbait son esprit, elle abaissait son intelligence aux pieds de cet Être; et, en même temps, son cœur avouait, pour la première fois, qu'il avait un seigneur, un maître.

Syra observait en silence et dans le calme du recueillement, le travail qui s'opérait dans l'âme de sa maîtresse. Elle savait de quelle importance était l'issue de ce combat, quel pas décisif son élève involontaire allait faire dans la voie du salut en reconnaissant ces grandes vérités, et elle priait avec ferveur pour que la grâce daignât se manifester.

A la fin, Fabiola releva sa tête qui semblait ne s'être courbée qu'en imitation de son esprit, et elle dit avec une gracieuse bienveillance :

— Syra, je suis sûre que je n'ai pas encore vu les profondeurs de ta science; tu dois avoir encore bien d'autres choses à m'enseigner.

La pauvre servante rougit de joie, et une larme qui se fit jour sous sa paupière servit de réponse. « Mais aujourd'hui tu as ouvert à mes pensées un monde nouveau, une vie nouvelle. Il existe donc une sphère de vertu en dehors de l'opinion et du jugement des hommes, un sentiment intérieur nous révélant une puissance qui contrôle, approuve et *récompense* : ai-je bien compris? » Syra fit un signe approbatif. « Cette puissance se tient auprès de nous, quand nul autre œil ne peut nous voir, nulle parole ne peut nous retenir ou nous encourager. Il est en nous un sentiment en vertu duquel nous devons toujours rester inébranlables dans le bien, fussions-nous enfermés à jamais dans la solitude, et cela, parce que son influence sur nous doit être au-dessus de celle de tous les principes humains, qu'elle doit nous guider en tout et toujours, et qu'elle ne peut cesser de se faire sentir. C'est bien là, si j'ai compris ta théorie, c'est bien là la haute position morale dans laquelle ce sentiment placerait chaque individu. Demeurer au-dessous d'elle, même en menant une vie vertueuse à l'extérieur, serait dans ce cas une fourberie et un crime réel. »

— O ma chère maîtresse, s'écria Syra, comme vous exprimez tout cela mieux que je ne puis le faire!

— Tu ne m'as jamais flattée jusqu'ici, Syra, reprit Fabiola en souriant; ne va pas commencer aujourd'hui. Mais sais-tu bien que tu as jeté une lumière toute nouvelle sur d'autres sujets, qui étaient restés obscurs pour moi jusqu'à ce jour? Dis-moi, maintenant, n'était-ce pas là ce que tu pensais, lorsque tu soutenais dernièrement que, dans ta théorie, il n'y avait aucune différence entre la maîtresse et l'esclave? ou plutôt que cette différence étant purement extérieure, sociale et corporelle, elle ne peut entrer en comparaison avec cette égalité absolue qui existe devant ton Être suprême, et avec cette supériorité morale possible, qu'il découvre peut-être dans l'esclave sur sa maîtresse, à l'inverse de leur position ostensible?

— C'était en grande partie ce que je voulais dire, noble Fabiola, bien que cette idée entraîne avec elle d'autres considérations qui n'auraient aujourd'hui peut-être que peu d'intérêt pour vous.

— Et pourtant quand tu as avancé cette proposition, elle me sembla si ridicule, si monstrueuse même, que la colère et l'orgueil m'emportèrent complétement. T'en souviens-tu, Syra?

— Non, non, reprit l'humble esclave, ne rappelez pas cette circonstance, je vous en supplie!

— M'as-tu pardonné cette journée, Syra? continua la jeune patricienne, avec une émotion qui lui avait été inconnue jusque-là.

La douce servante n'en put entendre davantage. Elle se leva et se jeta aux genoux de sa maîtresse, cherchant en même temps à s'emparer de sa main; mais Fabiola l'en empêcha, et — pour la première fois de sa vie — la fière Romaine se jeta au cou d'une esclave et versa des pleurs.

Cet accès d'attendrissement fut long et affectueux : son cœur prenait le dessus sur son intelligence, ce qui ne peut avoir lieu que par l'assouplissement de l'âme. Enfin elle se calma, et lorsqu'elle se fut redressée :

— Un mot encore, Syra, dit-elle; ose-t-on adresser un culte à cet Être que tu viens de me dépeindre? N'est-il pas trop grand, trop élevé, trop loin de nous pour cela?

— Oh non, bien au contraire, chère maîtresse. Il n'est éloigné d'aucun de nous; car nous vivons, nous agissons, nous puisons l'être, enfin, dans la splendeur de sa puissance, de sa bonté, de sa sagesse, tout comme nous existons à la clarté du soleil. C'est pour cela que nous pouvons nous adresser à Lui, non comme s'il était à distance de nous, mais comme étant autour de nous, en nous, puisque nous sommes en Lui; et Il nous entend, non pas avec des oreilles, mais nos paroles tombent directement dans son sein, et les désirs de nos cœurs passent en un instant dans les divins abîmes de ses bontés éternelles.

— Et, poursuivit Fabiola avec une certaine timidité, n'est-il pas quelque grand acte particulier, quelque chose de semblable à un sacrifice par lequel on le reconnaît, on l'adore?

Syra hésita, car la conversation s'engageait sur un terrain mystérieux et sacré, que l'Eglise n'ouvrait jamais à la curiosité du profane. Elle répondit cependant, mais par une affirmation simple et générale.

— Et ne pourrais-je pas, continua la jeune patricienne d'un ton plus humble encore, ne pourrais-je pas être initiée dans ta doctrine assez avant pour être capable, à mon tour, d'offrir cet acte d'adoration?

— Je crains que cela ne soit guère possible, noble Fabiola; il faut nécessairement que la victime offerte soit digne de la Divinité qui la reçoit.

— Ah! oui, sans doute. Un taureau peut être bon pour Jupiter, un bouc pour Bacchus, mais où trouver une victime pour un sacrifice digne de Celui que tu m'as fait connaître?

— Il faut en effet que la victime soit en tous points digne de Lui ; il faut qu'elle soit d'une pureté parfaite, d'une sublimité sans pareille, d'un mérite incalculable.

— Et cette victime, quelle peut-elle être, Syra ?

— Nulle autre que lui-même.

Fabiola se couvrit le visage de ses mains, puis, relevant les yeux et regardant sérieusement Syra en face, elle lui dit :

— Je suis sûre qu'après m'avoir si clairement fait voir le sentiment profond de responsabilité qui doit toujours guider nos paroles et nos actions, tes discours ont un sens réel et terrible, bien que je ne les comprenne pas.

— Aussi vrai que toutes mes paroles sont entendues, que toutes mes pensées sont connues de Lui, ce que je viens de dire est la vérité.

— Je n'ai pas la force de pousser plus loin cet entretien ; mon esprit a besoin de repos.

XVII. — LA COMMUNAUTÉ CHRÉTIENNE.

Fabiola se retira après cette conversation, et, pendant le reste du jour, son esprit fut en butte à des alternatives de calme et d'agitation. Quand elle arrêtait sa pensée sur ces grandes perspectives de la vie morale que son intelligence avait saisies, elle trouvait dans cette contemplation une tranquillité qui lui avait été inconnue jusque-là ; il lui semblait avoir découvert un grand phénomène dont la connaissance l'emportait vers une région nouvelle et élevée, du haut de laquelle elle pouvait sourire dédaigneusement des folies et des erreurs de l'humanité. Mais lorsqu'elle venait aussi à considérer la responsabilité que cette connaissance lui imposait, la vigilance qu'elle demandait, les combats invisibles et non récompensés qu'il fallait soutenir, l'aridité, pour ainsi dire, d'une vertu ignorée qui ne voulait ni l'admiration ni même la sympathie, elle reculait devant l'existence qui s'offrait à elle et qui devait s'écouler sans repos, sans secours ; elle le croyait du moins, ignorante qu'elle était des sources où il fallait en aller puiser. Ne connaissant pas la cause première, elle voyait que les instruments, les moyens lui manquaient pour mettre en pratique cette admirable théorie. La vérité brillait à ses yeux comme une lampe éclatante suspendue au milieu d'une salle immense vide et nue, et qui n'éclaire que la solitude. A quoi bon alors tant de splendeurs perdues ?

La journée du lendemain avait été fixée pour l'une de ces visites que l'on fait d'ordinaire à la campagne. Fabiola voulait se rendre chez Chromatius, l'ex-préfet de la cité. Notre lecteur se souviendra que, après sa conversion au christianisme et sa démission de sa charge, ce magistrat s'était retiré à sa villa de Campanie, emmenant avec lui un certain nombre de païens convertis par Sébastien, et, avec eux, le saint prêtre Polycarpe, chargé de compléter leur éducation religieuse. Tout naturellement Fabiola ignorait ces détails, mais pourtant elle avait entendu d'étranges rumeurs au sujet de la villa de Chromatius. On disait qu'il avait chez lui un grand nombre de visiteurs que l'on n'y avait jamais vus auparavant; qu'il n'y donnait aucune réjouissance; qu'il avait affranchi tous les esclaves de sa maison de campagne, et que beaucoup d'entre eux avaient préféré rester auprès de lui : que les hôtes de la villa, bien que nombreux, semblaient s'entendre et se plaire ensemble, quoique les folles joies et les plaisirs bruyants parussent être bannis de leur société. Tous ces bruits excitaient la curiosité de Fabiola qui, d'ailleurs, souhaitait de s'acquitter d'un devoir de convenance envers Chromatius, l'un des amis de son enfance, en même temps qu'elle pourrait voir de ses propres yeux la réalisation de cette république de Platon, ou ce que nous appellerions de nos jours une utopie.

Elle partit donc le lendemain de grand matin, dans un léger char de campagne attelé de deux chevaux rapides qui lui firent parcourir joyeusement les plaines unies de « l'heureuse Campanie. » Une douce pluie d'automne avait abattu la poussière et brillait en gouttes scintillantes suspendues aux festons de pampres qui bordaient la route, comme une double haie de guirlandes courant d'arbre en arbre. Elle ne tarda pas à atteindre la légère élévation — car on ne pouvait lui donner le nom de colline — dont le sommet couvert de buis, d'arbousiers et de lauriers auxquels se mêlaient de hauts cyprès élancés, était couronné des blanches murailles de la splendide villa. Elle s'aperçut qu'un changement remarquable s'y était opéré, sans qu'elle pût d'abord s'expliquer en quoi il consistait, mais, lorsqu'elle eut franchi la porte d'entrée, le grand nombre de niches désertes et de piédestaux abandonnés lui fit remarquer que cette superbe demeure avait perdu l'un de ses embellissements les plus caractéristiques, c'est-à-dire toutes ces statues, chefs-d'œuvre des arts, qui se dessinaient naguère encore sur les charmilles toujours vertes des jardins, et qui lui avaient fait donner le surnom de *villa ad statuas*, (villa des statues ou aux statues), surnom devenu vide de sens.

Chromatius, qu'elle avait toujours vu souffrant de la goutte, vint à sa rencontre du pas d'un vieillard encore vert : il la reçut avec affection et s'empressa de lui demander des nouvelles de Fabius, qui, s'il fallait en croire la rumeur publique, disait-il, allait se rendre en Asie. Cette nouvelle affligea Fabiola ; elle était mortifiée de ce que son père ne lui eût pas fait part de ses intentions à cet égard. Chromatius, voyant sa peine, lui donna à entendre que ce n'était peut-être qu'un faux bruit, et lui proposa de faire une promenade dans les jardins. Elle les trouva aussi bien entretenus que jamais, les plantes rares y abondaient, mais elle ne put y découvrir les anciennes statues qu'elle y avait vues. Ils arrivèrent à une grotte qu'embellissait une fontaine, et qui naguère encore était ornée de nymphes et de divinités aquatiques, mais qui, en ce moment, n'offrait plus aux yeux qu'un enfoncement vide et nu. A cette vue, Fabiola ne put se contenir plus longtemps, et, se tournant vers son hôte :

— Eh ! mais, Chromatius, s'écria-t-elle, quel étrange caprice vous a donc passé par la tête de faire enlever vos statues et de détruire ainsi le principal agrément de votre charmante villa ? Qu'est-ce qui a pu vous porter à agir ainsi ?

— Ma chère enfant, répliqua le vieillard d'un ton de bonne humeur, ne vous fâchez pas si fort : de quelle utilité pouvaient être ces statues ?

— Si c'est là votre opinion, reprit-elle, d'autres peuvent ne pas la partager. Mais dites-moi un peu ce que vous avez fait de toutes ces merveilles ?

— Eh bien ! s'il faut vous dire la vérité, je les ai toutes fait passer sous le marteau.

— Comment ! et vous ne m'en avez pas avertie ? Vous saviez cependant qu'il y avait plusieurs figures que j'aurais été bien aise d'acquérir.

Chromatius se mit à rire, et, avec cette familiarité paternelle que sa longue intimité avec Fabiola lui permettait de prendre, car il l'avait vue tout enfant :

— Hé ! hé ! comme votre jeune imagination est prompte à s'emporter ! Elle va beaucoup trop vite pour que ma pauvre langue, alourdie par l'âge, puisse la suivre. Je ne parle pas du marteau des vendeurs publics, mais du marteau des tailleurs de pierres. Les déesses et les dieux ont tous été brisés, mis en pièces. Si vous aviez, par hasard, besoin d'une jambe dépareillée, ou d'une main privée de quelques doigts, je pourrais peut-être trouver quelque chose en ce genre pour vous satisfaire ; mais je ne puis vous promettre un visage qui ait encore son nez, ou une tête dont le crâne ne soit quelque peu fêlé.

Fabiola était immobile d'étonnement; à la fin elle s'écria :

— Ah çà ! vous êtes devenu un véritable Barbare, mon bon vieil ami ! quelle ombre d'excuse pouvez-vous donner pour justifier une pareille énormité ?

— C'est que, voyez-vous, ma chère enfant, en vieillissant, je suis devenu plus sage ; et j'en suis arrivé à cette conclusion que le seigneur Jupiter et sa jalouse Junon ne sont pas plus dieux que vous et moi ; de façon que je me suis hâté de me débarrasser de leurs images.

— Soit, cela est très-bien ; et moi-même, bien que ni vieille ni raisonnable, il y a longtemps que je suis de la même opinion. Mais pourquoi ne pas les garder comme des œuvres d'art ?

— Parce que ces statues avaient été érigées ici en qualité de divinités, et non comme des curiosités artistiques. C'étaient des imposteurs installés chez moi sous de faux prétextes : et, de même que vous rejetteriez de votre maison comme un intrus tout buste, tout portrait trouvé parmi les effigies de vos ancêtres, mais appartenant à une autre famille ; de même, du moment où j'ai reconnu la fraude, j'ai chassé ces fourbes qui prétendaient avoir avec moi des rapports bien plus élevés encore. De plus, je ne voulais pas courir la chance de les voir revendus aux mêmes titres et favoriser ainsi la prolongation de l'imposture.

— Mais, je vous prie, mon très-rigide ami, n'est-ce pas aussi une imposture que de continuer à appeler votre résidence la villa *ad statuas*, tandis qu'il n'y reste plus une seule statue ?

— Certainement, reprit Chromatius, qu'amusait la subtilité d'esprit de Fabiola ; aussi pouvez-vous remarquer que j'ai fait planter partout des palmiers, et, dès qu'ils commenceront à élever leurs cimes au-dessus des vertes charmilles, ma villa recevra le nom nouveau de *villa ad palmas* (villa des palmes ou aux palmes).

— Ce sera un très-joli nom, dit Fabiola, qui se doutait peu du sens élevé et de la mystérieuse convenance qu'il cachait. Elle ignorait évidemment que la villa était devenue une école de néophytes, et qu'on y préparait les champions du grand combat de la foi, du martyre et de la mort, tout comme, dans les gymnases institués à cet effet, on exerçait les athlètes et les gladiateurs. Ceux qui entraient dans cette demeure et ceux qui en sortaient pouvaient dire avec la même raison qu'ils étaient en route pour cueillir la palme du triomphe, cette palme qu'ils devaient déposer aux pieds du tribunal de Dieu, en témoignage de leur victoire sur le monde. Et elles étaient nombreuses les palmes qu'une époque peu éloignée devait voir cueillir dans cette primitive et chrétienne retraite !

Mais, avant d'aller plus loin, nous placerons ici l'histoire de la destruction des statues de Chromatius, qui forme un épisode spécial des « Actes de saint Sébastien. »

Lorsqu'en sa qualité de préfet de Rome il eut été mis au courant par Nicostrate de l'élargissement des prisonniers et de la guérison de Tranquillinus, dont la goutte avait disparu par la vertu du baptême, Chromatius, s'étant informé de la vérité des faits, envoya chercher Sébastien et lui témoigna son désir de devenir chrétien, si le baptême devait le guérir, à son tour, de la même maladie. Il va sans dire que la proposition était inadmissible. Un autre moyen lui fut ouvert, moyen qui devait lui donner une preuve évidente et personnelle de la vérité du christianisme, sans courir le risque d'administrer un sacrement hors des dispositions voulues pour le recevoir dignement. Chromatius était renommé dans Rome par la collection remarquable d'idoles qu'il possédait ; Sébastien lui persuada que, s'il les brisait toutes, sans exception, il recouvrerait la santé. La condition était dure, il l'accepta cependant. Tiburtius, son fils, violemment indigné en apprenant cette nouvelle, protesta que si le résultat promis ne suivait pas l'exécution, il ferait jeter Sébastien et Polycarpe dans une fournaise ardente, menace qui, pour le fils du préfet de la cité, n'était peut-être pas aussi difficile à réaliser qu'on pourrait le croire.

En un seul jour, deux cents statues païennes furent mises en pièces, tant celles qui se trouvaient à la villa, que celles dont la maison de Rome était ornée. Mais si les images étaient détruites, Chromatius n'était pas guéri. Sébastien fut appelé et accablé de reproches. Calme et impassible, il se contenta de répondre : « Je suis convaincu que *tout* n'a pas été détruit ; on a dû en épargner quelque chose. » Il disait vrai. Quelques petits objets avaient été regardés plutôt comme œuvres d'art que comme emblèmes religieux, et, à ce titre, dérobés à l'exécution, comme le butin d'Achan fut soustrait à l'anathème[1]. Ces objets ayant

(1) Josué VII.

été découverts, furent également brisés, et Chromatius guérit aussitôt. Alors seulement il se convertit, mais avec lui son fils Tiburtius qui, devenu bientôt un des plus fervents chrétiens, reçut plus tard la palme du martyre et donna son nom à une catacombe. Mais, auparavant, il avait demandé la permission de rester à Rome, afin d'encourager et d'assister ses frères en religion dans la persécution qui se préparait, fonctions que son grand courage, son activité et ses fréquentes relations avec le palais lui permettaient de remplir efficacement. Il était naturellement devenu l'ami intime, le compagnon assidu de Sébastien et de Pancrace.

Après cette digression, nous reprenons la conversation entre Chromatius et Fabiola, au moment où la jeune femme poursuivait en ces termes :

— Mais savez-vous bien, Chromatius — asseyons-nous dans cet endroit charmant, où je me souviens qu'il y avait un magnifique Bacchus, — savez-vous bien que d'étranges bruits circulent dans le pays au sujet de ce qui se passe ici ?

— En vérité ! et quels sont ces bruits ? daignez me les répéter.

— Eh bien, on dit que vous logez chez vous une quantité de gens que personne ne connaît, que vous ne recevez âme qui vive, que vous n'allez nulle part, et que vous menez un genre de vie tout à fait philosophique, qui ressemble à la république de Platon.

— Eh bien, mais voilà qui est très-flatteur, interrompit Chromatius avec un salut ironique.

— Oh ! ce n'est pas tout encore, continua Fabiola. On dit que vous vous levez et que vous vous couchez à des heures indues, que vous ne prenez aucun plaisir, que vous vivez d'une façon plus que frugale ; en un mot, que vous vous laissez presque mourir de faim.

— J'espère du moins que l'on nous fait l'honneur de dire que nous payons nos dettes. On ne prétend pas, j'espère, que nous avons un long mémoire chez notre panetier et chez notre marchand d'épices ?

— Oh non ! répondit en riant Fabiola.

— C'est vraiment fort aimable à eux ! continua le vieux magistrat d'un ton de bonne humeur. En vérité, le public semble prendre à nos affaires un intérêt merveilleux. Mais, ma chère enfant, n'est-il pas étrange que, aussi longtemps que ma villa a été, comme d'autres, gouvernée par la licence, livrée aux propos légers et aux excès de table, tant qu'elle a été le centre de la galanterie des jeunes gens du pays, et le théâtre de folies fort incommodes pour le voisinage ; —

je vous demande pardon de faire allusion à de pareilles choses, — bref, aussi longtemps que mes amis et moi n'avons été ni sobres dans nos repas ni irréprochables dans notre conduite, n'est-il pas étrange que personne ne se soit inquiété de nous? Mais qu'une poignée de gens se retirent pour mener une vie tranquille, frugale, industrieuse, et entièrement étrangère aux affaires publiques, que ces gens s'imposent la loi de ne parler ni de la politique ni des choses du monde, et voilà que tout d'abord s'élève en tous lieux une sorte de curiosité vulgaire qui s'informe de ce qui les concerne; une ridicule démangeaison de se mêler de leurs affaires s'empare des hommes d'Etat de troisième ordre, et tout aussitôt les bruits les plus faux, les soupçons les plus infâmes volent et circulent sur leur manière de vivre et les motifs qui les ont déterminés à l'embrasser. N'est-ce pas là une chose bien singulière?

— Cela est vrai; mais comment l'expliquez-vous?

— Par cette faiblesse particulière aux petits esprits qui les rend jaloux de tout dessein plus élevé que les leurs, de sorte que, sans presque y faire attention, ils déprécient tout ce qu'ils sentent être au-dessus des fins qu'ils se proposent.

— Mais quel est, en réalité, l'objet que vous avez en vue, et quel genre de vie menez-vous ici, mon respectable ami?

— Nous employons notre temps à cultiver les plus nobles facultés de notre être. Nous nous levons à une heure si matinale, que j'oserais à peine vous la dire. Nous consacrons quelque temps à des pratiques religieuses; après quoi, nous nous occupons de différentes manières; les uns lisent, les autres écrivent, d'autres encore travaillent dans les jardins, et je puis vous assurer que jamais ouvriers à gages n'ont fait plus rude et meilleure besogne que ces agriculteurs volontaires. Nous nous réunissons à certaines heures, et nous chantons ensemble de magnifiques hymnes qui ne respirent que la vertu et la pureté; nous lisons des livres qui nous instruisent et nous rendent meilleurs, et nous recevons de la bouche de maîtres éloquents les plus sages leçons. Nos repas sont, à la vérité, d'une grande sobriété, car nous ne vivons que de légumes, mais j'ai déjà découvert que le rire n'est nullement incompatible avec des lentilles, et que la bonne humeur n'implique nullement la nécessité de la bonne chère.

— Mais, vraiment! vous voilà devenus de véritables pythagoriciens. Je pensais que cette folie était passée de mode. Du reste, cela doit être un genre de vie tout à fait économique, ajouta Fabiola d'un air significatif.

— Ah ! petite rusée ! je vous comprends. Ainsi vous croyez donc que notre manière de vivre n'est que le résultat d'un plan d'économie ? Cela ne sera cependant pas, car nous avons pris tous ensemble une résolution désespérée.

— Et, de grâce, quelle est cette résolution ?

— Rien de moins que celle-ci : nous avons décidé qu'il n'y aura pas à notre portée aux environs un seul individu dans le besoin. Cet hiver, nous ferons en sorte de vêtir tous ceux qui sont nus, de nourrir tous ceux qui ont faim, et de soigner tous les malades des alentours. Toutes nos économies y passeront certainement.

— Voilà, en vérité, une idée fort généreuse et surtout fort neuve pour le temps où nous vivons, et je ne doute pas que vous ne soyez tournés en ridicule et couverts de blâme de toutes parts. On dira de vous bien pis encore que l'on ne dit déjà — si c'est possible, — mais cela ne l'est pas.

— Et comment ?

— Ne vous fâchez pas si je vous dis la vérité ; mais on a déjà été jusqu'à répandre le bruit que vous pourriez bien être des chrétiens. Aussi puis-je vous assurer que j'ai repoussé ces calomnies avec l'indignation qu'elles méritent.

Chromatius sourit en répondant : « Et pourquoi cette grande indignation, ma chère enfant ? »

— Parce que je vous connais trop bien, vous, et Tiburtius, et Nicostrate, et Zoé, notre intéressante muette, pour croire un seul moment que vous ayez pu adopter le mélange de stupidité et de fourberie que l'on appelle de ce nom.

— Permettez-moi de vous adresser une question. Avez-vous jamais pris la peine de lire un seul des écrits que publient les chrétiens, et qui pût vous faire connaître ce que croit et pratique en réalité cette secte si méprisée ?

— Oh ! certainement non ; je ne voudrais pas perdre mon temps à de pareilles lectures ; je n'aurais pas la patience de m'enquérir de ce que ces écrits contiennent... Je les méprise bien trop, ces ennemis de tout progrès intellectuel, ces citoyens suspects, ces esclaves crédules jusqu'à l'ineptie, indulgents envers tous les crimes, pour chercher à les connaître davantage.

— Eh bien, chère Fabiola, j'ai pensé tout à fait comme vous à leur sujet ; mais, depuis quelque temps, mon opinion a bien changé.

— Voilà qui est surprenant, car votre charge de préfet de la cité a dû vous mettre à même de punir bon nombre de ces misérables pour leurs constantes infractions à nos lois.

Un nuage assombrit le front serein du vieillard, et une larme se montra sous sa paupière. Il se souvint de saint Paul qui, lui aussi, avait persécuté l'Eglise de Dieu. Fabiola remarqua ce changement et en fut touchée ; aussi reprit-elle du ton le plus affectueux : « Je crains d'avoir commis quelque étourderie ou d'avoir éveillé quelque souvenir amer à votre cœur. Pardonnez-moi, vénérable Chromatius, et parlons d'autre chose. L'un des motifs de ma visite est de savoir si vous ne connaissez personne qui soit sur le point de partir bientôt pour Rome. J'ai déjà entendu parler, à différentes reprises, du voyage que projette mon père, et je veux lui écrire[1] de peur qu'il ne fasse ce qu'il m'a déjà fait précédemment — c'est-à-dire qu'il ne parte sans prendre congé de moi, pour m'épargner le chagrin des ennuis. »

— Vous ne pouviez mieux tomber, répondit Chromatius ; il y a ici un jeune homme qui part pour Rome demain matin. Allons à ma bibliothèque : vous écrirez votre lettre ; le messager y est même probablement.

Ils rentrèrent à la maison et se rendirent directement dans une salle située au rez-de-chaussée et garnie de cases chargées de livres. Auprès d'une table qui occupait le milieu de la pièce, était assis un jeune homme : il copiait un gros volume, qu'il ferma et mit de côté à la vue d'une étrangère.

— Torquatus, dit Chromatius en s'adressant à lui, cette dame désire envoyer une lettre à son père qui est à Rome.

— Je serai toujours heureux, reprit le jeune homme, de me mettre au service de la noble Fabiola ou de son illustre père.

— Eh ! quoi, les connaissez-vous donc tous deux ? demanda le juge d'un ton d'étonnement.

— J'ai eu l'honneur, lorsque j'étais plus jeune, d'être employé en Asie par le noble Fabius dans un poste qu'avait occupé mon père avant moi. Ma mauvaise santé seule a pu me le faire quitter.

De nombreuses feuilles de *vellum*, fines et coupées de façon à être réunies en volume, étaient éparpillées sur la table. Le vieillard en prit une et la plaça devant sa jeune visiteuse, avec de l'encre et un

(1) Il n'y avait pas de *postes* à cette époque, et les gens qui voulaient s'écrire devaient dépêcher un exprès ou chercher quelque occasion pour correspondre.

roseau. Fabiola écrivit à la hâte quelques lignes affectueuses ; puis elle plia le papier, l'entoura d'un fil de soie qu'elle noua et qu'elle garnit d'un peu de cire, sur laquelle elle imprima le cachet qu'elle portait toujours dans une bourse brodée. Désireuse de pouvoir quelque jour récompenser le messager lorsqu'elle en trouverait l'occasion, elle prit une autre pièce de vellum, et, lui ayant demandé son nom et sa demeure, les y inscrivit et plaça soigneusement le papier dans le haut de sa tunique. Après avoir pris part à une légère collation, elle remonta dans son char et fit ses adieux à Chromatius. Il y avait dans le regard du vieillard quelque chose de paternel et de touchant ; on eût dit qu'il sentait qu'il ne devait plus la revoir. C'est là, du moins, ce que pensa Fabiola ; mais c'était un sentiment bien différent qui attendrissait ainsi le cœur du digne magistrat. Devait-elle donc toujours rester dans son aveuglement ? Pouvait-il la laisser périr dans son ignorance obstinée ? Ce cœur si généreux, cette intelligence si élevée, étaient-ils donc destinés à ramper à jamais dans la fange du paganisme, quand chacune des pensées, chacun des sentiments de cette jeune fille révélaient une âme d'une trempe fine et forte à la fois, sur laquelle la vérité pouvait jeter ses plus riches couleurs ? Cela ne devait pas être ; et cependant mille raisons retenaient sur les lèvres du vieillard un aveu qui, il le sentait bien, ne ferait, pour le moment, que l'éloigner fatalement de la lumière de la foi. « Adieu, mon enfant, s'écria-t-il ; puissiez-vous être mille fois bénie dans les voies qui vous sont encore inconnues ! » A ces mots il détourna le visage, quitta la main de Fabiola et s'éloigna en toute hâte.

La jeune fille n'était pas moins émue du mystère et de la douceur de ces paroles : pensive, elle s'en allait quand, au moment de passer la porte d'entrée, elle fut tirée de sa rêverie par Torquatus qui avait fait arrêter son char. Elle fut frappée du contraste qui existait entre les manières familières et aisées, quoique respectueuses, du jeune homme, et la gravité douce mêlée de bienveillance de l'ancien préfet de la cité.

— Pardonnez-moi la liberté que je prends de vous arrêter, noble dame, dit Torquatus ; mais je voudrais savoir si vous désirez que cette lettre arrive promptement à sa destination ?

— Sans nul doute ; je souhaite que mon père la reçoive le plus tôt possible.

— En ce cas, je crains bien de ne pouvoir vous être aussi utile que je le voudrais. Je ne puis voyager qu'à pied, à moins de trouver quelque occasion de me faire conduire à peu de frais, et je serai plusieurs jours en route.

Fabiola reprit avec quelque hésitation : « Serait-ce une indiscrétion que de vous offrir de me charger des dépenses d'un voyage plus rapide ? »

— En aucune façon, répondit vivement Torquatus, si par là je puis mieux servir votre noble famille.

La jeune femme lui tendit une bourse bien garnie, dont le contenu suffisait non-seulement à défrayer son voyage, mais à le payer lui-même de sa peine. Il la reçut avec une joie empressée et disparut aussitôt par une allée latérale. Il y avait dans ses manières quelque chose qui fut particulièrement désagréable à Fabiola ; elle ne put s'empêcher de penser que ce jeune homme n'était pas un compagnon convenable pour son respectable ami. Si Chromatius avait été témoin de cette scène, il eût songé sans doute involontairement à Judas, rien qu'à voir l'avidité avec laquelle la bourse avait été acceptée. Quant à Fabiola, elle n'était pas fâchée de se trouver, d'emblée et pour une légère somme, libre de toute obligation envers son messager. Elle prit donc dans sa tunique la feuille de vellum sur laquelle étaient inscrits le nom et l'adresse de Torquatus, renseignements devenus inutiles et se préparait à la déchirer lorsqu'elle s'aperçut que le revers de la feuille portait quelques lignes d'écriture ; le copiste du volume qu'elle avait vu mettre de côté si précipitamment avait sans doute continué son travail sur cette feuille. Ces quelques lignes attirèrent son attention et elle se mit à les lire ; pour la première fois de sa vie, elle parcourut les mots suivants, tirés d'un livre qui lui était inconnu :

« Je vous le dis, aimez vos ennemis ; faites du bien à ceux qui vous haïssent et priez pour ceux qui vous persécutent et vous calomnient ; afin que vous soyez les enfants de votre Père qui est dans les cieux, qui fait lever son soleil sur les bons comme sur les mechants, et qui fait tomber la pluie pour l'injuste aussi bien que pour le juste[1]. »

On peut se figurer l'embarras d'un paysan indien qui a ramassé dans le lit d'un torrent un caillou blanchâtre et transparent, grossier et informe à l'extérieur, mais où se trahissent çà et là quelques points d'un éclat lumineux ; il est incapable de décider s'il est devenu maître

(1) S. Matth., v. 11.

d'un diamant magnifique ou d'un caillou sans valeur, d'un objet digne de briller au front des rois ou bon seulement à être foulé aux pieds du mendiant. Mettra-t-il un terme à son incertitude en rejetant la pierre mystérieuse, ou la portera-t-il chez un lapidaire pour en savoir la valeur, au risque de voir celui-ci se moquer de son ignorance? Tels étaient les sentiments divers dont Fabiola était agitée en retournant chez elle. « De qui peuvent être ces sentences? elles n'appartiennent à aucun philosophe romain ou grec. Elles sont ou très-vraies ou très-fausses : ou leur morale est sublime ou elles expriment la plus honteuse dégradation. Est-il au monde quelqu'un qui pratique cette doctrine, ou bien n'est-elle qu'un magnifique paradoxe? Mais pourquoi m'occuper plus longtemps de ce sujet? Ou plutôt j'en parlerai à Syra : si je ne me trompe, c'est encore là une des belles, mais impraticables théories dont elle est enthousiaste. Non; mieux vaut me taire : elle me confond avec ses aperçus sublimes si impossibles à atteindre pour moi et qu'elle semble saisir avec tant de facilité. Mon esprit a besoin de calme. Le moyen le plus court est de me débarrasser de la cause de mon inquiétude et d'oublier ces paroles importunes. Ainsi, feuille légère, pars, vole au gré des vents, ou va-t'en jeter le trouble dans l'âme de celui qui te ramassera au bord du chemin!... Holà! Phormio, arrête tes chevaux et va ramasser ce morceau de parchemin que je viens de laisser tomber. »

Le conducteur obéit, bien qu'il eût cru que la feuille avait été rejetée à dessein par sa noble maîtresse. Fabiola prit le vellum et le replaça soigneusement dans son sein : ce fut comme un sceau qu'elle mettait sur son cœur, car ce cœur était calme et silencieux quand elle entra dans sa demeure.

XVIII. — TENTATION.

Le lendemain, de grand matin, une mule et un guide étaient à la porte de la villa de Chromatius. On chargea sur le bât deux sacs de voyage modestement garnis qui contenaient tout l'avoir connu de Torquatus. De nombreux amis s'étaient levés avant le jour pour assister à son départ et pour recevoir de lui le baiser de paix et d'adieu. Puisse ce baiser n'être pas semblable à celui qui fut donné dans le jardin de Gethsémani!... Les uns murmuraient à l'oreille du jeune homme quelques paroles douces, bienveillantes, pour l'exhorter à être fidèle aux grâces qu'il avait reçues, et il le leur promettait très-sérieusement et peut-être du fond du cœur. D'autres, connaissant sa pauvreté, lui glissaient dans les mains quelques légers présents et lui recommandaient d'éviter les lieux et les amis qu'il fréquentait autrefois. Cependant Polycarpe, le directeur spirituel de la communauté, le prenait à part, le conjurant avec d'ardentes prières et les yeux baignés de larmes, de corriger les irrégularités, légères peut-être, mais inquiétantes, qui s'étaient glissées dans sa conduite, de réprimer la légèreté qui se manifestait dans son extérieur et de s'appliquer à acquérir les vertus chrétiennes qui lui manquaient. Torquatus, qui pleurait aussi, promit d'obéir, s'agenouilla devant le saint prêtre, lui baisa la main et reçut sa bénédiction, outre des lettres de recommandation pour le voyage et une petite somme pour ses modestes frais de route.

Enfin tout est prêt pour le départ; les derniers adieux, les derniers souhaits sont échangés, et Torquatus, monté sur sa mule que le guide conduisait, s'avance lentement le long de l'avenue qui mène à l'entrée de la villa. Longtemps après que chacun fut rentré dans la maison, Chromatius resta sur le seuil, suivant d'un œil humide le voyageur qui s'éloignait. Ce devait être un regard pareil que le père de l'enfant prodigue avait attaché sur le fils qui le fuyait.

Comme la villa n'était pas sur la grande route, ce modeste moyen de transport avait été loué pour conduire Torquatus jusqu'à Fundi (aujourd'hui Fondi), qui était la ville la plus proche de la voie. En ce lieu, il devait chercher d'autres moyens de continuer son voyage, et sur ce point, toutefois, la bourse de Fabiola le mettait fort à l'aise.

Le sentier qu'il suivait offrait des points de vue d'une beauté constamment variée. Tantôt il côtoyait les bords sinueux du Liris, qu'égayaient des villas et des chaumières. Tantôt il plongeait dans des ravins en miniature, formés par les derniers versants des Apennins, et s'engageait entre des murailles de rochers tapissés de myrte, d'aloès et de vignes sauvages au milieu desquelles broutaient de blanches chèvres qui, de loin, ressemblaient à des tas de neige, tandis qu'au bord du sentier bouillonnait et bruissait un petit ruisseau qui semblait prendre toutes les peines du monde pour se persuader qu'il était un torrent des montagnes, tant il faisait clapoter ses ondes, tant il soulevait d'écume, glorieux et fier de former des cascades en sautant deux cailloux à la fois et se perdant avec intrépidité dans un abîme qu'une feuille d'acanthe eût caché tout entier. Plus loin la route débouchait sur la campagne qui n'offrait plus alors aux yeux que les vastes plaines de la Campanie, semblables à des jardins, avec la nappe azurée de la baie de Cajeta à l'horizon, où se jouaient les blanches voiles de ses barques, que l'on eût prises de loin pour des troupes d'oiseaux aquatiques à l'éclatant plumage, prenant leurs ébats sur les eaux d'un lac.

A quoi songeait notre voyageur au milieu de cette décoration changeante du théâtre où se jouait un acte nouveau du drame de sa vie? Ces points de vue, ces tableaux variés lui causaient-ils quelque plaisir? Excitaient-ils son admiration? Son âme en devenait-elle ou plus élevée ou plus abattue? Hélas! c'est à peine si son œil en était frappé. Ses regards étaient plus loin : ils plongeaient d'avance sous les portiques ombreux, dans les rues tumultueuses de la capitale. Les jardins poudreux, les fontaines artificielles, les bains de marbre, les voûtes éclatantes de peintures avaient mille fois plus d'attraits pour lui que les pampres odorants de l'automne, les ruisseaux limpides, la mer aux vagues changeantes et l'azur des cieux. Cependant, hâtons-nous de le dire, dans ses aspirations vers les grandeurs de la ville, Torquatus ne s'arrêtait pas un seul moment aux actions honteuses et criminelles qui s'y commettent; il éloignait de sa pensée les pratiques impies, la luxure, les débauches, les profanations, les calomnies, les trahisons, enfin les horreurs de tout genre qu'enfante une grande cité. Non, non! qu'est-ce qu'un chrétien pouvait avoir de commun avec toutes ces infamies? Toutefois, s'il abandonnait les rênes à son imagination, aussitôt il lui semblait voir, dans un angle obscur d'une salle des Thermes, une table autour de laquelle se pressait un groupe de joueurs avides dont les mains agitaient avec frénésie les osselets et les dés. Alors un frisson s'emparait de lui au souvenir d'un plaisir depuis si longtemps interdit, mais aussi, et en même temps, il lui semblait voir le doux regard de Polycarpe se fixer sur lui d'un air de tendre reproche, et il sortait de sa dangereuse rêverie. Quelques moments après, il se voyait assis auprès d'une table d'érable poli : devant lui, pourpre comme le rubis, brille le falerne, enchâssé dans le cercle d'or d'une large coupe; avec elle circulent les propos licencieux qu'enfante l'ivresse... mais voilà que tout à coup le visage sévère de Chromatius se dresse à ses yeux et d'un froncement de sourcils met en fuite l'ivresse et la licence.

Non, encore une fois, non ! Il ne retournait à Rome que pour jouir des plaisirs innocents qui abondaient dans la cité impériale : il n'y rechercherait que ses promenades brillantes, sa musique, ses peintures, ses beautés, ses magnificences. Il oubliait que toutes ces séductions n'étaient que les accessoires de l'existence d'une foule turbulente et haletante d'êtres humains dont elles allumaient les passions, enflammaient les désirs, activaient l'ambition, détruisaient les bons sentiments, énervaient les esprits. Jeune imprudent, qui croyait pouvoir marcher au milieu de ces piéges sans s'y laisser prendre ! Phalène audacieuse, qui s'imaginait pouvoir voler au travers de ces flammes, sans s'y brûler les ailes !

Telles étaient les pensées qui occupaient l'esprit de Torquatus tandis qu'il suivait un étroit défilé formé par des rochers, lorsque, tout à coup, le sentier venant à s'élargir, le voyageur se trouva à l'entrée d'un vaste espace que la mer seule bornait au loin, et sur ces eaux tranquilles un esquif solitaire y paraissait endormi. Cette vue lui rappela aussitôt une histoire, véritable ou fausse, il n'importe, dont on avait bercé son enfance; mais il lui sembla que le drame s'en déployait à ses yeux.

Il était naguère un jeune pêcheur, entreprenant et hardi, qui vivait sur la côte de l'Italie méridionale. Par une nuit d'orage, nuit sombre et terrible, le père et les frères du pêcheur ayant refusé de mettre en mer, bien que leur barque fût grande et forte, lui, plus téméraire, et malgré leurs remontrances, s'était déterminé à s'embarquer seul dans son frêle canot de remorque. L'orage gronda longtemps, mais toutefois le léger esquif y échappa, et au lever du soleil il flottait encore gaîment sur l'onde, devenue unie comme une glace. Epuisé de fatigue et accablé par la chaleur, le nautonier s'endormit ; mais bientôt il fut tiré de son sommeil par de grands cris poussés dans le lointain. Il regarda autour de lui et vit la barque paternelle montée par ses frères, qui, par leurs cris et par leurs gestes, l'invitaient à revenir vers eux, sans cependant faire le moindre effort pour se rapprocher de lui. Que voulaient-ils? Que signifiaient ces appels? Il prit ses avirons et se mit à ramer vigoureusement dans leur direction ; mais, à son grand étonnement, la barque de pêche, vers laquelle il avait tourné la proue de son canot, se trouvait à sa droite, puis quelques instants après, bien qu'il eût de nouveau viré de bord, elle se trouva à sa gauche. Il avait décrit un cercle, la chose était évidente, et ce cercle, dont les orbes rapprochés formaient sans doute une spirale, semblait devenir plus étroit de moments en moments. Un affreux soupçon lui traversa l'esprit. Il jeta sa tunique, et, se courbant sur ses avirons, il se mit à ramer avec une sorte de rage. Mais, vains efforts! bien qu'il sortît parfois du cercle fatal, une force invincible l'y ramenait toujours, et à chaque tour il se rapprochait du centre qu'il voyait maintenant, et qui ne lui présentait plus qu'un gouffre tournoyant, au fond duquel mugissaient, écumantes, les ondes furieuses. Alors, fou de terreur, il lâcha les rames, et, se dressant sur la barque, il battit l'air de ses mains étendues. En ce moment un oiseau de mer passa sur sa tête et il l'entendit crier d'une voix épouvantée le nom de « Charybde[1]. » — Et le cercle qui entraînait l'esquif n'avait plus guère de diamètre que la longueur de l'embarcation : le malheureux se laissa tomber au fond de la cale, se couvrit de ses mains les yeux et les oreilles, et retint sa respiration jusqu'au moment où il sentit les eaux tourbillonner au-dessus de lui et l'entraîner jusqu'au fond de l'abîme.

— Je serais curieux de savoir, se dit Torquatus, si véritablement un pêcheur a jamais péri de cette manière, ou si ce récit n'est qu'une allégorie; mais, en ce cas, quel en est le sens? L'homme peut-il donc être amené ainsi par degrés vers une destruction morale complète? Mes pensées actuelles seraient-elles, par hasard, engagées dans un cercle fatal qui m'attire, m'entraîne, et...

— Fundi! s'écria le guide indiquant du doigt une ville qui s'ouvrait devant eux, et peu d'instants après, la mule foulait les larges dalles qui formaient les pavés des rues à cette époque.

Torquatus examina ses lettres; il en avait une pour la ville. Il fut conduit par son guide à une hôtellerie de pauvre apparence; et, bien qu'il l'eût payé très-généreusement, cet homme se retira en maudissant la ladrerie de son voyageur. Torquatus demanda le chemin de la maison de Cassianus, le maître d'école, et, après l'avoir trouvée, il s'empressa de remettre au destinataire la lettre dont il était chargé. L'accueil qu'il reçut fut aussi bienveillant que celui qu'il eût pu recevoir dans sa propre famille. Son hôte l'invita à prendre part à un repas frugal pendant lequel il lui conta son histoire.

Cassianus était natif de Fundi : il avait établi à Rome une école

(1) Grand tourbillon marin entre l'Italie et la Sicile.

de laquelle nous avons entendu parler au début de ce récit, et qui avait grandement prospéré. Mais, ayant appris qu'une persécution était imminente et que sa qualité de chrétien était reconnue, il avait cédé son école et s'était retiré dans sa ville natale, où on lui avait déjà promis de lui confier, après les vacances scolaires, les enfants des principaux habitants de l'endroit. Dans tout chrétien, Cassianus voyait un frère, et, à ce titre, chacun avait des droits à sa confiance sur ses aventures passées et sur ses projets d'avenir. Une idée étrange, rapide comme l'éclair, traversa l'esprit de Torquatus : « Ne pourrait-on, plus tard, se disait-il, faire argent des détails que mon hôte me donne? »

Il était de bonne heure encore, quand Torquatus prit congé de Cassianus, et feignant d'avoir quelques affaires dans la ville, il ne voulut pas que celui-ci lui fît compagnie. Aussitôt il se hâta de faire emplette de vêtements plus élégants que ceux qu'il portait; il se fit indiquer la meilleure hôtellerie et y prit deux chevaux, un pour lui, l'autre pour le guide qui devait l'accompagner; car la commission de Fabiola exigeait sans doute qu'il courût à franc étrier, qu'il changeât de chevaux à chaque halte, et qu'il voyageât jour et nuit. C'est aussi ce qu'il fit jusqu'à Bovilla, située sur la lisière des hauteurs albaines. Il s'y arrêta pour y prendre quelque repos, et quitter son habit de voyage : puis il reprit hardiment sa route entre la double haie de tombeaux qui borde le chemin jusqu'à la porte de cette grande cité dont les murs renfermaient plus de bien et plus de mal que n'en contenait aucune province de l'Empire.

XIX. — LA CHUTE.

Torquatus, élégamment vêtu, se rendit aussitôt chez Fabius, lui remit la lettre dont il était porteur, répondit à toutes les questions qui lui furent faites sur Fabiola et accepta, sans trop se faire prier, une invitation à souper pour le soir même. S'étant mis ensuite en devoir de chercher un logement convenable et en harmonie avec la situation présente de sa bourse, il ne tarda pas à trouver ce qu'il lui fallait.

Fabius, nous l'avons dit, n'accompagnait pas sa fille à la campagne, et même il ne l'y visitait que rarement. A dire vrai, il n'avait pas beaucoup de goût pour les vertes prairies et les clairs ruisseaux; il leur préférait les propos frivoles et les plaisirs bruyants de la ville. Pendant la plus grande partie de l'année, la présence de sa fille le forçait à se contraindre; mais, aussitôt qu'elle était partie, avec tous les gens de son service particulier, pour sa villa de Campanie, la maison de Rome s'ouvrait pour une société et pour des scènes qu'il n'eût jamais osé mettre sous les yeux de Fabiola. Des hommes sans mœurs s'asseyaient à sa table, et des nuits entières passées dans les excès du vin et du jeu, dans les conversations les plus licencieuses, suivaient d'ordinaire des festins somptueux.

Fabius, ayant invité Torquatus à souper, sortit aussitôt pour chercher encore quelques autres convives. Il ne tarda pas à réunir une troupe de parasites qui rôdaient toujours dans les promenades qu'il fréquentait de préférence, afin d'être plus à portée de ses faciles invitations. Comme il revenait chez lui, au sortir des bains de Titus, il aperçut dans les bosquets d'un temple voisin deux hommes qui semblaient s'entretenir sérieusement. Après les avoir examinés un instant, il se dirigea vers eux; mais il s'arrêta à quelque distance, pour attendre qu'une pause dans leur conversation lui permît de s'approcher. Cette conversation roulait sur le sujet suivant :

— Ainsi, ces nouvelles ne sont pas douteuses?

— Nullement. Il est certain que les habitants de Nicomédie se sont soulevés, et qu'ils ont brûlé ce qu'on appelle l'église des chrétiens qui était tout proche et en vue du palais. Mon père l'a entendu conter ce matin par le secrétaire de l'empereur lui-même.

— Quelle idée avaient eue ces fous d'aller bâtir un temple dans l'un des endroits les plus apparents de la métropole! Ils devaient bien savoir d'avance que, tôt ou tard, l'esprit religieux de la nation se soulèverait contre eux et détruirait leur odieux édifice, qui offusquait les regards de chaque citoyen, comme le fera toute manifestation d'une religion étrangère à celle de l'empire.

— A coup sûr, si ces chrétiens avaient quelque ombre de bon sens, comme dit mon père, ils se cacheraient, ils se tiendraient cois dans leurs retraites, heureux d'être si patiemment tolérés pour un temps par le plus humain des princes. Mais puisqu'il leur plaît d'agir autrement, puisqu'il leur faut des temples, au lieu des masures qu'ils avaient autrefois dans d'obscures ruelles, tant pis pour eux s'il leur arrive malheur; quant à moi, je n'en serai pas fâché. On peut se faire une réputation, et de plus, il y a à gagner en pourchassant ces odieuses gens et en les détruisant, s'il est possible.

— Eh! bien, qu'il en soit donc ainsi; mais revenons à notre affaire. Il est convenu, entre nous, que si, parmi les riches et surtout parmi ceux d'entre eux qui n'ont point un crédit trop redoutable, nous parvenons à découvrir quelques chrétiens, nous en partagerons loyalement les dépouilles. Nous nous aiderons réciproquement. Vous aimez les moyens hardis et violents, je me réserve d'agir à ma guise. Mais chacun de nous gardera le bénéfice entier de ses découvertes personnelles; nous ne partagerons que les profits des découvertes que nous aurons faites de concert. C'est bien cela, n'est-ce pas?

— Parfaitement.

En ce moment, Fabius s'approcha, et les accosta d'un air cordial. « Comment allez-vous, Fulvius? lui dit-il. Il y a un siècle que l'on ne vous a vu : venez-vous souper chez moi ce soir? j'ai quelques personnes de connaissance, et votre ami Corvinus (ce dernier salua gauchement) me fera, j'espère, le plaisir de vous accompagner. »

— Je vous remercie, répondit Fulvius, mais je crois être déjà invité ailleurs.

— Contes en l'air! il n'y a plus personne, dans la ville, avec qui vous puissiez souper ce soir, si ce n'est chez moi, reprit le facile patricien. Mais, à propos, la peste est-elle dans ma maison? on ne vous y a plus revu depuis le jour où vous y avez dîné avec Sébastien; à telles enseignes que vous vous êtes querellés vous et lui? Ou bien, auriez-vous été frappé de quelque charme magique qui vous éloigne de chez moi?

Fulvius pâlit, et prenant Fabius à part, il lui dit à voix basse : « Pour parler vrai, il y a quelque chose comme cela. »

— J'espère bien, pourtant, continua Fabius quelque peu étonné, j'espère bien que l'esclave noire ne vous a pas joué de ses tours; je donnerais beaucoup pour qu'elle fût hors de chez moi. Mais plutôt, ajouta-t-il en riant, n'auriez-vous pas été ce soir-là sous l'influence de quelque charme plus puissant? J'y vois clair : j'ai remarqué que votre cœur n'est pas insensible aux attraits d'Agnès, de ma petite cousine.

Fulvius le regarda d'un air surpris, et après un silence d'un instant : « Et s'il en était ainsi, dit-il, ce serait tant pis pour moi, car je me suis fort bien aperçu que votre fille était décidée à m'empêcher de réussir. »

— En vérité! Dans ce cas, je comprends vos refus obstinés de revenir chez moi. Mais Fabiola est une sorte de philosophe; elle n'entend rien à ces choses-là. Pour ma part, je voudrais bien qu'elle mît un peu ses livres de côté, et qu'elle songeât à s'établir elle-même, au lieu d'empêcher les autres de le faire. Du reste, j'ai à vous donner des nouvelles meilleures que vous ne le pensez. Agnès est aussi bien disposée en votre faveur que vous pouvez le désirer.

— Est-il possible? Comment le savez-vous?

— Eh bien, s'il faut vous dire ce que je vous aurais déjà dit il y a longtemps, si vous n'aviez pas été si farouche avec moi, Agnès m'en a fait l'aveu le jour même.

— A vous?

— A moi-même; vos bijoux l'ont éblouie et vous ont gagné son cœur. Elle me l'a dit, ou c'est tout comme, je sais qu'elle ne pouvait parler que de vous; je suis certain que c'est de vous qu'elle a voulu parler.

Fulvius crut que Fabius voulait parler des bijoux dont il était toujours paré d'ordinaire, tandis que le patricien faisait allusion aux pierreries qu'il croyait qu'Agnès avait reçues. « Ho! ho! se dit Fulvius, la petite a été de facile conquête, malgré sa pruderie : allons, voilà les honneurs et la fortune qui se présentent à moi : jouons serré et... » Fabius l'interrompit au milieu de ses douces pensées en lui disant : « Ainsi vous m'entendez; vous n'avez qu'à presser hardiment votre victoire, et, je vous le prédis, vous réussirez en dépit de Fabiola. Du reste, vous n'avez rien à redouter d'elle en ce moment. Elle est à la campagne avec ses femmes : les appartements qu'elle occupe sont fermés, et nous entrerons chez moi par la porte de service, pour nous rendre dans la partie la plus agréable de ma demeure.

— Vous pouvez compter sur moi, pour ce soir, sans faute, dit Fulvius.

— Et vous m'amènerez votre ami Corvinus, ajouta Fabius en s'éloignant.

Nous passerons sous silence les détails du banquet du soir; nous nous bornerons à dire que les vins les plus exquis y coulèrent en telle abondance que presque tous les convives ne tardèrent pas à être tous plus ou moins échauffés et excités. Fulvius seul avait conservé tout son sang-froid.

La conversation tomba sur les dernières nouvelles venues d'Orient.

La destruction de l'église de Nicomédie avait été suivie d'incendies partiels, qui avaient éclaté à plusieurs reprises dans le palais impérial. Il n'était pas douteux que l'empereur Galérius n'en fût lui-même l'auteur, mais il en accusa les chrétiens, et par là il sut éveiller contre eux le ressentiment de Dioclétien, qui, jusqu'à ce moment, avait toujours montré de la répugnance pour les persécutions. Tout le monde put prévoir, dès lors, qu'avant peu de temps l'édit impérial qui ordonnait l'œuvre de destruction arriverait à Rome, et qu'il trouverait dans Maximien un exécuteur empressé.

Les convives se montrèrent en général très-disposés à donner aux chrétiens le coup de pied de l'âne, car, pour déployer de la générosité en faveur de ceux que la voix publique honnit et condamne, il faut un courage trop héroïque pour qu'il soit commun. Même les plus charitables d'entre les assistants trouvaient des motifs pour que les chrétiens fussent au-dessous de toute bienveillance. L'un ne pouvait souffrir le mystère dont ils s'entouraient; l'autre était piqué des progrès qu'ils faisaient, disait-on; celui-ci prétendait qu'ils étaient contraires à la gloire réelle de l'empire; celui-là qu'ils formaient dans l'Etat un élément étranger qu'il fallait éliminer à tout prix. On soutenait que leur doctrine était détestable — bien plus, que leurs pratiques étaient infâmes. Pendant tous ces débats, — si l'on peut nommer ainsi un entretien où les deux parties étaient du même avis, — Fulvius avait promené sur chacun des convives un regard soupçonneux, et venait de l'arrêter finalement sur Torquatus.

Le jeune homme gardait le silence, mais son visage rougissait et pâlissait tour à tour. Le vin lui avait donné un certain courage qu'un principe caché semblait seul retenir encore. Tantôt il serrait les poings, comprimait sa poitrine et se mordait les lèvres; tantôt il froissait son pain entre ses doigts crispés; tantôt il buvait, d'un air distrait, une large coupe de vin.

— Tous ces chrétiens nous haïssent et nous massacreraient tous, s'ils le pouvaient, dit l'un des convives, — Torquatus avança la tête, ouvrit la bouche et garda le silence.

— Nous massacrer! je le crois bien. N'ont-ils pas incendié Rome sous Néron? et, en Asie, ne viennent-ils pas de mettre le feu au palais impérial, au-dessus de la tête de l'empereur? ajouta un autre. Torquatus se souleva sur sa couche, étendit la main comme pour répondre, puis la retira aussitôt.

— Mais ce qui est infiniment plus répréhensible, c'est la doctrine antisociale qu'ils professent, ce sont les excès monstrueux auxquels ils se livrent : ils vont, à ce qu'on dit, jusqu'à adorer une tête d'âne, ajouta un troisième. Torquatus tressaillit, et se levant sur sa couche, avança le bras, lorsque Fulvius, par un adroit et perfide calcul, saisissant l'occasion, ajouta d'un ton d'amer sarcasme :

— Oui, ils égorgent un enfant à chacune de leurs réunions, puis ils dévorent sa chair et boivent son sang[1].

Le bras de Torquatus retomba sur la table avec une violence telle, que les amphores et les coupes s'entrechoquèrent du coup, tandis que, d'une voix étranglée, le jeune homme s'écriait : « C'est un mensonge, un mensonge infâme ! »

— Comment le savez-vous? demanda Fulvius de l'air le plus caressant.

— Parce que je suis chrétien moi-même, répondit Torquatus avec exaltation, et que je suis prêt à mourir pour ma foi.

Si la belle statue d'albâtre à tête de bronze, qui remplissait une niche derrière la table, était tombée et se fût brisée sur les dalles de marbre de la salle, un tel accident n'aurait pas causé plus de surprise que ne le fit cette déclaration inattendue. Tous les assistants demeurèrent stupéfaits ; puis, après un long silence, chacun d'entre eux laissa voir sur son visage les sentiments qui l'agitaient. Fabius, l'air embarrassé, semblait se dire qu'il avait exposé ses invités à se trouver en très-mauvaise compagnie. Calpurnius, gonflé d'indignation, se croyait évidemment insulté pour avoir été mis en rapport avec un individu qui pouvait peut-être en savoir plus que lui sur la religion des chrétiens. Un jeune homme regardait Torquatus d'un air stupéfait, les yeux fixes, la bouche ouverte ; et un vieillard à figure rébarbative cherchait à faire tomber sa colère sur une personne ou un objet quelconque, n'importe, pourvu qu'il le pût faire. Corvinus regardait le pauvre chrétien avec ce sourire de joie, moitié idiote, moitié sauvage du rustre qui trouve au matin pris au piége l'animal qu'il guette depuis longtemps. Il avait donc enfin sous la main quelqu'un qu'il pouvait, à son bon plaisir, étendre sur les chevalets ou jeter aux brasiers ardents. Mais l'expression du visage de Fulvius était plus effrayante que celle de tous les autres. Si jamais, à l'aide du microscope, l'observateur a pu surprendre le regard qu'après une longue abstinence l'araignée jette sur une mouche qui, gonflée du sang d'autrui, s'approche étourdiment de sa toile, il comprendra notre

(1) Telle était l'idée que les païens se faisaient de la sainte Eucharistie.

idée. Attentive, l'araignée épie chaque mouvement des ailes de sa victime, elle calcule comment elle l'enveloppera le mieux du premier fil de sa trame, bien sûre d'avance d'assouvir sa faim sur cette riche proie ; le regard que jette l'avide insecte est, nous le croyons, la meilleure image que nous puissions donner de la physionomie de Fulvius, comme elle l'est sans doute aussi des sentiments qui l'agitaient. Mettre la main sur un chrétien dont il pût faire un dénonciateur et un traître avait toujours été son désir et son étude. Il en tenait un, en ce moment, il en était sûr ; il ne s'agissait que de s'y prendre adroitement. Mais, dira-t-on, comment le savait-il ? C'est que Fulvius connaissait assez les chrétiens pour savoir qu'un fidèle véritablement digne de ce nom ne se serait ni livré aux excès du vin ni vanté de son ardeur pour le martyre.

Les convives se séparèrent : chacun d'eux s'éloigna prudemment du chrétien reconnu, comme on l'eût fait d'un pestiféré. Aussi se trouva-t-il bientôt seul et désolé. En ce moment, Fulvius, qui venait de glisser quelques mots à l'oreille de Fabius et de Corvinus, s'approcha, et, lui prenant la main, lui dit avec affabilité : « Je crains d'avoir commis une indiscrétion en vous faisant faire un aveu qui peut devenir dangereux pour vous ? »

— Je ne crains rien, répondit Torquatus toujours exalté ; je resterai fidèle à ma foi jusqu'au bout.

— Chut, chut ! reprit Fulvius, les esclaves pourraient vous trahir. Allons dans une autre chambre où nous pourrons causer tranquillement ensemble.

En parlant ainsi, il le conduisit dans une salle meublée avec élégance, où Fabius avait eu soin de faire porter d'avance des coupes et des flacons du vin de Falerne le plus recherché, et tel que la mode romaine voulait qu'il fût, lorsqu'il s'agissait d'une *comessatio* ou partie de buveurs. Corvinus seul y entra avec eux, sur l'invitation que Fulvius lui avait faite.

Sur une table magnifiquement incrustée se trouvaient des osselets et des dés. Fulvius, après avoir coup sur coup versé à Torquatus plusieurs coupes de vin, prit négligemment les dés et s'amusa à les faire rouler sur la table d'un air distrait, tout en causant d'objets différents. « Par Jupiter ! dit-il, quelle suite de mauvaises chances ! Il est heureux que je ne joue avec personne, car je serais ruiné. Essayez donc quelques coups, Torquatus.

Le jeu, nous croyons l'avoir fait entendre plus haut, avait déjà été funeste à Torquatus : c'était par suite d'une affaire de jeu qu'il avait été mis dans la prison d'où Sébastien l'avait tiré en le convertissant. Lorsqu'il prit les dés en main sans avoir l'intention de jouer, — il le croyait du moins — Fulvius attacha sur lui un regard semblable à celui du lynx guettant sa proie. Les yeux de Torquatus lançaient des éclairs, ses lèvres frémissaient, sa main était tremblante. A ces indices qu'en accompagnaient encore d'autres, tels que le balancement étudié de la main, le mouvement habile du poignet, le regard qui suit les dés roulant sur la table, et suppute les points, Fulvius reconnut d'abord la violence de la tentation lorsqu'elle sollicite à un vice que l'on fuit et que l'on aime encore.

— Je crois que vous n'êtes pas plus habile que moi à ce ridicule exercice, dit-il d'un ton dégagé ; mais je pense que Corvinus, que voici, vous offrira quelque chance de succès, pourvu que vous vous borniez à jouer très-petit jeu.

— Oh ! il faut que ce soit très-petit jeu, en effet — par récréation seulement — car j'ai renoncé au jeu. — Cependant une fois que... mais n'importe.

— Allons, jouons, dit Corvinus, que Fulvius avait mis au courant par un regard significatif.

Ils se mirent à jouer, et les premiers coups, de peu de valeur du reste, furent gagnés par Torquatus. Fulvius le faisait boire de temps en temps, et sa langue devenait de plus en plus déliée.

— Corvinus, Corvinus, dit-il comme cherchant à rappeler ses souvenirs, n'est-ce pas là le nom que Cassianus a prononcé ?

— Qui cela ? demanda son partenaire étonné.

— Oui, c'est ce nom-là, dit Torquatus comme en se parlant à lui-même — c'est bien Corvinus ; Corvinus le grossier, Corvinus le brutal. Est-ce vous, demanda-t-il en regardant son vis-à-vis, qui avez un jour battu ce cher enfant, le modèle des jeunes chrétiens ; Pancrace, en un mot ?

Corvinus allait s'abandonner à sa rage, mais Fulvius le retint d'un geste, et, faisant une adroite diversion, dit à Torquatus :

— Ce Cassianus que vous venez de nommer, n'est-ce pas un maître d'école assez distingué ? où demeure-t-il donc en ce moment ?

Fulvius savait que c'était là ce que son digne associé désirait connaître ; aussi cette question apaisa-t-elle Corvinus. Torquatus répondit :

— Il demeure, voyons — non, non ; ce serait le dénoncer. Non, je suis prêt à me laisser brûler, torturer, mettre à mort pour ma foi; mais je ne trahirai personne, — non, n'y comptez pas.

— Donnez-moi votre place, Corvinus, dit Fulvius qui voyait Torquatus prendre au jeu un intérêt de plus en plus vif. L'espion déploya alors assez d'adresse pour rendre son adversaire plus attentif et le forcer à prendre plus d'intérêt au jeu. Il jeta sur la table un enjeu plus considérable. Après quelques moments d'hésitation, Torquatus le tint et le gagna. Fulvius prit l'air piqué. Torquatus remit les deux enjeux sur un seul coup. Fulvius, à son tour, feignit d'hésiter, puis jeta enfin une somme égale qu'il perdit encore. Le jeu était devenu silencieux : chacun des deux gagnait et perdait tour à tour, mais Fulvius conservait constamment ses avantages en demeurant le plus calme et le plus de sang-froid des deux.

A un certain moment, Torquatus leva les yeux et tressaillit; il croyait voir le vénérable Polycarpe se tenant derrière le siége de son adversaire : il se frotta les yeux et reconnut bientôt que c'était tout simplement Corvinus qui le couvait d'un regard ardent. Toute son adresse se tourna dès lors vers son jeu. Sa conscience était devenue muette; la foi chancelait dans son cœur; la grâce avait disparu, le démon de la convoitise, de la rapine, de l'improbité, de l'insouciance était revenu, ramenant à sa suite sept autres démons plus méchants que lui, qui s'emparèrent de nouveau de cette âme purifiée sans doute, mais si mal défendue, et dès qu'ils y furent rentrés, tout ce qu'elle contenait de bon et de saint avait disparu.

Enfin, exaspéré par des pertes et des libations réitérées, Torquatus devint furieux, et, après avoir puisé à plusieurs reprises dans la lourde bourse que Fabiola lui avait donnée, il finit par jeter sur la table la bourse elle-même et le peu qu'elle contenait encore. Fulvius la prit froidement, l'ouvrit, la vida, compta l'argent qui s'y trouvait et plaça à côté une somme égale. Tous deux se préparèrent pour un coup décisif. Les osselets fatals roulèrent avec bruit: les regards avides des deux joueurs comptèrent les points. Fulvius tira froidement à lui l'argent qu'il gagnait. Torquatus laissa tomber sa tête sur la table, se cachant le visage de ses bras. Sur un signe de Fulvius, Corvinus quitta la salle.

Torquatus battait convulsivement le parquet avec son pied: tantôt il murmurait des menaces inarticulées, grinçait des dents et gémissait; tantôt il plongeait ses doigts dans sa chevelure et s'arrachait des poignées de cheveux. A ce moment, une voix lui dit tout bas à l'oreille :

« Etes-vous chrétien ? » Lequel des sept esprits était-ce qui lui parlait ainsi ? à coup sûr le plus méchant de tous.

— Il n'y a plus d'espoir pour vous, continua la voix ; vous avez déshonoré votre religion, et vous l'avez trahie.

— Non, non, murmura le malheureux au désespoir.

— Si fait ; dans votre ivresse, vous nous avez tout révélé : vous nous en avez dit assez pour rendre à jamais impossible tout retour vers ceux que vous avez trahis.

— Va-t'en, va-t'en ! cria d'une voix lamentable le pécheur dévoré de remords. Ils me pardonneront. Dieu....

— Silence ! ne prononcez pas ce nom ; vous êtes un homme déshonoré, un parjure, un être à jamais perdu. Vous voilà devenu mendiant, demain vous devrez aller implorer un morceau de pain de la pitié des passants. Vous êtes un proscrit, vous êtes un joueur prodigue et ruiné. Qui est-ce qui voudra vous regarder encore ? Seront-ce vos amis les chrétiens ? Non, certes. Et cependant vous l'*êtes*, chrétien ; et pour ce nom, vous serez mis à mort, livré aux supplices les plus atroces, et néanmoins, aucun de vos frères en religion ne vous vénèrera comme un martyr. Vous n'êtes qu'un hypocrite, Torquatus, et rien de plus.

— Qu'est-ce qui me torture ainsi ? s'écria celui-ci en levant la tête ; — Fulvius était là devant lui, les bras croisés. — « Et quand bien même tout cela serait vrai, lui dit Torquatus, que vous importe à vous ? Qu'avez-vous à me dire encore ? »

— Beaucoup plus que vous ne pensez. Vous vous êtes trahi et livré à moi complétement. Je suis maître de votre argent — et il agita à ses yeux la bourse de Fabiola — je le suis encore de votre réputation, de votre repos, de votre vie. Je n'ai qu'à faire connaître à vos coreligionnaires ce que vous avez fait, ce que vous avez dit, ce que vous avez été cette nuit, et vous n'oserez plus regarder en face un seul d'entre eux. Je n'ai qu'à lâcher sur vous « ce grossier, ce brutal » comme vous venez de le nommer, mais qui n'en est pas moins le fils du préfet de la cité — et nul autre que moi ne peut le retenir, après l'insulte que vous lui avez faite — et demain vous serez traîné au pied du tribunal de son père, pour y mourir au nom de cette religion que vous avez trahie et déshonorée. Et maintenant, êtes-vous encore si pressé, joueur ivre et chancelant sur vos jambes, êtes-vous si pressé de vous rendre au Forum, pour y représenter le christianisme devant le tribunal ?

Le malheureux n'avait pas le courage d'imiter le repentir de l'enfant prodigue, après l'avoir imité dans ses fautes. En lui l'espérance était éteinte, car il était retombé dans son péché capital, et la voix même des remords demeurait muette. Plongé dans ses réflexions, il en fut tiré par Fulvius qui lui demandait : « Eh bien ! votre choix est-il fait? Voulez-vous retourner parmi les chrétiens, ce soir, dans l'état où vous êtes, ou comparaître demain au tribunal? Choisissez l'un de ces deux partis. »

Torquatus leva sur lui des yeux éteints, et d'une voix faible il balbutia : « Ni l'un ni l'autre. »

— Alors, qu'allez-vous faire? continua Fulvius en fascinant la victime de son regard de faucon.

— Tout ce que vous voudrez, dit Torquatus, pourvu que ce ne soit pas l'une de ces deux choses.

Fulvius vint s'asseoir auprès de lui, et lui dit d'une voix douce et insinuante : « Eh bien ! Torquatus, écoutez-moi : faites ce que je vais vous dire, et tout peut se réparer. Vous aurez une demeure élégante, une table exquise, une toilette recherchée, et, bien plus, de l'argent pour jouer, si vous voulez suivre mes instructions.

— Quelles sont-elles?

— Vous vous lèverez demain matin tout comme à l'ordinaire, vous reprendrez votre masque de chrétien, et vous continuerez à voir vos amis, comme si rien n'était; mais vous répondrez à toutes mes questions, et vous me direz tout ce que je voudrai savoir.

Torquatus murmura : « Mais enfin... c'est trahir !... »

— Nommez-le comme il vous plaira, mais c'est cela ou la mort. Oui, la mort, celle qui vient lente et pas à pas. J'entends, dans la cour, Corvinus qui trépigne d'impatience. Vite !... que choisissez-vous?

— Oh ! pas la mort !... grâce !... grâce! tout ce que vous voudrez, mais pas la mort !

Fulvius sortit et trouva en effet son digne ami, ivre de colère et de vin; il eut beaucoup de peine à le calmer. Furieux de la nouvelle injure qu'il venait d'essuyer, il avait presque oublié Cassianus, mais toutes ses vieilles haines venaient de se rallumer, et il brûlait du désir de se venger. Fulvius lui promit de découvrir la demeure du maître d'école, et cette promesse put seule suspendre l'exécution de quelque violence immédiate de la part du rancunier Corvinus.

Fulvius, l'ayant renvoyé chez lui plus calme, mais grommelant encore, revint trouver Torquatus, qu'il voulait accompagner, afin de connaître sa demeure. Dès qu'il avait eu quitté la salle, sa victime, se levant de sa chaise, avait essayé, en se promenant à grands pas, de calmer le trouble de ses sens et de reprendre possession de lui-même. Mais ce fut en vain : la tête lui tournait, par suite tant de l'ivresse que de la scène qui venait d'avoir lieu. Les murs semblaient tourner autour de lui, le sol se soulevait sous ses pas; il avait des nausées, et son cœur battait si fort, qu'on aurait pu en compter les pulsations. La honte et le remords, le mépris et la haine pour ses séducteurs et pour lui-même, l'isolement qui l'attendait, le désespoir qui accompagne la réprobation, toutes ces images, semblables à des vagues noires et houleuses, envahissaient son âme les unes après les autres, se succédant sans relâche. Incapable de se tenir debout plus longtemps, il se jeta sur une couche de soie, et cachant son front brûlant dans ses mains glacées, il se prit à pleurer. Mais le sol et les murs continuaient à tourner autour de lui, et un mugissement sourd ne cessait de résonner à ses oreilles.

Fulvius le trouva dans cet état et lui toucha l'épaule. Torquatus tressaillit, et s'écria d'un air égaré : « O Dieu! serait-ce donc le gouffre de Charybde? »

DEUXIÈME PARTIE.

COMBATS.

I. — DIOGÈNE.

Diogène le fossoyeur déposé en paix huit jours avant le 1er octobre[1].

Les scènes à travers lesquelles nous avons conduit notre lecteur se passaient à une de ces époques de tranquillité passagère plutôt que de paix réelle, qui se montraient quelquefois entre deux persécutions. Déjà des bruits sinistres se sont fait entendre sur notre chemin, et les rumeurs homicides ont frappé nos oreilles. Le rugissement les lions de l'amphithéâtre, qui ont fait tressaillir Sébastien sans le décourager, les nouvelles venues d'Orient, les demi-mots de Fulvius, les menaces de Corvinus, nous ont laissé pressentir que sous peu les horreurs de la persécution allaient recommencer, et que le sang chrétien fécon-

(1) *Actes de Saint Sébastien. Boldetti*, xv. p. 60.

Pancrace jeta un coup d'œil sur l'ouvrage en main et se mit à sourire. (P. 145.)

dera à flots plus nobles et plus pressés que jamais les champs du paradis de la loi nouvelle. L'Eglise, toujours calme et prévoyante, ne peut négliger ni les signes précurseurs du combat qui s'approche, ni les préparatifs nécessaires pour le soutenir plus vaillamment. Nous ferons dater la seconde partie de notre récit du moment où l'Eglise commence à s'armer sérieusement pour la lutte. C'est le prélude du combat.

Vers la fin du mois d'octobre, un jeune homme qui ne nous est pas inconnu, soigneusement enveloppé dans son manteau, car la nuit est sombre et froide, se dirige non sans quelque peine à travers le dédale tortueux des ruelles étroites du quartier nommé *Suburra;* partie de la ville dont l'étendue et la position exactes sont encore l'objet de discussions, mais qui était certainement située dans le voisinage immédiat du Forum. Comme le vice est malheureusement trop souvent lié à la pauvreté, l'un et l'autre y trouvaient un commun asile. Pancrace ne paraissait pas très-familier avec ce quartier de la ville; il se trompa souvent de route avant de découvrir enfin la rue qu'il cherchait. Les maisons ne portant pas de numéros, il ne lui était pas facile de reconnaître celle vers laquelle il se rendait, mais cette difficulté n'était pas insurmontable. Il s'efforça de trouver la demeure la plus décente, et, en effet, l'une d'elles se faisant remarquer entre toutes par la propreté et le bon ordre, il frappa hardiment à la porte. Diogène, le veillard dont le nom a déjà été cité dans les pages précédentes, vint lui ouvrir. C'était un homme de haute taille, aux épaules larges comme le sont toutes celles qui ont porté des fardeaux, ce qui le forçait à se tenir légèrement courbé. Ses cheveux, entièrement blanchis par l'âge, pendaient en boucles argentées des deux côtés de sa tête large et massive; ses traits portaient l'empreinte d'une mélancolie profonde, et, bien que l'expression de son visage fût calme, elle était triste et solennelle. Il ressemblait à quelqu'un qui a vécu longtemps avec les morts et qui n'en est que plus heureux. Ses deux fils, Majus et Severus, jeunes gens de formes athlétiques, habitaient avec lui. Le premier s'occupait à graver ou plutôt à gratter grossièrement une épitaphe d'un style rude, dans une vieille tablette de marbre, dont le revers portait encore les traces d'une inscription païenne à demi-effacée par la main de son nouveau possesseur. Pancrace jeta un coup d'œil sur l'ouvrage en main et se mit à sourire : il y avait à peine un mot qui ne fût mal écrit, la phrase entière était incorrecte; que le lecteur en juge, la voici :

DE BIANOBA
POLLECLA OVE ORDEV BENDET DE BIANOBA.
De la rue neuve Pollecla qui vend de l'orge dans la rue neuve[1].

L'autre jeune homme, un morceau de charbon à la main, traçait sur une planche un dessin informe, dans lequel on reconnaissait avec peine l'histoire de Jonas englouti par la baleine et celle de Lazare ressuscité des morts. Ce n'était là évidemment que l'esquisse d'une peinture qui devait être exécutée ailleurs. Enfin, pour compléter la physionomie générale de cet intérieur de famille, nous ajouterons qu'au moment où Pancrace frappait à la porte, le vieux Diogène était occupé à mettre un manche neuf à une vieille pioche. Ces occupations diverses, réunies sous le même toit, eussent pu surprendre un homme de nos jours, mais il n'en fut pas de même du jeune visiteur ; il savait bien que cette famille appartenait à l'honorable et religieuse corporation des *fossores* ou fossoyeurs des cimetières chrétiens. En effet, Diogène était le chef et le directeur de cette confrérie. S'appuyant sur l'assertion d'un écrivain anonyme, contemporain de saint Jérôme, quelques archéologues modernes ont considéré le *fossor* comme appartenant à un ordre ecclésiastique inférieur dans l'Eglise primitive, de même que le *lector* ou lecteur. Bien que cette opinion ne soit pas soutenable, il est cependant probable que les devoirs de cette charge étaient confiés aux mains d'hommes désignés et reconnus par l'autorité ecclésiastique. L'uniformité du système suivi pour creuser, arranger et remplir les cimetières nombreux des environs de Rome, système si complet dès son origine qu'il ne révèle aucun signe de modification ou d'amélioration quelconque dans le cours des temps, nous donne lieu de croire que ces vénérables et merveilleux travaux ont été exécutés sous une seule et même direction et probablement par un corps d'individus, associés à cet effet. Non que ce fût une compagnie instituée pour l'entreprise des cimetières ou nécropoles, spéculant sur l'inhumation des morts ; c'était plutôt une confrérie pieuse et établie dans ce but.

Une série d'inscriptions curieuses, trouvées dans le cimetière de Sainte-Agnès, prouve que cette occupation était héréditaire dans certaines familles, le grand-père, le père et le fils s'y étant successivement adonnés dans la même localité[2]. Ceci nous explique facilement

(1) Trouvée dans le cimetière de Callistus.

(2) Ces inscriptions ont été publiées par Marchi, dans son *Traité d'architecture de*

la grande habileté et l'uniformité des procédés suivis dans la disposition des Catacombes. Mais les *fossores* avaient évidemment, dans ce monde souterrain, des attributions plus élevées et même une juridiction plus étendue qu'on ne pourrait le croire. Bien que l'Eglise pourvût à l'espace nécessaire à la sépulture de ses enfants, il était naturel que les fidèles reconnussent d'une façon quelconque la faveur d'être inhumés dans un lieu, de préférence à un autre, par exemple le voisinage de la tombe d'un martyr. C'était au fossoyeur qu'il appartenait de faire ces arrangements particuliers dont nous trouvons souvent mention dans les anciens cimetières. L'inscription suivante se conserve au Capitole :

EMPTV LOCVM AB ARTEMISIVM VISOMVM HOC EST
ET PRAETIVM DATVM FOSSORI HILARO IDEST
FOL NOOD PRAESENTIA SEVERI FOSS ET LAVRENTI

C'est-à-dire :

Ceci est une fosse pour deux corps, achetée par Artemisius ; le prix en a été payé au fossoyeur Hilarius, c'est-à-dire... bourses [1]... En présence de Severus le fossoyeur et de Laurentius.

Le dernier de ces noms était probablement celui du témoin de l'acheteur, tandis que le vendeur s'était fait assister de Severus, son collègue. Quoi qu'il en soit, nous croyons avoir mis devant nos lecteurs tout ce que la tradition nous a appris au sujet de la profession qu'exerçaient Diogène et ses fils.

Nous avons laissé Pancrace s'amusant à regarder les premiers essais de Majus dans l'art glyptique : il s'empressa de lui adresser la parole en ces termes :

— Exécutez-vous toujours ces inscriptions vous-même?

— Oh! non, répondit l'apprenti graveur en souriant, je ne les exécute que pour les pauvres gens qui n'ont pas le moyen de payer des mains plus habiles. Celle-ci est pour une brave femme qui tenait une petite boutique dans la *via Nova*, et qui, vous le pensez bien, n'est pas devenue fort riche, attendu qu'elle était très-honnête. Et cependant une singulière pensée me préoccupait pendant que je gravais son épitaphe.

— Quelle était cette pensée, Majus?

— Je me disais que peut-être dans mille ans d'ici, ou même plus, des chrétiens liront avec respect mon humble ouvrage, et apprendront avec intérêt l'existence de la pauvre et vieille Pollecla et de

Rome chrétienne et souterraine, 1844, ouvrage auquel nous ferons de fréquents emprunts.

(1) Le prix, ayant été marqué en chiffres, est malheureusement illisible.

sa boutique à orge, tandis que les épitaphes pompeuses de tant de princes qui ont persécuté l'Eglise, bien loin d'être lues, ne seront peut-être pas même connues.

— Cependant j'ai quelque peine à m'imaginer que de superbes mausolées élevés à la mémoire des souverains fameux puissent tomber complétement en ruines et dans l'oubli, tandis que le souvenir d'une pauvre femme arriverait aux âges les plus reculés. Mais quels sont les motifs qui vous font penser ainsi ?

— Tout simplement parce que j'aimerais mieux transmettre à la postérité la mémoire d'un pauvre vertueux que celle d'un riche méchant; parce que mon grossier ouvrage sera lu encore peut-être, alors que des arcs de triomphe seront couchés dans la poussière. C'est cependant bien mal écrit, n'est-ce pas?

— N'importe ; cette simplicité vaut les plus belles inscriptions. Mais quelle est cette tablette appuyée contre le mur?

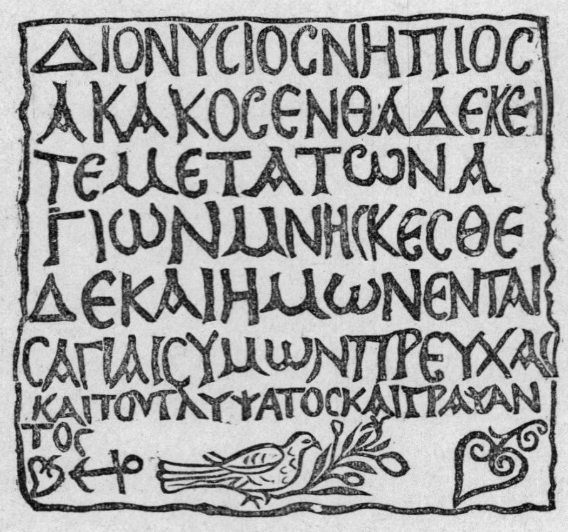

— Ah! c'est une magnifique pierre qui nous a été apportée pour que nous la placions : vous verrez que l'auteur et le graveur sont deux personnes différentes. Cette pierre est destinée au cimetière de la villa de la noble Agnès, sur la voie Nomentane. Elle est, je crois, consacrée à la mémoire d'un enfant bien-aimé, dont la mort est profondément sentie par des parents vertueux. Pancrace prit une lampe, à la clarté de laquelle il lut ce qui suit :

« Dionysius (Denis), l'innocent enfant, repose ici parmi les saints. Souvenez-vous, dans vos saintes prières, de l'auteur et du graveur. »

— Cher et bienheureux enfant! dit Pancrace après avoir lu l'inscription; aux noms de l'auteur et du graveur de ton épitaphe, ajoute aussi, dans tes saintes prières, mon nom à moi qui viens de la lire.

— Amen, répondit la pieuse famille.

Frappé de l'altération qu'il remarquait dans la voix de Diogène,

Pancrace se retourna et vit le vieillard qui feignait de se livrer avec ardeur à son travail : or, il s'agissait simplement de couper le bout d'un petit coin qu'il venait d'enfoncer dans le bois du manche de sa pioche pour mieux en assurer le fer, et cependant il semblait que sa vue fût troublée à tout moment par une cause qu'il voulait dissimuler, car il passait et repassait sous ses yeux le revers de sa rude main. « Qu'y a-t-il, mon bon vieil ami? dit le jeune homme d'un air de bonté ; pourquoi l'épitaphe de ce jeune Denis vous affecte-t-elle si fort ? »

— Ce n'est pas par elle-même qu'elle me touche, mais elle me rappelle tant de choses du passé et m'en présage tant d'autres pour l'avenir, que je ne puis m'empêcher de trembler et de gémir.

— Et quelles sont ces pensées si pénibles pour vous, Diogène?

— Eh bien, voyez-vous, c'est une chose bien simple de prendre dans ses bras un bon et saint enfant comme l'était Dionysius et de le coucher dans sa tombe, tout enveloppé d'un linceul qu'embaument d'odorantes épices. Ses parents le pleurent sans doute, et cependant son passage du séjour des douleurs à celui de la joie a été doux et facile. Mais c'est une chose bien cruelle et qui demande un cœur aussi endurci que l'est devenu le mien par une longue habitude (ici nouveau mouvement du revers de la main), que de rassembler en toute hâte et de réunir les restes sanglants, les membres broyés d'un autre saint enfant, de les entourer précipitamment d'un linceul, de les envelopper dans un suaire rempli de chaux au lieu de baumes et d'essences, puis de les cacher promptement dans la terre[1]. Hélas ! que l'on désirerait traiter les restes des martyrs d'une façon différente !

— Cela est vrai, Diogène, mais un vaillant chef préfère la tombe simple du soldat, celle qu'on creuse sur le champ de bataille, à un riche sarcophage élevé à grands frais sur la voie Appia. Les scènes dont vous venez de parler sont-elles fréquentes dans les temps de persécution ?

— Elles ne le sont que trop, mon cher maître. Un jeune homme

(1) Dans le cimetière de Sainte-Agnès, on a trouvé dans les tombeaux des morceaux de chaux qui portaient la trace de différentes parties du corps humain ; ces restes portaient les traces d'un linge fin du côté intérieur et d'un linge plus gros du côté extérieur. Quant aux épices et aux baumes, Tertullien fait observer que « les Arabes et les Sabéens savent bien que les chrétiens en consommaient actuellement pour leurs morts plus que le monde païen n'en usait pour le culte de ses divinités. »

aussi pieux que vous l'êtes doit avoir visité, au jour de son anniversaire, le tombeau de Restitutus dans le cimetière d'Hermès.

— Sans doute, je l'ai visité, et j'ai souvent envié son martyre précoce. Est-ce vous qui l'avez inhumé ?

— Oui ; et ses parents lui ont fait élever un splendide monument, l'*arcosolium* de sa crypte[1]. Mon père et moi nous le construisîmes de six tables de marbre, assemblées à la hâte, et je gravai moi-même l'inscription qu'on y lit aujourd'hui. Je pense que je gravais mieux que ne le fait Majus, ajouta le vieillard en essayant de sourire.

— Vous ne vous flattez guère en parlant ainsi, répondit le fils souriant à son tour. Mais voici la copie de l'inscription que vous avez écrite alors. Et en disant ces mots, il tira un parchemin d'un paquet de feuilles attachées ensemble.

— Je me la rappelle parfaitement, dit Pancrace en la parcourant des yeux, et corrigeant les fautes d'orthographe, mais non celles de grammaire, à mesure qu'il lisait.

AELIO FABIO RESTVTO
FILIO PIISSIMO PARI N
TES FECERVNT QVIVI
XIT ANNI . S XVIII MENS
VII INIRENE.

« A Ælius Fabius Restitutus, leur très-pieux fils, ses parents ont élevé (ce tombeau). Il a vécu dix-huit ans et sept mois. En paix (qu'il repose). »

Puis il ajouta : « Quelle gloire pour ce jeune homme d'avoir confessé le Christ dans un âge si tendre ! »

— Sans doute, répliqua le vieillard : mais je suis persuadé que vous avez toujours cru que son corps repose seul dans cette tombe. Chacun le croirait ainsi à en juger par l'inscription.

— Certainement. Et en serait-il donc autrement ?

— Oui, noble Pancrace. A côté de lui, dort, dans le même sépulcre, un compagnon plus jeune. Comme nous étions occupés à fermer le tombeau de Restitutus, on nous apporta le corps d'un jeune garçon de douze à treize ans. Je n'oublierai jamais cet horrible aspect. On l'avait suspendu au-dessus d'un feu ardent, et la tête, le tronc et les cuisses jusqu'à la hauteur des genoux étaient brûlés jusqu'aux os. Il était tellement défiguré qu'aucun de ses traits n'était reconnaissable. Pauvre enfant ! comme il avait dû souffrir ! Mais pourquoi le plaindrais-je ?... Or, nous étions pressés par le temps ; nous nous dîmes que le jeune homme de dix-huit ans ne refuserait pas de partager sa couche funèbre avec son compagnon d'armes de douze ans, et qu'il le considèrerait comme son frère ; nous le déposâmes donc aux

(1) Ces termes seront expliqués plus tard.

pieds d'Ælius Fabius. Mais il nous fut impossible de placer à l'extérieur du tombeau une seconde fiole de sang pour indiquer que là reposait le corps d'un autre martyr; car le feu avait tari tout le sang qui coulait dans ses veines[1].

— Noble enfant! Si le premier était plus âgé que moi, le second était plus jeune. Qu'en dites-vous, Diogène? Ne pensez-vous pas que vous aurez peut-être quelque jour le même devoir à remplir envers moi?

— Oh! non, j'espère bien que non, dit le vieux fossoyeur; et sa voix s'altéra de nouveau. Je vous en supplie, écartez cette sombre idée : mon heure, je l'espère bien, doit sonner avant ce temps; et cependant ne voit-on pas les vieux troncs épargnés, tandis que les jeunes plantes périssent autour d'eux?

— Allons, allons, mon vieil ami, je ne voulais pas vous affliger. Mais j'oublie presque le but de ma visite et le message que je vous apporte. Voici ce que c'est. Demain, à l'aurore, il faudra venir à la maison de ma mère pour vous entendre avec qui de droit sur les dispositions à faire dans nos cimetières en vue des persécutions qui menacent. Notre saint Pape s'y trouvera avec les prêtres des Titres, les diacres régionnaires, les notaires, dont le nombre maintenant est complet, et enfin vous, le *fossor* en chef, afin que vous puissiez tous agir de concert.

— Je n'y manquerai pas, Pancrace, répondit Diogène.

— Et maintenant, ajouta le jeune homme, j'ai une faveur à vous demander.

— Une faveur? à moi! répliqua le vieillard étonné.

— Oui. Vous aurez, je présume, à vous mettre tout de suite à l'œuvre. Or, bien que j'aie souvent visité par dévotion nos cimetières sacrés, je ne les ai jamais étudiés ni examinés; et il me serait agréable de pouvoir, à cet effet, les parcourir avec vous qui les connaissez si bien.

(1) Cette tombe a été découverte le 22 avril 1823, elle n'avait pas été violée. En l'ouvrant, on y a trouvé des ossements blancs, brillants et polis comme de l'ivoire; ils semblaient appartenir au squelette d'un jeune homme de dix-huit ans. A la tête de la sépulture se trouvait la fiole de sang. Aux pieds était couché le squelette d'un jeune garçon de douze ou treize ans; les os en étaient noircis et carbonisés, principalement le crâne et toute le partie supérieure du tronc jusque vers le milieu des cuisses; à partir de là jusqu'aux oreilles, les os devenaient de plus en plus blancs. Les deux corps, richement vêtus, reposent côte à côte sous l'autel du collége des Jésuites, à Lorette.

— Rien ne me sera plus doux, répondit Diogène flatté du compliment, mais plus heureux encore de cet empressement à connaître des lieux qui l'intéressaient si vivement. Aussitôt après avoir reçu mes instructions, je me rendrai au cimetière de Callistus. Venez me trouver hors de la porte Capène, une demi-heure avant midi, nous nous y rendrons ensemble.

— Je ne serai pas seul, dit Pancrace. Deux jeunes gens récemment baptisés désirent également connaître nos cimetières qu'ils n'ont guère visités encore. Ils m'ont prié de les y introduire.

— Vos amis seront toujours les bienvenus. Comment les appelle-t-on? dites-le-moi afin de prévenir toute méprise.

— L'un d'eux est Tiburtius, fils de Chromatius, le dernier préfet de la cité ; l'autre est un jeune homme nommé Torquatus.

Severus fit un mouvement : « Pancrace, dit-il, êtes-vous bien sûr de ce dernier? »

Diogène reprit son fils en s'écriant : « Dès qu'il vient accompagné de Pancrace, cela ne suffit-il pas pour vous rassurer? »

— J'avoue, répondit le jeune homme, que je ne le connais pas aussi bien que je connais Tiburtius, qui est réellement un digne et noble cœur ; cependant Torquatus est très-désireux de se mettre au courant de tout ce qui nous concerne et il paraît sincère. D'où viennent vos craintes, Severus ?

— Oh ! d'une bagatelle, en réalité. Mais, comme je me rendais ce matin au cimetière, je suis entré aux bains d'Antonin[1].

— Comment ! s'écria Pancrace en riant, vous fréquentez des endroits aussi à la mode?

— Pas précisément, reprit l'honnête artisan, mais vous ignorez peut-être que Cucumio, le *capsarius*[2], et sa femme sont chrétiens.

— Est-il possible? Qui dirait qu'en pareil lieu on pût en trouver?

— Cela est ainsi ; et, de plus, ils se font construire une tombe dans le cimetière de Callistus, et j'avais à leur montrer l'inscription que Majus a composée pour eux.

— La voici, dit Majus, en montrant la tablette sur laquelle on lisait :

(1) Plus connus sous le nom de bains de Caracalla.

(2) On appelait *capsarius* l'homme chargé de la garde des habits des baigneurs. Ce mot vient de *capsa*, boîte ou coffre, dans lequel on renfermait ces habits.

CVCVMIO ET VICTORIA	« Cucumio et Victoria,
SE VIVOS FECERVNT	de leur vivant,
	ont fait pour eux (cette tombe)
CAPSARARIVS DE ANTONINIANAS.	capsarius (des bains) d'Antonin[1]. »

— Merveilleux ! s'écria Pancrace, en riant des naïvetés et des fautes que contenait l'épitaphe ; mais nous oublions Torquatus.

— Donc, au moment où j'entrais sous les portiques, poursuivit Severus, je ne fus pas peu surpris de voir, dans un coin, à cette heure matinale, ce même Torquatus en conversation très-animée avec le fils du préfet actuel, avec Corvinus, le faux estropié qui, vous vous le rappelez, s'était glissé dans la maison d'Agnès le jour qu'une personne charitable et inconnue (puisse Dieu la bénir !) y fit distribuer aux pauvres de si riches aumônes. Voilà, me suis-je dit, pour un chrétien, une heure étrange et une compagnie plus étrange encore.

— Vous avez raison, Severus, répondit Pancrace en rougissant beaucoup, mais il est encore bien jeune dans la foi, et ses anciens amis ne connaissent probablement pas sa conversion. Espérons que tout est pour le mieux.

Pancrace s'étant levé pour se retirer, les deux fils du fossoyeur lui offrirent de l'accompagner jusqu'à ce qu'il fût hors de leur misérable et dangereux quartier. Il accepta leur proposition avec plaisir, et sortit en souhaitant une bonne nuit à l'honnête Diogène.

II. — LES CIMETIÈRES.

Il nous semble que nous avons un peu négligé la pieuse Lucine, elle dont le noble caractère et les pieuses pensées ont fait l'objet des premières pages de notre récit. Ses vertus étaient en effet de cette nature calme et modeste qui les rend peu propres à paraître sur une scène publique ou à prendre part aux affaires générales. Sa maison était ou plutôt renfermait un *Titre*, c'est-à-dire une église paroissiale, et elle avait, en outre, l'honneur d'être, en ce moment, la résidence du

(1) Inscription trouvée dans le cimetière de Callistus ; F. Marchi, celui qui l'a publiée le premier, l'attribue par erreur au cimetière de Prætextatus.

M. ANTONI
VS . RESTVTV
S. FECIT . YPO
CEVSIBI . ET
SVIS . FIDENTI
BVS . IN . DOMINO

« Marcus Antonius Restitutus a construit cette sépulture souterraine pour lui-même et pour sa famille : ils espèrent dans le Seigneur[1].

souverain Pontife. L'imminence d'une persécution violente dont les chefs du royaume spirituel du Christ étaient assurés d'être les premières victimes, en leur qualité d'ennemis prétendus de César, avait motivé ce déplacement du chef de l'Eglise, de sa demeure ordinaire dans un asile mieux abrité. La maison de Lucine avait été choisie à cet effet, et, à la grande joie de la sainte veuve, son foyer continua de jouir de cette faveur sous ce pontificat et sous le suivant, jusqu'à ce que le pape Marcellus eût reçu l'ordre d'y loger et d'y nourrir les animaux féroces de l'amphithéâtre. Cet abominable traitement ne tarda pas à causer sa mort.

Lucine, admise à quarante ans[2] dans l'ordre des diaconesses, trouvait dans l'accomplissement de ses fonctions une ample matière d'occupation. En effet, le soin et la surveillance des femmes qui devenaient membres de l'Église, la visite des malades et des pauvres de leur sexe, la confection et l'entretien des vêtements sacrés et du linge des autels, l'instruction des enfants et des nouvelles converties pour les préparer au baptême, l'assistance à l'administration de ce sacrement, tels étaient les devoirs des diaconesses, et il ne faut pas omettre d'y ajouter encore ceux qu'entraînait la direction de leur maison. C'est dans l'accomplissement de toutes ces obligations que Lucine passait tranquillement sa vie. Le grand but de son existence semblait être atteint. Son fils s'était offert à Dieu et se tenait prêt à verser son sang pour sa foi. Veiller sur lui, prier pour lui, c'était pour sa mère un sujet de joie plutôt qu'un surcroît d'occupation.

Le lendemain, de grand matin, eut lieu la réunion dont il a été question dans le chapitre précédent. Il suffira de dire qu'on y donna des instructions complètes pour augmenter les offrandes destinées à agrandir les cimetières, à inhumer les morts, à secourir ceux que la persécution forçait à se cacher, à nourrir les prisonniers, à se ménager

(1) Inscription trouvée récemment dans le cimetière des SS. Nereus et Achilleus. Il est singulier que dans l'épitaphe du martyr Restitutus, épitaphe citée dans le dernier chapitre, une syllabe facile à omettre en prononçant le nom ait été oubliée ainsi que dans la précédente inscription.

(2) L'âge légal était soixante ans, mais l'admission avait quelquefois lieu par faveur à quarante.

un accès auprès d'eux, et enfin à racheter ou à recouvrer les restes des martyrs. Chaque *région* de la ville eut un notaire dont la charge consistait à en registrer les actes des confesseurs de la foi et les autres événements dignes d'intérêt. Les cardinaux ou prêtres titulaires reçurent des instructions sur l'administration des sacrements pendant la persécution, surtout relativement à la sainte Eucharistie, et un ou plusieurs cimetières furent assignés à chacun d'entre eux ainsi que les églises souterraines qui en dépendaient, pour que les saints mystères y fussent régulièrement célébrés. Le saint Pontife choisit pour lui-même le cimetière de Callistus, ce dont Diogène, qui en était le fossoyeur en chef, ne put s'empêcher de ressentir une innocente fierté.

Le bon vieillard paraissait plutôt heureux qu'abattu de ces signes précurseurs d'une persécution prochaine. Un chef d'ingénieurs, chargé de la défense d'une citadelle confiée à son habileté, n'aurait pas donné ses ordres avec plus de vigueur et de promptitude que Diogène n'en mit à transmettre les siens à ses subordonnés, préposés à la garde des différents cimetières situés autour de Rome. Tous les *fossores* en sous-ordre s'étaient réunis chez lui à une heure convenue, pour y recevoir les ordres de l'assemblée suprême. Et cependant l'ombre du cadran solaire de la porte Capène indiquait exactement le milieu du jour, lorsque Diogène et ses deux fils sortirent de la ville, et trouvèrent les trois jeunes gens qui les attendaient. Marchant deux à deux, ils suivirent la voie Appienne, et, à environ deux milles de la porte[1], se glissant le long des différents tombeaux qui bordaient le chemin, ils arrivèrent, par des sentiers différents, à une villa située sur la droite de la route. Ils y entrèrent et y trouvèrent tout ce qu'il fallait pour opérer une descente dans les cimetières souterrains : des flambeaux, des lanternes et les instruments nécessaires pour se procurer de la lumière. Severus, faisant observer que les guides étaient aussi nombreux que les visiteurs, proposa de diviser la compagnie par couples, et il s'arrangea de façon à ce que Torquatus lui fût confié. On comprend facilement les motifs qu'il avait pour agir ainsi.

Nos lecteurs seraient sans doute fatigués de suivre toute la conversation de nos personnages. Diogène non-seulement répondait à

(1) Non pas la porte actuelle de Saint-Sébastien, mais une autre en deçà du tombeau des Scipion, à l'endroit où se divise la route qui conduit à Saint-Jean de la Porte-Latine

toutes les questions qui lui étaient faites, mais de temps en temps il joignait à ses réponses quelques explications courtes et claires sur des objets qu'il croyait mériter une attention particulière. Nous pensons toutefois plus intéresser et mieux instruire *nos amis*, en résumant en un récit plus serré tous les renseignements que donnait ainsi le vieux fossoyeur. De plus, cela nous permettra d'entrer dans quelques détails sur l'histoire subséquente des merveilleuses excavations dans lesquelles nous avons conduit nos jeunes pèlerins.

L'histoire des premiers cimetières chrétiens ou des *catacombes*, comme on les nomme communément, peut se diviser en trois périodes : la première s'étend depuis leur origine jusqu'à l'époque où commence notre récit, à quelques années près; la deuxième, à partir de ce moment jusqu'au huitième siècle; la troisième enfin jusqu'à nos jours qui, nous avons tout lieu de l'espérer, ouvriront pour ces lieux une ère nouvelle.

Nous évitons, en général, de nous servir du nom de Catacombes, pour ne pas induire nos lecteurs dans l'idée fausse que telle est la désignation primitive ou générique de ces premières cryptes chrétiennes. Il n'en est rien. On peut dire que Rome est entourée d'une longue suite de cimetières au nombre de soixante ou environ, qui tous sont désignés par les noms d'un ou de plusieurs Saints dont ils gardent les restes. C'est ainsi qu'il y a les cimetières des saints Nereus et Achilleus, de sainte Agnès, de saint Pancrace, de Prætextatus, de Priscilla, d'Hermès, etc. Quelquefois ces cimetières prenaient les noms des localités où ils étaient creusés[1]. Le cimetière de saint Sébastien, qui s'appelait aussi *Cœmeterium ad sanctam Cæciliam*[2], avait, indépendamment de ce nom et de plusieurs autres encore, celui de *Ad Catacumbas*[3]. La signification de ce mot est complétement inconnue, bien qu'on puisse l'attribuer à ce que les reliques de saint Pierre et de saint Paul y ont été, pendant quelque temps, ensevelies dans une crypte qui existe encore auprès du cimetière. Ce mot devint le nom particulier de ce cimetière, puis il devint d'un usage plus général, et l'on vint enfin à donner à tous l'ensemble de ces excavations souterraines le nom de « Catacombes. »

Leur origine a fait, au siècle dernier, le sujet d'une longue con-

(1) Par exemple : *Ad Nymphas, Ad Ursum pileatam, Inter duas laureas, Ad Sextum Philippi*, etc.

(2) Le cimetière au tombeau de sainte Cécile.

(3) Mot qui semble formé d'une préposition grecque et d'un verbe latin.

troverse. Quelques savants écrivains, s'appuyant de deux ou trois passages vagues et équivoques, ont déclaré que les Catacombes ont été d'abord des excavations faites par les païens dans le but d'extraire le sable nécessaire aux constructions de la ville. On appelait ces sablonnières des *arenaria* et, par occasion, on désignait du même nom les cimetières chrétiens. Mais un examen plus minutieux et plus scientifique, auquel s'est livré particulièrement l'érudit F. Marchi, a complétement renversé cette théorie. Comme on peut encore le voir aujourd'hui, l'entrée des Catacombes s'ouvrait sur ces sablonnières, qui, étant elles-mêmes souterraines, dissimulaient parfaitement le cimetière qu'elles couvraient, mais diverses circonstances prouvent qu'elles n'ont jamais servi de lieux d'inhumation chrétienne, et qu'elles n'ont jamais été converties en cimetières chrétiens.

En effet, l'homme qui veut se procurer du sable restera, avec son excavation, le plus près possible de la surface du sol et se ménagera à la sablonnière l'accès le plus facile; de plus, pour extraire les matériaux qu'il cherche, il étendra son travail, autant qu'il le pourra, sans nuire cependant à la solidité de la voûte. C'est aussi ce que nous trouvons dans les *arenaria* qui abondent encore autour de Rome. Mais les Catacombes sont établies d'après des principes entièrement opposés.

En général une catacombe s'enfonce brusquement dans le sein de la terre à l'aide des marches d'une escalier très-rapide et parvient ainsi, au-dessous de la couche du sable meuble et friable[1], jusqu'à l'endroit où ce sable acquiert la dureté d'une roche tendre, mais consistante, sur la surface de laquelle les moindres traces de la pioche sont encore visibles. Lorsqu'on a atteint cette profondeur, on n'est encore qu'au premier étage du cimetière, car d'autres escaliers qui vont en descendant mènent à un deuxième et même à un troisième étage, tous construits sur le même principe.

Chaque catacombe peut être divisée en trois parties : les passages ou allées, les salles ou chambres, et les églises. Les passages sont de longues et étroites galeries taillées avec assez de régularité, de façon que la semelle et le plafond sont à angles droits avec les murs, et quelquefois si resserrées, que deux personnes ont peine à y passer de front. Souvent elles courent en ligne droite sur une assez grande

(1) Ce sable est le sable volcanique rouge, appelé *pouzzolane*, qui est si estimé pour la fabrication du ciment romain.

longueur, mais elles sont coupées par d'autres allées, qui le sont à leur tour, de manière à former un véritable labyrinthe, un réseau inextricable de corridors souterrains. S'y perdre serait donc aussi facile que dangereux.

Cependant ces passages ne sont pas construits uniquement pour mener à un endroit déterminé, comme le nom pourrait le faire supposer. Ils constituent par eux-mêmes la catacombe ou le cimetière. Leurs murs latéraux ainsi que les parois des escaliers sont remplis de tombeaux comme une ruche à miel est formée de cellules, c'est-à-dire, qu'ils présentent des rangées d'excavations, grandes et petites, suffisamment longues pour y recevoir un corps humain, depuis celui d'un enfant jusqu'à celui d'un homme fait, le cadavre étant couché parallèlement à la galerie. Parfois il y a jusqu'à quatorze de ces rangées les unes au-dessus des autres, parfois il n'y en a que trois ou quatre. Ces excavations sont tellement bien proportionnées à la longueur du corps qu'elles devaient recevoir, qu'il est probable que celui-ci reposait à côté pendant qu'on creusait le tombeau.

Lorsque le cadavre, enveloppé dans son linceul, comme Diogène nous l'a appris, était couché dans son étroite cellule, l'entrée en était aussitôt fermée avec soin, tantôt par une table de marbre, tantôt et plus fréquemment par plusieurs larges tuiles posées de champ dans une mortaise ou rainure pratiquée dans le roc à cet effet et entourées de ciment. L'épitaphe se gravait dans le marbre ou s'inscrivait sur le mortier encore frais avec un instrument aigu. Des milliers d'inscriptions de la première espèce ont été recueillies et se voient dans les muséums et dans les églises ; un grand nombre de celles de la seconde ont été copiées et publiées ; mais la majeure partie de ces tombeaux n'ont pas de nom et n'offrent aucun enseignement. Maintenant, le lecteur nous demandera sans doute, et avec raison, à quelle époque il faut assigner les inhumations pratiquées dans les Catacombes, et comment déterminer la durée dans ce laps de temps. Nous allons tâcher de le satisfaire, et cela aussi brièvement que possible.

Il n'existe aucun indice que les chrétiens aient jamais inhumé leurs morts en d'autre lieu, avant l'établissement des Catacombes. Deux principes, aussi anciens que le christianisme, ont dirigé ce mode d'enterrement. Le premier est la mise au tombeau du Christ lui-même. Après avoir été enveloppé d'un linceul et embaumé de parfums précieux, il fut placé dans un sépulcre creusé au fond d'une caverne, et une pierre, scellée au roc, ferma l'entrée de son tombeau. Or, comme saint Paul nous le présente souvent pour le modèle de notre résurrection et nous dit que nous avons été ensevelis avec Lui dans le baptême, il était naturel que ses disciples désirassent être inhumés comme Lui, afin d'être prêts à ressusciter comme Lui.

Cette façon d'être couché en attendant la résurrection fut la seconde pensée qui amena la formation de ce genre de cimetière. Chaque expression employée relativement à ces lieux de repos sert à l'indiquer. Le mot « enterrer » est introuvable dans les inscriptions chrétiennes. « *Déposé* en paix, » « la *déposition* de » — telles sont les expressions usitées : c'est-à-dire que les morts ne reposent en ces lieux que pour un temps, jusqu'à ce qu'ils en soient rappelés ; ils semblent avoir été confiés à une garde fidèle, mais temporaire, comme un gage ou un objet précieux. Le nom même de *cimetières* éveille l'idée que ce n'est autre chose qu'un endroit où reposent beaucoup de gens, comme dans un dortoir : ils y sommeillent pour un temps, jusqu'à ce que l'aurore paraisse et que le son de la trompette du jugement les éveille. Voilà pourquoi le tombeau ne s'appelle que *la place*, ou plus spécialement *l'étroite demeure* (*locus*, *loculus*,) de ceux qui sont décédés en Jésus-Christ.

Ces deux idées, qui se trouvent réunies dans le plan des Catacombes et qui l'ont dirigé, ne furent donc pas des innovations introduites dans le système du christianisme, mais elles datent de ses premières années, où elles eurent sans doute plus de vivacité. Elles inspiraient aussi l'horreur de la coutume païenne de brûler les morts et nous n'avons aucun indice que cet usage ait jamais été pratiqué par les chrétiens.

D'ailleurs les Catacombes elles-mêmes nous fournissent d'amples preuves de leur origine tout à fait primitive. Le style des peintures que l'on y retrouve de nos jours appartient à une époque où l'art florissait encore. Les symboles qu'elles représentent et le goût même des symboles qu'elles révèlent portent le caractère d'un temps très-reculé, car ce goût particulier tomba à la longue en décadence. Bien que les inscriptions portant des dates soient rares, cependant, parmi les dix mille qui ont été recueillies et qui vont être publiées par le savant et habile chevalier de Rossi, il y en a environ trois cents qui mentionnent des dates consulaires, depuis les premiers empereurs jusqu'au milieu du quatrième siècle (350 apr. J.-C.). Une autre coutume, aussi curieuse qu'intéressante, nous fournit le moyen de connaître l'âge des tombeaux. Au moment où l'on venait de fermer une tombe, les parents ou les amis du défunt, pour reconnaître la place où il reposait, imprimaient dans le mortier encore frais, et y laissaient quelquefois une pièce de monnaie, un camée, une pierre gravée, souvent même un coquillage ou un caillou : ce moyen de reconnaître les sépultures était nécessaire, particulièrement pour celles qui ne portaient pas d'inscriptions. Beaucoup de ces objets ont été recueillis, et l'on en trouve encore de nouveaux tous les jours. Mais il n'est pas rare, là où la pièce de monnaie ou, pour parler le langage scientifique, « la médaille » est tombée, de trouver l'empreinte qu'elle a laissée, distincte et bien visible dans le ciment, et cette empreinte indique également les dates, qui remontent souvent à Domitien et même à d'autres empereurs plus anciens.

On demandera peut-être pourquoi cette préoccupation de reconnaître le tombeau avec certitude ? Indépendamment des motifs qu'inspire une piété naturelle, il en est un entre autres dont il est toujours fait mention dans les inscriptions sépulcrales. En Angleterre, si, faute d'espace, on ne pouvait donner tout au long la date du décès de quelqu'un, on préfèrerait indiquer l'année de l'événement, au jour du mois auquel il a eu lieu. Ce renseignement a un caractère plus historique. Personne n'est curieux de connaître le jour de la mort de quelqu'un, du moment que l'année n'y est pas jointe ; mais bien que la date du jour soit souvent inconnue, celle de l'année présente toujours un puissant intérêt. Or, tandis que peu d'anciennes inscriptions chrétiennes portent l'année du décès, il y en a des milliers, au contraire, qui en indiquent le jour, et nous font savoir que le défunt a passé à une vie meilleure, plein des espérances du fidèle ou de la confiance du martyr. Cela s'explique aisément. La commémoration du décès de tout chrétien appartenant à chacune de ces deux classes, devant se célébrer annuellement, au jour précis de leur mort, il fallait donc que ce jour fût connu d'une manière positive, et c'est pour ce motif qu'il en était fait mention avec tant de précision.

Dans un cimetière[1] voisin de celui où nous avons laissé Diogène, ses fils et les trois jeunes gens, on a trouvé récemment des inscriptions confondues ensemble et appartenant aux deux catégories des morts. L'une de ces inscriptions est en grec, et, après avoir rapporté « la déposition d'Augenda, le treizième jour avant les calendes de

(1) Le cimetière des SS. Nereus et Achilleus.

juin, c'est-à-dire avant le 1er juin, » elle ajoute cette simple innovation :

ZHCAIC ENKω KAI EPωTA YΠEPHMωN	« Vis dans le Seigneur et prie pour nous. »

Un autre fragment porte :

..... N. IVN— ...... IVIBAS— IN PACE ET PETE PRO NOBIS	« ..... Nones de juin.... vis en paix et prie pour nous. »

En voici un troisième :

VICTORIA . REFRICERER [ET] ISSPIRITVS . TVS IN BONO	« Victoria, sois désaltérée et puisse ton esprit être en joie. »

Cette inscription nous en rappelle une autre très-curieuse, qui a été découverte, grattée dans le mortier, à côté d'un tombeau, dans le cimetière de Prætextatus à peu de distance de Callistus. Elle est remarquable, d'abord parce qu'elle est écrite en latin avec des caractères grecs, puis parce qu'elle renferme un témoignage de la divinité de Notre-Seigneur, enfin parce qu'elle exprime des vœux pour le repos de l'âme du défunt. Nous remplissons les lacunes occasionnées dans les mots par les mutilations que le ciment a subies.

BENE MERENTI	SORORI BON		
	VIII KAL NOB		
ΔE			
OYC	CΠI		
XPIC	PIT	ωμ	
TOYC	TOY	ανμ	
ONN	PEΦ	ρ	
IΠO	ΙΓΕΡΕ	τ	
TEC	IN ☧		

« A la bien méritante sœur Bon... le huitième jour avant les calendes de novembre. Que le Christ, Dieu tout-puissant, rafraîchisse ton âme en Christ. »

Malgré cette digression sur les prières que portent les inscriptions sépulcrales, le lecteur n'aura pas oublié, nous l'espérons du moins, que nous avons établi ce fait : c'est que l'origine des cimetières chrétiens de Rome remonte aux premiers âges de notre ère. Il nous reste à indiquer jusqu'à quelle époque on s'en est servi. Après que la paix eut été enfin rendue à l'Église, la dévotion des fidèles leur fit désirer d'être enterrés à côté des martyrs et des saints personnages qui avaient vécu dans les siècles précédents. Mais, en général, ils se contentaient d'un sépulcre sous le sol des galeries. De là viennent les pierres tumulaires que l'on découvre souvent dans les décombres des Catacombes, et parfois même dans leur place primitive, toutes portant des dates consulaires du quatrième siècle. Elles sont plus épaisses, plus larges, mieux sculptées et d'un style moins simple que celles qui sont fixées contre les murs latéraux et qui datent de périodes antérieures. Mais avant la fin de ce siècle, ces monuments deviennent de plus en plus rares, et, dans le cinquième, au plus tard, les inhumations dans les Catacombes cessent complétement. Le pape Damasus, qui mourut en 384, nous dit, dans son épitaphe, qu'il recula respectueusement devant la pensée de s'introduire ainsi dans la société des saints.

Toutes ces raisons peuvent permettre de considérer Restitutus, dont nous avons donné la pierre tumulaire en tête de ce chapitre, comme parlant au nom des premiers chrétiens, qui ont le droit de réclamer comme leur propriété et leur œuvre exclusive les trois cents lieues de la ville souterraine, avec ses millions[1] d'habitants qui sommeillent, confiants dans le Seigneur et attendant sa résurrection.

III. — CE QUE DIOGÈNE NE POUVAIT PAS DIRE AU SUJET DES CATACOMBES.

Diogène vivait vers la fin de la première période de l'histoire des Catacombes. S'il avait pu voir par anticipation leur destinée future, il aurait découvert, dans un avenir rapproché, une époque qui eût réjoui son cœur, mais qui devait être suivie d'une autre époque bien différente et qui l'aurait amèrement affligé. Bien que la matière contenue dans le présent chapitre n'ait donc pas de rapport direct avec notre récit, elle ne nous en servira pas moins à le rattacher à la topographie des lieux où nous supposons que se passèrent les événements qui en font le sujet.

Lorsque la paix et la liberté régnèrent dans le sein de l'Église, ces cimetières devinrent des centres de dévotion, vers lesquels la foule affluait. Chacun d'eux était associé aux noms d'un ou plusieurs des martyrs les plus illustres qui y étaient inhumés ; aux anniversaires de leur mort, des troupes immenses de citoyens et de pèlerins se pressaient autour de leurs tombeaux, où se célébraient les mystères divins et où se prononçaient des panégyriques en leur honneur. C'est

(1) F. Marchi les estime à ce chiffre, après un calcul réfléchi. Disons ici que, lors de la construction de ces cimetières, le sable extrait d'une galerie était jeté dans d'autres galeries déjà creusées. C'est ce qui fait qu'on trouve aujourd'hui un grand nombre de ces galeries comblées.

de là que commencèrent les premiers martyrologes ou calendriers des jours des martyrs, lesquels indiquaient aux fidèles où ils devaient se rendre[1]. « A Rome, sur la voie Salarienne, ou Appienne, ou Ardéatine, » telles sont les indications que l'on trouve presque journellement dans le martyrologe romain, annales qui n'ont fait que grossir de plus en plus, à mesure que les siècles se sont multipliés.

Celui qui parcourt cet intéressant recueil sans y apporter l'attention qu'il mérite ne se doute pas de l'importance de ces indications; cependant elles ont servi à reconnaître l'emplacement de plusieurs cimetières dont l'existence était douteuse. Une autre catégorie de documents d'une grande valeur vient encore à notre aide dans nos recherches sur le passé; mais, avant de les rapporter, nous allons jeter un coup d'œil sur les changements que la piété et la dévotion firent subir aux cimetières. Premièrement, on y construisit des entrées plus commodes et des escaliers plus praticables; des murs furent bâtis pour soutenir des galeries qui menaçaient ruine; de distance en distance, on pratiqua dans les voûtes des ouvertures en forme d'entonnoirs pour laisser pénétrer l'air et la lumière. Enfin, on érigea des basiliques et des églises, au-dessus de plusieurs des entrées, qui conduisirent généralement en ligne directe à la tombe principale, appelée à cette époque « *la confession* » de l'Église. De cette façon, en arrivant dans la ville sainte, le pèlerin visitait chacune de ces églises, coutume que l'on observe encore de nos jours; il descendait dans les

(1) Quelques-uns de ces renseignements de l'ancien *Kalendarium Romanum* peuvent trouver place ici :

III. *Non mart. Lucii in Callisti.*
VI. *Id. Dec. Eutichiani in Callisti.*
XIII. *Kal. Feb. Fabiani in Callisti et Sebastiani ad Catacumbas.*
VIII. *Id. Aug. Systi in Callisti.*

Nous avons placé ici ces renseignements sur les inhumations qui ont eu lieu dans le cimetière de Callistus, parce que, pendant que nous composions ce chapitre, nous avons reçu la nouvelle que les tombeaux et les inscriptions lapidaires de chacun de ces papes, ainsi que le tombeau et l'inscription tumulaire de saint Antherus, viennent d'être en effet retrouvés dans une chapelle de ce même cimetière de Callistus, dont l'existence a été récemment constatée d'une manière positive. On a, par la même occasion, trouvé une inscription en vers de saint Damasus :

Prid. Kal. Jan. Sylvestri in Pricillæ.
IV. Id. (*Aug. Laurentii in Tiburtina.*)
III. Kal. Dec. Saturnini in Thrasonis.

Publiée par *Ruinard.* (*Actes,* tom. III.)

cryptes, et, sans hésiter sur la route à suivre, il se rendait en ligne directe et par des galeries bien construites, jusqu'à la châsse où reposait le martyr le plus illustre, puis de là aux autres endroits qui renfermaient également des objets dignes de respect et de dévotion.

Pendant tout le cours de cette période, on ne permit l'ouverture d'aucun sépulcre, l'enlèvement d'aucun corps. Des baies pratiquées dans un tombeau permettaient d'y introduire des mouchoirs ou des voiles nommés *brandea*, que l'on faisait toucher aux reliques du martyr et que l'on envoyait ensuite dans les pays lointains pour y être conservés avec une égale vénération. Il n'est donc pas étonnant que saint Ambroise, saint Gaudentius et d'autres évêques aient eu tant de difficulté à obtenir des corps saints ou des reliques de quelque importance pour en enrichir leurs églises. Il y avait une autre espèce de reliques que l'on nommait communément « l'huile d'un martyr. » C'était l'huile, parfois mêlée de baume, de la lampe qui brûlait à côté de la tombe du saint. On trouve souvent auprès d'un monument funèbre un pilier en pierre d'environ trois pieds de haut et creusé au sommet ; il est probable que ces piliers servaient à porter ou ces lampes ou les vases dans lesquels on distribuait l'huile qu'elles contenaient. Saint Grégoire-le-Grand écrivait à la reine Théodelinde qu'il lui envoyait une collection des huiles de tous les papes qui ont souffert le martyre. La liste qui accompagnait cet envoi a été copiée par Mabillon dans le trésor de Mouza et publiée de nouveau par Ruinart[1]. Elle existe encore dans cette collection avec les mêmes fioles qui contenaient les huiles saintes et qui sont scellées dans des tubes de métal.

Cette crainte respectueuse de toucher aux reliques des saints est caractérisée d'une façon toute particulière par un fait que rapporte saint Grégoire de Tours. Parmi les martyrs les plus vénérés de l'ancienne Église romaine, se trouvaient saints Chrysantus et Daria. Leurs tombes devinrent bientôt si célèbres par les guérisons qui s'y opéraient, que les fidèles construisirent ou plutôt creusèrent, au-dessus de leurs sépultures, une chambre voûtée d'un travail merveilleux où les pèlerins venaient en foule. Le fait ne tarda pas à être découvert par les païens : l'empereur fit de toutes parts cerner le cimetière, ordonna d'en murer l'entrée et de jeter (probablement au travers du

(1) *Acta Martyrum*, tom. III.

luminare, ouverture ménagée pour l'air et la lumière) une telle quantité de terre et de pierres, que les fidèles y furent enterrés vivants, comme l'avaient été, avant eux, les saints martyrs qu'ils venaient invoquer. Ce lieu était demeuré inconnu, bien que la paix eût été rendue à l'Église : une manifestation divine le fit découvrir. Cependant on ne permit plus aux pèlerins de pénétrer dans cet endroit consacré ; une ouverture pratiquée dans la muraille laissa parvenir leurs regards non-seulement jusqu'aux tombeaux des saints martyrs, mais encore jusqu'aux restes de ceux qui avaient été ensevelis tout vifs auprès de leurs reliques. Et, comme au moment où cette exécution cruelle avait lieu, les victimes se préparaient à l'oblation de la sainte Eucharistie, on voyait encore, sur le sol, les burettes d'argent qui avaient contenu le vin nécessaire à ce sacrifice sans tache[1].

Il est évident que les pèlerins qui se rendaient à Rome pour visiter les cimetières devaient être munis de tablettes qui leur indiquassent les endroits qu'ils avaient à visiter. On conçoit aussi tout naturellement que ces pèlerins, de retour dans leurs foyers, devaient chercher à instruire et édifier leurs voisins moins favorisés qu'eux, en leur donnant des détails sur ce qu'ils avaient vu. Or, heureusement pour nous non moins que pour les sédentaires contemporains de ces pieux voyageurs, il existe encore plusieurs relations de ce genre. Parmi ces documents se placent, en première ligne, des catalogues établis dans le quatrième siècle : l'un qui a trait aux sépultures des pontifes romains, l'autre à celles des martyrs[2]. Après eux viennent trois guides différents dans les Catacombes, d'autant plus intéressants qu'ils décrivent des circuits divers les uns des autres, tout en restant merveilleusement d'accord dans les renseignements qu'ils fournissent.

Pour montrer toute la valeur de ces documents et indiquer les modifications qui ont eu lieu dans les Catacombes durant la seconde période de leur histoire, nous allons donner quelques détails relatifs à une découverte qui a été faite dans le cimetière même où nous avons laissé Diogène et ses compagnons. Parmi les décombres que le temps avait amassés à l'entrée d'une catacombe dont le nom était incertain et que l'on croyait être celle de Prætextatus, on trouva un fragment

(1) Saint Grégoire de Tours, *De Gloriâ Mart.*, liv. I, c. XXVIII. Edition Marchus, p. 81. On peut lire aussi l'épigramme de saint Damasus sur cet événement. Carm. XXVIII.

(2) Ces catalogues ont été publiés par Bucherius, en 1834.

de tablette de marbre obliquement brisée de gauche à droite et portant les lettres ci-dessous :

Tombe de... nelius, martyr.

Le jeune chevalier de Rossi déclara aussitôt que c'était un morceau de la pierre tumulaire du saint pape Cornelius; et que très-probablement, en allant plus loin, on retrouverait la tombe même du pontife, laquelle se ferait reconnaître par sa structure. Il ajouta que, comme tous les itinéraires ci-dessus mentionnés s'accordaient à la placer dans le cimetière de Callistus, celui que l'on explorait en ce moment devait avoir été honoré de ce nom et non pas de celui de Saint-Sébastien, situé à quelques centaines de pas plus loin. Il ne s'arrêta pas là et prédit même que ces itinéraires affirmant que saint Cyprien avait été inhumé auprès de Cornelius, on ne pouvait manquer de trouver auprès de la tombe de ce dernier quelques traces de la vérité de cette assertion, car on savait que le corps de saint Cyprien reposait en Afrique. Cette prédiction ne tarda pas à se réaliser. Le grand escalier[1] ayant été découvert, on trouva qu'il conduisait directement à un espace plus vaste, éclairé et aéré par le haut, et dont les parois étaient revêtues d'un ouvrage en briques portant le cachet de l'époque pacifique de l'Église. A gauche était une tombe taillée dans le roc comme toutes les autres, et sans aucun arceau extérieur au-dessus. Elle était cependant vaste et grande, et, à l'exception d'une autre creusée beaucoup plus haut, il n'existait ni au-dessus, ni au-dessous, ni sur les côtés aucun indice qui révélât d'autres sépultures. C'est là que fut retrouvée la partie brisée de la tablette de marbre; le premier fragment fut tiré du musée Kircher où il avait été déposé, et se rapporta exactement au second : tous les deux réunis couvraient la tombe dans son entier et présentaient les mots ci-dessous :

(Sépulture) de Cornélius, martyr, évêque.

Au-dessous, à partir du bas de cette pierre et descendant jusqu'au sol, se trouvait une autre tablette de marbre qui portait une inscription dont il ne reste que la partie gauche, l'autre ayant été brisée et perdue. Au-dessus de la tombe était une troisième tablette fixée dans la pierre à sablon. De cette dernière il ne restait que le côté droit et quelques fragments

(1) Nous croyons que la crypte a été découverte avant l'escalier.

qui ont été retrouvés dans les décombres. Ces fragments ne suffisaient pas pour reconstruire les lignes de l'inscription, mais ils suffisaient pour démontrer qu'elle avait été écrite en vers et composée par le pape Damasus. Quant à cette dernière assertion, comment. nous dira-t-on, prouvez-vous qu'elle est fondée? Rien de plus facile. En effet, non-seulement nous savons que ce saint pape, dont nous avons déjà parlé, prenait plaisir à faire inscrire sur les tombes des martyrs des vers qu'il aimait à composer[1]; mais encore le grand nombre de ces inscriptions qui sont parvenues jusqu'à nous révèle une espèce de caractères particuliers et d'un galbe fort élégant qui sont connus parmi les antiquaires sous ce nom de « caractères Damasiens. » Les fragments de cette tablette de marbre portent des lambeaux de vers tracés avec ces caractères.

Continuons : sur le mur à droite de la tombe et sur le même plan, étaient peints, en pied, deux personnages revêtus du costume sacerdotal, la tête entourée du nimbe, ouvrage de l'école byzantine et appartenant évidemment au septième siècle. Le long du mur, et à gauche de chacune de ces deux figures, étaient écrits leurs noms, lettre sous lettre : quelques-unes d'entre elles ont été effacées, nous les rétablissons en italique de la manière suivante[2] :

SCI✠ CORNELI PP SCI✠ CIPRIANI

On conçoit aisément qu'un étranger, lisant ces deux inscriptions et voyant ces portraits, de plus sachant que l'Eglise fait le même jour la commémoraison des deux martyrs, puisse être amené à supposer qu'ils ont reçu une sépulture commune. Enfin, à droite de la tombe, se trouve une colonne tronquée de trois pieds de haut, creusée à son sommet, semblable à celle dont nous avons parlé précédem-

(1) Ces épitaphes constituent la plus grande partie des œuvres poétiques de ce pontife.

(2) (Portraits) de saint Cornélius, pape, et de saint Cyprien. — De l'autre côté, sur une muraille étroite qui s'avance à angle droit dans la galerie souterraine, se trouvent deux autres portraits semblables. Mais un seul des deux noms est lisible, c'est celui de saint Sixte, qui est écrit là, comme partout, *Sustus*. On peut voir aussi, autour des principales peintures de cette espèce, grattés dans la chaux des murailles, en caractères du septième siècle, les noms des pèlerins qui ont visité le tombeau. Deux prêtres ont signé ainsi :

✠LEO PRB IOANNIS PRB.

Il ne sera pas sans intérêt de rappeler les indications suivantes du calendrier romain : « XVIII. *Kal. Oct. Cypriani Africæ : Romæ celebratur in Callisti.* » Le dix-huitième jour des calendes d'octobre (14 septembre), fête de Cyprien d'Afrique. Elle se célèbre à Rome dans le cimetière de Callistus

ment; et comme preuve à l'appui de l'usage que nous avons assigné à ces colonnes, nous voyons dans la liste des huiles que saint Grégoire envoya à la reine des Lombards : « l'huile de saint Cornélius » *oleum sancti Cornelii.*

Ces détails nous font donc voir que, dès la seconde période, des embellissements nouveaux, des commodités plus grandes s'introduisirent dans les cimetières primitifs, si simples jusque-là. Mais il ne faudrait pas croire pour cela qu'il y ait le moindre danger de confondre ces embellissements récents avec les productions des premiers âges. La différence qui existe entre eux est telle, qu'on prendrait plutôt un tableau de Rubens pour une toile de Beato Angelico que de prendre une peinture byzantine pour un ouvrage des deux premiers siècles de notre ère.

Nous voici arrivés à la troisième période de l'existence de ces vénérables cimetières, triste période de leur désolation. Lorsque les Lombards, et plus tard les Sarrasins, commencèrent à ravager les environs de Rome, et que les Catacombes furent exposées à la profanation, les papes en firent extraire les corps des plus illustres martyrs et les placèrent dans les basiliques de la cité. Cela se pratiqua jusqu'à la fin du huitième ou jusqu'au commencement du neuvième siècle, époques auxquelles il est encore fait mention de réparations apportées aux cimetières par les ordres des souverains pontifes. Peu à peu les Catacombes cessèrent aussi d'être des lieux de dévotion, et les églises qui avaient été élevées sur les entrées de ces asiles souterrains furent détruites ou abandonnées aux ravages du temps. Celles qui étaient fortifiées, et qui, par conséquent, pouvaient être défendues, furent les seules qui se maintinrent. Telles sont, par exemple, les basiliques situées *extra-muros*, de Saint-Paul sur la route d'Ostie, de Saint-Sébastien sur la voie Appienne, de Saint-Laurent sur la route de Tibur ou dans l'Ager Veranus, de Sainte-Agnès sur la voie Nomentane, de Saint-Pancrace sur celle d'Aurélien, et enfin, la plus considérable de toutes, celle de Saint-Pierre sur le Vatican. — La première et la dernière de ces basiliques étaient entourées de *bourgs* ou de cités, et, aux environs des autres, le voyageur peut encore de nos jours retrouver les traces des fortes murailles qui les protégeaient.

Du reste, il est à remarquer, et la chose est assez étrange en effet, que le jeune antiquaire dont nous avons déjà fréquemment rapporté le nom avec honneur a découvert deux de ces basiliques encore debout, presque entièrement conservées et sises au-dessus de l'entrée du cimetière de Callistus; l'une de ces basiliques servait d'étable et de fournil, l'autre de magasin à vins. La première est très-probablement celle que fit bâtir le pape Damasus, que nous avons déjà souvent nommé. Les terres que les pluies ont entraînées par les soupiraux d'éclairage, les dégradations commises pendant des siècles par les personnes qui s'introduisent furtivement à la faveur des vignes dans les issues non gardées, enfin l'action destructive du temps et des saisons ne nous ont laissé des anciennes Catacombes que des ruines. Cependant ce que nous en possédons est encore pour nous d'un prix inestimable. Il en reste assez pour nous permettre de vérifier l'exactitude de ces rapports qui en furent faits dans des temps meilleurs, et ces rapports nous servent pour nous guider dans la reconstruction de nos ruines. En quelques années, le pape actuel a plus fait pour ces lieux consacrés que l'on n'a jamais entrepris depuis plusieurs siècles. La commission mixte qu'il a nommée à cet effet a opéré des merveilles. Bien que ses ressources soient très-restreintes, elle poursuit son œuvre systématiquement, n'avançant qu'après avoir achevé ce qui est entrepris. Aucun objet n'est enlevé de l'endroit où il est trouvé, chaque chose est rétablie dans son état primitif, autant que faire se peut. Des copies fidèles retracent les peintures que l'on découvre, des plans se dressent pour toutes les parties explorées. Pour assurer ces excellents résultats, le pape a acheté, de ses propres deniers, des champs et des vignobles principalement à Tor Marancia, où est situé le cimetière de SS. Nereus et Achilleus. Il a acheté également, du moins nous le croyons, des terrains qui s'étendent au-dessus de celui de Callistus. L'empereur des Français, de son côté, a envoyé à Rome plusieurs artistes chargés d'un travail magnifique, et même trop magnifique peut-être, sur les Catacombes. C'est là une entreprise vraiment impériale.

Mais il est plus que temps, pour nous, d'aller rejoindre nos compagnons que nous avons laissés dans les galeries souterraines; sous la conduite de nos amis les *fossores*, nous finirons la visite de ces cités merveilleuses qu'habitait un peuple entier de saints trépassés.

IV. — CE QUE DIOGÈNE POUVAIT DIRE AU SUJET DES CATACOMBES.

Tout ce que nous avons raconté à nos lecteurs touchant la première période de l'histoire de « Rome souterraine, » ainsi que les antiquaires ecclésiastiques se plaisent à désigner les Catacombes, Diogène l'a raconté à ses jeunes auditeurs et sans doute beaucoup mieux que nous n'avons pu le faire, tandis que, le flambeau de cire à la main, il suivait lentement une longue galerie toute droite, coupée à la vérité par un grand nombre d'autres, mais dont on ne s'écartait sous aucun prétexte. De temps en temps, les visiteurs faisaient une pause pour écouter les explications qui leur étaient données, explications que nous avons réunies d'une manière si prosaïque dans notre deuxième chapitre.

A la fin, Diogène qui ouvrait la marche, tourna à droite, et Torquatus jeta autour de lui des regards inquiets :

— Je serais, dit-il, curieux de savoir combien d'allées nous avons passées, avant de quitter cette galerie principale.

— Nous en avons passé un grand nombre, répondit sèchement Severus.

— Et combien environ — dix — vingt?

— Oh! tout au moins, je suppose : car je ne les ai jamais comptées.

Torquatus les avait comptées, lui, mais il désirait être sûr de l'exactitude de ses calculs. Il s'arrêta donc, et, poursuivant ses interrogations ·

— Comment donc vous y prenez-vous, dit-il, pour reconnaître l'allée qu'il faut suivre? Oh! mais — qu'est-ce donc que ceci? et il fit semblant d'examiner attentivement une petite niche sise à l'angle du mur.

En ce moment, Severus, qui ne le quittait pas de l'œil, le vit faire une marque dans le sable.

— Allons, avançons, s'écria-t-il, ou nous perdrons les autres de vue, et nous ne saurons plus quelle route tenir. Cette petite niche est faite pour placer une lampe; vous trouverez la pareille à chaque coin des galeries. Quant à nous autres, nous connaissons tous les détours de ces souterrains, comme vous connaissez ceux des rues de la ville qui s'agite au-dessus de nous.

Torquatus parut rassuré et satisfait de ces renseignements sur les lampes des Catacombes. (On y retrouve encore aujourd'hui bon nombre de ces petits ustensiles en terre cuite qui, sans nul doute, doivent avoir été faits pour ces localités.) Toutefois le jeune homme, ne se tenant pas à cette explication, continua de compter, tout en avançant, les allées latérales qu'il dépassait; puis, tantôt sous un prétexte, tantôt sous un autre, il s'arrêtait de temps en temps, se courbait vers le sol, et s'efforçait d'en examiner de plus près les particularités et les inégalités. De son côté, Severus tenait attachés sur lui ses yeux de lynx, qui ne laissaient passer inaperçu aucun de ses mouvements.

A la fin ils arrivèrent à une arche qui s'ouvrait sur une chambre carrée, dont les murailles étaient ornées de riches peintures.

— Comment appelez-vous ce lieu? demanda Tiburtius.

— C'est une des nombreuses cryptes, *cubiculæ* (chambres), qui abondent dans nos cimetières, répondit Diogène. Ce sont parfois de simples sépultures de famille; mais généralement elles renferment la tombe de quelque saint martyr, et c'est là que nous nous réunissons pour célébrer la fête anniversaire de son triomphe. Voyez cette tombe, en face de nous, quoique à fleur de la muraille, elle est surmontée d'un cintre. Dans les occasions dont je vous parle, cette tombe sert d'autel pour la célébration des divins mystères. Vous connaissez sans aucun doute la coutume qui les fait célébrer en ce lieu.

— Peut-être, dit Pancrace, que mes deux amis, qui n'ont reçu le baptême que depuis très-peu de temps, n'ont pas encore eu l'occasion de l'apprendre; mais, quant à moi, je la connais parfaitement. C'est, à coup sûr, l'un des plus glorieux priviléges des martyrs, que celui en vertu duquel le sacré corps et le précieux sang de Notre-Seigneur sont offerts en sacrifice sur leurs cendres[1], et qui les fait ainsi

(1) — *Sic venerarier ossa libet,*
Ossibus altar et impositum ;
Illa Dei sita sub pedibus,
Prospicit hæc, populosque suos
Carmine propitiata fovet. (*Prudentius.* περὶ στεφ. III. 43.)

Pendant que le cœur plein d'une joie ineffable,
Nous vénérons en même temps,

reposer sous les pieds mêmes de Dieu. Mais examinons de plus près les peintures qui ornent cette crypte.

— C'est précisément à cause de ces peintures que je vous ai conduits dans cette chambre, de préférence à toutes les autres que renferme ce cimetière. C'est une des plus anciennes cryptes que nous possédions, et elle contient une série complète de peintures, depuis les temps les plus reculés jusqu'à ce jour. Les dernières ont été faites par mon fils.

— En ce cas, Diogène, vous voudrez bien les expliquer systématiquement à mes amis, dit Pancrace. Je crois que j'en connais quelques-unes, mais non pas toutes, et j'aurai un plaisir extrême à vous en entendre faire la description.

— Je ne suis pas un savant, répondit modestement le vieillard ; mais, quand on a vécu soixante ans dans ces Catacombes, que d'enfant on y est devenu homme, on a pu y apprendre bien des choses ignorées par d'autres, parce que je les étudiais avec le cœur. — Tous ceux qui sont ici présents ont été complétement initiés, je suppose? ajouta-t-il, après une pause d'un instant.

— Tous, répondit Tiburtius. Bien que nous ne soyons pas aussi complétement instruits que le sont d'ordinaire les convertis, Torquatus et moi nous avons cependant reçu le don sacré du baptême.

— Cela suffit, dit le fossoyeur. Les peintures de la voûte sont naturellement les plus anciennes ; elles ont été faites aussitôt après que la crypte a été formée, tandis que les murailles n'ont pu être décorées qu'après, et au fur et à mesure que les tombes y ont été creusées. Vous voyez que la voûte représente une sorte de treille, chargée de grappes. C'est peut-être l'image de notre vigne véritable, la Vigne du Seigneur, dont nous sommes les branches. Vous voyez là Orphée assis et jouant de sa lyre, dont les suaves accords touchent non-seulement les brebis de son troupeau, mais même les bêtes sauvages du désert qui, charmées, l'entourent et l'écoutent avec ravissement.

— Mais c'est là une peinture tout à fait païenne, si je ne me

Et ses restes mortels, et la divine table
Assise sur ses ossements ;
Sous les pieds du Seigneur, paisible, elle repose !
Et puis, ô sainte, tu nous vois !
Et non plus que ton cœur, ton oreille n'est close
A ces efforts de notre voix !

trompe, interrompit Torquatus, d'un ton de suffisance où perçait une légère teinte de sarcasme. Qu'y a-t-il là de commun avec le christianisme ?

— C'est une allégorie, Torquatus, répondit doucement Pancrace, et même une de nos allégories favorites. Il n'est pas défendu de faire usage des images païennes, quand elles sont inoffensives et innocentes en elles-mêmes. C'est ainsi que, dans les ornements de cette voûte, vous voyez des masques et d'autres attributs païens ; généralement ils appartiennent à une période très-ancienne. C'est ainsi également que notre divin Sauveur est souvent représenté sous l'allégorie d'Orphée, afin d'éviter que son image sainte ne soit exposée aux sacriléges et aux blasphèmes des Gentils. Regardez, là-bas, dans cette arcade, vous y verrez une autre représentation plus récente du même sujet.

— Je vois, dit Torquatus, un berger portant une brebis sur ses épaules — le Bon Pasteur. A la bonne heure, voilà qui se comprend à première vue. Je me rappelle fort bien la parabole.

— Mais pourquoi donc ce sujet est-il représenté de préférence ? demanda Tiburtius. Je l'ai déjà remarqué fréquemment dans d'autres cimetières.

— Si vous voulez regarder l'*arcosolium*[1], dit Severus, vous y verrez une représentation plus complète de cette même scène. Mais je crois que nous ferons bien de procéder par ordre et d'achever d'abord la description de la voûte. — Vous voyez cette figure, à droite ?

— Oui, dit Tiburtius, c'est la figure d'un homme qui paraît enfermé dans un coffre flottant sur l'eau, avec une colombe qui vole vers lui. N'est-ce pas une représentation allégorique du déluge ?

— En effet, dit Severus ; du déluge considéré comme emblème de la régénération par l'eau et par le Saint-Esprit, et de la rédemption du monde. C'est le symbole de notre commencement ; voici le symbole de notre fin : Jonas jeté par-dessus le bord du navire, et avalé par la baleine, puis assis heureux et tranquille à l'ombre d'un calebassier. C'est la résurrection des âmes avec Notre-Seigneur, et le repos éternel qui en est le fruit.

(1) On désignait sous ce nom les tombes voûtées. Pour s'en faire une idée familière, qu'on se figure une cheminée voûtée, et lambrissée à une hauteur de trois pieds du sol. Les peintures seraient à l'intérieur, au-dessus du lambris.

— Comme ces sujets sont convenablement placés dans ces lieux ! fit observer Pancrace en se tournant vers le côté opposé, et étendant la main : voici, ajouta-t-il, un emblème de la même consolante doctrine.

— Où cela ? demanda nonchalamment Torquatus ; je ne vois rien qu'une figure enveloppée de bandages, et se tenant debout comme un enfant colossal, dans une petite chapelle ; une autre personne est placée en face.

— Précisément, dit Severus ; c'est de cette manière que nous représentons toujours la résurrection de Lazare. Voici ensuite une touchante manifestation des espérances de nos pères aux jours de la persécution : les trois enfants de Babylone dans la fournaise ardente.

— Voilà qui est vu, dit Torquatus ; je pense que maintenant nous pouvons passer à l'examen de l'*arcosolium* et en finir avec cette chambre. Quelles sont les peintures qui l'entourent ?

— Si vous regardez à gauche, vous reconnaîtrez le miracle de la multiplication des pains et des poissons. Le poisson [1], vous le savez, est le symbole de Jésus-Christ.

— Pourquoi cela ? demanda Torquatus avec quelque impatience.

Severus se retourna vers Pancrace comme pour l'inviter à répondre, le sachant plus éclairé que lui sur ces matières.

— Il y a deux opinions différentes sur l'origine de ces emblèmes, dit le jeune homme avec sa bonne grâce habituelle. Les uns en trouvent l'explication dans le mot lui-même : c'est-à-dire que toutes les lettres qui composent le mot *ichthys*, considérées chacune comme une initiale, forment le commencement de ces mots : « Jésus-Christ, Fils de Dieu, Sauveur [2]. » Les autres la trouvent dans le symbole lui-même ; c'est-à-dire que, de même que le poisson naît et vit dans l'eau, de même aussi le chrétien naît à la vie spirituelle par les eaux du baptême et y demeure enseveli avec le Christ [3]. Aussi, le long de la route que nous venons de parcourir, vous avez dû remarquer sur les tombes, tantôt la figure d'un poisson, tantôt le nom en caractères grecs. Maintenant, continuez, Severus.

(1) Le mot est ordinairement écrit en grec, *ιΧθυς ichthys, poisson,* c'est le nom qu'on donnait familièrement à Notre-Seigneur.

(2) Ιησους Χριστος Θεου Υιος Σωτηρ. C'est l'interprétation de saint Optatus (*Adv. Parm.*, liv. III), et de saint Augustin (*de C. D.*, liv. XVIII, c. XXIII).

(3) C'est l'explication qu'en donne Tertullien (*De Baptismo*, liv. III, c. II).

— Quant à la multiplication des pains et des poissons, elle sert à nous représenter comment, dans la sainte Eucharistie, le Christ devient la nourriture spirituelle de tous[1]. En face, vous voyez Moïse, frappant de la verge le rocher d'où jaillit une source vive à laquelle tous se désaltèrent, image du Christ qui est la boisson aussi bien que la nourriture de nos âmes[2].

— Enfin, dit Torquatus, nous voici arrivés au bon Pasteur.

— Oui, ajouta Severus, il occupe le centre de l'*arcosolium*, avec sa simple tunique et ses sandales ; il porte une brebis sur ses épaules, c'est la brebis égarée du troupeau. Deux autres sont à ses côtés : le bélier vagabond à sa droite, la douce brebis à sa gauche ; l'agneau repentant occupe la place d'honneur. A ses côtés aussi vous voyez deux personnes qu'il envoie évidemment pour prêcher ses doctrines. Toutes deux sont penchées en avant et semblent s'adresser à des brebis qui n'appartiennent pas au troupeau du Bon Pasteur. De chaque côté une de ces brebis paraît ne prêter aucune attention à leurs paroles , elle continue tranquillement à brouter l'herbe du chemin , tandis que l'autre lève la tête, les regarde et les écoute avec attention. Une pluie abondante tombe sur elle : c'est la grâce de Dieu. Il n'est pas difficile d'interpréter le sens mystique de cette peinture.

— Mais, demanda Tiburtius, pourquoi cet emblème est-il le sujet favori de nos artistes ?

— Nous présumons que ces peintures et d'autres semblables appartiennent particulièrement à l'époque fatale où l'hérésie de Novatien désolait si cruellement l'Eglise, répondit Severus.

— Quelle espèce d'hérésie était-ce? demanda Torquatus du ton négligent d'un homme qui trouve qu'il perd son temps.

— Cette hérésie enseignait, dit Pancrace, et elle enseigne même encore de nos jours, qu'il y a des péchés que l'Eglise n'a pas le pou-

(1) Dans le même cimetière, il y a une autre peinture intéressante. Sur une table sont placés un pain et un poisson ; un prêtre étend les mains dessus, et en face est une jeune femme en adoration. La figure du prêtre est la même que celle qui, dans une autre fresque, est représentée administrant le sacrement du baptême. Dans une autre crypte récemment déblayée, on a trouvé des décorations très-anciennes, telles que des masques, etc,, et des poissons qui nagent, portant sur leurs dos des paniers remplis de pains et de flacons de vin.

(2) La figure de Moïse porte le type de celle de saint Pierre, tel qu'il nous est représenté dans les cimetières. Sur un verre, où une scène pareille est peinte, le personnage qui frappe le rocher porte écrit au-dessus de sa tête le mot PETRUS.

voir de remettre, des péchés tellement grands, que Dieu ne peut les couvrir de son pardon.

Pancrace ne soupçonnait pas l'impression que devaient produire ces paroles sur l'âme d'un de ses auditeurs ; mais Severus, qui ne quittait pas un instant Torquatus du regard, le vit successivement rougir et pâlir.

— Et.... cette croyance.... est une hérésie? demanda le traître en balbutiant.

— Certainement, répondit Pancrace, et une hérésie odieuse. C'est mettre une limite à la miséricorde et au pardon de Celui qui est venu pour convertir non pas les justes, mais les pécheurs. L'Eglise catholique a toujours soutenu et professé qu'un pécheur, quels que soient la noirceur et le nombre de ses crimes, peut, par un repentir sincère et véritable, en obtenir le pardon, s'il veut recourir à la pénitence, remède dont elle seule est dépositaire. C'est pour cela aussi que l'Eglise a toujours aimé si particulièrement cette parabole du Bon Pasteur, toujours prêt à courir au désert pour y chercher la brebis égarée et la ramener au bercail.

— Mais supposons, dit Torquatus, dont l'émotion allait croissant, supposons qu'un homme qui a eu le bonheur d'embrasser le christianisme, et de recevoir le don sacré du baptême, se laisse entraîner par des penchants criminels et retombe dans les fanges du vice, et — et — (sa voix expirait sur ses lèvres) — et qu'il pousse le crime jusqu'à trahir ses frères, l'Eglise ne le repousserait-elle pas de son sein et ne lui fermerait-elle point toute voie à l'espérance?

— Non, non, répondit le jeune homme : ce sont là précisément les crimes auxquels les Novatiens font allusion, et pour lesquels ils nous insultent, nous autres catholiques, parce que nous en promettons le pardon. L'Eglise, cette bonne mère, a toujours les deux bras ouverts pour recevoir et embrasser ses enfants égarés.

Une larme se fit jour sous les paupières de Torquatus; ses lèvres tremblaient, et étaient prêtes à s'ouvrir pour livrer passage à un aveu qui les brûlait; mais cela ne dura qu'un instant — comme si, au moment où le repentir lui venait au cœur, un noir poison s'y fût répandu subitement et l'y eût étouffé; le malheureux reprit son regard impassible, dur et froid, se mordit la lèvre, et dit avec un effort mal dissimulé : — Voilà certes une doctrine bien consolante pour ceux que la chose concerne.

Severus seul remarqua ce qui venait de se passer; il vit qu'une occasion de grâce avait été perdue et qu'une pensée de désespoir venait d'éteindre dans l'âme de cet homme, la flamme sainte de l'espérance. Diogène et Majus, qui s'étaient écartés un instant pour aller examiner une place où ils se proposaient de creuser une nouvelle galerie, revinrent à ce moment. Torquatus dit au vieillard :

— Nous avons vu maintenant les galeries et les cryptes ; je serais curieux de visiter aussi l'église dans laquelle nous aurons à nous rassembler.

Le digne et trop confiant fossoyeur se disposait à satisfaire à cette demande, mais l'inflexible Severus l'arrêta.

— Je pense, mon père, dit-il, qu'il est trop tard aujourd'hui ; vous savez que nos travaux nous réclament. Nos jeunes amis voudront bien nous excuser, d'autant plus qu'ils auront bientôt l'occasion de voir l'église et dans des circonstances plus favorables, le souverain pontife devant y officier en personne.

Tous se rendirent à cette raison. Ils quittèrent la crypte, et Diogène les reconduisit jusqu'à l'endroit où ils avaient quitté la longue galerie droite pour visiter la chambre aux peintures. Là, il les arrêta, fit quelques pas dans un couloir voisin, et leur dit :

— Quand vous voudrez aller à l'église, vous suivrez ce corridor et vous tournerez la première galerie à droite. Je ne vous ai conduits jusqu'ici que pour vous montrer un *arcosolium* dont les peintures sont tout à fait dignes de votre attention. Les voici : c'est la Vierge-Mère tenant entre ses bras son divin Enfant et l'exposant à l'adoration des mages de l'Orient, représentés ici au nombre de quatre, tandis que, ordinairement, on n'en mentionne que trois[1].

Tous exprimaient leur admiration à la vue de cette fresque ; mais Severus avait peine à cacher combien il était désolé de ce que son père eût satisfait si imprudemment au désir suspect de Torquatus en lui indiquant le chemin de l'église d'abord, et en attirant ensuite son attention sur cet *arcosolium* dont les peintures remarquables devaient inévitablement servir à guider les pas d'un traître, s'il s'en glissait jamais un dans ces lieux.

Dès que les visiteurs se furent retirés, il fit part à son frère de toutes les observations qu'il avait faites, en ajoutant : « Souviens-toi

(1) Il y a plusieurs peintures représentant le même sujet. Celle-ci a été découverte tout récemment, si nos souvenirs sont exacts, dans le cimetière de Nereus et d'Achilleus. Elle est bien antérieure au concile de Chalcédoine, auquel on fait remonter généralement cette manière de représenter notre Sauveur.

de cet homme : un jour il sera pour nous la cause de bien des maux ; j'ai sur lui d'étranges soupçons. »

Leur premier soin fut de faire disparaître toutes les marques que Torquatus avait faites dans le mur, à chaque angle des galeries ; mais il avait, sans doute, compté les allées latérales, aussi prirent-ils la décision de changer la route qui conduisait à l'église, en comblant le passage qui y menait et en ouvrant une autre communication à un point plus éloigné. Dans ce but et provisoirement, ils firent apporter, à l'entrée d'une des allées latérales qui coupait la galerie principale, tout le sable qui provenait des dernières excavations, et l'y laissèrent jusqu'à ce que les fidèles pussent être instruits du changement que l'on se proposait d'apporter dans ces lieux.

V. — AU-DESSUS DU SOL.

Pour remettre un peu le lecteur de cette longue excursion souterraine, nous allons le transporter en des lieux plus riants, au sein de cette belle Campanie, — de la Campanie heureuse, *Campania felix*, comme l'aurait pu nommer un écrivain ancien. Nous y avons laissé Fabiola sous l'impression de la profonde perplexité où l'a jetée la lecture des quelques phrases qu'elle a trouvées par hasard. Il lui semblait que ces phrases avaient été écrites pour elle, que c'était un message venu d'un autre monde, — mais dans quel but ? Elle brûlait du désir d'en savoir davantage sur ce point, sans toutefois oser interroger personne à ce sujet. De nombreux visiteurs étaient venus la voir le lendemain et les jours suivants ; à différentes reprises elle eût voulu soumettre à certains d'entre eux ces lignes mystérieuses, et chaque fois elle n'avait pu prendre sur elle de le faire.

D'abord ce fut une dame, dont l'existence offrait avec la sienne de nombreuses analogies, et qui, tout comme elle, était philosophiquement honnête et froidement vertueuse. Leur conversation roula tout d'abord sur les opinions à la mode et les croyances du monde élégant. Fabiola se préparait à montrer à sa visiteuse la mystérieuse feuille de vellum, pour voir ce qu'elle en dirait, mais elle s'arrêta comme si elle craignait d'en profaner le mystère. Le lendemain ce fut un vieillard instruit et savant, un homme versé dans toutes les branches de la science et de la littérature. Il l'entretint longtemps, et d'une façon pleine de charme, des doctrines sublimes et consolantes qu'enseignent les anciennes écoles de philosophie. Fabiola fut tentée de le consulter sur sa découverte, mais elle hésita encore, comme si ce papier eût contenu un mystère que le philosophe païen ne pouvait comprendre. Cette noble et hautaine Romaine avait pourtant besoin de lumière et de consolation; mais pour les trouver, lui fallait-il donc s'adresser à son esclave chrétienne? C'est ce qu'elle fit pourtant. La première fois qu'elles se trouvèrent seules, après plusieurs jours consacrés à des réceptions et à des visites, Fabiola tira de son corsage la feuille de parchemin et la montra à Syra. L'esclave tressaillit à cette vue, et une émotion dont sa maîtresse ne s'aperçut point illumina son visage. Lorsque Syra releva la tête, après avoir achevé sa lecture, elle était parfaitement calme.

— C'est un papier, dit Fabiola, que j'ai emporté par méprise de la villa de Chromatius. J'ai lu ces lignes, et je ne puis les éloigner de mon esprit, qu'elles troublent et embarrassent.

— Et pourquoi, ma noble maîtresse? le sens de ces lignes est pourtant assez simple.

— C'est vrai, mais c'est précisément cette simplicité qui me trouble ainsi. Ma nature se révolte contre le sentiment qu'elles expriment; il me semble qu'on doit mépriser un homme qui n'éprouve pas de ressentiment d'une injure reçue, qui ne se venge pas et qui ne rend pas haine pour haine. Pardonner serait déjà beaucoup; mais rendre encore le bien pour le mal! c'est là, à mon avis, exiger de la nature humaine un sacrifice au-dessus de ses forces. Et pourtant, quoique cette conduite me semble révoltante, je ne puis oublier que c'est précisément pour te l'avoir vue tenir un jour que j'en suis arrivée à concevoir pour toi de l'estime et de l'attachement.

— Oh! ne parlez pas de moi, ma chère maîtresse, mais considérez simplement le principe; vous l'estimez et vous l'honorez dans d'autres personnes encore. Méprisez-vous ou respectez-vous Aristide, pour avoir rendu service à un ennemi grossier, en écrivant, sur sa demande, son propre nom sur l'écaille qui le condamnait à l'exil? Méprisez-vous, en votre qualité de dame romaine, ou honorez-vous la mémoire de Coriolan pour le généreux pardon qu'il accorda à son ingrate patrie?

— Il est bien vrai que je les ai tous les deux en grande vénération,

Syra; mais tu n'ignores pas sans doute que ceux dont tu me parles étaient des héros et non pas des hommes tels qu'on en rencontre chaque jour.

— Et pourquoi ne serions-nous pas tous des héros et des héroïnes? demanda Syra en riant.

— Jupiter nous en garde! mon enfant. Quelle vie nous mènerions, si cette supposition devait se réaliser! C'est une chose très-séduisante que de lire les hauts-faits de ces hommes prodigieux, mais je crois qu'on serait fort contrarié de voir ces mêmes hauts-faits exécutés par le premier venu, et tous les jours.

— Pourquoi cela? demanda la servante.

— Pourquoi cela? serait-ce chose agréable, dis-moi, pour une jeune mère, que de trouver, en rentrant au logis, son enfant en train de jouer dans son berceau avec des serpents? serait-ce une satisfaction bien grande pour elle que de savoir que cet enfant est de force à étrangler ces monstres? Quant à moi, j'éprouverais un médiocre plaisir, si l'un des convives que j'admets à ma table s'avisait de me raconter froidement, comme quoi le matin même il a tué un minotaure ou brûlé une hydre; ou si un ami venait me proposer de détourner le cours du Tibre pour nettoyer mes étables. Que Jupiter nous préserve d'une génération de héros! je le répète. Et Fabiola, après avoir très-sérieusement développé ce paradoxe, se mit à rire. Tout en partageant cette gaieté, Syra continua :

— Mais supposons que nous ayons le malheur de vivre dans une contrée infestée par des monstres, tels que les centaures et les hydres, les minotaures et les dragons; ne serions-nous pas bien aises de trouver sous la main, des « premiers venus » assez héroïques pour nous en débarrasser, au lieu d'être obligées d'envoyer quérir, à l'autre bout du monde, un Thésée ou un Hercule pour nous venir en aide? Or, en pareil cas, l'homme qui lutterait contre ces monstres et les dompterait ne serait guère plus héroïque pour cela que ne le sont les tueurs de lions dans ma patrie.

— C'est assez vrai, ce que tu dis là; mais je ne devine pas où tu veux en venir.

— Voici, ma noble maîtresse; la colère, la haine, la soif de la vengeance, l'ambition, l'avarice, sont, à mon sens, des monstres aussi réels que les serpents et les hydres, et ils s'attaquent aussi bien aux hommes ordinaires qu'aux grands hommes. Pourquoi n'essayerais-je pas de les combattre tout aussi bien que l'ont fait Aristide, Coriolan, ou Cincinnatus? Pourquoi laisser aux seuls héros le soin de faire ce que nous pouvons faire nous-mêmes?

— Et considères-tu vraiment cette lutte comme un principe de morale ordinaire? S'il en est ainsi, j'ai bien peur que tu n'élèves tes prétentions trop haut.

— Non, ma chère maîtresse. Vous avez été surprise aussi, lorsque je me suis permis de vous affirmer que la vertu intérieure et cachée n'est pas moins nécessaire que la vertu extérieure et visible : je crains fort de devoir vous causer bien d'autres étonnements encore.

— Continue, continue; parle sans hésiter, et dis-moi tout.

— Eh bien donc, le principe du système que je professe est celui-ci : que nous devons considérer et pratiquer non-seulement comme un acte de vertu ordinaire, mais même comme un simple devoir, toutes les actions que les autres doctrines, quelque pures et quelque sublimes qu'elles soient, considèrent comme des actes d'héroïsme et des preuves d'une vertu transcendante.

— Certes, c'est là se créer un type sublime d'élévation morale; mais note bien la différence qui existe entre les deux cas. Le héros est encouragé et soutenu par les louanges du monde; chaque fois qu'il triomphe de ses passions ou qu'il accomplit quelque action sublime, l'acte qu'il pose est célébré et transmis à l'admiration de la postérité. Mais, qui voit, qui applaudit l'homme humble et ignoré? qui imite sa conduite dans l'ombre et le mystère? qui s'en inquiète? qui le récompense?

Syra, d'un geste plein de solennité et de respect, montra le ciel du regard et de la main et répondit lentement : « Son père, qui est dans le ciel, qui fait luire son soleil sur les bons et sur les méchants, et qui fait tomber la pluie du ciel pour l'injuste comme pour le juste. »

Fabiola resta quelques instants sans proférer une parole, comme anéantie sous le poids d'une admiration craintive; puis elle dit, d'un ton empreint d'une affection respectueuse :

— Cette fois encore, Syra, ma philosophie en défaut est vaincue. Ta sagesse est solide autant qu'elle est sublime. D'après toi, une vertu héroïque devient, bien qu'invisible, la vertu journalière imposée à tous. Pour atteindre un but semblable, il faudrait que l'homme l'emportât de beaucoup, même sur les dieux tels que nous nous les représentons. Mais l'idée seule d'une perfection pareille vaut toute une philosophie. Peux-tu me conduire encore dans des régions plus élevées?

— Oh ! oui, dans des régions plus élevées encore.

— Et où me conduiras-tu à la fin?

— A un endroit où votre cœur vous avertira qu'il a trouvé la paix.

VI. — DÉLIBÉRATIONS.

Il y avait déjà quelque temps que la persécution sévissait en Orient sous Dioclétien et Galère; et le décret qui ordonnait de l'étendre dans toutes les parties de l'empire d'Occident était parvenu entre les mains de Maximien. Ce n'était pas une persécution ordinaire; car il avait été résolu d'en faire une guerre non pas de répression, mais d'extermination, et d'effacer le nom de chrétien de la surface de la terre. Personne ne devait être épargné : d'abord il fallait faire tomber sous le glaive les chefs de la religion, après quoi la boucherie s'étendrait jusqu'aux individus les plus obscurs des classes pauvres. A cet effet, il était nécessaire de se concerter sur les mesures d'exécution, afin que tous les agents de destruction pussent fonctionner avec ensemble de cruautés; il fallait que tous les instruments possibles fussent mis en œuvre pour assurer la réussite des efforts dirigés contre l'Eglise; il fallait que la majesté d'un ordre impérial ajoutât sa grandeur et son retentissement au coup terrible qui devait anéantir le christianisme et les chrétiens.

Pour ce motif, l'empereur, bien qu'impatient de commencer son œuvre de sang, avait cédé à l'avis de ses conseillers et consenti à tenir l'édit secret jusqu'au jour où il pût être publié simultanément dans toutes les provinces et dans tous les gouvernements de l'Ouest. De cette manière, le nuage orageux, tout chargé de haines et de vengeances, devait rester pendant quelque temps suspendu, comme un lugubre et menaçant mystère, sur la tête de ses victimes, puis éclater soudainement et décharger à la fois sur elles ses multiples éléments : « le feu, la grêle, la neige, la glace et le tonnerre. »

Ce fut dans le courant de novembre que Maximien Hercule convoqua la réunion du conseil dans lequel ses plans devaient être définitivement adoptés. Les premiers officiers de sa cour, soldats et fonctionnaires civils, y assistaient. Le principal d'entre eux, le préfet de la cité, avait amené avec lui son fils Corvinus, auquel il voulait confier le commandement d'un corps de « poursuivants, » sicaires armés, choisis et recrutés parmi les ennemis les plus acharnés et les plus implacables des chrétiens, et chargés de les poursuivre et de les traquer partout, et à toute outrance. Les préfets et les gouverneurs de Sicile, d'Italie, d'Espagne et des Gaules étaient présents aussi pour recevoir leurs instructions. En outre, l'empereur avait invité un certain nombre de savants, de philosophes, de rhéteurs et d'orateurs, parmi lesquels se trouvait notre ancienne connaissance, Calpurnius ; enfin un grand nombre de prêtres, venus de toutes les parties de l'empire, pour réclamer un redoublement de persécution, avaient également reçu l'ordre d'assister à la délibération impériale.

Les empereurs, ainsi que nous avons déjà eu l'occasion de le dire, avaient leur résidence habituelle sur le mont Palatin. Ils en possédaient cependant une autre qu'ils affectionnaient particulièrement, et que Maximien Hercule surtout préférait. Sous le règne de Néron, l'opulent sénateur Plantius Lateranus avait été accusé de conspiration, et, tout naturellement, puni de mort. Ses immenses propriétés avaient été confisquées par l'empereur. Sa demeure, qui en faisait partie, était d'une étendue colossale et d'une magnificence telle, que Juvénal et plusieurs autres écrivains en parlent avec admiration. Elle était délicieusement située sur le mont Célius, à l'extrémité méridionale de la cité ; du haut de ses terrasses, la vue s'étendait à loisir sur une perspective sans rivale dans tous les environs de Rome. Plongeant au loin dans la campagne onduleuse, accidentée d'aqueducs gigantesques, coupée de routes et de voies que borde une frange de tombeaux en marbre, semée d'éclatantes villas enchâssées, comme des pierreries, dans le sombre émail des lauriers et des cyprès, l'œil allait s'arrêter sur les collines empourprées par le soleil du soir, aux flancs desquelles s'étendaient, nonchalantes, Albe et Tusculum avec « leurs filles, » suivant l'expression orientale, qui semblaient se baigner dans les rayons du couchant. A la gauche du spectateur, les montagnes sabines élevaient leurs arêtes rocheuses, tandis qu'à sa droite, la mer, se déroulant comme une nappe d'or, fermait cet admirable paysage.

Cependant ce serait faire honneur à Maximien d'une qualité dont il était absolument dépourvu que d'attribuer sa préférence pour cette résidence si admirablement située à un sentiment d'amour pour le beau. Cette préférence n'avait d'autre motif que la splendeur des bâtiments, qu'il avait encore ornés et embellis lui-même, et peut-être aussi les facilités que la situation lui procurait de sortir de la ville pour aller chasser le sanglier ou le loup. Originaire de Sirmium, en Sclavonie, né par conséquent au sein de la barbarie, homme de la plus humble extraction, simple soldat de fortune, sans éducation, sans autre qualité qu'une certaine force brutale qui lui avait fait donner le surnom d'Hercule; il avait été élevé à la pourpre impériale par son confrère en barbarie Dioclès, qui s'appelle dans l'histoire l'empereur Dioclétien. Comme lui, cupide jusqu'à la bassesse et prodigue jusqu'à l'extravagance, livré aux mêmes vices et aux mêmes crimes honteux dont une plume chrétienne se refuse à tracer les noms; sans aucune mesure dans ses passions, sans aucune idée de justice, sans aucun sentiment d'humanité, ce monstre n'avait pas cessé un instant d'opprimer, de persécuter ou d'abattre quiconque se rencontrait sur sa route. Il considérait la persécution qui se préparait du même œil qu'un glouton considère l'approche d'un festin ou d'une orgie dont la brutale exagération pourra rompre la monotonie grossière de ses excès de chaque jour. D'une taille gigantesque, avec les traits bien connus de sa race, la tête et le visage couverts de cheveux et de poils plutôt jaunes que roux, rudes et hérissés comme des brins de paille; avec des yeux inquiets et hagards roulant sans cesse dans leurs orbites, empreints d'une expression où se confondaient le soupçon, la férocité et la luxure, ce dernier des tyrans de Rome inspirait, par sa seule vue, la terreur et l'effroi dans les cœurs de tous, les chrétiens seuls exceptés. Est-il donc étonnant que de cette pieuse secte il exécrât tout, jusqu'à son nom même?

Ce fut donc dans la grande basilique, ou salle d'honneur au palais Lateran, *ædes Lateranæ*, que Maximien réunit son conseil composé d'éléments si divers et dont tous les membres devaient, sous peine de mort, garder le redoutable secret. L'empereur avait pris place dans l'abside semi-circulaire de la salle, sur un trône d'ivoire richement orné. Devant lui était groupée par ordre de préséance la tourbe obséquieuse de ses lâches conseillers tremblants devant lui. Un détachement de gardes choisis veillait à l'entrée; et l'officier qui les commandait, Sébastien, se tenait négligemment appuyé contre une des colonnes de la porte, ne paraissant prêter aucune attention aux débats; mais, en réalité, notant avec soin, dans sa mémoire, la moindre parole prononcée par les assistants.

Il se doutait peu, cet empereur, que l'édifice dans lequel il siégeait en ce moment, et qu'il donna plus tard à Constantin, avec le palais qui y était contigu, comme une partie de la dot de sa fille Fausta, — il se doutait peu, disons-nous, que Constantin en ferait don, à son tour, au chef de cette religion qu'il cherchait alors à anéantir, et que cette salle, conservant son nom de basilique de Lateran, deviendrait la cathédrale de Rome « la mère et la première de toutes les églises de la ville et du monde[1]. » Il ne s'imaginait guère qu'à ce même endroit où se trouvait alors son trône s'élèverait une chaire, du haut de laquelle seraient rendus des décrets qui seraient portés jusque dans des mondes inconnus à la domination romaine, par une race immortelle de souverains spirituels et temporels.

Par un acte de courtoisie religieuse, on donna d'abord la parole aux prêtres. Chacun d'eux avait son histoire à rapporter. Ici, une rivière avait débordé ses rives et fait un tort considérable aux localités avoisinantes; là, un tremblement de terre avait renversé la moitié d'une ville; sur les frontières septentrionales, grondait la menace d'une invasion de Barbares; au midi, la peste exerçait des ravages effrayants parmi les populations fidèles au culte païen. Dans chacun de ces cas, les oracles consultés avaient déclaré que tous ces fléaux devaient être attribués aux chrétiens, dont la présence trop longtemps tolérée avait irrité les dieux et dont les maléfices avaient attiré le malheur sur l'empire. Bien plus, quelques-uns de ces oracles avaient déclaré ouvertement à leurs adeptes « qu'ils resteraient silencieux aussi longtemps que l'odieuse race des Nazaréens ne serait pas exterminée; » et le grand oracle de Delphes n'avait pas hésité à proclamer que « *le Juste* ne permettait pas aux dieux de parler! »

Ensuite vint le tour des philosophes et des rhéteurs. Chacun d'eux développa longuement ses théories obscures et embarrassées que Maximien n'écouta pas sans donner des signes évidents d'impatience. Mais, comme les empereurs d'Orient, ses collègues, avaient tenu un conseil de même nature, il croyait de son devoir de supporter également l'ennui de ces discours. Toutes les calomnies habituelles furent répétées pour la dix millième fois, aux applaudissements de l'assemblée, qui éprouvait surtout un plaisir particulier à entendre les récits d'enfants massacrés et servis dans des banquets, des crimes honteux et innommés, d'adorations des corps des martyrs, de culte

(1) Inscription qui se trouve sur le fronton et les médailles de la basilique de Lateran.

et d'honneurs rendus à une tête d'âne; enfin d'accusations peu logiques sur l'incrédulité des chrétiens et leur refus de reconnaître un Dieu. Tous ces contes étaient crus à la lettre, bien que ceux qui les racontaient fussent persuadés que c'étaient autant de grossiers mensonges païens, qui n'avaient d'autre mérite que de servir fort utilement à entretenir l'horreur du christianisme.

A la fin, se leva un homme, que tous considéraient comme ayant fait une étude approfondie des doctrines de l'ennemi et comme le mieux versé dans ses dangereuses tactiques. Il avait lu, — on le savait, — les livres même des chrétiens et on ajoutait même qu'il en préparait une réfutation écrasante, devant laquelle toutes leurs erreurs devaient disparaître. Et, en effet, sa parole avait parmi les siens une autorité si grande, que, s'il avait affirmé que les chrétiens professaient quelque principe monstrueux, le souverain pontife lui-même se présentant pour le démentir eût été accueilli par des rires ironiques, et personne n'eût songé un instant à préférer les assertions du pape à celles de Calpurnius.

Ce savant homme plaça la discussion sur un terrain tout différent, et l'érudition qu'il déploya étonna même ses confrères en sophisme. Il avait lu, disait-il, les livres originaux, non-seulement des chrétiens, mais même ceux des Juifs, leurs prédécesseurs; ces derniers, s'étant introduits en Egypte sous le règne de Ptolémée Philadelphe, pour échapper à une disette qui désolait leur pays, parvinrent, grâce aux artifices de leur chef, nommé Joseph, à acheter tout le grain qui se trouvait en Egypte et à l'envoyer dans leur patrie. Sur ce, Ptolémée les fit emprisonner, leur disant que, comme ils avaient mangé tout le grain, ils allaient être condamnés à se nourrir de paille en faisant des briques pour la construction d'une grande cité. Plus tard, Démétrius de Phalère, qui leur avait entendu raconter force histoires curieuses sur leurs ancêtres, fit saisir Moïse et Aaron, deux des plus savants d'entre eux, et leur ayant fait raser la moitié de la barbe, les tint enfermés dans une tour jusqu'à ce qu'ils eussent écrit en langue grecque toutes leurs légendes. Calpurnius avait vu ces livres rares et curieux, et il allait en citer quelques passages. Cette race juive faisait la guerre à tous les rois et à tous les peuples qu'elle rencontrait sur son chemin, et elle les détruisait tous. Ils avaient pour principe, chaque fois qu'ils s'emparaient d'une ville, d'en passer tous les habitants au fil de l'épée; et tout cela, parce qu'ils étaient sous le gouvernement de leurs prêtres ambitieux, fanatiques, qui les conduisaient à leur gré; si bien que, lorsqu'un certain roi, Saül, appelé aussi Paul, se permit d'épargner un pauvre monarque du nom d'Agag qu'il avait fait prisonnier, les prêtres ordonnèrent qu'on le leur amenât, puis ils le firent couper en morceaux.

« Or, aujourd'hui, poursuivit-il, ces chrétiens sont toujours sous la domination de ces mêmes prêtres, et ils sont tout aussi disposés qu'autrefois, sous leur direction, à renverser le grand empire romain, à nous brûler jusqu'au dernier dans le Forum, et même à porter une main sacrilége sur les têtes sacrées et vénérables de nos divins empereurs. »

Un frémissement d'horreur circula dans l'assemblée à ce récit émouvant. Mais bientôt le silence se rétablit, car l'empereur avait fait signe qu'il voulait parler.

— Pour ma part, dit-il, j'ai une autre raison bien plus forte encore pour détester ces chrétiens. Ils ont osé établir au cœur de l'empire, et cela dans cette ville même, une suprême autorité religieuse, inconnue jusqu'ici, indépendante du gouvernement de l'Etat et aussi puissante sur l'esprit des sectaires que notre gouvernement lui-même. Autrefois tous reconnaissaient l'empereur comme le chef suprême en religion comme en politique. C'est même à cause de ce pouvoir universel qu'il porte encore le titre de « Pontifex Maximus. » Mais ces hommes ont élevé une puissance divisée de la nôtre, et, par conséquent, leur fidélité pour nous n'est plus entière; c'est pourquoi je hais, comme une usurpation de mes pouvoirs, cette autorité sacerdotale qu'on veut établir sur mes sujets; et je déclare sans hésiter que j'aimerais mieux entendre dire qu'un nouveau rival veut s'emparer de mon trône que de voir l'élection d'un de ces prêtres dans la ville de Rome[1]. »

Ce discours, débité d'une voix rude et avec un accent étranger plein de vulgarité, fut accueilli par l'auditoire avec enthousiasme, et l'on forma aussitôt des plans pour la publication simultanée de l'édit dans toute l'étendue de l'empire d'Occident, et pour son exécution complète et impitoyable.

(1) Ce sont textuellement les paroles de Décius, à propos de l'élection de saint Cornelius au siége de saint Pierre. « Cum multo patientius audiret lævari adversum se æmulum principem, quam constitui Romæ Dei sacerdotem. » (Saint Cyprien, *Ep. LII, ad Antonianum*, p. 69, Edit. de Maur.) Serait-il possible de fournir une preuve plus forte pour démontrer que, du temps de l'empire païen, le pouvoir des papes était extérieur et sensible, au point même d'exciter la jalousie des empereurs.

L'empereur, s'adressant brusquement alors à Tertullus, lui dit :

— Préfet, vous m'avez dit que vous aviez quelqu'un à me proposer pour présider à tous ces arrangements, un homme qui poursuivra ces traîtres sans répit ni miséricorde.

— Il est ici, seigneur, c'est mon fils Corvinus.

Et Tertullus, prenant par la main le jeune candidat persécuteur, le conduisit au pied du trône du tyran, où il fléchit le genou. Maximien le considéra quelque temps d'un œil perçant, puis il poussa un hideux éclat de rire et dit :

— Sur ma parole, je crois que voilà bien notre affaire. En vérité, préfet, je ne soupçonnais guère que vous eussiez un fils si parfaitement affreux. Je suis convaincu qu'il remplira son rôle à merveille ; toutes les qualités d'un être sans cœur, sans conscience et sans pitié sont empreintes sur son visage.

Puis, se tournant vers Corvinus qui était pourpre de rage, de terreur et de honte, il lui dit : — Songe bien, drôle, que j'attends de toi de la besogne bien faite ; pas de boucheries maladroites, pas de bévues. Quand on me sert bien, je paie bien ; mais je paie bien aussi quand on me sert mal. Te voilà prévenu ; va donc : mais souviens-toi que tu as un dos pour répondre des petites fautes et une tête pour répondre des grandes. Les faisceaux des licteurs contiennent une hache aussi bien que des verges.

L'empereur se levait pour se retirer, quand son regard rencontra celui de Fulvius qu'il avait fait mander en sa qualité d'espion salarié de la cour, mais qui s'était tenu jusque-là autant que possible sur l'arrière-plan. — Holà ! mon digne Levantin, s'écria-t-il, venez donc par ici, que je vous dise deux mots !

Fulvius s'empressa d'obéir avec une satisfaction apparente, mais en réalité avec une répugnance extrême ; c'était absolument comme s'il eût été invité à s'approcher d'un tigre enchaîné, mais dont la chaîne ne lui offrait pas toutes les garanties de sécurité désirables. Il avait compris, dès le premier jour, que son arrivée à Rome n'avait pas été vue d'un bon œil par Maximien, bien qu'il n'eût pu deviner les causes de cette aversion. Ce n'était pas simplement parce que le tyran avait déjà, autour de lui, trop de favoris à enrichir et d'espions à payer, sans que Dioclétien crût devoir lui en envoyer encore du fond de l'Asie, bien que celui-ci eût son prix ; mais il y avait un autre motif encore. Maximien était convaincu que Fulvius lui avait été envoyé avec la mission principale et cachée de l'espionner lui-même et de rapporter à Nicomédie les faits et les gestes de la cour de Rome. Ainsi, tout en étant obligé de le tolérer et de l'employer, il se défiait de lui et ne l'aimait pas. — Or ne pas aimer, pour Maximien, c'était haïr. Aussi fut-ce pour Corvinus une compensation à sa propre honte, quand il entendit l'empereur interpeller publiquement son complice aussi grossièrement qu'il l'avait fait pour lui-même.

— Assez de ces regards patelins et hypocrites, mon drôle : il me faut des actions, et non pas des grimaces. On vous a envoyé ici comme un fameux dénicheur de complots, une sorte de limier dressé à détourner vers moi les conspirateurs du fond de leurs repaires ou à éventer leurs traces. Or jusqu'ici je n'ai rien vu de pareil encore, et pourtant il m'en a coûté beaucoup d'argent déjà pour vous établir. Eh bien, mon limier, voici une chasse qui s'ouvre, les chrétiens sont le gibier qu'il s'agit de traquer; préparez-vous donc à nous montrer ce dont vous êtes capable. Vous savez mes façons d'agir, ouvrez donc les yeux autour de vous ; sinon je pourrais bien me passer la fantaisie de vous les fermer pour toujours[1]. Les biens des condamnés seront, comme par le passé, partagés entre les accusateurs et le trésor, à moins que je ne voie des raisons particulières, pour garder le tout pour moi. Vous voilà prévenu : allez.

La plupart des assistants ne doutaient pas que ces « raisons particulières » ne dussent devenir, par leur application, la règle générale.

VII. — UNE TRISTE FIN.

Fabiola était revenue de la campagne depuis quelques jours. Sébastien, en ayant été informé, crut de son devoir de se rendre chez elle, afin de lui faire connaître le secret que lui avait révélé l'entretien de Corvinus et de la négresse, autant toutefois qu'il pouvait le faire sans leur causer un mal inutile. Nous avons déjà remarqué que, de tous les nobles jeunes gens qui fréquentaient la maison de son père, un seul avait su exciter l'admiration et le respect de la jeune fille : c'était

(1) Il y a ici un jeu de mots qu'il est impossible de rendre en français autrement que par un équivalent.

Sébastien. Si franc, si généreux, si brave, et cependant si modeste, si complaisant, si bienveillant dans ses actions et dans ses paroles, si peu soucieux de lui-même et si attentif pour les autres, il réunissait complétement en un seul caractère, la noblesse et la simplicité, la haute sagesse et le sens pratique ; aussi Fabiola le considérait-elle comme le type le plus accompli de la vertu mâle et guerrière. C'était un de ces hommes dont les qualités se font chaque jour apprécier davantage et qui ne perdent rien à être vus dans l'intimité.

Aussi lorsqu'on lui annonça que le tribun Sébastien désirait lui parler en particulier et qu'il l'attendait dans une des salles du rez-de-chaussée, son cœur battit avec une violence inusitée, et mille suppositions étranges sur l'objet possible de cette entrevue se présentèrent à son esprit. Cette agitation ne diminua point lorsque, après avoir fait ses excuses sur ce que sa visite avait de déplacé en apparence, Sébastien fit observer avec un sourire que, sachant combien elle était déjà ennuyée des obsessions des nombreux candidats qui se disputaient sa main, il regrettait de devoir lui apprendre qu'un soupirant nouveau, et non déclaré jusqu'à ce jour, allait grossir la liste. Cette préface ambiguë la surprit d'abord, et peut-être même lui inspira certain orgueil secret ; mais ce mouvement fut bien vite comprimé, lorsque Sébastien ajouta qu'il voulait parler du vulgaire et stupide Corvinus. Fabiola l'avait entendu qualifier de ces épithètes malsonnantes par son père lui-même, qui, bien que peu délicat sur le choix des amis qu'il associait à sa table, n'avait pu voir sans dégoût la conduite de Corvinus à son dernier banquet.

Sébastien, qui redoutait plutôt l'influence physique que l'action morale des philtres de la négresse, crut devoir informer sans retard la jeune fille du pacte criminel qu'avaient formé les deux complices en magie, bien qu'il ne doutât point que ce pacte n'eût point d'autre objet que de tirer de l'argent de la bourse trop serrée d'une dupe peu généreuse.

Naturellement, Sébastien ne toucha pas un mot de ce qui, dans leur conversation, avait eu trait aux chrétiens ; il se borna à mettre Fabiola sur ses gardes, et elle lui promit d'empêcher les excursions nocturnes de son esclave nécromancienne. La jeune patricienne ne crut pas un instant qu'Afra eût l'intention de tenter d'exécuter l'engagement qu'elle avait pris ; d'ailleurs elle ne redoutait nullement ces sciences mystérieuses pour lesquelles elle n'éprouvait que du mépris. Et, en effet, le monologue d'Afra, après le départ de sa dupe, semblait indiquer clairement qu'elle n'avait voulu qu'exploiter la crédulité d'un sot. Mais Fabiola n'en était pas moins indignée d'apprendre qu'elle avait été mise à prix par ces deux misérables, et qu'on l'avait représentée comme une femme avaricieuse et cupide, qu'on pouvait obtenir à prix d'or.

— Je sens, dit-elle enfin à Sébastien, tout ce qu'il y a de généreux de votre part d'être ainsi venu me mettre sur mes gardes; j'admire la délicatesse dont vous avez entouré un message d'une nature si désagréable, et la bienveillance avec laquelle vous avez traité chacun de ceux qui s'y trouvaient mêlés.

— Je n'ai fait dans cette circonstance, répliqua le soldat, que ce que j'aurais fait pour toute autre personne que je croirais pouvoir préserver de quelque peine ou de quelque danger.

— Je présume que vous ne voulez parler que de vos amis, n'est-ce pas? dit Fabiola en riant, car autrement votre vie tout entière se passerait ainsi en actes de bienveillance qui ne vous rapporteraient rien.

— Et quand il en serait ainsi, peut-on en faire un meilleur emploi?

— Vous ne parlez pas sérieusement sans doute, Sébastien? Si vous voyiez un homme qui vous aurait toujours haï, et qui aurait cherché même à vous faire périr, menacé d'un malheur qui rendît sa haine impuissante, étendriez-vous la main pour le sauver et pour le secourir?

— Certainement, je le ferais. Tandis que Dieu fait luire son soleil et répand sa pluie également sur ses ennemis et sur ses amis, une faible créature humaine oserait-elle adopter une autre règle de justice?

A ces paroles, Fabiola tressaillit de surprise; elles présentaient une analogie frappante avec celles du parchemin mystérieux, elles étaient identiquement pareilles aux théories morales de son esclave Syra.

— Vous avez été en Orient, je crois, Sébastien, demanda-t-elle tout à coup; est-ce là que vous avez appris de pareils principes? C'est que j'ai près de moi une personne, une esclave que j'ai voulu affranchir, et qui, de son plein gré, est restée dans la servitude, bien qu'elle possède des idées morales d'une rare élévation. Cette femme m'a développé les mêmes propositions, et elle est Asiatique.

— Ce n'est pas dans un pays étranger que j'ai appris ces principes qui vous étonnent, madame ; je les ai puisés, en naissant, dans le lait de ma mère ? mais, sans aucun doute, ils nous ont été apportés d'Orient.

— Certes, ce sont des théories magnifiques, considérées dans leur abstraction, dit Fabiola ; mais je crois que la mort viendrait nous surprendre avant d'avoir pu en exécuter la moitié, si nous voulions en faire les règles de notre conduite.

— Et dans quelles conditions meilleures la mort pourrait-elle, je ne dis pas nous surprendre, mais nous prendre, sinon dans l'exécution de notre devoir, quand même nous n'aurions pas eu le temps de l'accomplir jusqu'au bout ?

— Pour ma part, reprit la jeune femme, je dis comme le vieux poète épicurien : Ce monde est un banquet, que je serai disposée à quitter lorsque j'en serai rassasiée — *ut conviva satur* (comme un convive rassasié) — mais pas auparavant. Je désire pouvoir lire jusqu'à la dernière page le livre de la vie, et le fermer ensuite tranquillement après l'avoir parcouru à mon aise d'un bout à l'autre.

Sébastien secoua la tête et dit avec un sourire :

— La dernière page du livre de ce monde se rencontre quelquefois au milieu du volume, là où se trouve ce mot « la mort ; » mais à la page suivante commence le livre illuminé d'une seconde vie, et celui-là n'a pas de page finale.

— Je vous comprends, répondit gaîment Fabiola, vous êtes un brave soldat et vous parlez en conséquence. *Vous* devez toujours être préparés à la mort, attendu que mille accidents imprévus vous menacent ; *nous*, au contraire, nous ne la voyons que très-rarement approcher d'une manière subite et violente : elle s'y prend plus miséricordieusement, elle use de ménagements conformes à notre faiblesse. Vous aspirez sans doute à une mort glorieuse, en tombant sur le champ d'honneur, la poitrine criblée de flèches ennemies. Vous songez au bûcher des funérailles du soldat, et aux trophées glorieux qui le décorent. Pour vous, je le conçois, s'ouvre après la mort cette page radieuse du livre de la gloire.

— Vous me comprenez mal, noble dame ! s'écria Sébastien d'un ton solennel. Ce n'est pas là ce que j'ai voulu dire. Je ne me soucie guère de cette gloire dont on ne peut jouir que par avance et en imagination. Je parle de la mort telle qu'elle se présente tous les jours, de la mort vulgaire, de celle qui m'est commune avec le plus pauvre esclave, de celle qui consume du feu lent de la fièvre, qui envahit pas à pas avec la phthisie, qui ronge par degrés avec de hideuses plaies, ou même, si vous le voulez, de la mort qu'inflige la cruauté des hommes. Sous quelque forme qu'elle se présente, la mort me vient d'une main que j'aime.

— Et vous prétendez réellement que cette mort, telle que vous l'envisagez, serait la bienvenue auprès de vous ?

— Je l'accueillerais avec autant de joie qu'en ressent l'épicurien, lorsque les portes de la salle du banquet s'ouvrent à deux battants, et qu'il voit apparaître, aux rayons des lampes dorées, la table du festin tout éblouissante et chargée de mets délicats, entourée de coéphores aux lèvres souriantes, aux fronts couronnés de roses ; je tressaillerais de plaisir comme la fiancée, quand on lui annonce la venue de son fiancé qui s'avance les mains pleines de riches présents, pour la prendre et la conduire à sa nouvelle demeure. Telle sera la joie de mon cœur, lorsque la mort, sous quelque forme qu'elle se présente, ouvrira devant moi les portes — de fer de ce côté, mais d'or pur de l'autre — qui donnent accès dans une nouvelle et éternelle vie. Peu m'importe qu'il soit horrible à voir, le messager qui viendra m'annoncer l'approche de Celui dont la beauté est céleste.

— Et celui-là, quel est-il ? demanda vivement Fabiola. Ne peut-on le voir qu'à travers les doigts décharnés du squelette de la mort ?

— Non, répondit Sébastien, car c'est Lui qui doit nous récompenser, non-seulement pour notre vie, mais aussi pour notre mort. Heureux ceux dont les cœurs, dans les plus secrets replis desquels il a toujours lu, se sont conservés purs et innocents, et dont les actions ont toujours été vertueuses. C'est à eux qu'est réservée l'apparition glorieuse de Celui qui seul est leur véritable récompense.

« Oh ! comme ces paroles ressemblent aux doctrines de Syra ! » se disait Fabiola. Mais, avant qu'elle eût pu parler pour demander d'où venaient ces doctrines, la portière de la salle se souleva, et un esclave, s'arrêtant respectueusement sur le seuil, dit à sa maîtresse :

— Madame, un courrier vient d'arriver de Baïa[1].

— Pardonnez-moi, Sébastien ! s'écria-t-elle. Faites entrer cet homme immédiatement.

Le messager entra ; il était tout couvert de poussière et paraissait exténué de fatigue. Son cheval était haletant à la porte. Le courrier présenta à Fabiola un paquet cacheté.

(1) Ville de bains près de Naples, où se réunissait le monde élégant.

Celle-ci trembla en le recevant, et tandis qu'elle défaisait les bandes de l'enveloppe d'une main mal assurée, elle demanda avec hésitation :

— C'est de mon père?

— Il est question de lui, du moins, Madame.

A cette réponse de sinistre augure, Fabiola tressaillit; elle acheva de déchirer l'enveloppe, ouvrit la feuille, y jeta un regard égaré, poussa un cri et tomba évanouie. Sébastien la retint dans ses bras, avant qu'elle eût touché le sol, il la porta sur une couche et la laissa discrètement aux mains de ses femmes que le cri d'effroi de leur maîtresse avait fait accourir.

D'un coup d'œil Fabiola avait tout compris : son père était mort.

VIII. — PLUS TRISTE ENCORE.

Quand Sébastien arriva dans la cour, il y trouva un petit groupe de domestiques réunis autour du courrier, écoutant les détails qu'il leur donnait sur la mort de leur maître.

La lettre que Torquatus avait été chargé de lui porter avait produit tout l'effet désiré. Fabius s'était empressé de se rendre à sa villa, et y avait passé plusieurs jours avec sa fille, avant de partir pour l'Asie. Il lui avait témoigné plus d'affection encore qu'à l'ordinaire, et, quand ils s'étaient séparés, le père et la fille semblaient prévoir que cette entrevue devait être la dernière. Mais à Baïa, où il s'était rendu ensuite, Fabius n'avait pas tardé à oublier ces impressions fâcheuses au milieu des joyeux compagnons qui l'y attendaient avec impatience; il crut devoir y séjourner plusieurs jours, en attendant qu'on achevât d'approvisionner de vins délicats et des fruits les plus recherchés que produisait la Campanie la galère qui devait le transporter en Asie. Pendant ce temps, il se livrait avec excès à tous les plaisirs luxueux dont il s'était fait une habitude, et un soir, au sortir du bain, à la suite d'un souper copieux, il fut pris d'un frisson mortel — vingt-quatre heures après il expirait. Il avait laissé tous ses biens à sa fille unique. Au moment où le courrier avait quitté Baïa, on s'occupait d'embaumer le corps de Fabius, que sa galère devait rapporter à Ostie.

En entendant ce triste récit, Sébastien regretta vivement d'avoir parlé, comme il l'avait fait, à la jeune fille au sujet de la mort, et il quitta la maison en proie aux plus tristes pensées.

Pour la première fois de sa vie, Fabiola venait de tomber dans l'abîme de la douleur : aussi la chute fut-elle profonde et cruelle ; elle alla jusqu'à ravir à la jeune fille toute conscience de son être. La force de la jeunesse et de l'esprit la ramenant à la surface de ce gouffre, la vie lui apparut alors comme un océan sans bornes, aux vagues noires et houleuses, sur lesquelles seule elle flottait vivante. Son malheur lui semblait complet et démesuré ; elle ferma les yeux en frémissant et se laissa retomber dans la torpeur, jusqu'à ce que la douleur vînt l'en retirer. Et encore et toujours, elle se sentait ballottée sans trêve ni repos, entre la vie et la mort, tandis que ses femmes lui prodiguaient leurs soins empressés, tremblant à chaque instant de la voir succomber dans un évanouissement ou dans les convulsions. A la fin elle se souleva sur sa couche, pâle, les yeux secs et hagards ; elle repoussa doucement la main qui s'efforçait de lui présenter des secours. Longtemps elle demeura ainsi : une stupeur mortelle semblait s'être emparée d'elle ; ses yeux étaient devenus presque insensibles à l'action de la lumière, et l'on craignait que son cerveau ne vînt à s'égarer. Le médecin, qui avait été appelé, crut alors devoir faire retentir à son oreille la question suivante qu'il prononça distinctement et avec force : « Fabiola, savez-vous que votre père est mort ? » Elle tressaillit, tomba à la renverse, et un torrent de larmes vint soulager à la fois son cœur et son esprit. Elle parlait de son père, elle l'appelait au milieu de ses sanglots et lui adressait des paroles incohérentes et insensées. Parfois elle paraissait croire qu'il était vivant encore, puis elle se souvenait brusquement que la mort l'était venue saisir, et ses sanglots et ses larmes recommençaient avec une violence nouvelle. Cela dura ainsi tant qu'à la fin, épuisée et rendue, elle succomba à la fatigue et laissa envahir par le sommeil son corps et son esprit brisés.

Euphrosyne et Syra veillèrent seules auprès d'elle. La première avait de temps en temps prodigué à sa maîtresse les banalités des consolations païennes, en lui rappelant combien était bon le maître, combien était honnête le citoyen, combien était aimant le père qu'elle avait perdu. Mais l'esclave chrétienne gardait le silence ; quand elle parlait, ce n'était que pour adresser à sa maîtresse des paroles affectueuses et consolantes, et elle la servait avec une délicatesse active que, dans l'égarement même de sa douleur, Fabiola sentait et comprenait. Que pouvait-elle faire davantage, si ce n'était de prier? quel autre espoir pouvait-elle nourrir, sinon qu'une grâce nouvelle fût cachée dans cette cruelle épreuve, comme l'est une fleur dans son bouton; ou qu'un ange radieux pût descendre du sombre et lugubre nuage qui couvrait de son ombre sa maîtresse humiliée sous la douleur?

Quand la première violence de cette douleur fut calmée, la réflexion vint prendre sa place; elle se présenta à Fabiola sous une forme sinistre et oppressive. Qu'était devenu son père? où était-il allé? avait-il simplement cessé de vivre, ou était-il retombé dans un néant absolu? *sa* vie avait-elle été recherchée et livrée à l'examen de cet œil qui voit même l'invisible? avait-il été soumis à cet examen sévère dont avaient parlé Sébastien et Syra? Impossible! Mais alors qu'était-il devenu? La jeune fille frémit à cette pensée, et chercha à s'y dérober.

Oh! que n'eût-elle pas donné pour qu'un rayon de cette lumière inconnue, perçant les profondeurs mystérieuses du tombeau, lui eût montré ce qu'il était! La poésie avait prétendu éclairer ces abîmes, elle avait tenté même de les glorifier; mais en vérité, elle n'avait pu en franchir le seuil, et était restée à la porte comme un génie emblématique, la tête pendante et la torche renversée. La science aussi avait voulu y jeter un regard; mais elle en était sortie hâve et étiolée, ses ailes ternies et sa lampe éteinte au contact empesté de cet air fétide — la science n'avait trouvé que des chairs décomposées et corrompues. La philosophie s'était hasardée tout au plus à rôder autour de ce mystère terrible, et à y jeter un regard timide et craintif; mais elle avait reculé bientôt, et par ses vains discours ou ses mépris affectés, elle avait reconnu son impuissance à résoudre le problème, à dévoiler le mystère. Oh! que n'eût-elle pas donné pour que quelque chose ou quelqu'un la pût tirer de cette désolante perplexité!

Tandis que ces pensées gonflent le cœur de Fabiola dans un triste silence, son esclave jouit de la vision de lumière, qui surgit revêtue d'une forme mortelle, radieuse et translucide, des profondeurs du tombeau où elle a laissé derrière elle les qualités grossières de la matière, sans toutefois détruire l'essence de sa nature. Elle est idéalisée et libre, elle est aimable et glorieuse, et pourtant elle sort d'un foyer d'infecte corruption. Et cette vision n'est pas unique, elle se répète, elle se multiplie ; l'une surgit des entrailles de la terre, l'autre des abîmes de la mer ; du cimetière méphitique et du pied de l'autel consacré ; du fond du taillis ombreux et écarté où un juste est tombé victime d'un meurtre solitaire, comme des anciens champs de bataille où Israël combattait pour Dieu. Comme le jet d'eau limpide s'élance dans les airs, comme la fusée monte et se perd dans les cieux, ainsi s'envolent radieuses les âmes des justes, jusqu'à ce que, groupées et réunies par millions, elles repeuplent la création et commencent une nouvelle vie, joyeuse et éternelle. Et comment sait-elle cela? Parce qu'il en est Un, plus grand et meilleur que les poètes, que les sages et que les philosophes, Qui en a fait le premier l'épreuve, Qui, le premier, est descendu dans la couche ténébreuse de la mort, Qui l'a bénie comme Il avait béni le berceau et comme Il avait sanctifié l'enfance, rendant ainsi la mort une chose sainte, et faisant du tombeau un sanctuaire. Il y est entré durant les ténèbres du soir, et il en est sorti dans les splendeurs du matin ; Il y a été déposé dans un linceul embaumé d'aromates, et Il en est sorti vêtu de sa seule incorruptibilité, radieuse et céleste. Et, à partir de ce jour, la tombe a cessé d'être un objet de crainte pour l'âme chrétienne, car elle a continué d'être ce qu'il l'avait faite — le sillon dans lequel doit être jetée la semence de l'immortalité.

Le temps n'était pas encore venu de parler de pareilles choses à Fabiola. Elle continuait à se désoler, comme se désolent ceux dont le cœur est fermé à l'espoir. Ses journées s'écoulaient dans de longues et lugubres méditations sur le mystère de la mort ; mais bientôt d'autres soins vinrent fort heureusement la relever de ses angoisses. Le cadavre de Fabius arriva d'Ostie, et on lui prépara des funérailles telles que Rome en voyait alors rarement. Cortége funèbre éclairé de torches et que décoraient les images en cire des ancêtres de Fabius ; bûcher gigantesque de bois aromatiques et arrosé des plus précieux parfums de l'Arabie, tout fut prodigué par Fabiola pour ne recueillir, après tout, que quelques poignées d'ossements calcinés, qui, lorsqu'ils eurent été déposés dans une urne d'albâtre, portant le nom de celui auquel ils avaient appartenu, furent placés dans une niche de la sépulture de famille.

Calpurnius prononça l'oraison funèbre, dans laquelle, conformément aux idées alors à la mode, il s'attacha à faire ressortir le contraste des vertus de l'industrieux et hospitalier citoyen avec la fausse moralité de ces hommes appelés chrétiens, qui priaient et jeûnaient tout le jour, insinuaient traîtreusement leurs dangereux principes dans toutes les familles nobles, et répandaient la fourberie et l'immoralité dans toutes les classes de la population. « Fabius, s'écria l'orateur, s'il est vrai qu'il y ait une existence future — et sur ce point les philosophes sont loin d'être d'accord — Fabius, en ce moment, repose mollement couché sur les gazons embaumés des Champs élyséens, s'enivrant du plus pur nectar. Oh! continua d'une voix émue le vieil hypocrite, qui eût été bien fâché d'échanger un goblet de vin de Falerne contre une amphore[1] de ce breuvage divin, — oh! que les dieux daignent hâter le jour où moi, son humble client, je pourrai le rejoindre dans ce lieu de repos plein de fraîcheur et m'associer à ses sobres banquets! » Ces nobles sentiments soulevèrent dans l'auditoire de sympathiques applaudissements.

A ces soins en succédèrent d'autres. Fabiola fut obligée d'appliquer toute son intelligence à examiner et à régler les affaires très-compliquées de son père. Que de fois, pendant ce travail, ne découvrit-elle pas avec douleur la trace de transactions qui lui semblaient injustes, frauduleuses! Que de preuves d'exactions et d'oppressions commises par celui que le monde applaudissait et louait comme le plus honnête et le plus intègre des fournisseurs publics!

Quelques semaines s'écoulèrent ainsi; puis Fabiola, vêtue de deuil, sortit pour aller visiter ses amies. La première visite entre toutes fut pour sa cousine Agnès.

IX. — LE FAUX FRÈRE.

Nous sommes obligés de faire faire au lecteur quelques pas en arrière dans l'histoire de Torquatus. Le lendemain de la fatale soirée de sa chute, il trouva, en s'éveillant, Fulvius debout au chevet de sa couche. C'était le fauconnier qui, ayant mis la main sur un bon épervier, venait l'apprivoiser et le dresser à lier pour lui la timide colombe — service que devait payer un esclavage grassement nourri. Avec tout le sang-froid d'un maître expérimenté, il lui remit en mémoire chacune des circonstances qui avaient marqué la débauche de

(1) Large vase de terre à deux anses, dans lequel on conservait le vin

la nuit précédente; il lui rappela sa ruine et le seul moyen qui lui restait de la racheter. Il s'attacha avec une impitoyable précision à fortifier chacun des fils de ce réseau qu'il avait tissé la veille, et il eut soin d'en resserrer étroitement les mailles.

Voici quelle était la position de Torquatus : s'il faisait le moindre pas vers ses frères en christianisme — démarche que Fulvius déclarait devoir être complétement inutile — il était immédiatement livré aux juges, et puni d'une mort cruelle; tandis que, s'il restait fidèle à son pacte de trahison, sa fortune était faite.

— Vous êtes excité et vous avez un peu de fièvre, dit enfin Fulvius en terminant; une promenade à l'air frais du matin vous fera beaucoup de bien. Venez!

Le malheureux obéit. Ils se dirigèrent vers le Forum, et à peine y étaient-ils arrivés, qu'ils rencontrèrent Corvinus, comme par hasard. Après un échange mutuel de salutations, Corvinus dit : « Je suis charmé de vous rencontrer; venez donc avec moi, que je vous montre le laboratoire de mon père. »

— Son laboratoire? demanda Torquatus étonné.

— Oui, l'endroit où il serre les outils de son métier; c'est très-curieux, on vient justement de les restaurer et de les compléter entièrement. C'est là, devant nous, et le vieux Catulus montre sa mine rébarbative par la porte qu'il vient d'ouvrir.

Ils entrèrent dans une cour spacieuse, autour de laquelle régnait un hangar rempli d'instruments de tortures de toutes formes et de toutes grandeurs. En les apercevant, Torquatus tressaillit et fit un mouvement en arrière.

— Entrez, mes maîtres, n'ayez pas peur, dit le vieux tortionnaire. Le feu n'est point encore allumé à l'heure qu'il est, et personne ne vous fera de mal, à moins que vous ne soyez, — ce dont Jupiter vous garde! — de cette abominable race des chrétiens. C'est exprès pour eux que nous avons remis à neuf tous nos instruments.

— Catulus, dit Corvinus, montre donc à ce jeune homme, qui est étranger, l'usage de ces charmants outils que tu as ici.

Catulus, dans son empressement tout cordial, leur fit parcourir son musée d'horreurs, leur expliquant l'usage et les effets de chaque objet, avec un luxe de détails et des plaisanteries interminables, peu faites pour être reproduites ici. Dans son enthousiasme, il faillit donner à Torquatus une démonstration pratique de ses procédés; en voulant lui faire juger de près l'action de ses tenailles, il pensa lui enlever une oreille, et manqua de lui briser les dents en faisant jouer son lourd maillet à deux pouces de son visage.

Il leur montra aussi les chevalets qui servaient à disloquer les membres, un immense gril, une chaise de fer contenant un fourneau destiné à la faire rougir, de vastes chaudières pour les bains d'huile et d'eau bouillantes, des cuillers qui servaient à fondre le plomb et à l'introduire ensuite délicatement dans la bouche des patients; des tenailles, des crochets et des peignes de fer de différentes dimensions, qui servaient à mettre à nu les côtes et les os; des scorpions, sorte de martinets garnis de balles de plomb ou de fer; des colliers, des menottes et des brodequins de fer de la forme la plus ingénieusement cruelle; enfin des épées, des coutelas et des haches en grande variété. Catulus s'étendit avec une véritable complaisance sur l'emploi de ces affreux instruments, se réjouissant par avance de les voir bientôt appliqués à ces odieux chrétiens, « qui avaient, disait-il, la tête et la peau si dures[1]. »

Torquatus était complétement anéanti. Ses deux bourreaux l'emmenèrent aux bains d'Antonin, où il attira l'attention du vieux Cucumio, le *capsarius*, (l'homme chargé du soin du vestiaire), et de sa femme Victoria, qui l'avaient vu précédemment à l'église. Après un large repas, il fut conduit à la salle de jeu des Thermes. Il joua, et, tout naturellement, il perdit. Fulvius lui prêta de l'argent, en ayant soin d'exiger un gage pour chaque obole empruntée. Grâce à ces moyens, le malheureux chrétien fut, en moins de quelques jours, complétement à la merci de ses ennemis.

Ils se voyaient le matin et le soir; durant la journée, Torquatus était complétement libre, et il fallait qu'il le fût, de peur qu'il ne devînt inutile en éveillant les soupçons des chrétiens. Corvinus s'était bien promis de frapper un grand coup aussitôt que l'édit de proscription serait publié. A cet effet, il exigea de Torquatus, comme sa part du complot, que l'espion étudierait particulièrement les êtres du principal cimetière dans lequel le souverain pontife devait officier. C'est aussi ce que fit Torquatus, et sa visite au cimetière de Callistus n'avait d'autre objet que l'accomplissement de sa promesse. Lorsque s'était livrée dans son âme cette lutte suprême de la grâce contre le péché, lutte qui avait frappé l'attention de Severus, ce fut l'image de

(1) Ces instruments de torture sont mentionnés dans les *Actes des Martyrs* et dans les écrits des historiens ecclésiastiques.

Ce fut un épouvantable spectacle ! On voyait cette chair si tendre s'élever et se fendre au-dessus du feu. (P. 223.)

Catulus et de ses innombrables instruments de torture, et le souvenir de Fulvius et de ses nombreux gages de créance, qui firent pencher la balance du côté de la perdition. Corvinus, après avoir reçu le rapport de l'espion, dressa un plan grossier des détours du cimetière et arrêta le projet de l'envahir dès l'aurore, le lendemain même de la publication de l'édit.

Fulvius prit une autre voie. Il résolut de chercher à connaître, de vue, les principaux membres du clergé et les chrétiens les plus marquants de Rome. Une fois en possession de cette connaissance, il était bien sûr qu'aucun déguisement ne parviendrait à les cacher à son regard perçant, et qu'il les ferait tous aisément tomber en son pouvoir, l'un après l'autre. C'est pour cette raison qu'il exigea que Torquatus l'emmenât avec lui et le fît assister, comme son compagnon, à la première cérémonie religieuse qui devait réunir autour du pape un nombre considérable de prêtres et de diacres. Torquatus voulut élever des objections, exprimer des craintes ; mais Fulvius dissipa les unes, combattit les autres et donna à son complice l'assurance, qu'une fois introduit dans le sanctuaire à la faveur du mot de passe, il agirait et se conduirait en toutes choses comme un véritable chrétien. Peu de jours après, Torquatus lui fit savoir qu'une excellente occasion de mettre ses projets à exécution allait s'offrir bientôt, à la prochaine ordination qui devait se faire dans le courant du mois de décembre où l'on venait d'entrer.

X. — L'ORDINATION DE DÉCEMBRE.

Quiconque a lu l'histoire des premiers papes doit, sans aucun doute, être familiarisé avec un fait rapporté presque invariablement de chacun d'eux : c'est que, tous les ans, au mois de décembre, ils faisaient une grande ordination générale, dans laquelle ils créaient autant de prêtres, de diacres et d'évêques que les localités l'exigeaient. Les prêtres et les diacres étaient appelés à desservir les églises et les chapelles de la cité romaine, tandis que les évêques étaient envoyés dans d'autres diocèses. Plus tard, les jours de Quatre-Temps, réglés par la fête de sainte Luce, furent choisis de préférence par le souverain pontife, pour tenir ses consistoires, dans lesquels il nommait ses cardinaux, prêtres et diacres, et préconisait (c'est le terme consacré) les évêques de toutes les parties du monde ; et, quoique cette cérémonie ne coïncide plus aujourd'hui avec les périodes d'ordination, elle continue cependant à être essentiellement employée au même objet.

Marcellinus, sous le pontificat duquel nous avons placé les événements dont se compose ce récit, a fait deux ordinations, qui, toutes deux, ont eu lieu dans le mois de décembre de deux années différentes. C'est une de ces ordinations à laquelle nous avons fait allusion, comme devant se faire dans un temps très-prochain.

Où cette cérémonie solennelle devait-elle avoir lieu? ce fut la première demande de Fulvius. Nous ne doutons pas que la réponse qui lui fut faite ne soit de nature à intéresser l'antiquaire chrétien. D'ailleurs nous ne ferions connaissance avec l'ancienne Eglise romaine que d'une manière très-incomplète, si nous ignorions l'endroit privilégié que choisissaient successivement tous les pontifes pour prêcher et célébrer les divins mystères, le lieu dans lequel ils tenaient leurs conciles, et ces ordinations glorieuses qui donnaient aux autres églises non-seulement des évêques, mais des martyrs pour chefs. C'est là que saint Laurent reçut le diaconat; que saint Novatus et saint Timothée reçurent la prêtrise. C'est là aussi qu'un Polycarpe ou un Irénée visitèrent le successeur de saint Pierre. C'est là enfin que reçurent leur commission les apôtres qui convertirent notre roi Lucius à la foi.

La maison qu'habitaient les pontifes romains, et l'église dans laquelle ils officiaient, jusqu'au jour où Constantin les installa dans le palais et la basilique de Lateran ; la résidence et la cathédrale de cette illustre succession de papes-martyrs qui honora l'Eglise pendant trois cents années, ne peut être une maison sans gloire. Et afin que, dans la description que nous en voulons donner, nous ne soyons pas égarés par des préjugés nationaux ou personnels, nous suivrons le récit d'un savant antiquaire, encore vivant aujourd'hui, qui, dans des recherches dirigées vers un autre objet, a réuni accidentellement tous les faits qui se rapportent à notre sujet[1].

Nous avons dit que la maison des parents d'Agnès était située dans le *vicus Patricius*, c'est-à-dire la rue Patricienne. Cette rue

(1) « *Sopra l'antichissimo altare di legno, rinchiuso nell'altare papale, etc.* » — Sur le plus ancien autel de bois, renfermé dans l'autel papal de la très-sainte basilique de Lateran. » (*Par monseigneur D. Bartolini.* Rome, 1852.)

avait encore un autre nom; on l'appelait aussi la rue des Cornélius, *vicus Corneliorum*, parce que c'était là que demeurait l'illustre famille de ce nom. Le centurion que convertit saint Pierre[1] appartenait à cette famille, et il est fort possible que, grâce à son intervention, l'apôtre étant à Rome fut présenté au chef de sa famille, Cornélius Pudens.

Ce dernier était sénateur; il avait épousé Claudia, noble dame anglaise; et un fait étrange à noter, c'est que l'impur poète Martial rivalise de décence avec les plus chastes écrivains, dans l'épithalame qu'il composa en l'honneur de ces deux vertueux époux.

Ce fut dans leur maison que vécut saint Pierre; et son collègue, l'apôtre saint Paul, les compte au nombre de ses plus intimes amis, comme le prouve cette phrase d'une de ses épîtres : « Eubulus et Pudens, et Linus et Claudia, et tous les frères te saluent[2]. » C'est de cette demeure donc que partaient les évêques que le prince des apôtres envoyait dans toutes les directions pour propager la foi du Christ et mourir pour elle. Après la mort de Pudens, la maison devint la propriété de ses enfants ou de ses petits-enfants, deux fils et deux filles[3]. Ces dernières sont mieux connues, parce qu'elles ont obtenu une place dans le calendrier général de l'Eglise, et parce qu'elles ont donné leurs noms à deux des plus illustres églises de Rome, celle de Sainte-Praxède et celle de Sainte-Pudentiana. C'est cette dernière qu'Alban Butler appelle « la plus ancienne église du monde[4], » qui marque en même temps la place du *vicus Patricius* et celle de la maison de Pudens.

A Rome, comme dans toutes les autres cités, le sacrifice eucharistique n'était célébré originairement que dans une seule place, et par l'évêque seul. Et même, après que de nombreuses églises eurent été élevées, et quand les fidèles se réunissaient, la communion leur était apportée de l'autel unique par les diacres et distribuée par les prêtres. Ce fut le pape Evariste, le quatrième successeur de saint Pierre, qui multiplia les églises de Rome dans des circonstances pleines d'intérêt.

Ce pape fit deux choses. D'abord il décida qu'aucun autel ne pourrait être construit à l'avenir autrement qu'en pierre, et que tous ces autels seraient bénis et consacrés. En second lieu, « il distribua les *titres*, » c'est-à-dire qu'il divisa Rome en paroisses, aux églises desquelles il

(1) *Actes des Apôtres*, X.
(2) II *Timothée*, IV, 21.
(3) On parle d'un second Pudens, un frère cadet peut-être.
(4) Le 19 mai.

donna le nom de *titres*. Le rapport de ces deux actes sera évident pour tous ceux qui liront le chapitre XXVIII de la Genèse, dans lequel, après que Jacob eut joui de la vision angélique pendant qu'il dormait, la tête appuyée sur une pierre, l'écrivain sacré dit : « Et dans la frayeur dont il se trouva saisi, il ajouta : Que ce lieu est terrible ! C'est véritablement la maison de Dieu et la porte du ciel. Jacob, se levant donc le matin, prit la pierre qu'il avait mise sous sa tête, et l'érigea comme monument, répandant de l'huile dessus[1]. »

L'Eglise ou l'oratoire où se célébraient les mystères sacrés était réellement, pour les chrétiens, la maison de Dieu ; et l'autel de pierre qui y était érigé était réellement consacré par l'onction de l'huile qu'on y versait, — et qu'on y verse encore aujourd'hui, car la loi d'Evariste est encore en vigueur dans toute sa plénitude; et c'est ainsi que l'église devenait un titre ou un monument[2].

Deux faits très-intéressants résultent de ce récit. Le premier, c'est que, jusqu'à cette époque, il n'y avait qu'une seule église à Rome avec un autel ; et nul n'a contesté que cette unique et première église ne fût celle qui a été connue, depuis et jusqu'à ce jour, sous le nom de Sainte-Pudentiana. Le second, c'est que cet unique autel, le seul qui eût existé jusqu'alors, n'était pas de pierre. C'était, en réalité, l'autel de bois employé par saint Pierre et conservé dans cette église jusqu'au jour où saint Sylvestre le transporta dans la basilique de Lateran, dont il forme le maître-autel[3]. Nous en concluons, en outre, que la loi n'eut pas d'effet rétroactif, et que l'autel de bois des premiers papes fut conservé dans cette église où il avait été d'abord érigé, bien que, de temps en temps, on ait pu l'enlever provisoirement pour s'en servir en d'autres lieux.

Par conséquent, l'église du *vicus Patricius*, qui existait antérieurement à la création des *titres* (*tituli*), n'en était elle-même pas un ; elle continua d'être l'église épiscopale ou plutôt l'église pontificale de Rome. Le pontificat de saint Pie Ier, de 142 à 157, forme une des

(1) Versets 17 et 18.

(2) Nous croyons inutile d'entrer dans les détails des interprétations classiques du mot *titulus*.

(3) Il n'y a que le pape seul qui puisse dire la messe sur cet autel, ou un cardinal, quand il y est autorisé par une bulle spéciale. Ce maître-autel a été récemment décoré avec beaucoup de magnificence. Une planche de l'autel de bois a toujours été conservée dans l'autel de Sainte-Pierre, à l'église de Saint-Pudentiana. Elle a été récemment comparée avec le bois de l'autel de Lateran, et la matière a été trouvée identique.

plus intéressantes périodes de l'histoire de cette église pour deux raisons :

D'abord, ce pape, sans altérer le caractère de l'église elle-même, y ajouta un oratoire dont il fit un *titre*[1], et qu'il confia à la direction de son frère Pastor, ce qui fit donner à l'oratoire le nom de *titulus Pastoris*. Ce fut pendant longtemps la désignation du cardinalat attaché à cette église, ce qui prouve, en outre, que l'église elle-même était plus qu'un titre.

En second lieu, c'est sous le pontificat de saint Pie que vint à Rome pour la seconde fois, et y souffrit le martyre, le digne et savant apologiste saint Justin. En comparant ses écrits avec ses *Actes*[2], nous arrivons à certaines conclusions intéressantes, au sujet du culte chrétien dans ces temps de persécution.

« Dans quel endroit les chrétiens se réunissent-ils? lui demande le juge. — Croyez-vous, répond le saint, que nous nous réunissions tous dans une seule et même place? Il n'en est pas ainsi. — Mais quand on lui demande où il demeurait et dans quels lieux il se réunissait avec ses disciples, il répond : — J'ai demeuré jusqu'ici près de la maison d'un certain Martin, aux bains dits de Timothée. C'est la seconde fois que je viens à Rome, et je ne connais pas d'autre endroit que celui que je viens de désigner. » Les bains Timothéens ou bains de Timothée faisaient partie de la maison de la famille Pudens, et c'est là que nous avons vu Fulvius et Corvinus un certain jour se donner rendez-vous. Novatus et Timothée étaient les frères des saintes vierges Praxède et Pudentiana ; et c'est par cette raison que les bains s'appelèrent successivement Novatins et Timothéens, en passant d'un frère à l'autre.

Donc saint Justin demeurait en cet endroit, et, *comme il n'en connaissait pas d'autres à Rome*, c'est là aussi qu'il célébrait les offices du culte divin. Les règles seules de l'hospitalité l'auraient décidé ainsi. Dans son apologie, saint Justin, décrivant la liturgie chrétienne, naturellement telle qu'il l'avait vue, parle du prêtre officiant dans les termes qui prouvent suffisamment qu'il fait allusion à l'évêque ou pasteur suprême de l'endroit. En effet, non-seulement il lui donne le titre conféré dans l'antiquité aux évêques[3], mais encore il le représente comme

(1) La chapelle Gaetani s'élève aujourd'hui sur l'emplacement de cet oratoire.

(2) Publiés en tête de l'édition Mauriste de ses œuvres, ou dans Ruinart, I.

(3) Ο Προεστως, *præpositus*, (Heb., XIII, 17.) Ο των Ρωμαιων προεστως, Βικτως. (Victor, évêque des Romains, Eusèbe H. E. L. v, 24.) C'est absolument la même expression que celle qu'emploie saint Justin.

celui qui prend soin des orphelins et des veuves, comme celui qui secourt les malades, les indigents, les prisonniers et les étrangers recommandés en qualité d'hôtes ; comme la personne, en un mot, « qui a la charge de soulager tous ceux qui sont dans le besoin. » Or, cette personne ne pouvait être autre que l'évêque, c'est-à-dire le pape lui-même.

Nous devons faire observer, en outre, que l'histoire nous apprend que le pape saint Pie a érigé des fonts baptismaux permanents, dans cette église, ce qui est une autre prérogative de la cathédrale, prérogative qui a été transférée avec l'autel papal à la basilique de Lateran. On rapporte, en outre, que le saint pape Étienne (257 après Jésus-Christ) a baptisé le tribun Nemesius et sa famille, avec un grand nombre d'autres encore, dans le titre de Pastor[1]; et ce fut là que le saint diacre Laurent distribua aux pauvres les riches vases de l'église.

Par la suite, ce nom a fait place à un autre, mais le lieu est resté le même, et il ne peut exister de doute que l'église de Sainte-Pudentiana n'ait été, pendant les trois premiers siècles, l'humble cathédrale de Rome.

Ce fut donc vers ce lieu que Torquatus, bien à contre-cœur, consentit à conduire Fulvius, pour le faire assister à l'ordination de décembre.

Nous trouvons, soit dans les inscriptions sépulcrales, soit dans les martyrologes, soit dans l'histoire ecclésiastique, d'abondantes traces de tous les ordres sacrés, tels qu'ils sont encore conférés aujourd'hui dans l'Église catholique. Les inscriptions rapportent plus communément peut-être les noms de lecteur ou d'exorciste. Nous donnerons de chacun d'eux un exemple capable d'intéresser.

CINAMIVS OPAS LECTOR TITVLI FASCIOLE AMICVS PAVPERVM
QVI VIXIT ANN. XLVI. MENS. VII. D. VIII. DEPOSIT IN PACE
X. KAL. MART.

« Cinnamius Opas, lecteur du *titre* de Fasciola (aujourd'hui SS. Nereus et Achilleus), l'ami du pauvre, qui vécut quarante-six ans, sept mois et huit jours. Enterré en paix, le dixième jour avant les kalendes de mars[2].

(1) Le savant Bianchini conjecture d'une manière plausible que la station du dimanche de Pâques n'est pas à la cathédrale de Lateran, ni à Saint-Pierre, où le pape officie. Quoique l'on puisse naturellement supposer qu'il devait être à l'une des deux, la station est à la basilique Libérienne, par la raison qu'on s'en servait d'ordinaire pour l'administration des baptêmes de l'église Sainte-Pudentiana, qui n'en est qu'à la distance d'un jet de pierre.

(2) Du cimetière de Saint-Paul.

Voilà pour un lecteur. Voici maintenant pour un exorciste :

MACEDONIVS	Macédonius,
EXORCISTA DE KATOLICA.	exorciste de l'Eglise catholique[1]. »

Il y avait cependant cette différence des temps d'alors aux temps d'aujourd'hui, qu'un ordre n'était pas nécessairement un passage, une transition vers un autre; mais il y avait des gens qui restaient souvent pendant toute leur vie dans un des ordres inférieurs. C'est pourquoi on n'administrait pas ces derniers aussi fréquemment, et probablement même ne les administrait-on pas en public avec les ordres supérieurs.

Torquatus, ayant reçu le mot de passe nécessaire, entra dans l'église et fit entrer avec lui Fulvius, qui ne tarda pas à montrer son adresse en imitant ceux qui l'entouraient. L'assemblée n'était pas nombreuse. Elle était réunie dans une des salles de la maison, convertie en église ou en oratoire. On n'y voyait guère que les membres du clergé et les candidats à l'ordination. Parmi ces derniers étaient Marcus et Marcellianus, les deux frères jumeaux, qui avaient été convertis en même temps que Torquatus. Ils reçurent le diaconat, et leur père, Tranquillinus, fut ordonné prêtre. Fulvius eut soin de bien graver dans sa mémoire les traits et la tournure de ces derniers; il eut soin surtout de prendre note des physionomies des membres les plus éminents du clergé de Rome, qui se trouvaient réunis pour la cérémonie; mais il fixa particulièrement sur l'un d'eux son œil perçant, et s'attacha à étudier les moindres gestes, le regard, la voix et les traits de ce personnage.

C'était le pontife qui administrait le sacrement auguste. Il y avait six années déjà que Marcellinus gouvernait l'Eglise, et il était d'un âge vénérable. Son visage, bienveillant et doux, ne paraissait guère indiquer cette vigueur surhumaine qu'exige le martyre, et dont il fit preuve lorsqu'il mourut pour le Christ. Dans ces temps-là, on évitait soigneusement toute marque extérieure qui eût été capable de trahir le chef du troupeau chrétien aux loups dévorants du paganisme. Les pontifes portaient l'habit des hommes de haut rang de l'époque. Mais il est indubitable que, lorsqu'ils officiaient à l'autel, ils portaient par-dessus leurs vêtements ordinaires une robe distinctive, type primitif de l'ample chasuble d'une blancheur que rien ne ternit. A cette robe l'évêque ajoutait la couronne, ou *infula*, qui a été l'origine de la

(1) Du cimetière des SS. Thraso et Saturninus, sur la voie Salarienne.

mitre; et il tenait à la main la crosse, emblème de son office et de son autorité pastorale.

Marcellinus se tenait debout, faisant face à l'assemblée, devant l'autel sacré de Pierre, qui le séparait de l'assistance[1]. L'espion d'Asie attacha sur lui son regard scrutateur. Il l'examina avec attention, mesura du regard sa taille et ses proportions, nota la couleur de ses cheveux et de son teint, observa le moindre mouvement de sa tête, sa démarche, son geste, le son de sa voix, jusqu'à sa respiration même, tant qu'à la fin il put se dire :

— Si je le rencontre jamais hors d'ici, quel que soit son déguisement, cet homme ne m'échappera point, et je sais ce qu'une pareille capture me rapportera.

XI. — LES VIERGES.

PRIE IVN PAVSA
BET PRAETIOSA
ANNORVM PVLLA
VIRGO XII TANTVM
ANCILLA DEI ET XPI
FL. VINCENTIO ET
FRAVITO . VC . CONSS

« La veille du premier juin, a cessé de vivre Prætiosa, une jeune fille (*puella*) vierge de douze ans seulement, la servante de Dieu et du Christ. Sous le consulat de Flavius Vincentius, et de Flavitus, consulaire[3] »

Si le savant Thomassin avait eu connaissance de cette inscription, découverte récemment, quand il prouva avec une si abondante érudition que la virginité pouvait être professée dans l'Eglise primitive dès l'âge de douze ans, il l'aurait certes mentionnée[2]. Il est évident, en effet, que « la jeune fille qui était une vierge de l'âge de douze ans *seulement*, une servante de Dieu et du Christ, » était telle par le fait d'une consécration volontaire de sa virginité à Dieu : s'il en était autrement, plus son âge serait tendre, moins aussi son état de virginité serait étonnant.

Toutefois, quoique cet âge de douze ans, l'âge nubile d'après la loi romaine, fût celui auquel l'Eglise permettait de faire de pareilles offrandes à Dieu, elle réservait cependant pour une époque plus avan-

(1) Dans les grandes et antiques basiliques romaines, l'Officiant a la face tournée vers les fidèles.

(2) *Vetus et Nova Ecclesiæ Disciplina, circa Beneficia,* Pars I, lib. III. (Luc. 1727.)

(3) Inscription trouvée dans le cimetière de Callistus.

cée une consécration aussi plus solennelle, c'est-à-dire l'époque à laquelle l'évêque donnait lui-même le voile de la virginité, généralement le jour de Pâques. Il est probable que le premier acte d'offrande se bornait à porter un costume de couleur sombre, simple, et sans ornement, que la jeune fille recevait des mains de ses parents. Mais, lorsque quelque danger menaçait, l'Eglise permettait de devancer de plusieurs années l'époque ordinaire de la consécration, et elle fortifiait les épouses du Christ dans leur noble dessein, en leur donnant sa bénédiction solennelle[1].

Or une persécution de la plus cruelle espèce était sur le point d'éclater, et cette persécution, on le savait, devait sévir même contre les plus tendres et les plus timides brebis du troupeau du Seigneur. Il n'y avait donc rien d'étonnant à ce que celles qui, dans leurs cœurs, s'étaient fiancées à l'Agneau, dans la pensée d'être à tout jamais ses chastes épouses, désirassent être admises à ses noces avant de mourir. Elles désiraient naturellement pouvoir unir au lis en pleine fleur de la virginité la palme du martyre, le jour où celle-ci deviendrait leur partage.

Depuis sa plus tendre enfance, Agnès avait fait choix de cet état saint et sublime. La sagesse surhumaine, qui s'était toujours manifestée dans ses paroles et dans ses actions, se mêlant si gracieusement avec la simplicité de son enfance innocente et sans tache, l'avait mûrie avant l'âge et rendue digne de toutes les dispenses que les cironstances extraordinaires permettaient d'accorder à celles qui soupiraient après l'heure des chastes épousailles. Elle saisit avec empressement l'occasion qu'offrait l'imminence du danger prochain, et en profita pour demander une dispense plus grande encore que celle d'après laquelle la loi fixait un délai de dix ans au moins pour l'accomplissement de ses désirs. Une autre postulante vint s'associer à sa demande.

Nous pouvons aisément nous imaginer qu'une sainte amitié s'était formée et avait grandi entre Agnès et Syra, depuis le moment de leur première entrevue, à laquelle nous avons fait assister le lecteur. Ce sentiment n'avait fait que s'accroître de tout ce qu'Agnès avait entendu dire à Fabiola, sur sa suivante favorite. Par ces éloges et par les rapports plus modestes que lui faisait l'esclave, Agnès savait que l'œuvre à laquelle Syra s'était dévouée — la conversion de sa maîtresse — était en bonne voie, et qu'on pouvait, en toute sécurité,

(1) Thomassin, p. 790.

en laisser la poursuite entre ses mains. Conduite avec grâce et prudence, cette œuvre marchait à grands pas vers le succès. Dans ses fréquentes visites à Fabiola, Agnès se bornait à approuver et à admirer ce que sa cousine lui rapportait de ses conversations avec Syra, mais elle évitait soigneusement tout ce qui eût pu faire naître le soupçon qu'elles étaient d'intelligence.

Syra, en sa qualité d'esclave, et Agnès, en sa qualité de parente, portaient toutes d'eux le deuil de Fabius. Leur changement de costume ne devait donc pas attirer l'attention de sa fille ni lui suggérer l'idée qu'il y avait un secret entre elles. Elles pouvaient donc, sans crainte, demander à être admises à prononcer les vœux solennels de virginité perpétuelle. Leur requête leur fut accordée, mais, pour raisons suffisantes, le secret sur cette faveur leur fut ordonné. Ce ne fut que la veille ou l'avant-veille du jour fixé pour leurs épousailles spirituelles, que Syra fit part de l'événement, comme d'un grand secret, à son amie l'aveugle, l'intéressante Cœcilia.

— Ainsi donc, dit celle-ci, en feignant une vive contrariété, vous voulez garder toutes ces bonnes choses pour vous seule? Est-ce bien charitable à vous, dites-moi franchement?

— Daignez ne pas m'en vouloir, ma chère enfant, dit doucement Syra. Il était absolument nécessaire de garder sur tout cela le plus profond secret.

— Et pour la même raison, sans doute, je ne pourrai pas, moi, pauvre fille, assister à la cérémonie?

— Oh! que si, Cœcilia, vous pourrez y assister très-certainement. Vous pourrez même voir tout ce qui se passera, ajouta-t-elle en riant.

— Il ne s'agit pas de voir, répondit l'aveugle : mais, dites-moi, comment serez-vous habillée? quels sont vos préparatifs?

Syra lui décrivit dans les moindres détails le costume et le voile de la consécration, leur forme et leur couleur.

— Oh! que tout cela est intéressant! dit l'aveugle. Et qu'avez-vous à faire?

Syra, s'amusant de cette curiosité inusitée chez Cœcilia, donna tous les détails de la courte cérémonie.

— Et maintenant, une dernière question, reprit l'aveugle : quand et dans quel lieu tout cela doit-il se passer? Vous avez dit que je pourrai y assister; il faut donc que je connaisse le jour et le lieu.

Syra lui apprit que la cérémonie devait se faire au *titre* de Pastor, à l'aurore, le troisième jour suivant. — Mais pourquoi toutes ces questions, ma chère enfant? Je ne vous ai jamais vue si curieuse Je commence à craindre que vous ne preniez goût aux choses mondaines.

— Ne vous préoccupez pas de cela, reprit Cœcilia, quand on trouve bon d'avoir des secrets pour moi, je trouve bon aussi, de mon côté, d'avoir des secrets pour les autres.

Syra ne put s'empêcher de rire à cette réponse qui affectait l'impertinence; elle connaissait trop bien l'humble simplicité de cœur de cette pauvre enfant pour prendre ses propos au sérieux. Elles s'embrassèrent cordialement et se séparèrent. Cœcilia se rendit directement à la demeure de la bonne Lucine, où elle fut admise sans difficulté, car elle était toujours la bienvenue dans toutes les maisons chrétiennes. Dès qu'elle fut en présence de la pieuse matrone, elle se jeta à son cou en versant des larmes abondantes. Lucine l'apaisa par des caresses et des paroles bienveillantes et réussit à la calmer si bien, qu'en peu d'instants Cœcilia était de nouveau joyeuse et contente. Il était évident qu'elle venait de tramer avec la noble Romaine une petite conspiration dont le succès paraissait la rendre bien heureuse. Quand elle sortit, elle semblait transportée d'une joie suprême. Légère, elle se rendit à la maison d'Agnès, où était établi l'hôpital qu'habitait le bon prêtre Dionysius. Elle le trouva chez lui, et, se jetant à ses genoux, elle lui parla avec une ferveur si éloquente, que le saint homme, ému jusqu'aux larmes, la releva en lui disant de bonnes et bienveillantes paroles qui la consolèrent. Le *Te Deum* n'était pas encore composé à cette époque; mais un cantique d'actions de grâces qui y ressemblait fort s'éleva du cœur de la pauvre aveugle vers le Ciel, quand elle rentra dans son humble demeure.

L'heureuse matinée arriva enfin, et, avant l'aurore, les plus solennels mystères ayant été célébrés, la masse des fidèles s'était dispersée. Ceux-là seuls étaient restés qui devaient prendre part aux cérémonies plus intimes, ou qui avaient été spécialement invités à y assister. C'étaient Lucine et son fils, les vieux parents d'Agnès et naturellement Sébastien aussi. Mais, parmi ces invités, Syra chercha vainement, du regard, son amie l'aveugle; évidemment, elle s'était retirée avec la foule, et la douce esclave se reprocha, dans le fond de son cœur, d'avoir peut-être blessé sa protégée par la réserve dans laquelle elle s'était tenue à son égard dans leur dernière entrevue.

La salle était encore plongée dans l'obscurité douteuse d'une aurore d'hiver, quoique déjà les lueurs du soleil levant fissent espérer une belle matinée de décembre. Sur l'autel brûlaient des cierges parfumés de grandes dimensions, et tout autour étaient disposées des lampes d'or et d'argent de riche valeur, dont l'éclat enveloppait le sanctuaire d'une douce clarté. Devant l'autel était placée la chaire, — cette chaire non moins vénérable que l'autel lui-même, et qui se conserve encore aujourd'hui au Vatican, — la chaire de saint Pierre. Le souverain pontife y était assis, la crosse à la main, la couronne en tête. Autour de lui étaient groupés ses ministres, pieux prélats, dont la sainteté ne le cédait qu'à la sienne.

Des sombres profondeurs de la chapelle, s'éleva d'abord un chœur de voix, douces comme celles des anges, qui chantaient, sur un rhythme facile, une hymme dont les pensées principales s'exprimèrent plus tard dans ce chant : *Jesu, corona virginum*[1]. Bientôt après s'avança, dans le rayonnement des lampes du sanctuaire, la procession des vierges déjà consacrées, conduites par des prêtres et des diacres qui avaient mission de veiller sur elles. Et, au milieu de ces saintes filles, au costume sombre, s'en présentèrent deux, revêtues de robes d'une éblouissante blancheur. C'étaient les deux nouvelles postulantes. Tandis que les autres défilaient et allaient se ranger en ligne de chaque côté, les deux filles en costume blanc furent conduites, chacune par deux professes au pied de l'autel, où elles allèrent s'agenouiller devant le pontife. Leurs témoins se tenaient à leurs côtés, pour assister à la cérémonie.

A chacune d'elles, lorsqu'elle se présenta, il fut demandé solennellement ce qu'elle désirait ; à quoi elles répondirent qu'elles désiraient recevoir le voile, et, sous la direction des guides qu'elles s'étaient choisis, pratiquer tous les devoirs qu'il imposait. Or, bien que, avant cette période, les vierges consacrées eussent déjà commencé à vivre en communauté, il y en avait cepeudant parmi elles qui continuaient d'habiter leurs demeures. D'ailleurs la persécution rendait la clôture difficile, sinon même impossible. Dans chaque église, il y avait pourtant une place séparée du reste de l'édifice par une cloison de planches, et destinée aux vierges consacrées ; souvent aussi elles se réunissaient pour recevoir des instructions communes ou vaquer à des pratiques de dévotion.

L'évêque adressa ensuite aux jeunes aspirantes un discours plein d'onction paternelle et de sollicitude affectueuse. Il leur rappela quelle haute vocation c'était que de mener sur terre la vie des anges, les-

(1) Jésus, la couronne des vierges.

quels « ne se marient jamais ni ne se donnent en mariage; » il leur représenta combien il était glorieux de marcher dans ce chaste sentier que le Verbe incarné avait choisi pour sa sainte Mère, et à l'extrémité duquel elles devaient être reçues dans les rangs de cette légion d'élite qui suit l'Agneau partout où il va. Il s'étendit sur la doctrine formulée par saint Paul, dans son épître aux Corinthiens, touchant la supériorité de l'état de virginité sur tous les autres états; et il leur peignit, en termes éloquents, le bonheur de n'avoir sur terre qu'un seul amour, — un amour qui, au lieu de se faner, fleurit et s'ouvre en produisant l'immortalité dans les cieux. « Car, dit-il en terminant, la béatitude éternelle n'est que la fleur épanouie dont l'amour de Dieu porte le germe ici-bas. »

Après cette courte allocution, le pontife passa à l'examen des postulantes qui s'offraient pour obtenir un si grand honneur; puis il bénit les différentes parties de leur habit religieux, en récitant les prières qui sont probablement, à peu de choses près, les mêmes qu'on emploie de nos jours encore pour la prise de voile; et, à mesure que le pontife les bénissait, les témoins respectifs des deux vierges les en revêtaient.

Puis les nouvelles religieuses posèrent leurs têtes sur l'autel, en signe du sacrifice qu'elles faisaient d'elles-mêmes. Mais, dans l'Occident, on ne leur coupait pas les cheveux ainsi qu'on le faisait en Orient; on les laissait dans toute leur longueur. Ensuite le front de chacune d'elles fut entouré d'une couronne de fleurs, et, quoiqu'on fût en hiver, la riche terrasse de Fabiola, toujours si bien garnie, avait fourni ses dons les plus frais et les plus parfumés.

Tout semblait fini; et Agnès, agenouillée au pied de l'autel, et les yeux tournés vers le ciel, était immobile et plongée dans un de ses ravissements extatiques; au contraire, Syra, agenouillée à côté d'elle, la tête penchée et les yeux baissés, s'abîmait dans des sentiments de profonde humilité, et se demandait avec étonnement comment elle avait pu être digne d'une si grande faveur. Toutes deux étaient tellement absorbées dans leurs prières d'actions de grâces, qu'elles ne remarquèrent pas un mouvement qui se produisait dans l'assistance, et qui semblait annoncer qu'il s'y passait quelque chose d'inattendu.

Leur attention s'éveilla cependant, quand elles entendirent l'évêque renouveler sa question :

— Ma fille, que demandez-vous?

Avant d'avoir pu tourner la tête, les deux vierges sentirent deux mains qui pressaient la leur, et une voix bien connue et bien chère à chacune d'elles, qui répondait :

— Saint Père, je demande à recevoir le voile de la consécration à Jésus-Christ, mon seul amour sur cette terre, sous la garde de ces deux saintes vierges qui sont déjà ses heureuses épouses.

Agnès et Syra furent ravies de joie et de tendresse : cette nouvelle postulante, c'était la pauvre fille aveugle, c'était Cœcilia. Quand elle avait appris le bonheur qui attendait Syra, elle était allée, ainsi que nous l'avons vu, se jeter aux pieds de la bonne Lucine ; celle-ci l'avait consolée aisément en lui faisant entrevoir la possibilité d'obtenir, elle aussi, cette grâce suprême. Elle avait promis de lui fournir tout ce qui serait nécessaire à la cérémonie ; seulement Cœcilia avait insisté pour que ses vêtements fussent d'étoffe grossière, ainsi qu'il convenait à une pauvre mendiante. Ensuite, le prêtre Dionysius s'était chargé de présenter la requête et de l'appuyer auprès du saint Père. Ce dernier y avait fait un accueil favorable, et, comme la jeune aveugle avait exprimé le désir d'avoir ses deux amies pour témoins, il avait été décidé qu'on ne la conduirait à l'autel qu'après leur consécration. Cependant Cœcilia avait su garder son secret.

Les prières de la bénédiction furent dites ; on la revêtit des habits et du voile. Puis, quand on lui demanda si elle n'avait point apporté sa couronne de fleurs, pour toute réponse, elle tira timidement de dessous sa robe celle qu'elle s'était préparée — une branche d'épines, sèche et aride, tressée en forme de couronne. — Elle la présenta au pontife en disant :

— Je n'ai pas de fleurs à offrir à mon fiancé, et Lui, de son côté, n'a pas porté de fleurs pour moi. Je ne suis qu'une pauvre fille, et croyez-vous que mon Seigneur soit offensé, si je lui demande de me couronner de même qu'il lui a plu de se faire couronner pour moi ? D'ailleurs, les fleurs représentent les vertus de celles qui les portent, et mon cœur stérile n'en produit pas d'autres que celles-ci.

Elle ne put voir alors, de ses yeux fermés à la lumière, ses deux compagnes enlever leurs couronnes d'un mouvement spontané, pour les poser sur sa tête, mais un geste du pontife les arrêta ; et, tandis que tous les assistants pleuraient d'une sainte émotion, la nouvelle religieuse fut conduite, toute joyeuse, à l'autel avec la couronne d'épines, emblème de cet enseignement éternel de l'Eglise : « que la véritable reine de toutes les vertus, c'est l'innocence couronnée par la pénitence. »

XII. — LA VILLA NOMENTANE.

La voie Nomentane se dirige de Rome vers l'Orient ; entre elle et la voie Salarienne, il y a un profond ravin, au delà duquel, sur le flanc de la voie Nomentane, s'étend un vaste terrain gracieusement accidenté. Au milieu de ce site pittoresque, s'élève un temple antique de forme circulaire, et à côté de ce temple l'admirable basilique dédiée à sainte Agnès.

C'était là que s'élevait la villa de la jeune Romaine, à un mille et demi environ de la cité ; c'était là que, suivant une décision prise d'avance, les trois vierges du Seigneur s'étaient retirées pour y passer la journée dans la retraite et dans une sainte joie. Il leur restait peut-être bien peu de jours pareils à compter.

Nous ne nous arrêterons pas à décrire cette résidence rurale ; nous nous bornerons à constater que tout y respirait le contentement et le bonheur. C'était une de ces belles journées, comme on n'en voit que pendant un hiver de Rome. Les cimes raboteuses des Apennins étaient légèrement saupoudrées de neige ; le sol était sec et friable, l'atmosphère transparente, le soleil brillant, le ciel sans nuages. Quelques traînées de fumée grisâtre qui s'élevaient des chaumières, et les vignes dépouillées de leur feuillage disaient seules que l'on était en décembre. Tout, dans ces lieux, semblait connaître et aimer la maîtresse de la villa Nomentane. Les colombes s'abattaient et venaient se percher sur ses épaules ou sur sa main ; à sa vue, les brebis bondissaient dans leur clos et accouraient en bêlant pour prendre de ses mains, avec un plaisir visible, les poignées d'herbes odorantes qu'elle leur apportait ; mais nulle créature ne manifesta, à son approche, une joie semblable à celle du vieux Molossus, le chien de garde. Enchaîné près de la porte d'entrée, il avait un tel renom de férocité, que nul n'osait l'approcher, sauf quelques domestiques familiers du logis. Mais à peine eut-il aperçu Agnès, qu'il se coucha par terre de tout son long, en agitant sa longue queue, et en gémissant tristement jusqu'à ce qu'on fût venu le mettre en liberté. On pouvait le lâcher sans danger désormais, un enfant eût pu le réduire. Il s'attacha aux pas de sa maîtresse et ne la quitta plus. Il la suivait comme un agneau ; quand elle s'asseyait, il se couchait à ses pieds, la regardait en face, heureux et fier de recevoir sur sa tête massive les caresses de cette main délicate.

C'était vraiment une paisible journée, souvent calme et tranquille, douce et tendre, quand les trois vierges conversaient ensemble du bonheur qu'elles avaient eu dans cette matinée, et de la matinée plus heureuse encore dont le gage leur avait été donné et qui les attendait là-haut, par-dessus l'azur limpide du ciel qui les couvrait; souvent animée et même joyeuse, quand Agnès et Syra s'amusaient à reprocher doucement à Cœcilia le tour innocent qu'elle leur avait joué. Et la jeune aveugle riait de tout son cœur — comme elle riait toujours — et leur dit qu'elle leur tenait encore en réserve un tour infiniment meilleur, c'est-à-dire que, lorsque cette matinée luirait pour elles, elle les devancerait toutes deux, son intention étant d'être la première et non la dernière à cueillir la glorieuse palme du martyre.

Sur ces entrefaites, Fabiola entra dans la villa pour rendre à Agnès sa première visite, à la suite du malheur imprévu qui l'avait frappée, et pour la remercier des marques d'affectueuse sympathie que sa jeune parente lui avait données. Elle s'avança dans les jardins; mais, en approchant de l'endroit où l'heureux groupe était réuni, elle s'arrêta brusquement; car, lorsqu'elle aperçut celles des trois amies qui pouvaient contempler la brillante lumière du ciel, inclinées et penchées sur celle qui semblait en renfermer dans son âme toutes les splendeurs, elle vit tout à coup, dans cette scène, la réalisation de son rêve. Ne voulant pas cependant les surprendre à l'improviste, et désirant plutôt trouver Agnès seule que de la voir en compagnie de sa propre esclave et d'une pauvre fille aveugle, elle se retira avant d'avoir été aperçue et porta ses pas vers la partie la plus reculée des jardins. Une pensée la préoccupait : comment se faisait-il qu'elle ne pût pas être joyeuse et gaie comme elles? Pourquoi semblait-il y avoir entre elle et les autres un abîme qui les séparait?

Mais cette journée si heureuse ne devait pas se terminer sans nuages ; c'eût été un trop grand bonheur pour des enfants de la terre. Outre Fabiola, une autre personne avait quitté Rome pour faire une visite à Agnès, et celle-là devait être moins bien venue que la première. C'était Fulvius, qui n'avait jamais oublié les assurances que lui avait données Fabius au sujet de l'impression que ses manières séduisantes, ses magnifiques joyaux, avaient produite, disait-il, sur l'esprit faible d'Agnès. Il avait attendu que les premiers jours de son deuil fussent passés, et il respectait la maison où il avait, une première fois, reçu un accueil si rude ou plutôt subi une expulsion si sommaire. S'étant assuré que, pour la première fois, elle s'était rendue, sans être accompagnée de ses parents ou de serviteurs mâles, à sa villa suburbaine, il crut avoir trouvé une excellente occasion de poursuivre auprès de la jeune fille ses misérables assiduités. Il sortit donc de Rome à cheval, par la porte Nomentane, et se trouva bientôt à la villa d'Agnès. Là, il mit pied à terre, demanda à voir la maîtresse du logis pour affaires importantes, et, après quelques difficultés, fut introduit par le portier. On lui désigna une longue allée ombreuse à l'extrémité de laquelle elle devait se trouver. Le soleil commençait à descendre à l'horizon, et les compagnes d'Agnès s'étaient écartées à quelque distance ; elle était assise seule dans un endroit qu'éclairaient les derniers rayons du soleil couchant; le fidèle Molossus était couché à ses pieds. Un grognement sourd, mais pourtant bien contenu, manifestation rare chez le fidèle animal lorsqu'il était auprès de sa maîtresse, fit lever la tête à Agnès qui était occupée à tresser une guirlande de fleurs hivernales que ses compagnes lui avaient apportées. Du reste, elle lui fit signe de se taire et de réprimer ses manifestations de défiance et d'hostilités instinctives.

Fulvius s'approcha d'un air respectueux, mais plus libre que d'ordinaire, comme un homme qui se croit assuré d'avance d'obtenir l'objet de sa requête.

— Je suis venu, noble Agnès, dit-il, pour vous renouveler l'expression de mon sincère hommage, et je n'aurais pu, ce me semble, choisir un meilleur jour ; car, certes, l'été ne nous a jamais donné un soleil plus brillant et plus beau.

— C'est un beau jour, en effet, et qui a été bien brillant pour moi, répondit Agnès ramenée au souvenir des grandes scènes du matin; et jamais ma vie n'a vu briller un plus radieux soleil, — il ne pourra y avoir pour moi qu'un seul jour plus heureux.

Fulvius se sentit flatté intérieurement; il attribuait tout naturellement ce compliment à sa présence. — Vous voulez parler sans doute, dit-il, du jour de vos noces avec celui qui pourrait avoir gagné votre cœur ?

— C'est déjà fait, répondit Agnès, ne se doutant pas du sens que son interlocuteur attachait à ses paroles ; c'est déjà fait, et c'est même aujourd'hui le jour heureux de mon fiancé.

— Et ce voile et cette couronne que je vois sur votre tête y ont-ils été placés dans la prévision de cette heure bienheureuse ?

— Oui, c'est le signe que mon bien-aimé a placé sur mon front, pour que je ne reconnaisse pas d'autre fiancé que lui[1].

— Et quel est cet heureux mortel ? J'avais conçu quelque espoir — et je n'y renonce pas encore — d'avoir obtenu une place dans vos pensées, peut-être même dans vos affections.

Agnès parut à peine prendre garde à ces paroles. Il n'y avait aucune apparence de timidité ni de crainte dans son regard et ses manières ; elle ne semblait pas même embarrassée.

> Si chaste était son corps, si pur était son cœur,
> Qu'ignorante du mal elle était sans frayeur.

Sa physionomie enfantine demeura sereine, ouverte et candide ; ses yeux, brillant d'un doux regard, restaient attachés sur le visage de Fulvius avec une simplicité sérieuse dont l'expression le faisait presque trembler. Agnès se leva et lui répondit avec une gracieuse dignité :

— J'ai goûté le lait et le miel de sa bouche, lorsque le sang de ses joues meurtries s'est imprimé sur les miennes[2].

Fulvius aurait cru à un dérangement accidentel de sa raison, si l'éclat inspiré du regard que la jeune fille tenait attaché sur un objet invisible ne l'avait frappé d'un effroi involontaire et superstitieux. Agnès revint à elle, et aussitôt Fulvius reprit courage. Il résolut de brusquer la situation en faisant nettement sa demande.

— Madame, dit-il, vous vous jouez en ce moment du cœur d'un homme qui vous aime et vous admire sincèrement. Je sais de bonne source — oui, de la *meilleure* source, de la bouche d'un ami commun qui n'est plus, — que vous avez daigné exprimer sur moi une opinion favorable, et faire connaître que vous ne repousseriez pas d'une manière trop rigoureuse mes prétentions à votre main. C'est pourquoi je viens aujourd'hui sérieusement et instamment la solliciter. Ma demande vous paraîtra peut-être brusque et peu conforme aux convenances, mais je suis sincère et je n'écoute que la voix de mon affection pour vous.

— Retire-toi de moi, aliment de corruption, dit la jeune fille avec une majesté calme et digne, retire-toi, car déjà mon bien-aimé s'est assuré de mon cœur, c'est pour lui seul que je garde ma foi, c'est à lui

(1) « *Posuit signum in faciem meam, ut nullum præter eum amatorem admittam.* » (*Office de sainte Agnès.*)

(2) « *Mel et lac ex ejus ore suscepi, et sanguis ejus ornavit genas meas.* (*Office de sainte Agnès.*)

seul que je me confie ; son amour, à lui, est chaste, ses caresses sont pures, et sa fiancée ne dépose jamais sa couronne virginale[1].

Fulvius, qui avait mis un genou en terre en finissant sa déclaration, et qui avait essuyé dans cette attitude suppliante cette sévère sortie, se releva, outré de dépit et de honte ; furieux de se voir éconduit de la sorte, il s'écria :

— N'est-ce donc pas assez de me refuser après avoir encouragé mes avances ? faut-il encore ajouter l'insulte à l'affront ? faut-il encore me dire en face qu'un autre est venu ici, avant moi, aujourd'hui... Sébastien, je suppose... encore !...

— Qui êtes-vous donc, vous ! s'écria derrière lui une voix indignée, pour oser prononcer avec mépris le nom d'un homme dont l'honneur est sans tache et dont la vertu aussi bien que le courage sont irrécusables ?

Fulvius se retourna, et se trouva face à face avec Fabiola qui, après s'être promenée quelque temps dans le jardin, était revenue dans l'espoir de retrouver son amie seule et prête à la recevoir : elle s'était approchée assez vivement pour entendre les dernières paroles du jeune homme.

Fulvius rougit, et n'osa répondre. Fabiola continua avec une noble indignation : — Et qui êtes-vous donc, vous qui, non content d'avoir une première fois violé l'asile de la demeure de ma parente pour l'insulter, osez maintenant pénétrer dans l'intimité de sa retraite des champs ?

— Et qui êtes-vous, vous-même, répliqua Fulvius, pour vous permettre de parler en maîtresse impérieuse dans la demeure d'autrui ?

— Je suis une femme, répondit Fabiola, qui, après vous avoir imprudemment, et sans le vouloir, fourni l'occasion de voir ma cousine à ma table, y ai surpris vos coupables projets sur une innocente enfant, et qui crois de mon devoir et de mon honneur de les déjouer et de la protéger contre vous.

Elle prit Agnès par la main et l'emmena. Molossus, pour rentrer dans le devoir, eut besoin d'être traité comme il ne se souvenait pas de l'avoir été jusque-là. Afin de le calmer, sa jeune maîtresse lui donna un

(1) « *Discede a me, pabulum mortis, quia jam ab alio amatore præventa sum.* » — « *Ipsi soli servo fidem, ipsi me tota devotione committo.* » — « *Quem cum amavero, casta sum ; cum tetigero, munda sum ; cum accepero, virgo sum.* (*Office de sainte Agnès.*)

coup léger de sa douce main, chose qu'il prit pour une caresse. Quant à Fulvius, il murmura en grinçant des dents :

— Insolente Romaine ! tu regretteras bientôt amèrement ce jour et cette heure. Tu sauras et tu sentiras comment on sait se venger en Asie....

XIII. — L'ÉDIT.

Le jour de la publication de l'édit de persécution à Rome arriva enfin. Corvinus, ayant été chargé d'afficher dans l'endroit ordinaire du Forum l'ordre d'extermination ou plutôt d'anéantissement du nom même de chrétien, Corvinus comprit toute l'importance de cette mission. On avait reçu de Nicomédie la nouvelle qu'un brave soldat chrétien, nommé George, avait lacéré et détruit une pareille proclamation du décret impérial, et qu'il avait bravement souffert la mort pour expier cette hardiesse. Corvinus se promit que rien de semblable ne se passerait à Rome : il craignait trop les conséquences qui auraient pu en résulter pour lui-même : aussi prit-il toutes les précautions possibles. L'édit avait été copié en grands caractères, sur des feuilles de parchemin jointes ensemble et clouées sur une planchette, solidement attachée à un pilier, contre lequel elle était appendue, non loin du *Puteal Libonis*, la chaise curule du magistrat dans le Forum. Toutefois ceci n'eut lieu que lorsque le Forum fut entièrement désert et que la nuit fut venue. De cette manière l'édit devait frapper les yeux du public le lendemain dès l'aurore, et produire une impression d'autant plus vive sur l'esprit des citoyens.

Afin de prévenir la possibilité de toute tentative nocturne contre ce précieux document, Corvinus, avec une adresse aussi ingénieuse que celle des prêtres juifs voulant empêcher la résurrection du Sauveur, obtint, pour faire la garde de nuit au Forum, une compagnie de la cohorte Pannonienne, laquelle était composée de soldats appartenant aux races les plus farouches et les plus cruelles du Nord, les Daces, les Pannoniens, les Sarmates et les Germains, dont les traits grossiers l'aspect sauvage, les longs cheveux jaunes et incultes, et les longues moustaches rousses, ne manquaient jamais de produire une impression d'effroi sur un romain d'alors. Ces hommes savaient à peine quelques mots de latin ; ils étaient commandés par des officiers de leur pays ; lors de la décadence de l'empire, ils devinrent les plus fidèles défenseurs des tyrans, qui étaient souvent leurs compatriotes. Pour eux, il n'y avait pas d'excès si monstrueux, de crimes si odieux qu'ils n'exécutassent, du moment qu'il leur était commandé.

Un certain nombre de ces Barbares toujours prêts à tout entreprendre fut distribué dans les différentes avenues du Forum, avec ordre de percer ou d'abattre, sans explications, quiconque aurait cherché à passer, sans avoir le *symbolum* ou mot de ralliement. Ce *symbolum* était donné chaque nuit par le général commandant et communiqué à toutes les troupes par ses tribuns et ses centurions. Mais pour prévenir le cas possible où un chrétien eût surpris le mot de passe pour en faire usage pendant la nuit, le rusé Corvinus en avait choisi un qu'aucun chrétien, il le savait, n'eût voulu employer. C'étaient les mots *numen imperatorum*, « la divinité des empereurs. »

Corvinus ne se coucha pas sans avoir, une dernière fois, fait ses rondes, et donné à chaque sentinelle les ordres les plus formels, surtout à celle qu'il avait placée à côté de l'édit affiché. L'homme à qui ce poste était confié avait été choisi à cause de sa force brutale, de sa taille herculéenne, et de la férocité particulière de son regard et de ses manières. Corvinus lui donna les instructions les plus rigoureuses, lui rappela qu'il ne devait épargner personne, tout le monde devant être tenu à distance de l'édit sacré. Il lui répéta à plusieurs reprises le mot de passe, et le laissa déjà à demi-abruti par les fumées de la *sabaia* (bière)[1], et ne sachant qu'une chose, c'est qu'il fallait absolument percer, sabrer et hacher quelqu'un avant que le jour ne commençât à luire.

La nuit était âpre et rude ; par moment une pluie fine et glacée la rendait plus froide encore. Le Dace s'enveloppa dans son manteau et se mit à marcher vivement de long en large, ne s'arrêtant que pour porter à ses lèvres un flacon qu'il dissimulait, et qui renfermait une brûlante liqueur obtenue des cerises sauvages des forêts Thuringiennes. Pour charmer les ennuis de sa faction, il songeait, non aux rives témoins des jeux de son enfance, aux bois et aux rivières du sol natal, mais

(1) « *Est autem sabaia ex hordeo vel frumento in liquorem conversis paupertinus in Illyrico potus.* — La sabaie est la boisson des pauvres en Illyrie ; on la fait d'orge ou de froment que l'on transforme en liquide. » (Ammien Marcellin, liv. XXVI, 8, p. 422. édit. Lips.)

à l'époque où sa cohorte pourrait égorger l'empereur et saccager la ville.

Tandis que tout cela se passait au Forum, le vieux Diogène et ses deux braves fils étaient dans leur pauvre chaumière de la Suburra, non loin de là, occupés à préparer leur frugal repas du soir. Ils furent interrompus par un léger coup frappé à leur porte. Le loquet se leva, la porte s'ouvrit et donna passage à deux jeunes gens, que Diogène reconnut aussitôt et salua affectueusement.

— Entrez, mes nobles jeunes maîtres : quelle bonté à vous d'honorer de la sorte ma pauvre maison ! je n'oserais pas vous offrir de partager notre simple repas ; mais, si vous daigniez l'accepter, ce serait vraiment pour moi et les miens une agape chrétienne.

— Nous vous remercions de tout cœur, bon père Diogène, répondit le plus âgé des visiteurs, Quadratus, le robuste centurion de Sébastien ; Pancrace et moi, nous sommes venus tout exprès pour souper avec vous. Mais pas encore en ce moment : nous avons une affaire à expédier dans cette partie de la ville ; après quoi, nous serons fort heureux de manger quelque chose. En attendant, un de vos fils pourrait aller chercher dans la ville ce qu'il faut pour notre souper. Allons, il nous faut quelque bon mets, et nous voudrions, par exemple, vous fêter d'une coupe de vin généreux.

Et en parlant ainsi, il donna sa bourse à l'un des fils de Diogène, en lui recommandant d'acheter des provisions d'une qualité meilleure que celles qui composaient l'ordinaire de la famille. Ils s'assirent, et Pancrace, s'adressant au vieillard, lui dit, comme par manière de conversation : — Mon bon Diogène, j'ai entendu dire par Sébastien que vous vous souvenez d'avoir vu le glorieux diacre Laurent mourir pour le Christ. Racontez-nous donc les détails de ce sublime martyre.

— Avec plaisir, répondit le vieillard. Il y a aujourd'hui à peu près quarante-cinq ans que ces faits se sont passés [1] ; mais, comme j'étais déjà, à cette époque, beaucoup plus âgé que vous ne l'êtes vous-même aujourd'hui, vous comprendrez que je m'en souvienne parfaitement. C'était, en vérité, un noble jeune homme, si doux, si affable, si beau et si gracieux ! sa parole était si affectueuse, si bienveillante, surtout quand il parlait aux pauvres ! Combien tous l'aimaient ! Je le suivais partout ; j'étais auprès de lui, quand le vénérable pontife Sixtus marcha au supplice, et que Laurent, le rencontrant, lui reprocha tendrement,

(1) 258 après Jésus-Christ.

ainsi qu'un fils pourrait faire à son père, de ne pas lui avoir permis de s'unir à son sacrifice volontaire, comme il l'avait assisté dans le sacrifice du corps et du sang de Notre-Seigneur.

— C'étaient là des temps glorieux, Diogène, n'est-il pas vrai? interrompit le jeune homme. Combien nous avons dégénéré aujourd'hui ! Quelle race différente! n'est-ce pas, Quadratus?

Le vaillant soldat sourit de la généreuse sincérité de cette plainte et invita Diogène à continuer.

— Je l'ai vu aussi quand il distribua aux pauvres les riches vases de l'église. Nous n'avons jamais eu depuis rien d'aussi riche. Il y avait des lampes et des chandeliers d'or, des encensoirs, des calices et des patènes[1], sans parler d'une immense quantité d'argenterie fondue en lingots, qui furent distribués aux aveugles, aux paralytiques et aux indigents.

— Mais dites-moi, demanda Pancrace, comment endura-t-il son horrible et dernier supplice? Cela a dû être effroyable!

— J'ai tout vu, répondit le vieux fossoyeur, et c'eût été en effet, pour tout autre, une horreur insoutenable. On l'avait d'abord placé sur le chevalet, puis tourmenté de diverses manières, et il n'avait pas fait entendre le moindre gémissement, lorsque le juge ordonna de préparer ce lit horrible — le gril — qui fut chauffé jusqu'au rouge. Alors ce fut un épouvantable spectacle! On voyait cette chair si tendre s'élever et se fendre au-dessus du feu, puis se rayer de larges et profondes plaies rouges et sanglantes au contact des barres rougies qui pénétraient jusqu'aux os; on voyait se dégager de son corps une vapeur épaisse comme celle d'une chaudière en ébullition ; on entendait sous lui le feu siffler et s'activer de la graisse qui coulait de ses membres; on pouvait observer par intervalles les frémissements nerveux et convulsifs qui couraient à la surface de sa peau, les tressaillements que l'agonie donnait à chacun de ses muscles et les convulsions spasmodiques aiguës qui tiraillaient et contractaient ses membres par degrés. Tout cela, je dois le dire, était le plus déchirant spectacle que j'eusse vu de ma vie. Mais, quand on regardait son visage, on oubliait toutes ces horreurs. Sa tête se soulevait sur son corps carbonisé et se dressait comme dans la contemplation de quelque vision céleste : telle devait être celle de son collègue en diaconat, le martyr Etienne. Son visage certes était empourpré par

(1) Saint Prudentius, dans son hymne à saint Laurent.

l'action du feu, et de larges gouttes de sueur ruisselaient de son front; mais les reflets de la flamme, se jouant entre les boucles ondoyantes de sa chevelure dorée, entouraient sa belle tête d'une sorte d'auréole qui lui donnait l'air d'un bienheureux déjà en possession de sa gloire. Et chacun de ses traits, pleins de sérénité et de calme comme toujours, était empreint d'une expression si suave, son regard était fixé vers le ciel avec un tel amour, que vous auriez voulu, j'en suis sûr, changer de place avec lui.

— Et je le voudrais, s'écria Pancrace, et que Dieu m'en fasse bientôt la grâce! Je n'ose pas penser que je saurais souffrir comme il a souffert; car il était, lui, un noble et héroïque lévite, tandis que je ne suis, moi, qu'un pauvre enfant plein d'imperfections. Mais ne croyez-vous pas, mon cher Quadratus, qu'en ces heures d'épreuve nous recevons des forces proportionnées aux souffrances qu'on nous inflige, quelque grandes qu'elles puissent être? Vous, je le sais, vous supporteriez tous les supplices avec fermeté; vous êtes un brave et noble soldat, habitué aux travaux et aux blessures, Mais moi, je n'ai à offrir qu'un cœur animé de bonne volonté : croyez-vous que ce soit assez?

— Certes, cela suffit, mon cher enfant! s'écria le centurion profondément ému, en tournant un regard plein d'affectueuse tendresse vers le jeune homme, qui, les yeux brillant d'un saint zèle, s'était levé et venait de placer ses mains sur les larges épaules du soldat.

— Dieu, continua Quadratus, vous donnera la force, comme déjà il vous a donné le courage. Mais il ne faut pas oublier notre besogne de cette nuit. Enveloppez-vous soigneusement dans votre manteau et ramenez sur votre tête le pan de votre toge; — c'est cela. La nuit est humide et glacée. Maintenant, mon bon Diogène, ajoutez quelques sarments à votre feu et veillez à ce que nous trouvions le souper prêt pour notre retour. Notre absence ne sera pas longue, et vous pouvez laisser votre porte entre-baillée.

— Allez, allez, mes fils, dit le vieillard, et que Dieu vous ramène bientôt! Quel que soit le but de votre démarche, je suis sûr qu'il ne peut être que louable.

Quadratus ramena autour de sa taille les plis de sa chlamyde ou manteau militaire, et les deux jeunes gens s'enfoncèrent dans les obscures ruelles de la Suburra, en prenant la direction du Forum. Ils étaient à peine sortis, que la porte s'ouvrit, et Diogène entendit la salutation bien connue :

Deo gratias ! — Rendons grâces à Dieu ! — Sébastien entra et demanda, d'un ton plein d'inquiétude, si Diogène n'avait pas vu les deux jeunes gens. Il avait soupçonné leur projet et tremblait pour eux. On lui dit qu'ils venaient de sortir, et qu'on les attendait à chaque instant.

En effet, un quart d'heure à peine s'était écoulé, que des pas précipités se firent entendre ; la porte s'ouvrit, se referma vivement et fut soigneusement barrée par Quadratus et Pancrace.

— Voici la chose ! s'écria ce dernier en montrant, avec un joyeux éclat de rire, une poignée de parchemins tout froissés.

— Qu'est-ce ? demandèrent vivement tous les assistants.

— Eh bien ! mais c'est le grand décret, répondit Pancrace avec une joie tout enfantine. Voyez : DOMINI NOSTRI DIOCLETIANUS ET MAXIMIANUS, INVICTI, SENIORES, AUGUSTI PATRES IMPERATORUM ET CÆSARUM[1], et ainsi de suite. Et voilà ce que j'en fais... Et il jeta l'édit dans le foyer ardent. Les deux robustes fils de Diogène y ajoutèrent un faisceau de bois sec pour maintenir dans le feu le parchemin qui brûlait et pour en étouffer la crépitation. Le rouleau frissonna et se tordit dans les flammes, craquant et se calcinant lettre par lettre, mot par mot. On les voyait disparaître un à un : ici c'était une basse flatterie adressée aux empereurs, là un blasphème contre le christianisme : bientôt il ne resta plus de l'édit qu'un amas de cendres noirâtres.

Et que devait-il rester autre chose, quelques années plus tard, de ceux qui avaient publié cet insolent document, quand leurs cadavres auraient été brûlés sur un bûcher de bois de cèdre embaumé d'aromates, et que leurs restes formeraient quelques poignées de cendres à peine suffisantes pour remplir une urne dorée ? Et que devait-il rester aussi, quelques années plus tard, de tout ce paganisme que cet édit devait faire revivre ? Ce ne devait plus être qu'une lettre morte tout au plus, une poignée de charbons éteints, comme ceux du foyer. Et cet empire lui-même, que ces *invincibles* Augustes étayaient par la cruauté et l'injustice, ne ressemblerait-il pas aussi, quelques siècles plus tard, à ce décret anéanti ? Les monuments de sa grandeur seront gisant dans la poudre, en ruines, et proclameront à la face du monde qu'il n'y a qu'un seul véritable Seigneur, plus fort que tous les Césars,

(1) Nos seigneurs Dioclétien et Maximien, les invincibles, sages, augustes pères des Empereurs et des Césars.

le Seigneur des seigneurs, et que jamais ni la prudence ni la force humaines ne prévaudront contre lui.

C'était peut-être à de pareilles pensées que se laissait aller Sébastien, tandis qu'il considérait d'un regard distrait les cendres éteintes de ce cruel et pompeux édit que les jeunes gens avaient arraché, non par folle bravade, mais parce qu'il contenait des blasphèmes contre Dieu et contre ses vérités les plus saintes. Ils n'ignoraient pas que, s'ils étaient découverts, les plus horribles supplices les attendaient; mais les chrétiens de ce temps, quand ils se trouvaient en face du martyre, et qu'ils s'y préparaient, ne s'arrêtaient pas à des considérations de cette nature. Mourir pour le Christ était le but vers lequel ils aspiraient ; après cela, que la mort fût prompte et facile, ou lente et pénible, peu leur importait, et, comme de braves soldats qui vont au combat, ils ne s'inquiétaient pas de savoir en quel endroit du corps pourrait les frapper le glaive ou la javeline ; ils ne se demandaient pas si le fer ennemi mettrait fin d'un seul coup à leur existence, ou s'ils devraient rester sur le sol, pendant des heures entières, mutilés et sanglants, pour mourir dans une lente et douloureuse agonie, au milieu d'un amas de victimes obscures.

Sébastien revint à lui et eut à peine le courage de réprimander les auteurs de cette témérité. En vérité, la scène avait son côté plaisant, et il était tout disposé à rire de la mortification qui attendait les proscripteurs le lendemain matin. Il prit donc la chose de son meilleur côté ; il avait vu d'ailleurs que Pancrace surveillait avec anxiété l'expression de sa physionomie et que le centurion semblait assez décontenancé. Aussi, après un cordial éclat de rire, ils prirent joyeusement place pour le repas ; car il n'était pas minuit encore, et l'heure de commencer le jeûne préparatoire à la réception de la sainte Eucharistie n'était pas arrivée. Quadratus avait eu, en ordonnant ce souper, outre le plaisir de prendre un repas en commun, un double objet en vue : d'abord, en cas de surprise, le repas était une justification suffisante de leur réunion ; ensuite c'était un moyen d'entretenir la bonne humeur de son jeune compagnon et de la famille de Diogène, si l'audacieuse entreprise leur causait quelque alarme. Mais il n'y avait pas chez eux l'apparence d'un tel sentiment. La conversation tomba bientôt sur les souvenirs de la jeunesse de Diogène et sur les anciens temps de vertu et de ferveur, comme Pancrace s'obstinait à les appeler. Sébastien reconduisit son jeune ami à sa demeure, et, pour retourner chez lui, fit un long détour, afin d'éviter le Forum.

Si quelqu'un avait suivi Pancrace jusque dans sa chambre, il l'eût vu, avant de se livrer au sommeil, sourire à différentes reprises, comme au souvenir d'une singulière et amusante aventure.

XIV. — LA DÉCOUVERTE.

Le lendemain, aux premières lueurs de l'aurore, Corvinus était debout, et, malgré le temps humide et le froid qui se faisait sentir, il sortit et se rendit tout droit au Forum. Il trouva ses avant-postes dans la même position où il les avait laissés la veille; mais, sans s'y arrêter, il se hâta d'aller inspecter l'objet principal de sa sollicitude. Il serait inutile de chercher à décrire son étonnement, sa rage, sa fureur, quand il vit la planchette nue et ne portant plus que quelques lambeaux de parchemin restés autour des clous, et, à côté du pilier, la sentinelle Dace, debout, immobile, et ne se doutant de rien.

Il lui aurait tout d'abord sauté à la gorge comme un tigre, s'il n'avait surpris dans l'œil fauve du Barbare quelque chose du regard de l'hyène, regard qui le fit se modérer. Il se borna à manifester sa colère par des paroles violentes.

— Misérable ! s'écria-t-il, comment l'édit a-t-il disparu ? Réponds.

— Doucement, doucement, seigneur Kornweiner[1], répondit l'imperturbable enfant du Nord, l'édit est là tel que vous l'avez laissé à ma garde.

— Où cela, imbécile ? Regarde, il a disparu !

Le Dace s'approcha, et, pour la première fois, considéra la planchette. Après l'avoir examinée pendant quelques instants, il s'écria :

— Eh bien ! n'est-ce pas là la planche que vous avez suspendue la nuit dernière ?

— La planche, oui, lourdaud, mais l'écrit qui se trouvait cloué dessus et qui n'y est plus ? L'écrit ! voilà ce que tu avais à garder.

(1) Jeu de mots sur le nom de Corvinus, que le barbare prononce mal, et qui fait en même temps allusion au teint bourgeonné du persécuteur des chrétiens. (*Korn,* grain, *weir,* vigne.)

— Ah ! mais, entendons-nous, capitaine ; quant à l'écrit, vous comprenez que je n'y connais rien, n'ayant jamais été à l'école ; d'ailleurs, il est très-possible, comme il a plu toute la nuit, que l'écriture ait été effacée.

— Et, comme il faisait du vent aussi, sans doute que le vent aura enlevé le parchemin ?

— Sans doute, seigneur Kornweiner ; vous avez raison.

— Voyons, drôle, il ne s'agit pas ici de plaisanter. Dis-moi, sans détour, qui est venu ici la nuit dernière ?

— Mais ils sont venus à deux.

— A deux quoi ?

— A deux sorciers, à deux lutins, si ce n'est pis.

— Assez de sottises comme cela !

A cette sortie, l'œil du Dace brilla de nouveau ; Corvinus s'apaisa et reprit :

— Voyons, Arminius, dis-moi : quelle espèce de gens était-ce, et qu'ont-ils fait ?

— Mais l'un d'eux n'était guère qu'un enfant, grand et mince : c'est lui qui a été rôder autour du pilier, et qui, sans doute, aura enlevé la chose que vous réclamez, tandis que j'étais occupé avec l'autre.

— Et cet autre, qu'as-tu à m'en dire ? quel homme était-ce ?

Le soldat ouvrit démesurément les yeux et la bouche et tint, pendant quelque temps, fixé sur Corvinus son regard stupide et étonné ; puis, il reprit d'un ton solennel :

— Quel homme c'était ? sur ma vie, si ce n'était pas le dieu Thor en personne, il lui ressemblait furieusement. Jamais je n'ai senti force pareille.

— Et qu'a-t-il fait pour te la montrer ?

— Il s'approcha d'abord et commença à me parler d'un ton amical, me demandant s'il ne faisait pas bien froid, et autres propos de ce genre. Tout à coup je me rappelai qu'il me fallait frapper tous ceux qui s'approchaient de moi…

— A la bonne heure ! interrompit Corvinus, et pourquoi ne l'as-tu pas fait ?

— Parce qu'il ne m'a pas laissé faire. Je lui dis d'abord de se retirer, que sinon je le percerais de ma javeline, et je fis un pas en arrière en brandissant mon arme. Mais alors, lui, de la manière la plus tranquille, et je ne sais comment, m'arracha la javeline des mains, la brisa sur son genou, comme si c'eût été le sabre de bois d'un jongleur, et en lança la pointe de fer en terre, là-bas, où vous pouvez la voir encore à cent pas d'ici.

— Et tu n'as pas sauté sur lui, l'épée à la main, pour le punir de cette insolence?... Eh! mais où est-elle donc, cette épée? Je ne la vois pas dans ton fourreau.

Le Dace, avec un stupide sourire, désigna du doigt le toit de la basilique voisine, et dit :

— Tenez, la voyez-vous briller, là-bas, sur les tuiles, aux rayons du matin?

Corvinus suivit du regard la direction indiquée et aperçut, en effet, sur le toit de la basilique, un objet brillant qui ressemblait à un glaive, mais il en pouvait à peine croire ses yeux.

— Et comment se trouve-t-il là, misérable butor?

Le soldat ne répondit pas, mais il tourmenta les longues mèches de sa moustache d'un air si menaçant, que Corvinus, rendu tout à coup à des manières plus civiles, renouvela sa question d'un ton radouci.

— Pour alors, répondit alors le soldat, cet individu, ou ce n'importe quoi, — car je serais fort embarrassé de vous dire ce qu'il est, — sans le moindre effort apparent, par une sorte de conjuration magique, fit passer le glaive de mes mains dans les siennes, et de ses mains là où vous le voyez, et cela aussi aisément que je jetterais un disque à dix pas d'ici.

— Et puis?

— Et puis, lui et le jeune homme qui l'accompagnait, et qui avait fini de rôder autour du pilier, sont partis et ont disparu dans l'obscurité.

— Quelle étrange histoire! murmura tout bas Corvinus, et cependant voilà les preuves évidentes de la véracité de ce drôle. Ce n'est pas le premier venu qui serait capable d'accomplir un pareil tour de force. Mais, dis-moi, maraud, pourquoi n'as-tu pas donné l'alarme? pourquoi n'as-tu pas réveillé les autres gardes pour vous mettre tous ensemble à leur poursuite?

— D'abord, seigneur Kornweiner, parce que, dans notre pays, on se bat bien contre les hommes vivants, mais on n'a pas l'habitude de courir après des fantômes. Et ensuite, pourquoi aurais-je donné l'alarme? Je voyais bien et dûment pendue à sa place la planche que vous m'aviez donnée à garder.

— Stupide barbare! grommela Corvinus entre ses dents, en ayant soin toutefois de ne pas articuler trop haut cette exclamation; seulement il ajouta : — Voilà une affaire qui te coûtera cher, camarade ; tu sais bien que c'est là un crime capital.

— Quel crime ?

— De laisser un étranger s'approcher et de lui parler, sans en avoir reçu le mot de passe.

— Doucement, capitaine ; qui vous dit qu'il ne m'ait pas donné le mot de passe ?

— L'aurait-il donc donné ? Alors, ce ne peut être un chrétien.

— Oh ! non, ce ne peut être un chrétien ; il s'est approché de moi, et m'a dit très-distinctement : *Nomen imperatorum*, (le nom des empereurs).

— Qu'a-t-il dit ? rugit Corvinus.

— *Nomen imperatorum.*

— Misérable ! le mot de passe était *Numen imperatorum !* s'écria le jeune homme enragé.

— *Nomen* ou *numen*, c'est à peu près la même chose, ce me semble. Une lettre ne peut faire une grande différence. Vous m'appelez bien Arminius, tandis que mon nom véritable est Hermann, et cependant l'un et l'autre veulent dire la même personne. Comment voulez-vous que je comprenne toutes vos subtilités de langage ?

Corvinus était furieux, non pas tant contre le soldat que contre lui-même. Il comprenait combien mieux il serait parvenu à ses fins, en mettant en sentinelle un prétorien intelligent et rusé, plutôt qu'un étranger brutal et stupide.

— Eh bien, dit-il, ne contenant plus sa colère, tu auras à répondre de tout ceci devant l'empereur, et tu sais qu'il n'a pas l'habitude de passer légèrement sur les fautes.

— Ecoutez bien ceci, seigneur Krumbeiner[1], reprit le soldat d'un air surnois et stupide à la fois : en ce qui regarde la responsabilité, nous sommes à peu près dans le même cas, vous et moi. — Corvinus pâlit, car il savait que le soldat ne disait que trop vrai. — Aussi faut-il que vous cherchiez un moyen de me sauver, si vous tenez à vous tirer d'affaire vous-même. C'est vous, vous personnellement, que l'empereur a rendu responsable de la conservation de ce... comment appelez-vous cela ? — de cette planche.

— Tu as raison, l'ami ; il faudra que je répande le bruit qu'une

(1) Autre jeu de mots sur le nom de Corvinus, et qui peut se traduire par « seigneur mal bâti. »

troupe considérable t'a assailli pendant la nuit et que tu as été tué à ton poste. C'est pourquoi tu auras soin de te tenir caché pendant quelques jours; de mon côté, je veillerai à ce que tu ne manques pas de *sabaia*, jusqu'à ce que la chose soit tombée en oubli.

Le soldat suivit le conseil, partit et se tint caché. A quelques jours de là, le cadavre d'un Dace, criblé de blessures et évidemment assassiné, était trouvé sur le rivage du Tibre. On supposa que le malheureux avait succombé dans quelque tumulte de taverne, et l'on ne s'inquiéta pas davantage. En effet, la chose avait eu lieu ainsi; mais Corvinus eût pu dire mieux que personne ce qui s'était passé. Toutefois, avant de quitter ce malencontreux endroit du Forum, il avait soigneusement examiné le sol, pour y chercher des traces de l'acte audacieux qui s'y était commis; il ramassa, juste au-dessous de la place que l'édit avait occupée, un couteau qu'il se rappela fort bien avoir vu aux mains d'un de ses compagnons de classe. Il le serra, dans l'espoir d'y trouver un instrument de future vengeance, et s'empressa de se procurer une nouvelle copie du décret de persécution.

XV. — EXPLICATIONS.

Quand le jour vint, la foule ne tarda pas à affluer, de toutes parts, au Forum, curieuse de lire le terrible édit depuis si longtemps annoncé. Mais quand, au lieu du décret attendu, les citoyens ne trouvèrent qu'une planche nue, grandes furent la surprise et l'émotion. Quelques-uns admirèrent le courage des chrétiens, qu'on s'était plu à dépeindre jusque-là comme une troupe lâche et timide; d'autres s'indignèrent de l'audace d'une violation pareille; d'autres tournèrent en ridicule les fonctionnaires qui avaient pris part à la proclamation; d'autres enfin étaient furieux de voir que les divertissements qu'ils se promettaient pour ce jour-là, en chassant aux chrétiens, dussent être différés.

De grand matin déjà, dans tous les lieux où se réunissait le public élégant, il n'était bruit que de l'enlèvement de l'édit. Aux grands Thermes d'Antonin surtout, on s'en préoccupait activement dans un groupe d'habitués assidus. C'étaient Scaurus, le jurisconsulte, et Proculus, et Fulvius, et quelques autres, parmi lesquels le philosophe Calpurnius, feuilletant avec importance un paquet de parchemins poudreux.

— Quelle étrange affaire que celle de cet édit! s'écria l'un.

— Dites plutôt quel outrage odieux contre la personne de nos divins empereurs! reprit Fulvius.

— Comment cela s'est-il fait? demanda un troisième.

— N'avez-vous pas entendu, dit Proculus, que le Dace placé en sentinelle devant le Putéal Labonis a été trouvé assassiné, le corps criblé de vingt-sept coups de poignard, dont dix-neuf étaient tellement profonds, que chacun eût suffi pour donner la mort?

— Non, c'est un faux bruit, interrompit Scaurus; il n'y a pas eu de violence, mais du sortilége. Deux femmes se sont approchées du soldat; celui-ci a porté à l'une d'elles un coup de sa javeline, qui l'a percée de part en part et est allée retomber sur le sol à quelques pas derrière elle, sans lui faire de blessure. Il se retourna alors vers la seconde et la frappa de son épée, mais ç'a été comme s'il eût frappé du marbre. Aussitôt, cette femme lui jeta à la figure une poignée de poudre magique, et il fut emporté dans l'air. On l'a retrouvé ce matin, endormi, mais sain et sauf, sur le toit de la basilique Æmilienne. Un de mes amis, qui a passé par là avant l'aurore, a vu l'échelle dont on s'est servi pour le faire descendre.

— Quelle chose étonnante! s'écrièrent plusieurs des assistants. Quelles gens extraordinaires doivent être ces chrétiens!

— Je ne crois pas un mot de tout cela, dit Proculus. Il est impossible qu'on accomplisse de pareilles choses à l'aide de la magie, et je ne vois pas en vérité pourquoi ces misérables chrétiens auraient plus de puissance que ceux qui valent mieux qu'eux. Voyons, Calpurnius, ajouta-t-il, laissez un moment ce vieux bouquin et répondez à quelques questions. Dans une seule après-dînée, j'ai appris de vous plus de choses, au sujet de ces chrétiens, que je n'en avais entendu auparavant de toute ma vie. Quelle merveilleuse mémoire vous devez avoir, pour retenir si bien la généalogie et l'histoire de ce peuple barbare! Répondez, ce que Scaurus vient de raconter est-il possible, oui ou non?

Calpurnius prit la parole d'un air de pompeuse assurance, et commença :

— Il n'y a pas de raison pour supposer qu'une pareille chose soit impossible, car le pouvoir des magiciens est sans bornes. Pour pré parer une poudre qui puisse faire voler un homme dans les airs, il suffit de trouver des herbes dans la composition desquelles l'air entre pour une part plus grande que les trois autres éléments. Tels sont certains légumes, par exemple, les lentilles, au dire de Pythagore. Or, en cueillant ces herbes dans la période où le soleil est sous le signe de la Balance, laquelle a pour effet de balancer dans l'air même les choses pesantes, au moment de sa conjonction avec Mercure, une puissance ailée, comme vous savez, en augmentant la vertu de ces herbes au moyen de quelques paroles mystérieuses prononcées par un magicien habile, puis en les réduisant en poudre dans un mortier fait d'un aérolithe, ou d'une pierre quelconque qui se soit envolée dans l'air et soit retombée sur la terre, on peut fabriquer, sans aucun doute, une poudre qui, administrée convenablement, permettrait à un homme de voler ou le contraindrait à le faire. Tout le monde sait bien, en effet, que les sorcières de la Thessalie se promènent à leur gré dans les nuages, et qu'elles se transportent ainsi d'un lieu à un autre. Or, cela ne peut se faire qu'au moyen d'un charme semblable à celui que je viens de vous décrire. — Parlons maintenant des chrétiens. Vous vous rappelez, mon excellent Proculus, que dans l'exposé auquel vous vouliez bien tout à l'heure faire allusion, et qui a été développé, si je ne me trompe, à la table de ce bon Fabius, — déifié aujourd'hui, — j'ai dit que la secte des chrétiens est originaire de Chaldée, pays qui a toujours été fameux par les sciences occultes. Mais nous avons, dans l'histoire, une preuve plus évidente encore de ce fait. Il est avéré et connu de tous que, dans cette ville, dans Rome même, un certain Simon, que l'on appelle aussi Simon Pierre, ou encore Simon le magicien, s'éleva dans l'air en présence du public émerveillé ; mais son talisman s'étant échappé de sa ceinture, tandis qu'il planait dans les régions supérieures, il tomba et se brisa les deux jambes ; c'est pour cela qu'on fut obligé de le crucifier la tête en bas.

— Ainsi donc tous les chrétiens sont nécessairement des sorciers ? demanda Scaurus.

— Nécessairement ; cela fait partie de leurs superstitions. Ils sont convaincus que leurs prêtres ont une puissance extraordinaire sur toute la nature. Ainsi, par exemple, ils pensent qu'en baignant dans de l'eau les corps de leurs adeptes, ils communiquent aux âmes de ces gens des qualités merveilleuses et surnaturelles, au point qu'elles donnent, même aux esclaves, une extrême supériorité sur leurs maîtres et même sur nos divins empereurs.

— Quelle horreur ! s'écrièrent tous les assistants en chœur.

— Ce n'est pas tout, reprit Calpurnius, nous savons quel crime abominable quelques-uns des leurs ont commis la nuit dernière, en déchirant le suprême édit de nos divinités impériales. Eh bien ! supposons — ce qu'aux dieux ne plaise ! — qu'ils poussent plus loin leurs trahisons abominables et qu'ils portent atteinte à la vie sacrée de nos empereurs ; ils ont la ferme croyance qu'il leur suffit d'aller trouver un de ces prêtres, de lui faire l'aveu de leur crime et d'en demander pardon, pour que — si le prêtre l'accorde — ils puissent se considérer comme parfaitement innocents et sans aucun reproche.

— C'est affreux ! reprit le chœur des auditeurs.

— Une pareille doctrine, dit Scaurus, est incompatible avec la sécurité de l'Etat. Un homme convaincu de pouvoir obtenir d'un autre le pardon de toute espèce de crimes est capable de les commettre tous sans hésitation.

— Et c'est là, sans doute, fit observer Fulvius, la cause de ce nouvel et terrible édit qui vient d'être rendu contre eux. Après ce que Calpurnius vient de nous dire de la perfidie de ces hommes sans frein, aucun châtiment ne pourrait être trop cruel pour eux.

Fulvius, en parlant ainsi, attachait son regard perçant sur Sébastien, qui était entré pendant la conversation. Il l'interpella directement.

— Et sans doute vous êtes du même avis, n'est-ce pas, Sébastien ?

— Je pense, répondit l'officier avec beaucoup de calme, que si les chrétiens sont réellement tels que nous les dépeint Calpurnius, c'est-à-dire d'infâmes magiciens, ils méritent d'être exterminés de la surface de la terre. Mais, dans ce cas même, je leur donnerais volontiers une chance de salut.

— Et cette chance, quelle est-elle ? demanda ironiquement Fulvius.

— Je voudrais que personne ne pût être admis à demander leur destruction, sans avoir prouvé, d'abord, qu'il est plus qu'eux exempt de tout crime. Je voudrais que pas un ne pût lever la main contre eux, sans avoir prouvé qu'il n'est ni un adultère, ni un concussionnaire, ni un menteur, ni un ivrogne, ni un mauvais père, ni un mauvais époux, ni un mauvais fils, ni un débauché, ni un voleur : car personne ne peut accuser ces malheureux chrétiens d'être rien de tout cela[1].

(1) Voir l'adresse de Lucien au juge, à propos de la condamnation de Ptolémée, au

Fulvius frémit de rage en entendant cette longue énumération de vices qui, pour la plupart, étaient les siens ; il ne put soutenir le regard indigné mais calme de Sébastien, et quand ce dernier prononça le mot de *voleur*, il tressaillit. Le soldat lui avait-il donc vu ramasser l'écharpe brodée de Syra dans la maison de Fabius ? Quoi qu'il en fût, l'aversion qu'il avait conçue pour Sébastien, dès leur première entrevue, s'était changée en haine lors de sa visite chez Agnès ; et la haine, dans ce cœur perverti, ne se pouvait graver qu'en caractères de sang. A ce sentiment, il ne pouvait plus rien ajouter que la violence.

Sébastien sortit des Thermes et donna carrière à ses pensées dans une invocation familière au Ciel : « Combien de temps encore, ô Seigneur ! combien de temps ! Quelle espérance pouvons-nous avoir de convertir à votre foi un grand nombre d'infidèles, et bien moins encore ce grand empire tout entier, tant que nous verrons des hommes, même ceux d'entre eux qui sont probes et savants, ajouter foi à toutes les calomnies que l'on forge contre nous ; accumuler d'âge en âge toutes les fables et toutes les fictions inventées sur notre religion ; et refuser même d'étudier nos doctrines, parce qu'ils ont l'esprit prévenu et qu'ils s'obstinent à les croire fausses et méprisables ! »

Il parlait à haute voix, se croyant seul, quand une voix douce s'éleva de son côté, et répondit :

— Bon jeune homme, qui que tu sois, qui parles ainsi — et il me semble que ta voix ne m'est point inconnue — souviens-toi que le Fils de Dieu a donné la lumière à l'œil de l'aveugle, en y appliquant un peu de boue liquide, ce qui, dans les mains de l'homme, n'eût servi qu'à aveugler le clairvoyant. Soyons comme la poussière à ses pieds, si nous désirons qu'il se serve aussi de nous pour dessiller les yeux des âmes. Qu'importe que nous soyons foulés aux pieds un peu plus longtemps ? Prenons patience : peut-être que de nos cendres sortira l'étincelle qui doit allumer l'amour de Dieu dans tous les cœurs.

— Merci, Cœcilia, dit Sébastien, merci pour ta réprimande aussi juste que bienveillante. Mais où donc cours-tu ainsi, joyeuse, le jour où commencent nos dangers ?

— Ne savez-vous pas que j'ai été nommée guide du cimetière de Callistus ? Je vais prendre possession de mon emploi. Priez pour que je sois la première fleur qui sera cueillie au printemps qui commence.

commencement de la seconde *Apologie* de saint Justin, ou dans Ruinart, *Acta Sincera*, vol. I. p. 120. éd. Aug. 1802.

Et elle voulut poursuivre sa route en chantant gaîment ; mais Sébastien la retint en la priant de s'arrêter un instant

---

XVI. — LE LOUP DANS LA BERGERIE.

Après les aventures de la nuit, nos jeunes gens n'eurent pas beaucoup de temps à consacrer au repos. Dès avant l'aurore, les chrétiens avaient l'habitude de se lever afin de pouvoir se rassembler dans leurs chapelles et se disperser ensuite avant le jour. Ce jour-là devait éclairer leur dernière réunion dans ces lieux. Les oratoires allaient être fermés et le service divin devait commencer, à partir de ce jour, dans les églises souterraines des cimetières. Cependant on ne pouvait s'attendre à ce que tous pussent, même le dimanche, se transporter sans dangers à une distance de plusieurs milles hors des portes de la ville[1]. Aussi est-ce pour cela qu'un grand privilége était accordé aux fidèles dans ces époques de trouble ; c'était de conserver la sainte Eucharistie dans leurs demeures et de se communier eux-mêmes le matin en secret « avant de prendre aucune nourriture, » comme l'indique expressément Tertullien[2].

Les fidèles se considéraient, non comme des brebis que l'on mène à la boucherie, ni comme des criminels que l'on prépare pour l'exécution, mais comme des soldats qui s'apprêtent pour le combat. Armes, aliments, force, courage, ils devaient trouver tout dans le banquet du Seigneur. Même les esprits tièdes et timides se retrempaient et acquéraient une nouvelle ardeur en recevant le pain de vie. Dans les églises, ainsi qu'on peut le voir encore dans les cimetières, il y avait des siéges placés pour les pénitenciers, devant lesquels le pécheur s'agenouillait, confessait sa faute et recevait l'absolution. Dans des moments comme celui-ci, le code de la pénitence se relâchait un peu de sa sévérité, et la durée des expiations publiques était fort raccourcie. Toute la nuit avait été consacrée par le clergé zélé à préparer le trou-

(1) Il y avait un cimetière appelé *ad Sextum Philippi,* qui était situé, à ce que l'on suppose, à six milles de Rome ; mais un grand nombre étaient à trois milles du cœur de la cité.

(2) *Ad uxorem,* lib. II, c. v.

peau pour la communion publique, qui devait être, pour beaucoup d'entre eux, la dernière sur cette terre.

Nous n'avons pas besoin de rappeler à nos lecteurs que l'office, tel qu'il se célébrait alors, était, dans son essence comme dans presque tous ses détails, le même qu'ils voient célébrer aujourd'hui devant les autels catholiques. Non-seulement on le considérait, ainsi, que de nos jours, comme étant le sacrifice du corps et du sang de Notre-Seigneur ; non-seulement l'offrande, la consécration et la communion se faisaient de même, mais encore la plupart des prières étaient identiquement semblables ; de sorte que le catholique qui les entend réciter, et bien plus encore le prêtre qui les récite, dans ce même langage de l'Église romaine qui était en usage dans les Catacombes, peut se croire en communion active et réelle avec les martyrs qui officiaient et les martyrs qui assistaient à ces sublimes mystères.

A l'occasion particulière dont nous parlons ici, lorsque vint le moment de donner le baiser de paix — véritable embrassement d'affection fraternelle — on entendit des pleurs et des sanglots : c'était en effet, pour un grand nombre, le baiser d'adieu. Plus d'un enfant se jetait au cou de son père et le tenait embrassé, ne sachant pas si cette même journée ne devrait pas les séparer jusqu'au temps où ils agiteraient ensemble dans le ciel leurs palmes triomphales. Quelle ne devait pas être l'émotion des mères, quand elles pressaient sur leur sein leurs filles bien-aimées, dans la ferveur de cet amour nouveau que fait naître la crainte d'une longue et pénible séparation ! Puis vint la communion, plus solennelle qu'à l'ordinaire, plus recueillie, plus silencieuse.

« Ceci est le corps de Notre-Seigneur Jésus-Christ, » disait le prêtre à chacun des fidèles, en lui présentant la céleste nourriture des âmes. « Amen, » répondait le communiant, d'une voix que la ferveur de la foi et de l'amour faisait trembler. Puis, étendant devant le prêtre un *orarium*, ou linge fin de toile blanche, chacun y recevait une provision du pain de vie qui devait lui suffire jusqu'à la fête prochaine. Ce dépôt sacré était soigneusement et respectueusement fermé, et placé dans une autre pièce d'étoffe plus précieuse ou même dans une boîte d'or, qui se suspendait sur la poitrine, sous les vêtements[1]. Ce fut

(1) Quand le cimetière du Vatican fut exploré, en 1571, on trouva dans les tombes deux petits vases d'or de forme carrée, avec un anneau au sommet du couvercle. Ces très-anciens vases sacrés sont considérés, par Bottari, comme ayant été employés à porter

alors que, pour la première fois, la pauvre Syra déplora la perte de sa riche écharpe brodée, que depuis longtemps elle eût donnée aux pauvres, si elle ne l'avait toujours conservée pour une pareille occasion et un pareil usage. Et jamais sa maîtresse n'avait pu lui faire accepter aucun objet de valeur, sans la condition expresse qu'elle en pourrait faire tel usage qu'il lui conviendrait, c'est-à-dire l'employer à des dons charitables.

Ces différentes assemblées s'étaient dispersées avant que la nouvelle de la violation de l'édit ne se fût répandue dans Rome ; ou, pour parler plus exactement, on ne s'était pas dispersé, mais ajourné jusqu'à la prochaine réunion dans les Catacombes. Les fréquentes entrevues de Torquatus avec ses deux associés païens dans les bains de Caracalla avaient été remarquées et soigneusement surveillées par le capsaire et sa femme, ainsi que nous l'avons déjà constaté ; Victoria avait entendu le complot qu'ils tramaient, et dont le but était de faire une invasion dans le cimetière de Callistus le lendemain de la publication de l'édit. Les chrétiens, par conséquent, se considérèrent comme plus en sûreté le premier jour, et prirent avantage de la circonstance pour inaugurer, par des offices solennels, les églises des Catacombes qui, après être restées peu fréquentées pendant quelques années, venaient d'être réparées et mises en ordre par les *fossores*, repeintes et garnies de tout ce qui était nécessaire à la célébration du service divin.

Mais Corvinus, après être revenu de son premier effroi, et après avoir appendu en toute hâte une nouvelle copie de l'édit, moins pompeuse toutefois que la première, commença seulement à songer aux conséquences probables et sérieuses de la colère de son maître impérial. Le Dace avait raison : c'était lui qui était responsable de cette violation. Il sentit la nécessité de faire, ce jour même, quelque chose, pour prévenir les effets de la disgrâce qu'il avait encourue, avant d'oser affronter les regards de l'empereur. En conséquence. il résolut de précipiter l'attaque du cimetière, laquelle ne devait avoir lieu que le jour suivant, d'après son premier plan.

Il se rendit, à cet effet, de grand matin. à l'établissement des bains, où Fulvius, qui surveillait toujours Torquatus avec défiance, avait retenu ce dernier dans l'attente de la venue de Corvinus, pour tenir conseil ensemble. Le digne trio concerta ses plans. Corvinus, guidé par

la sainte Eucharistie suspendue au cou (*Roma subterranea,* tome I, fig. 2). et Pellicia confirme ce fait par divers arguments. (*Christianæ Eccles. Poletia,* tome III, p. 20.)

l'apostat qui agissait à contre-cœur, et soutenu d'une bande de soldats choisis, toujours à sa disposition, devait envahir le cimetière de Callistus, y semer l'alarme et en chasser tous les prêtres et les principaux chrétiens qui s'y trouveraient réunis; tandis que Fulvius, demeurant à l'extérieur avec une autre compagnie, intercepterait le passage et leur couperait toute retraite, en s'assurant les prises les plus importantes et spécialement du souverain pontife et des membres du clergé supérieur, que sa présence à l'ordination le mettait à même de reconnaître. Tel était son plan. — Que ces imbéciles, se dit-il, jouent le rôle de furets, qu'ils fouillent la garenne; je serai, moi, le chasseur qui veille à l'extérieur et qui profite de la chasse.

Cependant Victoria en avait trop entendu pour ne pas désirer en savoir davantage : elle feignit d'être très-occupée, de nettoyer et ranger la salle écartée où ils se concertaient, et surprit leur secret sans éveiller de soupçon. Elle alla tout raconter à Cucumio, et ce dernier, après s'être longtemps torturé l'esprit pour trouver un moyen de prévenir ses coreligionnaires du danger qui les menaçait, s'arrêta enfin à un plan qui lui parut le plus expédient à cet effet.

Sébastien, après avoir assisté, comme d'ordinaire, au service divin du matin, incapable, à cause des devoirs qu'il avait à remplir au palais, de faire davantage, s'était rendu, conformément à une habitude presque générale, à l'établissement des bains, pour y fortifier ses membres par un rafraîchissement salutaire, comme aussi pour donner le change aux soupçons que son absence matinale eût pu faire naître. Tandis qu'il se baignait, le vieux *capsarius*, ainsi qu'il s'était lui-même pompeusement qualifié dans son inscription antéposthume, écrivit sur un feuillet de parchemin tout ce que sa femme avait entendu du complot d'invasion immédiate, et de l'intention de Fulvius de s'emparer de la personne du souverain pontife. Il attacha mystérieusement cet écrit, à l'aide d'une épingle ou d'une aiguille, à l'intérieur de la tunique de Sébastien, sur laquelle il avait été chargé de veiller. Il n'osait pas, en présence d'étrangers, adresser la parole à l'officier.

Sébastien, au sortir du bain, passa dans la salle de conversation, où l'on discutait très-vivement au sujet des événements du matin, et où Fulvius attendait que Corvinus vînt le prévenir que tout était prêt. Il sortit avec dégoût, et, en marchant, il sentit le froissement d'un objet étranger sur sa poitrine; il y porta la main, examina ses vêtements et trouva le parchemin. L'avis était formulé dans un latin au moins aussi élégant que celui de l'épitaphe de Cucumio; mais Sébastien le comprit assez pour juger nécessaire de retourner sur ses pas vers la voie Appienne, au lieu d'aller vers le Palatin, afin de porter en toute hâte cette importante information aux chrétiens rassemblés dans le cimetière.

Cependant, ayant rencontré une messagère plus prompte et plus sûre que lui dans la personne de la pauvre fille aveugle, dont les démarches ne devaient pas, ainsi que les siennes, attirer l'attention, il l'arrêta, lui remit la note, après y avoir ajouté à la hâte quelques mots avec la plume et l'encre qu'il portait constamment sur lui, et il la pria de porter, le plus promptement possible, le message à sa destination. D'autre part, à peine avait-il quitté les bains, que Fulvius, de son côté, recevait la nouvelle que Corvinus et ses troupes étaient en marche vers le point désigné. Seulement, pour dérouter les soupçons, ils faisaient un grand détour par la campagne. Il monta immédiatement à cheval et s'avança par la grande route, tandis que le soldat chrétien, dans un chemin de traverse, donnait ses instructions à sa messagère.

Lorsque nous avons accompagné Diogène et Pancrace dans le dédale des Catacombes, nous nous sommes arrêtés au moment d'entrer dans l'église souterraine, parce que Severus ne voulait pas en livrer le chemin aux trahisons de Torquatus. C'était précisément dans cette église que la congrégation chrétienne était rassemblée en ce moment, sous la conduite de son premier pasteur. La chapelle était construite selon le principe commun à toutes les excavations semblables, car nous ne pouvons pas les appeler des édifices.

Que le lecteur se figure deux de ces *cubicula* ou chambres, que nous avons décrites précédemment, placées de chaque côté d'une galerie ou passage, de telle sorte que leurs portes ou plutôt leurs larges entrées soient en face l'une de l'autre. A l'extrémité d'une de ces *cubicula* se trouve un *arcosolium*, ou tombe-autel; et la conjecture probable est que, dans cette division, se trouvaient les hommes sous la conduite des *ostiarii*[1], et dans l'autre les femmes sous la conduite des diaconesses. Cette séparation des sexes pendant les offices divins était strictement observée dans les premiers temps de l'Eglise.

Souvent ces églises souterraines n'étaient pas dépourvues de décorations architecturales. Les murailles, spécialement celles qui avoisinaient l'autel, étaient plâtrées et peintes, et des demi-colonnes fort

(1) Portiers, Office qui constituait un des ordres mineurs de l'Eglise.

gracieusement taillées dans la pierre calcaire et ornées de bases et de chapiteaux, divisaient les différentes parties et ornaient l'encadrement des entrées. Dans une de ces églises — la plus grande des basiliques qui aient été découvertes jusqu'aujourd'hui dans le cimetière de Callistus — il y a une chambre sans aucune espèce d'autel, communiquant avec l'église par une ouverture en forme d'entonnoir, perçant la muraille dont l'épaisseur est d'une douzaine de pieds et entrant dans la chambre, dont le niveau était inférieur à celui de l'église, à une hauteur de cinq à six pieds et dans une direction oblique ; de telle sorte que tout ce qui se disait dans l'église pouvait être entendu, mais que rien de ce qui s'y faisait ne pouvait être vu par ceux qui se trouvaient rassemblés dans cette chambre. On a supposé très-naturellement que ce devait être là la place réservée pour cette classe de pénitents publics appelés *audientes*, écouteurs, et aux catéchumènes, qui n'avaient point encore été initiés par le baptême.

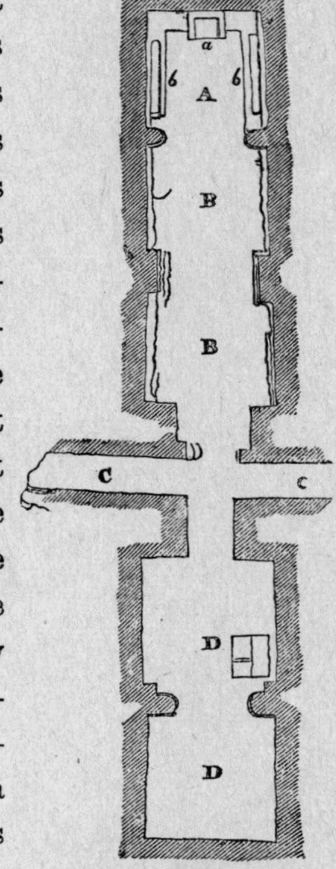

PLAN DE L'ÉGLISE SOUTERRAINE TROUVÉE DANS LE CIMETIÈRE DE SAINTE-AGNÈS.

A. Chœur ou sanctuaire, avec la chaire épiscopale (*a*) et des bancs pour le clergé (*bb*). — B. Compartiment pour les hommes, séparé du chœur par deux piliers qui supportent une arche. — C. Corridor de la Catacombe, donnant entrée dans l'église. — D. Compartiment des femmes avec un tombeau à droite. — Chacune de ces divisions est subdivisée encore par des colonnettes qui font saillie dans la muraille.

La basilique dans laquelle les chrétiens étaient rassemblés lorsque Sébastien y envoya son message était de tous points semblable à celle qui a été découverte dans le cimetière de Sainte-Agnès. Chacune de ces deux divisions était double, c'est-à-dire qu'elle se composait de deux grandes chambres, séparées conventionnellement entre elles par des demi-colonnes, dans ce qu'on pourrait appeler l'église des femmes, et par des pilastres, dans celle des hommes. Dans l'un de ces pilastres, il y avait une niche pratiquée pour recevoir une image ou une lampe. Mais la particularité la plus remarquable de cette basilique est un prolongement ultérieur de la construction, de manière à donner place à un chœur ou sanctuaire. Ce chœur a à peu près les dimensions de la moitié de chaque autre compartiment, dont il est séparé par deux colonnes engagées dans la muraille. Il est aussi plus bas de voûte que le reste des églises, caractère que l'on peut observer encore dans nos églises modernes. Chaque compartiment des deux divisions de l'église renferme, incrustée dans la muraille, une haute tombe à arceaux voûtés, et de plus quatre ou cinq rangées de tombeaux au-dessus, tandis que l'élévation de ce sanctuaire ne dépasse guère celle de ces *arcosolia*, ou tombes-autels. A l'extrémité du sanctuaire, au milieu et contre la muraille, est une chaise à dossier et à bras taillés dans la pierre; et de chaque côté, un banc, de pierre également, se projette le long de la muraille et occupe ainsi l'extrémité et les deux côtés du sanctuaire. Comme la table de la tombe voûtée, située derrière la chaise, est plus élevée que le dossier du trône, et comme ce dernier était inamovible, il est clair que les divins mystères n'ont pu être célébrés sur cette tombe.

Il fallait donc qu'on plaçât un autel portatif devant le trône, dans une position isolée, au milieu du sanctuaire; et cet autel — la tradition nous l'apprend — était l'autel de bois de saint Pierre.

Nous avons de la sorte les dispositions exactes qui se retrouvent dans les églises bâties après la paix, et que l'on voit encore de nos jours dans toutes les anciennes basiliques de Rome : — la chaire épiscopale dans le centre de l'abside, le chœur ou les stalles du clergé sur les deux côtés, et l'autel entre le trône et le peuple. Les premiers chrétiens indiquaient ainsi à l'avance, dans leurs excavations souterraines, les principes qui devaient diriger par la suite les formes de l'architecture ecclésiastique.

C'était donc dans une basilique pareille que nous supposerons les fidèles chrétiens réunis, lorsque Corvinus, à la tête de ses satellites, arriva à l'entrée du cimetière. Ils avaient suivi le chemin connu de Torquatus, et qui conduisait à des degrés s'ouvrant au milieu d'un bâtiment en ruines, et cachés par des piles de bois et de fagots amoncelés. Ils trouvèrent l'entrée libre et prirent immédiatement leurs dispositions.

Fulvius, avec un corps de dix à douze hommes, demanda à garder l'entrée; il devait saisir au passage tous ceux qui se présenteraient pour entrer ou pour sortir. Corvinus, avec Torquatus, et un autre détachement de huit hommes seulement, se chargea de descendre dans le cimetière.

— Je n'aime pas cette besogne souterraine, dit un vieux légionnaire à barbe grise : je suis un soldat, et non pas un tueur de rats. Qu'on m'amène un adversaire à la lumière du ciel, et je le combattrai main à main, pied à pied, mais je ne me sens aucune espèce d'inclination pour être enfumé ou empoisonné comme une fouine dans un terrier.

Ces paroles trouvèrent de l'écho dans les rangs de ses compagnons. L'un d'eux dit : « Ils sont peut-être là-dedans cachés par centaines, ces bandits de chrétiens, et nous ne sommes que douze. »

— Ce n'est pas pour faire de cette besogne que l'on nous donne notre paye, ajouta un troisième.

— Ce n'est pas leur courage ou leur nombre qui m'effraie, continua un quatrième, ce sont leurs sorcelleries.

Il ne fallut rien moins que toute l'éloquence de Fulvius pour réveiller leur ardeur. Il leur assura qu'il n'y avait absolument rien à craindre ; que les chrétiens étaient d'une poltronnerie telle, qu'ils fuiraient devant eux comme des lièvres, et qu'ils trouveraient dans l'église plus d'or et plus d'argent qu'ils n'en pouvaient gagner avec toute une année de paye. Encouragés par ces paroles, ils descendirent lentement les degrés jusqu'au bas de l'escalier. Là ils distinguèrent la lueur des lampes lointaines, rayonnant dans la nuit des longs corridors qui s'étendaient devant eux.

— Silence ! dit un des soldats, écoutez cette voix...

En effet, des accents voilés par l'éloignement se faisaient entendre ; c'est une voix pure, juvénile, sereine, qu'aucune crainte certes ne faisait trembler, si claire qu'on pouvait distinguer jusqu'aux moindres paroles. Les soldats prêtèrent l'oreille et entendirent les strophes suivantes :

» *Dominus illuminatio mea, et salus mea ; quem timebo ?*
» *Dominus protector vitæ meæ, a quo trepidabo*[1] *?* »

Puis s'éleva un chœur nombreux de voix qui chantaient, semblable au bruit des grandes eaux :

« *Dum appropriant super me nocentes, ut edant carnes meas ; qui tribulant me, inimici mei, ipsi infirmati sunt et ceciderunt*[2]. »

Un sentiment de colère mêlé de honte s'empara des soldats, quand ils entendirent ces paroles pleines de calme confiance et de dédain pour le danger. La voix reprit seule, mais sur un ton moins éclatant que la première fois :

(1) « Le Seigneur est ma lumière et mon salut : qui craindrai-je ? Le Seigneur est le protecteur de ma vie : de qui serai-je épouvanté ? » Ps. XXVI. 1.

(2) « Tandis que les méchants s'approchent de moi pour dévorer ma chair, mes ennemis qui me harcèlent ont eux-mêmes été affaiblis et sont tombés. » Ib., 2.

« *Si consistant adversum me castra, non timebit cor meum*[1]. »

— Il me semble reconnaître cette voix, murmura Corvinus ; je devrais la reconnaître entre mille. C'est la voix de celui qui m'est si odieux, de celui qui a causé sans doute la profanation de la nuit dernière et les troubles de ce matin. C'est la voix de Pancrace qui a arraché l'édit impérial, en avant. En avant ! mes braves. Les plus grandes récompenses pour celui qui me le livrera mort ou vif.

— Mais un instant, dit un des soldats ; allumons d'abord nos torches.

— Ecoutez donc ! reprit un second, tandis qu'ils suivaient ce conseil ; quel est ce bruit étrange qui ressemble à des coups de pioches et de marteaux frappés dans le lointain ? Voilà quelques instants déjà que je l'ai observé.

— Et voyez ! ajouta un troisième, les lumières là-bas disparaissent et la musique a cessé. On s'est très-certainement aperçu de notre présence.

— Ne craignez rien, il n'y a aucun danger, dit Torquatus, en faisant parade d'une intrépidité qu'il était loin d'avoir. Le bruit dont vous parlez est causé sans doute par ces vieilles taupes, par Diogène et ses fils, qui travaillent activement à préparer les tombes des chrétiens que nous allons saisir.

Torquatus avait inutilement insisté pour que les soldats ne prissent pas des torches avec eux, mais seulement de ces lampes suspendues telles qu'en porte Diogène dans le dessin que nous en avons donné, ou bien des flambeaux de cire qu'il avait apportés pour lui-même ; mais les légionnaires avaient juré qu'ils ne s'aventureraient pas dans les Catacombes sans avoir abondance de lumières, et encore de lumières qui ne pussent être éteintes par un courant d'air ou par un coup sur le bras. Les effets de cette tactique ne tardèrent pas à se faire sentir. A mesure qu'ils avançaient avec lenteur et précaution, à travers la longue galerie étroite et basse, les torches de résine craquaient et éclataient avec de larges flammes qui les gênaient et leur brûlaient le visage, tandis qu'une fumée épaisse et noire retombait de la voûte sur chacun des porteurs, les suffoquant à demi et les enveloppant d'un nuage qui rendait leurs lumières inutiles. Torquatus marchait à la tête de la troupe, comptant avec soin toutes les allées

(1) « Si des camps entiers se dressent contre moi, mon cœur ne connaîtra pas la peur. » Ps. XXVI, 3.

latérales de gauche et de droite, telles qu'il les avait comptées à sa première visite; il fut étonné de ne plus retrouver une seule des marques qu'il avait faites à la muraille. Aussi, lorsque, après avoir compté plus de la moitié du nombre des détours qu'il avait notés, il trouva la route fermée et complétement barricadée, il s'arrêta tout interdit.

C'est que des yeux plus perçants que les siens avaient éventé ses projets. Severus ne s'était pas relâché un seul instant de sa vigilance, résolu qu'il était à ne se point laisser surprendre. Il était près de l'entrée du cimetière, au bas de l'escalier, quand les soldats mirent le pied sur les premières marches ; et il courut en toute hâte vers l'endroit où le sable avait été préparé pour fermer le chemin; près de cet endroit, son frère et plusieurs autres travailleurs actifs et vigoureux se tenaient en permanence, attendant le signal du danger. En un instant, avec ce silence, et cette rapidité auxquels ils avaient été habitués, ils se mirent à l'œuvre, entassant le sable des deux côtés dans l'étroit et bas corridor, tandis que des coups de pics bien dirigés faisaient pleuvoir de la voûte des monceaux de pierre calcaire qui achevèrent bientôt de boucher l'ouverture. Ils se tenaient derrière cette barrière, comprimant à grand'peine leur hilarité, en entendant les imprécations de désappointement des soldats, dont ils n'étaient séparés que par ce léger obstacle. C'était leur travail que les soldats avaient entendu, c'était lui qui avait éteint le bruit des voix, et voilé la lumière des lampes.

La perplexité de Torquatus ne fut diminuée en rien par la série de jurons et d'imprécations, d'injures et de menaces, que ses compagnons lui lancèrent à la tête, en l'accusant de sottise et de trahison.

— Attendez un instant, je vous prie, dit-il : il est possible que je me sois trompé dans mes calculs. Je connais parfaitement le bon chemin; une tombe très-remarquable se trouve à quelques pas à l'intérieur; je vais entrer dans un ou deux des derniers corridors, afin de la trouver.

En parlant ainsi, il revint sur ses traces, entra dans la première galerie qu'il rencontra à main gauche, avança quelques pas encore et disparut complétement.

Quoique ses compagnons l'eussent suivi jusqu'à l'entrée même de la galerie, ils ne purent ni voir ni comprendre les causes de cette disparition instantanée. Elle avait eu lieu comme par enchantement, et ils étaient tous disposés à le croire, Torquatus et sa lumière semblaient s'être dissipés en même temps. « Nous ne voulons plus continuer cette besogne-ci, dirent les soldats : ou Torquatus est un traître, ou il a été enlevé par magie. » Harassés de fatigue, incommodés par l'odeur pénétrante de leurs torches enflammées, brûlés, aveuglés et étouffés par la fumée résineuse, déçus dans leur attente et découragés en même temps, ils retournèrent sur leurs pas : et, comme leur route conduisait tout droit à l'escalier d'entrée, ils jetèrent l'un après l'autre leurs torches dans les galeries latérales, pour s'en débarrasser. Quand ils regardèrent derrière eux, ils virent comme une illumination triomphale qui éclairait l'atmosphère des obscurs corridors. De l'ouverture des divers souterrains, s'échappaient des bouffées de lueurs rougeâtres qui donnaient des teintes empourprées aux sombres parois de ces cavernes, tandis que l'épaisse fumée des torches, s'arrêtant à la voûte, y restait suspendue comme un nuage doré. Les tombes maçonnées, recevant ces reflets inaccoutumés sur leurs tuiles jaunes, ou sur leurs tablettes de marbre, semblaient couvertes d'ornements d'or et d'argent encadrés dans le rouge damas des murailles. C'était comme un hommage rendu au martyre par les fureurs du paganisme elles-mêmes, au premier jour de la persécution. Les torches qu'ils avaient allumées pour détruire les chrétiens ne servaient qu'à répandre un nouvel éclat sur les monuments de cette vertu qui n'avait jamais failli pour le salut de l'Eglise.

Mais avant que ces chiens dépistés, se retirant l'oreille basse, eussent regagné l'entrée du cimetière, ils s'arrêtèrent à la vue d'une singulière apparition. D'abord ils crurent avoir aperçu, à travers une éclaircie, un reflet de la lumière du jour ; mais ils reconnurent bientôt que c'était la lueur vacillante d'une lampe. Cette lampe était tenue d'une main ferme et haute par une personne qui se tenait debout et immobile, et qui recevait, par conséquent, la lumière en plein visage.

C'était une femme ; elle était vêtue d'une robe de couleur sombre, et, de loin, elle ressemblait à ces statues de bronze dont la tête et les mains sont de marbre blanc, et dont l'aspect effraye à la première vue, tant elles ressemblent elles-mêmes à des figures vivantes.

— Qui cela peut-il être ? qu'est-ce que cela ? se demandèrent tout bas les soldats entre eux.

— C'est une sorcière, répondit l'un.

— Le *Genius loci*, (le génie gardien du lieu), fit observer un autre.

— Un esprit, suggéra un troisième.

Et chose étrange! à mesure qu'ils avançaient, l'apparition semblait ne pas s'apercevoir de leur approche. Il n'y avait pas de regard dans ses yeux; » elle restait immobile et insensible. Enfin, deux soldats se trouvèrent assez près d'elle pour la saisir par les bras.

— Qui êtes-vous? demanda Corvinus d'une voix tremblante de rage.

— Une chrétienne, répondit Cœcilia du ton de joyeuse douceur qui lui était habituel.

— Emmenez-la! cria-t-il; quelqu'un du moins paiera notre désappointement.

XVII. — LA PREMIÈRE FLEUR.

Cœcilia, déjà prévenue, s'était approchée du cimetière par une entrée différente, mais peu éloignée de la première. A peine y étaitelle descendue, qu'elle avait senti l'odeur suffocante des torches. « Ce n'est pas l'odeur de *notre* encens, que je sache, se dit-elle, l'ennemi est déjà à l'intérieur. » Elle s'empressa, par conséquent, de se rendre au lieu d'assemblée et remit à l'*ostiarius* le billet de Sébastien, en ajoutant ce qu'elle avait remarqué à son entrée dans les Catacombes. Sébastien les avertissait de se disperser en toute hâte, et de chercher un refuge dans les galeries intérieures des souterrains plus profonds; il suppliait surtout le souverain pontife de ne point quitter le cimetière qu'il ne l'envoyât quérir lui-même, parce que c'était sa personne qui était particulièrement menacée.

Pancrace pressa la messagère aveugle de chercher, comme les autres, son salut en se cachant.

— Non, répondit-elle, mon office est de veiller à la porte, pour guider ici en toute sécurité les fidèles de l'Eglise de Dieu.

— Mais l'ennemi peut s'emparer de vous.

— Qu'importe! réprit-elle en souriant, si, en étant prise, je puis sauver des vies plus précieuses que la mienne. Donnez-moi une lampe, Pancrace.

— Pourquoi faire? elle ne peut vous servir.

— Non, mais elle peut servir aux autres.

— Mais si ces autres sont vos ennemis?

— Tant mieux, je n'aimerais pas d'être prise dans l'ombre. D'ailleurs, si mon fiancé vient à moi dans la nuit de ce cimetière, ne faut-il pas qu'il trouve ma lampe préparée et pleine d'huile?

Et elle partit, arriva à son poste, et, n'entendant d'autre bruit que celui de pas silencieux et étouffés, elle crut que c'étaient des pas d'amis et éleva sa lampe pour les guider.

Quand la troupe sortit du souterrain, n'emmenant avec elle qu'une seule captive, Fulvius ne se posséda plus de fureur. C'était pis qu'un échec absolu; c'était un succès ridicule : — ils avaient fouillé les entrailles de la terre pour en retirer une pauvre souris. Il accabla Corvinus d'injures et de railleries sous le poids desquelles le misérable écumait de rage. Puis, tout à coup, changeant de ton : « Et où est Torquatus? » demanda l'espion. On lui apprit sa mystérieuse disparition, sur laquelle furent débitées autant de versions absurdes qu'en avait provoquées l'aventure de la sentinelle dace. Fulvius en conçut un extrême mécontentement. Il ne doutait pas un instant qu'il n'eût été la dupe de sa victime supposée, qui s'était évadée par quelque issue cachée du cimetière. S'il en était ainsi, la prisonnière devait connaître le secret de cette issue, et il résolut de l'interroger. Il se plaça donc devant elle, en s'efforçant de donner à sa physionomie l'air le plus inquisiteur et le plus redoutable qu'il pût; puis il lui dit d'une voix brutale :

— Regarde-moi, femme, et dis-moi la vérité.

— Il faudra que je vous dise la vérité sans vous regarder, répondit la pauvre fille avec son plus affectueux sourire et sa voix la plus douce; ne voyez-vous pas que je suis aveugle?

— Aveugle! s'écria d'une voix unanime la foule qui l'entourait. Et l'impression d'une émotion à peine visible passa sur les traits de Fulvius, comme l'ondulation passagère des blés déjà mûrs sous le souffle du zéphyr. Un indice avait traversé son esprit, un fil était tombé sous sa main pour le guider dans ce dédale.

— Il serait ridicule, dit-il, que vingt soldats traversassent toute la ville pour escorter une prisonnière aveugle. Retournez à votre quartier, et j'aurai soin de vous faire donner une bonne récompense. Vous, Corvinus, prenez mon cheval, et précédez-moi auprès de votre père, pour lui rendre compte de tout ce qui s'est passé. Je vous suivrai sur un char avec la prisonnière.

— Pas de trahison, Fulvius, dit le fils du préfet, mortifié et furieux. N'oubliez pas de nous l'amener. Il ne faut pas que le jour se passe sans un sacrifice.

Il saisit son ennemi par le bras, au moment où il venait de se prendre
à des broussailles desséchées qui se brisaient dans sa main,
le laissant retomber dans le courant. (P. 273.)

— Ne craignez rien, fut la réponse.

Fulvius, en ce moment, se demandait si, ayant perdu un espion, il ne ferait pas bien de tâcher d'en trouver un autre. Mais la calme sérénité de la pauvre mendiante l'embarrassait plus que le zèle bruyant du joueur, et ses yeux sans lumière le bravaient bien mieux que les regards inquiets du buveur. Quand il se trouva seul avec elle sur le char, il prit un ton adouci et sachant qu'elle n'avait point entendu son dernier dialogue avec Corvinus, il lui dit :

— Ma pauvre fille, depuis combien de temps êtes-vous aveugle?

— Je n'ai jamais vu la lumière, répondit-elle.

— Quelle est votre histoire? D'où venez-vous?

— Je n'ai pas d'histoire. Mes parents étaient pauvres et m'ont amenée à Rome quand j'avais quatre ans : ils venaient à la ville afin d'accomplir un vœu qu'ils avaient fait pour obtenir des saints martyrs Chrysanthus et Daria ma guérison d'une grave maladie. Ils m'ont laissée à la charge d'une pauvre femme infirme, à la porte du titre de Fasciola, tandis qu'ils allaient faire leurs dévotions. C'était dans cette mémorable journée où tant de chrétiens ont été ensevelis vivants sous les pierres et la terre qu'on a jetées sur eux. Mes parents eurent le bonheur d'être de ce nombre.

— Et comment avez-vous vécu depuis?

— Dieu est devenu dès lors mon unique père, et son Eglise catholique ma mère. L'un nourrit les petits oiseaux qui volent dans les airs; l'autre prend soin des brebis faibles et souffrantes de son troupeau. Jamais je n'ai manqué de rien.

— Mais vous marchez librement dans les rues, et sans crainte aucune, absolument comme si vous y voyiez.

— Comment savez-vous cela?

— Je l'ai vu. Vous rappelez-vous un certain jour de l'automne dernier, où, de très-grand matin, vous avez conduit un pauvre homme impotent dans le vicus Patricius?

Cœcilia rougit et garda le silence. Elle craignait qu'il ne lui eût vu glisser dans la bourse du vieillard sa part de la distribution des aumônes.

— Vous avez avoué que vous êtes chrétienne? demanda l'espion négligemment.

— Oh! oui, certes! comment aurais-je pu le nier?

— Alors la réunion qui se tenait dans cette maison était une réunion chrétienne?

— Certainement; que pouvait-elle être autre chose?

Fulvius n'en voulait pas savoir davantage; ses soupçons étaient confirmés. Agnès, au sujet de laquelle Torquatus n'avait pas pu, ou n'avait pas voulu lui donner de renseignements, était indubitablement chrétienne. Dès ce moment, son plan était fait. Agnès cèderait, ou il serait vengé.

Après un instant de silence, il la regarda fixement et dit :

— Savez-vous où vous allez en ce moment?

— Devant le juge terrestre, je suppose, qui m'enverra auprès de mon Epoux dans le ciel.

— Et vous dites cela avec tant de calme? demanda-t-il tout surpris; car il n'avait remarqué sur sa physionomie aucun symptôme d'émotion sous le sourire calme et serein de la victime.

— Avec calme? dites plutôt : avec joie! répondit Cœcilia.

Ayant appris tout ce qu'il désirait savoir, Fulvius, arrivé à la porte de la basilique Æmilienne, remit sa prisonnière aux mains de Corvinus et l'abandonna à son sort. Le jour était froid et brumeux, comme l'avait été le jour précédent. Cette circonstance, jointe à l'incident de la nuit, avait grandement contribué à modérer l'enthousiasme des persécuteurs : le préfet avait été obligé, à cause du mauvais temps, de siéger à l'intérieur de la basilique, dans une salle où les spectateurs ne pouvaient être très-nombreux; et, comme plusieurs heures s'étaient écoulées sans amener ni arrestations, ni procès, ni nouvelles, la plupart des curieux avaient perdu patience et s'étaient retirés; quelques-uns des plus intrépides et des plus persévérants restaient seuls encore après l'heure des récréations du midi dans les jardins publics. Mais, juste au moment qui précéda l'arrivée de la prisonnière, une nouvelle troupe de spectateurs étaient entrés et se tenaient près de l'une des portes latérales, d'où l'on pouvait parfaitement voir tout ce qui se passait.

Comme Corvinus avait préparé son père à la réception de la victime attendue, Tertullus, ému de compassion et convaincu qu'il n'aurait pas grande difficulté à vaincre l'obstination d'une mendiante pauvre, aveugle et ignorante, commanda aux spectateurs de garder le silence, afin qu'il pût essayer sur elle le moyen de la persuasion, en lui faisant accroire qu'elle était seule en tête à tête avec lui; pour assurer l'exécution d'un tel ordre, il menaça des peines les plus sévères quiconque se permettrait de rompre le silence.

Les choses allèrent comme il l'avait calculé. Cœcilia ignorait absolument qu'elle ne fût pas seule avec le préfet, quand ce dernier, lui parlant avec douceur et bienveillance, lui dit :

— Quel est ton nom, enfant?

— Cœcilia

— C'est un noble nom; l'as-tu reçu de ta famille?

— Non; je ne suis pas noble, si ce n'est que mes parents, ayant eu l'honneur, quoique pauvres, de mourir pour le Christ, ont ennobli leur famille. Comme je suis aveugle, ceux qui prenaient soin de moi m'appelaient *Cæca* (aveugle); et de ce nom, par amitié, on a fait le diminutif Cœcilia.

— Voyons, tu vas renoncer, n'est-ce pas, à toutes ces folies des chrétiens, qui t'ont laissée pauvre et aveugle? Tu vas rendre hommage aux décrets des divins empereurs, et offrir le sacrifice aux dieux de l'empire : et, en retour, tu auras des richesses, de beaux vêtements, de bons repas, et les meilleurs médecins chercheront à te rendre la vue.

— Vous devez avoir de meilleures raisons à me donner que celles-là pour me persuader, car les choses pour lesquelles je remercie le plus sincèrement Dieu et son divin Fils sont précisément celles que vous voulez m'enlever.

— Que veux-tu dire?

— Je remercie Dieu chaque jour de ce que je suis pauvre et misérablement vêtue, et de ce que ma nourriture est grossière : parce que, grâce à toutes ces circonstances, je n'en ressemble que davantage à Jésus-Christ, mon unique époux.

— Pauvre insensée! interrompit le juge qui commençait à perdre patience, as-tu déjà appris toutes ces sottes et ridicules histoires? Du moins je doute fort que tu puisses remercier ton Dieu, parce qu'il t'a rendue aveugle?

— Pour cela, plus que pour tout le reste, je le remercie tous les jours, et à chaque heure du jour, de tout mon cœur.

— Comment cela? Prends-tu donc pour un bienfait de ne pouvoir jamais contempler une figure humaine, ni le soleil, ni la terre? Voilà certes de bien étranges illusions.

— Ce ne sont point des illusions, très-noble seigneur; car, au milieu de ce que vous appelez les ténèbres, j'aperçois un lieu tout resplendissant de ce que j'appelle la lumière, et qui contraste extraordinairement avec tout ce qui l'entoure. Ce point est pour moi ce qu'est pour vous le soleil qui n'est qu'un foyer local, ainsi que l'indiquent les directions diverses que suivent ses rayons. Et cet objet m'apparaît avec un aspect de suprême beauté; il m'attire et me sourit. Et je sais que c'est l'apparition de Celui que j'aime sans partage. Je ne voudrais pas, pour tout au monde, que les splendeurs de cette vision fussent obscurcies par les rayons d'un autre soleil, quelque brillant qu'il fût; je ne voudrais pas que sa beauté merveilleuse pût être confondue, par moi, avec d'autres traits, et que mon regard fût détourné de lui par des visions terrestres. Je l'aime trop pour ne pas désirer de ne jamais voir que Lui.

— Voyons, voyons, voilà assez de discours ridicules. Obéis sur-le-champ aux ordres de l'empereur, ou je verrai ce que la douleur pourra obtenir de toi. Cela ne manquera pas de dompter ton obstination.

— La douleur? répéta la victime d'un air candide.

— Oui, la douleur. Tu n'as jamais éprouvé ce que c'est, n'est-ce pas? Quelqu'un t'a-t-il jamais fait souffrir?

— Oh non! les chrétiens ne se font jamais de mal entre eux.

Le chevalet était dressé, selon l'usage, devant le juge; il fit signe à Catulus d'y placer la jeune aveugle. L'exécuteur l'y poussa en arrière par les bras; et comme elle ne fit aucune résistance, il fut très-facile de l'étendre sur cette couche de bois. Les nœuds coulants des cordes toujours prêtes furent, en un clin-d'œil, passés autour de ses poignets et de ses chevilles, et ses bras furent violemment ramenés au-dessus de sa tête. La pauvre aveugle ne voyait pas qui faisait tout cela; elle se figurait que c'était la même personne qui avait causé jusqu'alors avec elle. Le silence des assistants était devenu plus profond encore; ils retenaient leur souffle. Cœcilia, pendant ce temps, restait immobile : ses lèvres seules remuaient pour prier.

— Une dernière fois, avant d'aller plus loin, je t'invite à sacrifier aux dieux, si tu veux échapper à de cruels tourments, dit le juge d'une voix sévère.

— Ni les tourments, ni la mort, répondit courageusement la victime liée sur l'autel, ne me sépareront de mon amour pour le Christ. Je ne puis offrir de sacrifice qu'au seul Dieu vivant; et l'oblation de ce sacrifice que je suis prête à faire, c'est moi.

Le préfet fit un signe à l'exécuteur, qui donna un tour rapide aux deux roues du chevalet, autour des treuils duquel les cordes avaient été passées; les membres de la vierge furent brusquement tendus et tiraillés. La traction n'avait cependant pas été assez forte pour faire sortir les os des jointures, comme l'aurait inévitablement fait un deuxième tour de roue, mais elle avait suffi pour faire souffrir à la victime des douleurs indicibles, un avant-goût de la dislocation. Ces tourments étaient plus pénibles encore, parce qu'elle n'avait pu en voir ni les préparatifs ni la cause, et ils s'augmentaient de toute l'horreur qu'ajoute la cécité à la torture. Un frémissement qui contracta ses traits et une pâleur soudaine témoignèrent pourtant seuls de l'intensité de cette atroce souffrance.

— Ah! ah! s'écria le juge, il paraît que tu sens cela? J'espère que cela va suffire; obéis, et, à l'instant, tu seras libre.

Mais elle ne parut prêter aucune attention à ces paroles, et, absorbée tout entière dans ses prières, elle continua :

— Je Te remercie, ô Seigneur Jésus-Christ, de ce que Tu m'as permis de souffrir pour la première fois à cause de Toi; je T'ai aimé dans la paix; je T'ai aimé dans la consolation; je T'ai aimé dans la joie — et en ce moment, dans la souffrance, je T'aime bien davantage encore. Combien il est plus doux d'être, comme Toi, étendu sur la croix, que d'être même assis sur une rude couche à la table du pauvre!

— Te moques-tu de moi? s'écria le juge, poussé à bout par tant de douceur. Tu abuses de ma pitié pour toi! eh bien, nous allons essayer quelque chose d'un peu plus fort. Ici, Catulus, et applique sur ses flancs les torches ardentes[1].

Un frémissement de dégoût et d'horreur parcourut l'assemblée, qui ne pouvait s'empêcher de sympathiser avec la pauvre créature aveugle. Un murmure d'indignation mal contenu s'éleva de tous les côtés de la salle.

Pour la première fois, Cœcilia s'aperçut qu'elle était entourée d'une foule nombreuse. Le rouge modeste de la honte monta à son front et envahit son visage et son cou, jusque-là blancs comme du marbre. Le juge irrité s'empressa de réprimer cette tentative d'attendrissement; le silence se rétablit, et tous purent entendre la victime prononcer cette prière plus fervente encore :

— O mon Seigneur! ô mon époux bien-aimé! je t'ai toujours été fidèle! Laisse-moi souffrir les peines et les tortures pour Toi; mais épargne-moi la honte et la confusion aux yeux des hommes. Permets-moi de venir à Toi sans délai, et fais que je n'aie pas à me voiler le visage de honte, lorsque je me présenterai devant Toi.

(1) Le chevalet était employé à un double usage; d'abord comme instrument immédiat de torture, et ensuite pour tenir le corps tendu pendant l'application d'autres tourments. Celui du feu était un des plus communs.

Un nouveau murmure de compassion s'éleva.

— Catulus! hurla le juge, au paroxysme de la fureur, fais ton devoir, misérable! qu'as-tu donc à rôder ainsi avec ta torche inutile?

L'exécuteur s'approcha et avança la main pour écarter la robe de la martyre, afin de lui appliquer à nu la torture; mais il la retira aussitôt, et, se retournant vers le préfet, il lui dit d'une voix émue :

— Il est trop tard : elle est morte.

— Morte? vocifera Tertullus, morte d'un seul tour de roue? c'est impossible?

Catulus imprima à la roue un mouvement de recul, et le corps demeura immobile. Il était vrai : la martyre avait passé du chevalet du supplice au trône de la gloire, des mains du juge cruel et menaçant aux bras de son céleste époux. Avait-elle rendu son âme douce et pure, comme un suave parfum monté vers le ciel avec l'encens de la prière? ou son cœur s'était-il brisé sous la violence de cette première émotion de honte virginale?

Au milieu du silence d'étonnement et de terreur qui suivit, une voix claire et juvénile s'éleva hardiment d'une groupe placé près de la porte :

— Tyran impie, ne vois-tu pas qu'une pauvre chrétienne aveugle a plus de pouvoir sur la vie et sur la mort que toi et tous tes maîtres cruels?

— Comment? voici, en vingt-quatre heures, la troisième fois que je te trouve sur mon chemin? Cette fois, du moins, tu ne m'échapperas pas!

Ces dernières paroles avaient été prononcées par Corvinus, et accompagnées d'imprécations; en même temps, il bondit de la place qu'il occupait à côté du siége de son père, courut précipitamment autour de l'enceinte du tribunal, et se dirigea vers la troupe. Mais, dans sa course furieuse, il alla se jeter contre un officier de taille herculéenne, qui, par hasard sans doute, venait à sa rencontre. Le choc fut assez violent pour faire chanceler Corvinus; le soldat le retint en disant :

— Vous n'êtes pas blessé, j'espère, Corvinus?

— Non, non, lâchez-moi, Quadratus, lâchez-moi vite.

(1) Il y a de nombreux exemples dans la vie des martyrs de morts obtenues de la sorte par la prière; telles furent celles de sainte Praxède, de sainte Cécile, de sainte Agathe, etc.

— Où donc courez-vous ainsi? parlez; puis-je vous être utile à quelque chose? demanda le soldat, sans toutefois lâcher prise.

— Mais laissez-moi donc, vous dis-je, sans quoi il va s'échapper.

— S'échapper! qui?

— Pancrace, répondit Corvinus; c'est lui qui vient d'insulter mon père.

— Pancrace? dit Quadratus en promenant son regard autour de lui pour s'assurer que le jeune homme avait eu le temps de se retirer, mais je ne l'aperçois point. Et il lâcha le fils du préfet; mais il était trop tard. Pancrace était déjà en parfaite sûreté dans la Suburra, sous le toit de Diogène.

Tandis que cette scène se passait, le préfet, mortifié et furieux, ordonnait à Catulus de faire jeter dans le Tibre le cadavre de la victime. Mais un autre officier, enveloppé d'un long manteau, s'approcha et fit un signe à Catulus qui le comprit — car il avança la main pour recevoir une bourse bien garnie qui lui était offerte.

— Hors de la porte Capène, la villa de Lucine, une heure après le coucher du soleil, dit Sébastien.

— Il y sera remis intact, dit l'exécuteur.

— De quoi pensez-vous que cette pauvre fille soit morte? demanda un des spectateurs à son voisin, quand la foule se retira.

— De peur, je présume, répondit celui-ci.

— De modestie chrétienne, dit un étranger qui passait.

XVIII. — RÉTRIBUTION.

Le préfet de la cité se rendit au palais impérial, pour rendre compte des événements qui avaient marqué la journée, et pour faire son possible afin de justifier son indigne fils. Il trouva l'empereur dans les plus mauvaises dispositions. S'il avait rencontré Corvinus dans la matinée, nul n'aurait osé répondre de sa tête; et, depuis, le résultat ridicule de son excursion dans le cimetière n'avait fait qu'activer encore la colère du souverain, lorsque Tertullus se présenta dans la salle d'audience. Sébastien avait eu soin de se faire confier la garde de la salle pendant cette entrevue.

— Où est votre stupide fils ? telle fut la première parole qui salua le préfet à son entrée.

— Il attend humblement à l'extérieur le bon plaisir de votre divinité, et il est fort désireux de désarmer votre divine colère pour la manière fatale dont la fortune s'est plu à détruire tous les effets de son zèle.

— La fortune ! s'écria le tyran ; il s'agit bien de la fortune, en vérité ! C'est sa stupidité et sa couardise ; par Jupiter ! voilà un joli commencement. Mais il saura ce qu'il lui en coûtera. Faites-le entrer.

Le malheureux fut introduit ; tremblant et larmoyant, il alla se précipiter aux pieds de l'empereur, et voulut embrasser ses genoux ; mais Maximien, d'un coup de pied, le renversa et l'envoya rouler au milieu de la salle, comme un chien qu'on châtie. Cette gracieuseté fit rire le divin empereur, ce qui contribua à adoucir quelque peu sa colère.

— Approche ici, misérable, dit-il, relève-toi, et raconte-moi toi-même ce qui s'est passé. Comment l'édit a-t-il disparu ?

Corvinus débita une histoire pleine d'absurdités, qui amusa l'empereur par intervalles. Du reste, le tour en lui-même lui plaisait assez, ce qui était un excellent symptôme.

— Eh bien ! dit-il enfin, je veux user de miséricorde envers toi. Licteurs, déliez vos faisceaux. — Les licteurs obéirent, saisirent leurs haches, et s'assurèrent du bon état de leurs tranchants. Corvinus épouvanté se rejeta aux pieds de l'empereur, en criant :

— Epargnez ma vie ; j'ai d'importantes révélations à faire, si vous me laissez vivre.

— Et qui parle de prendre ta vie ? qu'en ferait-on vraiment ? répondit le généreux Maximien. Licteurs, laissez là vos haches, les verges suffiront.

En un moment Corvinus fut saisi, attaché, dépouillé de sa tunique, et une grêle de coups de verges, fort habilement et fort régulièrement portés, tomba sur ses épaules. Le misérable poussait de lamentables hurlements et se tordait de douleur, à la grande jubilation de son impérial souverain.

Honteux et tout endolori, Corvinus revint se placer devant son terrible maître, qui lui dit :

— Et maintenant, dis-nous les révélations importantes que tu as à nous faire.

— Je sais qui a commis l'outrage de la nuit dernière contre l'édit impérial.

— Et qui est-ce ?

— Un jeune homme, nommé Pancrace, dont j'ai trouvé le couteau par terre au-dessous de l'endroit où l'édit avait été affiché.

— Et pourquoi ne l'as-tu pas arrêté et livré à la justice ?

— Deux fois aujourd'hui j'ai failli le saisir, car j'ai reconnu sa voix, et deux fois il m'a échappé.

— Eh bien, je te conseille fort de ne pas le laisser échapper une troisième fois, car tu pourrais fort bien avoir à payer pour lui. Mais comment le connais-tu ? comment surtout l'as-tu reconnu à son couteau ?

— Il a été mon condisciple à l'école de Cassianus, lequel, à ce qu'on a découvert depuis, s'est trouvé être aussi un chrétien.

— Un chrétien qui se permet d'instruire mes sujets, pour en faire des ennemis de l'empire, des sujets traîtres à leurs souverains, et leur apprendre à mépriser les dieux ! Je suis sûr que c'est lui qui a poussé cette petite vipère de Pancrace à arracher notre édit impérial.... Ce Cassianus, sais-tu où il est ?

— Oui, César ; Torquatus, qui a abjuré la superstition chrétienne, me l'a appris.

— Et quel est ce Torquatus, s'il te plaît ?

— C'est un jeune homme qui a vécu pendant quelque temps avec Chromatius et une troupe de chrétiens dans la villa de l'ancien préfet.

— Ah ! bien, de mieux en mieux ! Est-ce que l'ancien préfet serait devenu, par hasard, un chrétien, lui aussi ?

— Oui, et il vit en Campanie avec un grand nombre de disciples de cette secte.

— Quelle perfidie ! quelle trahison ! je finirai par ne plus savoir à qui me fier, vraiment ! Préfet, envoyez sur-le-champ quelqu'un pour arrêter tous ces gens-là, et avec eux le maître d'école, et Torquatus aussi.

— Torquatus n'est plus chrétien, se hasarda à faire observer le juge.

— Eh ! que m'importe ? répliqua brusquement l'empereur ; arrêtez-en le plus que vous pourrez et n'épargnez personne. Et faites-les bien souffrir ; vous me comprenez ? Maintenant, retirez-vous tous ; c'est l'heure de mon souper.

Corvinus rentra chez lui, et, en dépit des remèdes qu'il s'appliqua, il eut la fièvre toute la nuit. Quand vint le matin, il pria son père de lui confier l'expédition ordonnée par l'empereur dans la Campanie, afin qu'il y pût trouver l'occasion de relever son honneur, de satisfaire sa vengeance et d'échapper à la disgrâce et aux sarcasmes qui ne devaient pas manquer de le poursuivre dans tous les rangs de la société romaine.

Lorsque Fulvius eut déposé sa prisonnière aux portes du tribunal, il se hâta de retourner à sa demeure, pour faire, comme à l'ordinaire, le récit de ses aventures à Eurotas. Le vieillard écouta avec une froideur parfaite ce récit funèbre ; puis, quand son maître eut fini :

— Nous aurons fort peu de profit de tout cela, dit-il à Fulvius.

— Soit, nous n'aurons pas de profit immédiat; mais nous aurons une excellente aubaine en perspective, du moins.

— Comment cela?

— Comment cela? mais la belle et riche Agnès n'est-elle pas en mon pouvoir? Je me suis assuré, enfin, qu'elle est chrétienne; et, grâce à cette certitude, je puis ou la gagner à mes desseins, ou la perdre. Dans un cas comme dans l'autre, ses biens m'appartiennent.

— Choisissez la seconde alternative, dit le vieillard avec un sinistre regard, mais sans qu'un muscle de sa physionomie bougeât; c'est le moyen le plus court à la fois et le plus facile.

— Mais mon honneur est engagé dans l'aventure ; je ne puis pas me laisser mépriser de la manière que je vous ai dite.

— Il n'en est pas moins vrai que vous *avez été méprisé*, et cela crie vengeance. Vous n'avez pas de temps à perdre en bagatelles, souvenez-vous-en. Vos fonds sont presque épuisés et rien ne rentre. Il *faut* frapper un coup.

— Mais sans aucun doute, Eurotas, vous préfèreriez me voir acquérir ces richesses par des moyens honorables plutôt que par des moyens honteux?

Eurotas ne put s'empêcher de sourire à la pensée que cette considération pût jamais être de quelque poids pour son maître ou pour lui.

— Il faut de l'argent, dit-il, il en faut ; procurez-vous-en, n'importe de quelle manière, pourvu qu'elle soit prompte et sûre. Vous connaissez votre pacte. Ou la famille sera rétablie dans sa fortune et sa splendeur, ou elle finira avec vous et en vous. Elle ne se traînera jamais dans la honte, c'est-à-dire dans la pauvreté.

— Je le sais, je le sais bien ; il est inutile que vous me rappeliez tous les jours cette dure condition, dit Fulvius, se tordant les mains et frissonnant de tout son corps. Donnez-moi du temps seulement et tout ira bien.

— Je vous donne du temps jusqu'à ce qu'il ne reste plus d'espoir. Les choses ne se présentent pas d'une manière bien brillante pour le moment ; mais, Fulvius, il est temps que je vous dise qui je suis.

— Comment n'étiez-vous pas le fidèle serviteur de mon père, qui m'a confié à vos soins ?

— Je suis le frère aîné de votre père, Fulvius, et le chef de la famille. Je n'ai eu qu'une seule pensée, qu'un seul but dans ma vie ; c'est de rendre à notre maison cette grandeur et cet éclat que lui ont fait perdre la négligence et la prodigalité de mon père. Pensant que votre père, mon frère cadet, était plus apte que moi à une pareille entreprise, je lui cédai mes droits et mes bénéfices à de certaines conditions, dont l'une des principales portait que je serais votre tuteur, et que, seul, je serais chargé de former votre esprit. Vous savez comment je vous ai élevé à ne vous préoccuper en aucune façon des moyens pour mener à bonne fin notre entreprise commune ?

Fulvius, qui avait écouté avec une attention pleine de stupeur les paroles de son oncle, se sentit rougir de honte en entendant ainsi étaler la hideuse nudité de leurs cœurs. Le sombre vieillard fixa sur lui ses deux yeux, avec une expression plus marquée encore qu'auparavant, et continua :

— Vous vous rappelez le crime sinistre et compliqué par lequel nous avons réussi à concentrer entre vos mains les débris épars des biens de la famille ?

Fulvius se couvrit le visage de ses mains tremblantes et frissonna ; il dit d'un ton suppliant :

— Oh ! épargnez-moi ce souvenir, Eurotas ; pour l'amour du ciel, épargnez-le-moi !

— Eh bien donc, reprit l'autre avec la même insensibilité, je serai bref, souvenez-vous, beau neveu, que celui qui ne recule pas devant la pensée d'un brillant avenir , dont un crime devra lui ouvrir les voies, ne doit pas non plus frémir au souvenir d'un passé qui les lui a ouvertes par le crime. En effet, l'avenir sera un jour le passé. Que notre pacte donc s'exécute avec droiture et honnêteté, car il y a de la probité même dans le mal. La nature vous a donné en abondance de l'égoïsme et de la ruse ; elle m'a donné, à moi, l'audace et l'oubli de tout remords dans la direction et l'emploi de vos qualités. Notre destinée a été fondue dans le même moule : — il faut que nous devenions riches ou que nous mourions ensemble.

Fulvius maudissait dans son cœur le jour où il était venu à Rome, et où il s'était associé à un maître si terrible, par un lien mystérieux d'autant plus fort qu'il n'en n'avait pas, jusqu'à ce jour, connu la nature. Il eût voulu se séparer de lui, mais il se sentait sous le poids d'un charme magique, et impuissant à lutter, comme le timide chevreau tombé sous l'ongle du lion.

Le cœur plus triste que jamais, il se retira sur sa couche, — et, cependant, toutes les nuits, des visions fatales et terribles ne manquaient jamais de venir s'asseoir à son chevet.

Le lecteur sera peut-être curieux d'apprendre ce qui est advenu du troisième membre de notre digne trio, de l'apostat Torquatus. Lorsque, confus et troublé, il courut vers la galerie latérale, pour y chercher la tombe qui devait le guider dans le dédale du cimetière, il arriva que, dans la galerie où il s'était engagé, se trouvait un escalier ruiné, taillé dans la pierre calcaire, qui conduisait à un étage inférieur des Catacombes. Le temps avait rongé les degrés et en avait arrondi les arêtes, et la descente était rapide. Torquatus, portant sa lumière devant lui pour en rejeter la lueur, et marchant sans faire attention à ce qui se trouvait sous ses pas, tomba la tête la première dans l'ouverture, alla rouler tout au fond, et y resta évanoui longtemps encore après le départ de ses compagnons. Quand il reprit ses sens, il était tellement étourdi qu'il lui fut impossible de reconnaître en quel endroit il se trouvait. Il se leva et erra en tâtonnant dans l'ombre; la conscience de son être lui revenant, il se rappela qu'il se trouvait dans les Catacombes, mais il ne pouvait comprendre comment il était seul et dans l'obscurité. Il se souvint qu'il avait sur lui plusieurs flambeaux de cire et de quoi faire du feu; il en alluma un, et, à sa grande joie, il put prendre connaissance de l'endroit où il était. Mais, dans ses recherches, il s'était éloigné de l'escalier, dont il avait, en réalité, perdu tout souvenir, et il s'avança au hasard, tantôt à droite, tantôt à gauche, s'égarant de plus en plus à chaque pas d'une manière plus dangereuse dans ce labyrinthe inextricable.

Il espérait bien qu'avant d'avoir épuisé ses forces ou ses flambeaux, il arriverait à une issue quelconque; mais, à mesure que le temps s'écoulait, ses alarmes devenaient plus sérieuses. Les torches s'étaient consumées l'une après l'autre; ses forces menaçaient aussi de lui faire défaut, car, depuis le matin, il n'avait pris aucune nourriture, et, après avoir marché pendant de longues heures, il se trouva revenu à l'endroit d'où il était parti. D'abord il n'avait promené autour de lui que des regards indifférents; il avait vu des tombeaux et avait lu négligemment les différentes inscriptions qui s'y trouvaient gravées. Mais, quand l'épuisement s'empara de lui, quand il commença à désespérer d'être secouru, ces monuments solennels de la mort commencèrent aussi à parler à son âme un langage qu'il ne pouvait se refuser à entendre, et qu'il lui était impossible de ne pas comprendre. « Déposé en paix, » disait l'un; « Reposant dans le Christ, » disait un autre; et les milliers d'autres qui dormaient inconnus et sans noms autour de lui, portant chacun sur leur tombe le sceau de la sollicitude maternelle de l'Eglise, lui répétaient les mêmes mots dans leur muette éloquence. Et, à l'intérieur, leurs restes embaumés attendaient le son de la trompette de l'ange du Seigneur, qui devait les éveiller pour une heureuse résurrection. Et lui, dans quelques heures, il allait être mort comme eux; son dernier flambeau achevait de brûler; il s'était laissé tomber, abattu et découragé, sur un monceau de décombres. Pourrait-il, lui aussi, être, comme eux, déposé en paix par des mains pieuses? Non, il allait mourir, seul, sur la terre nue, sans pitié, sans laisser de regrets, à l'insu du monde entier. Là, son corps deviendrait la proie de la corruption et tomberait en décomposition; et si, après de nombreuses années, on trouvait ses os privés de la sépulture chrétienne, on se dirait : « Ce sont là les restes maudits d'un apostat perdu dans le cimetière. » Et alors, sans doute, on les rejetterait de cette terre bénie, comme il était déjà, lui, rejeté de la communion des chrétiens. La mort venait à grands pas; il la sentait : la tête lui tournait, le cœur lui manquait. La torche était devenue trop courte pour que ses doigts pussent la tenir; il avait été obligé de la poser sur une pierre à côté de lui. Elle pouvait brûler trois minutes encore, mais une goutte d'eau, suintant à travers la voûte du caveau, tomba sur la mèche et l'éteignit. Il était si jaloux de ces trois minutes de lumière, il était si désireux d'user cette cire jusqu'au bout, dernier chaînon qui le tenait attaché aux joies de ce monde, il était si anxieux de pouvoir jouir une fois encore de la vue des choses extérieures, et il craignait si fort de devoir lire dans son cœur une fois que les ténèbres l'environneraient, qu'il tira de sa poche sa pierre et son briquet d'acier, et s'efforça, pendant un quart d'heure, d'enflammer un amadou que la sueur froide dont il était couvert avait imbibé.

Et, quand il fut parvenu à rallumer ce reste de cire, au lieu d'en profiter pour chercher une issue autour de lui, il tint ses yeux fixés sur la flamme dans une contemplation stupide, suivant avec anxiété les progrès de la combustion, comme si cette flamme eût été le charme qui le retenait à la vie, et qu'il dût expirer avec elle. Et bientôt la dernière étincelle de la mèche consumée tomba à terre et y resta quelque temps fixée comme un ver luisant; puis tout s'éteignit : la lumière était morte.

Etait-il mort aussi? Il le crut. Pourquoi pas? Une obscurité absolue et éternelle l'enveloppait. Il était retranché pour toujours de la société des vivants; sa bouche ne devait plus toucher de nourriture; ses oreilles ne devaient plus jamais entendre de son; ses yeux ne devaient plus rien voir. Il habitait déjà la demeure des morts; seulement sa tombe était plus grande que les leurs; mais elle n'était pas moins sombre, isolée et fermée pour toujours. Qu'était-ce autre chose que la mort?

Non, ce ne pouvait pas être la mort encore. La mort devait être suivie de quelque chose; mais cette chose même ne devait pas tarder. Le ver du remords commençait à ronger sa conscience, et il avait pris les proportions d'une vipère, et il avait enlacé son cœur de ses anneaux terribles. Il chercha à fixer sa pensée sur des choses agréables, et, en effet, il revit les heures heureuses qu'il avait passées dans la villa chrétienne, avec Polycarpe et Chromatius; il se rappela leurs bienveillantes paroles et leurs derniers embrassements. Mais un éclair menaçant traversa cette belle vision; il les avait trahis! il les avait vendus! à qui? à Fulvius et à Corvinus. La corde fatale était touchée, comme le nerf frémissant de la dent qui va porter les tortures de l'agonie jusqu'au centre du cerveau. La débauche, l'intempérance, le jeu déshonnête, la vile hypocrisie, la trahison infâme, la lâche apostasie, les épouvantables sacriléges de ces derniers jours, et la tentative homicide du matin même, — tous ces souvenirs lui revinrent brusquement et l'assaillirent à la fois; c'était comme une troupe de démons, qui dansaient autour de lui des rondes insensées, se tenant par la main, avec des cris, des éclats de rire, des contorsions, des pleurs, des grincements de dents, des hurlements sinistres; et des étincelles sautillaient devant lui, jaillissant de son cerveau affaibli, éclataient devant ses yeux, et lui semblaient des torches que ces démons agitaient dans leurs mains. Il se laissa tomber sur la terre et se couvrit le visage de ses deux mains.

— Serais-je donc mort? après tout? se dit-il, car certes les gouffres infernaux ne recèlent pas d'horreurs plus hideuses que celles-ci !

Son cœur était trop affaibli pour qu'il pût concevoir de l'irritation ; tous les sentiments en lui se confondaient dans l'impuissance du désespoir. Ses forces s'évanouissaient rapidement, quand il lui sembla entendre des chants lointains. Il crut à une nouvelle hallucination et voulut la chasser ; mais le bruit d'une harmonie douce vint de nouveau frapper son oreille. Il se souleva ; les sons devinrent peu à peu plus distincts. C'était une harmonie si suave, elle ressemblait tellement à un chœur de voix angéliques, qui partait d'une autre sphère, qu'il se dit :

— Qui eût jamais cru que le ciel se trouvât si rapproché de l'enfer? ou bien seraient-ce les chœurs des anges qui accompagnent le terrible Juge qui vient me condamner ?

Et une vague clarté apparut au loin à l'endroit d'où partaient les sons, et Torquatus put entendre distinctement les paroles suivantes :

« *In pace, in idipsum, dormiam et requiescam*[1]. »

— Ces paroles ne sont pas pour moi, se dit-il : elles conviendraient pour l'enterrement d'un martyr, mais non pour la sépulture d'un réprouvé.

La lumière augmenta ; c'était comme le crépuscule devenant le jour ; elle entra dans la galerie et la traversa de part en part, y jetant des flots de clarté qui faisaient apercevoir, comme dans un miroir, des visions trop distinctes pour n'être pas réelles. D'abord défila un cortége de vierges voilées et portant des lampes ; puis quatre d'entre elles suivaient, portant une forme humaine enveloppée dans un drap blanc avec une couronne d'épines sur la tête ; après eux venait le jeune acolyte Tarcisius portant un encensoir, d'où s'échappaient d'épais nuages de fumée balsamique ; et enfin, à la suite d'une longue file de prêtres, marchait le souverain pontife lui-même, assisté de Reparatus et d'un autre diacre. Diogène et ses deux fils, le visage consterné, fermaient le cortége avec une troupe de fidèles, parmi lesquels on pouvait distinguer Sébastien.

Comme la plupart portaient des lampes ou des torches, les figures semblaient se mouvoir au milieu d'une atmosphère rayonnante de douce et immobile clarté.

(1) « Mais, quant à moi, je dormirai en paix, et je jouirai d'un repos parfait. » Ps. IV. 9.

Et au moment où ils passaient devant lui, ils chantèrent le verset suivant du psaume :

« *Quoniam tu, Domine, singulariter in spe constituisti me*[1]. »

— *Ceci*, s'écria Torquatus, se levant tout à coup, *ceci* est pour moi.

Et, en exprimant cette pensée, il s'était jeté à genoux : et, par un instinct de la grâce, des paroles qu'il avait entendues précédemment lui revinrent à l'oreille comme un écho des paroles applicables à sa position, des paroles qu'il sentait *devoir prononcer*. Il se traîna en rampant, faible et chancelant, jusqu'à l'angle de la galerie par laquelle la procession avait passé, et la suivit à distance, sans être observé par les assistants. Le cortége entra dans une chambre qui s'éclaira aussitôt, de telle sorte que l'image du Bon Pasteur, tout éblouissante de lumière, semblait attacher sur Torquatus des regards miséricordieux. Mais le coupable ne voulut pas franchir le seuil de l'enceinte sacrée, et il resta au dehors, se frappant la poitrine et priant le Ciel de lui accorder son pardon.

Le corps avait été déposé sur le sol; on chanta des psaumes et des hymnes, et on récita des prières de ce ton joyeux et recueilli à la fois que donne l'espérance, et avec lequel l'Eglise a toujours traité la mort. A la fin, on plaça le corps dans la tombe qu'on lui avait préparée, sous un arceau. Tandis que l'inhumation s'accomplissait, Torquatus s'approcha d'un des spectateurs, et lui murmura tout bas à l'oreille cette question :

— De qui célèbre-t-on en ce moment les funérailles?

Le chrétien répondit :

— C'est la *déposition* de la bienheureuse Cœcilia, une vierge aveugle, qui est tombée ce matin entre les mains des soldats dans ce cimetière, et dont Dieu a appelé l'âme auprès de lui.

— C'est donc moi qui suis son meurtrier! s'écria Torquatus en poussant un cri d'épouvante et de remords.

Et, s'avançant en chancelant, il alla se jeter aux pieds du saint évêque, en frappant le sol de son front. Il se passa quelque temps avant que la violence des sentiments qui l'oppressaient lui permît de parler; enfin la parole lui revint, et les premiers mots qu'il fit enten-

(1) « Parce que vous m'avez, Seigneur, affermi dans l'espérance d'une manière toute singulière. » Ps. IV, 10.

dre furent ceux qu'il avait pris la résolution de prononcer, et que voici :

— Père, j'ai péché contre le Ciel et contre toi, et je ne suis pas digne d'être appelé ton enfant.

Le pontife le releva avec bonté, et l'embrassa, en lui disant :

— Sois le bien venu, mon fils! qui que tu sois, toi qui reviens à la maison de ton père. Mais tu es trop faible et trop ému en ce moment, et tu as besoin de repos.

On s'empressa aussitôt de procurer au pénitent les secours que son état réclamait. Mais Torquatus ne pouvait plus et ne voulait plus goûter de repos avant d'avoir fait l'aveu complet de ses fautes, en y comprenant ses crimes du jour même — car on n'était encore qu'au soir. Tous les fidèles se réjouirent du retour de l'enfant prodigue, de la découverte de la brebis égarée. Agnès leva vers le ciel ses yeux, qu'elle tenait affectueusement attachés sur le sépulcre de l'aveugle, et il lui sembla qu'elle la voyait, assise aux pieds de son époux, souriant, les yeux ouverts à la lumière éternelle et répandant des fleurs sur la tête du pécheur repentant, premier fruit de l'intercession de la sainte martyre.

Diogène et ses fils se chargèrent de prendre soin de Torquatus. On lui ménagea un humble logement, dans une cabane chrétienne située à quelque distance, où il fût à l'abri de la tentation et de la vengeance de ses anciens complices. Il fut classé parmi les pénitents, et par la suite, quelques années d'expiation, abrégées par l'intercession des confesseurs — martyrs futurs — devaient le préparer à rentrer en possession des priviléges que ses crimes lui avaient fait perdre.

XIX. — DOUBLE VENGEANCE.

La visite de Sébastien au cimetière n'avait pas eu seulement pour objet d'y faire donner la sépulture à la dépouille mortelle de la première martyre; il y était venu aussi pour conférer avec Marcellinus sur les mesures à prendre pour la sûreté de ce dernier. Sa vie, en effet, était trop précieuse aux yeux de l'Eglise, pour qu'on pût en faire un sacrifice si prématuré, et Sébastien savait avec quel acharnement on le recherchait. Torquatus confirma ses craintes, en dévoilant les desseins de Fulvius et les motifs qui l'avaient fait assister à l'ordination de décembre. La résidence habituelle du pape n'était donc plus assez sûre, et une idée audacieuse avait été adoptée par le courageux soldat — surnommé avec raison le « Protecteur des chrétiens, » ainsi que nous le voyons dans ses Actes. Cette idée était de loger le pontife dans un endroit où certes nul n'eût soupçonné qu'il pouvait se trouver, et où l'on pouvait défier toute recherche, — c'était dans le palais même des Césars[1]. Convenablement déguisé, le saint évêque quitta le cimetière, et, escorté par Sébastien et Quadratus, il fut conduit et installé dans les appartements d'Irène, noble dame chrétienne qui habitait une partie retirée du Palatin, dans lequel son mari occupait un poste élevé au service de la maison impériale.

Le lendemain, de grand matin, Sébastien alla trouver Pancrace.

— Mon cher enfant, lui dit-il, il vous faut quitter Rome sans retard et partir pour la Campanie. J'ai fait préparer des chevaux pour vous et pour Quadratus; vous allez vous mettre en route sur-le-champ : il n'y a pas de temps à perdre.

— Et pourquoi cela, Sébastien? demanda le jeune homme, les yeux humides et le visage consterné; ai-je donc fait quelque mauvaise action, ou doutez-vous de mon courage?

— Ni l'un ni l'autre, je vous l'assure. Mais vous m'avez promis de vous laisser guider par moi en toutes choses; et jamais je n'ai regardé votre obéissance comme aussi nécessaire qu'en ce moment.

— Mais, du moins, dites-moi pourquoi, mon bon Sébastien; je vous en supplie!

— Ce doit être un secret jusqu'ici.

— Comment encore un secret?

— Non, c'est le même, et il vous sera révélé en même temps que le premier. Mais je puis vous dire ce que je désire que vous fassiez, et cela, je pense, suffira pour vous satisfaire. Corvinus a reçu l'ordre d'aller arrêter Chromatius et toute la communauté chrétienne qui vit avec lui. Ces chrétiens, vous le savez, sont jeunes encore dans la foi; ils peuvent faillir, et le fatal exemple de Torquatus nous l'a prouvé. Mais ce n'est pas tout : Corvinus a reçu aussi l'ordre d'arrêter et de faire mettre à mort votre vieux maître Cassianus, qui habite Fundi. Il faut que vous partiez avant son émissaire — peut-être ira-t-il lui-même — et que vous les mettiez sur leurs gardes.

(1) Ce fait est rapporté dans les Actes du saint.

La physionomie de Pancrace se rasséréna; il vit que Sébastien lui avait conservé toute sa confiance.

— Votre désir est une raison suffisante pour moi, dit-il en souriant; mais j'irais au bout du monde pour sauver la vie à mon bon Cassianus, et à tous mes frères en religion.

Il fut bientôt prêt, prit congé de sa mère avec une effusion cordiale, et, avant que la ville de Rome fût tout à fait sortie du sommeil, lui et Quadratus, montés sur de vigoureux coursiers bien équipés, chevauchaient au grand trot à travers la campagne romaine, pour gagner le sentier, moins fréquenté, mais plus sûr, de la voie latine.

Corvinus, qui avait résolu de ne pas abandonner à d'autres le soin d'exécuter son expédition meurtrière, qu'il considérait à la fois comme honorable, comme lucrative et comme agréable, l'avait différée d'un jour : d'abord, afin de se remettre un peu de la douleur qu'il sentait aux épaules, suite de sa bastonnade de la veille; et, en outre, pour pouvoir veiller à tous les préparatifs nécessaires. Il avait loué un chariot, et engagé une compagnie de coureurs Numides, qui savaient suivre un attelage au grand galop. Mais, grâce à ces délais, il se trouva distancé de deux jours par nos deux chrétiens, bien que, tout naturellement, il eût pris la voie, plus courte et plus battue, de la chaussée Appienne.

Quand Pancrace arriva à la villa des statues, il y trouva la petite communauté déjà toute en émoi, par suite des rumeurs qui y étaient parvenues au sujet de la publication de l'édit. Il reçut l'accueil le plus chaleureux, et la lettre d'avis de Sébastien fut lue avec les témoignages du plus profond respect. Cette lecture terminée, on se mit en prières pour réclamer les lumières d'En-Haut; après quoi, on délibéra, et l'on prit diverses résolutions. Marcus et Marcellianus, avec leur père Tranquillinus, s'étaient déjà rendus à Rome pour l'ordination. Nicostratus, Zoé et quelques autres les suivirent. Chromatius, à qui n'était pas réservée la glorieuse couronne du martyre, bien que l'Église célèbre sa mémoire avec celle de son fils, le 11 du mois d'août, alla se réfugier pendant quelque temps à la villa de Fabiola, qui avait donné des lettres d'admission dans sa propriété, sans qu'elle sût à quoi ces lettres devaient servir. Il avait préféré cette retraite, parce qu'il désirait rester quelque temps encore dans le voisinage. Enfin, la villa des statues, *ad statuas*, fut laissée à la garde de quelques fidèles serviteurs, en qui on pouvait avoir toute confiance.

Lorsque les deux messagers eurent pris quelque repos et laissé souffler leurs montures, ils se remirent en voyage et se dirigèrent par la même route qu'avait suivie précédemment Torquatus, vers Fundi, où ils descendirent dans une petite auberge obscure située à l'extérieur de la ville, sur la route de Rome. Pancrace n'eut pas de peine à trouver son vieux précepteur, qui l'embrassa avec les marques de la plus vive affection. Il lui exposa l'objet de son voyage, et l'invita à prendre la fuite sans tarder, ou tout au moins à se cacher pendant quelque temps.

— Non, dit le digne homme, non, cela ne doit pas être. Je suis déjà vieux et je suis fatigué de ma stérile profession. Moi et mon serviteur, nous sommes les deux seuls chrétiens de la ville. Les meilleures familles ont bien, en effet, envoyé leurs enfants à mon école, parce qu'elles savaient qu'on y observait la morale, autant que le permet le paganisme ; mais je n'ai pas un seul ami parmi mes écoliers, à cause même de cette sévérité de morale. Ils n'ont même pas le raffinement naturel aux païens de Rome. Ce sont de rudes provinciaux ; et je suis bien convaincu qu'il y en a plus d'un parmi les plus âgés qui ne se ferait aucun scrupule de m'ôter la vie, s'il pouvait le faire impunément.

— En vérité, Cassianus, quelle malheureuse existence vous menez ici ! Et vous n'avez produit sur eux aucune impression ?

— Aucune, ou tout au moins une bien légère, mon cher Pancrace. Et comment le pourrais-je, obligé que je suis de leur faire lire ces livres dangereux, pleins de fables, dont se compose la littérature grecque et romaine ? non, je n'ai pu faire que peu de bien par mes paroles ; peut-être que ma mort produira plus d'impression sur eux ?

Pancrace fit de vains efforts pour lui faire changer d'avis, et aurait fini, au contraire, par vouloir aussi donner sa vie pour sa foi ; il ne fut retenu que par la promesse qu'il avait faite à Sébastien de ne pas s'exposer pendant la durée de son voyage. Mais il résolut de demeurer dans cette ville pour attendre la fin de l'événement.

Corvinus arriva à son tour, avec ses hommes, à la villa de Chromatius ; et, le matin, au point du jour, il enfonça brutalement les portes, et envahit la maison par surprise : la maison était vide ! Il fit des recherches dans tous les coins et recoins, et n'y trouva ni un individu, ni un livre, ni un symbole chrétien. Cette déconvenue l'humilia autant qu'elle l'irrita. A force de chercher, il rencontra un esclave occupé à travailler dans une partie reculée du jardin. Il lui demanda où était son maître.

— Maître ne pas dire à esclave où aller, répondit le jardinier dans un latin à peu près aussi barbare que la traduction que nous en donnons au lecteur.

— Tu te moques de moi, je pense? quelle route ont-ils prise, lui et ses compagnons?

— Par cette porte là-bas.

— Et ensuite?

— Voyez de ce côté, répondit l'esclave. Vous voir porte? Très-bien; vous voir pas plus? Moi travailler ici, moi voir porte, moi voir pas plus.

— Quand sont-ils partis? Tu peux au moins nous dire cela.

— Après deux venus de Rome.

— Quels deux? Ils sont toujours deux, paraît-il.

— Un beau jeune, très-beau, chanter très-bien. Autre très-gros, très-fort, oh! oui, très-fort. Voir petit arbre là-bas déraciné? Lui faire cela aussi facile que moi tirer bêche de terre.

— Ce sont les mêmes, toujours ces deux! s'écria Corvinus exaspéré. Ce misérable enfant a de nouveau détruit mes plans et renversé toutes mes espérances. Oh! que je l'atteigne, et il le paiera cher!

Aussitôt qu'il eut pris un peu de repos, Corvinus se remit en route, résolu de faire éclater toute sa colère contre son ancien maître d'école, à moins pourtant que celui qu'il considérait comme son mauvais génie ne l'eût encore une fois prévenu. Tout le long du chemin, il ne songea à autre chose qu'à ses projets de vengeance contre le maître et contre le disciple à la fois : et il eut la satisfaction de voir, en arrivant à Fundi, qu'une de ses deux victimes du moins était restée dans cette ville. Il montra au gouverneur l'ordre écrit qui le chargeait d'arrêter et de punir Cassianus, dénoncé comme un chrétien des plus dangereux; mais cet officier, homme plein d'humanité, déclina cette mission, en faisant remarquer que la commission extraordinaire dont le messager était investi l'emportait sur toute espèce de juridiction ordinaire, et donnait à Corvinus pleins pouvoirs pour agir. Il lui offrit de mettre à sa disposition un bourreau, et tous les accessoires nécessaires pour une exécution criminelle; mais Corvinus les refusa. Il n'en avait que faire, car il avait surabondance de force et de cruauté dans les Numides dont il avait formé sa garde. Cependant il prit avec lui un officier de l'autorité locale.

Il se rendit à l'école de Cassianus au moment où les élèves s'y trouvaient; il entra, fit fermer les portes et reprocha à Cassianus —

lequel s'avançait vers lui la main tendue et la figure riante pour l'accueillir — de conspirer contre l'Etat et d'être un perfide chrétien. Une exclamation s'éleva au sein de la foule des écoliers; et, à l'intonation, aux regards qu'il surprit autour de lui, Corvinus put constater que la plupart de ceux qui se trouvaient là étaient, comme lui-même, — de jeunes ours aux cœurs d'hyènes.

— Enfants! s'écria-t-il, aimez-vous votre maître Cassianus? Il a été le mien aussi, et j'ai gardé contre lui bien des rancunes.

Un rugissement d'exécration s'éleva sur tous les bancs.

— Eh bien donc, j'ai de bonnes nouvelles pour vous : voici un ordre du divin Empereur Maximien qui vous autorise à faire de votre maître tout ce que bon vous semble.

Une grêle de livres, de tablettes et d'autres projectiles d'école fut dirigée aussitôt contre Cassianus, qui se tenait impassible et les bras croisés devant son persécuteur. Puis tous les écoliers s'élancèrent à la fois de leurs bancs, et coururent vers le maître dans l'attitude de la menace et de la colère.

— Arrêtez! arrêtez! s'écria Corvinus : il vous faut aller plus systématiquement en besogne.

Il s'était reporté par la pensée aux souvenirs des jours qu'il avait passés à l'école, — de ces jours auxquels nous ne pensons jamais sans que notre cœur se remplisse d'une émotion souvent plus douce que celles que donnent les joies présentes. Il se laissait aller aux souvenirs de cette heureuse époque où d'autres ne trouvent que des images de bonheur, de joie et d'insouciance; mais Corvinus ne cherchait dans son passé d'écolier qu'à se rappeler la vengeance qui lui eût été la plus douce à exercer alors contre son maître, afin de la suggérer aux jeunes barbares qui l'entouraient. Il ne trouva rien de plus délicieux que de pouvoir rendre à son maître toutes ses corrections coup pour coup, et d'écrire en lettres de sang sur son corps toutes les paroles de reproches qu'il avait dû subir : excellente idée, qui fut aussitôt mise à exécution!

Loin de nous l'intention de blesser la délicatesse de nos chers lecteurs, en leur mettant sous les yeux l'odieux spectacle des cruelles et infâmes tortures infligées à nos ancêtres chrétiens par les persécuteurs païens. Peu furent plus horribles et sont cependant plus authentiquement prouvées que celles qu'eut à souffrir le martyre Cassianus. Chargé de liens, il fut placé au milieu de la troupe féroce des jeunes tigres que Corvinus avait déchaînés contre lui, et livré à leur débile cruauté, pour en devenir la victime, mais avec une ingénieuse lenteur.

Les uns, comme nous le rapporte le poète chrétien Prudentius, gravèrent leurs devoirs sur sa chair avec la pointe des stylets d'acier qui servaient à écrire sur des tablettes enduites de cire ; d'autres exerçaient les ressources de leur précoce brutalité, en infligeant tous les tourments imaginables sur son corps déchiré. Cela dura si longtemps que la perte de son sang et la violence de la douleur l'épuisèrent enfin ; il tomba sur le sol, anéanti, expirant, et sans avoir la force de se relever. Une exclamation de joie salua cette victoire, de nouvelles insultes lui furent infligées, puis la troupe des jeunes démons se dispersa pour aller raconter à leurs parents les prouesses de la journée. Il n'était jamais entré dans l'esprit des persécuteurs de donner une sépulture décente aux chrétiens qui tombaient victimes de leurs cruautés ; aussi Corvinus, qui avait réjoui ses yeux du spectacle de sa vengeance assouvie, et qui avait même excité les jeunes bourreaux trop disposés déjà à seconder ses homicides projets, laissa le vieillard expirant étendu par terre et abandonné. Son fidèle serviteur, toutefois, le releva, le coucha, et envoya prévenir Pancrace, qui attendait et qui fut bientôt au chevet du moribond, tandis que son compagnon surveillait les préparatifs de leur départ. Le jeune homme fut épouvanté de ce qu'il vit, et du récit qu'on lui fit des tortures abominables infligées à son ancien maître ; mais il fut plus édifié encore en apprenant avec quelle patience angélique le martyr avait tout supporté. En effet, pas une parole de reproche ne s'était échappée de ses lèvres, et la prière seule avait occupé à la fois sa langue et son esprit.

Cassianus reconnut son élève bien-aimé, lui sourit, pressa sa main dans la sienne, mais ne put proférer une seule parole. Après avoir souffert jusqu'au matin, il expira tranquillement. Les dernières cérémonies de la sépulture chrétienne furent modestement accomplies sur les lieux mêmes, car la maison qu'il habitait était la sienne ; et Pancrace, après avoir rendu ce douloureux et dernier office à son maître et son ami, s'empressa de quitter ces lieux, le cœur oppressé, mais surtout indigné contre le barbare qui avait pu concevoir et exécuter, sans pitié ni remords, une aussi épouvantable tragédie.

Il se trompait cependant. A peine Corvinus eut-il assouvi sa hideuse vengeance, qu'il comprit tout ce que son action avait d'infâme et de honteux ; il craignait que le fait ne vînt à la connaissance de son père, qui avait toujours eu Cassianus en grande estime ; il redouta la colère des parents, dont il avait, dans cette journée, poussé les enfants à la démoralisation, en leur faisant commettre une sorte de parricide. Il donna l'ordre de seller ses chevaux en toute hâte ; mais on lui dit qu'ils avaient besoin de repos. Ce contre-temps augmenta son chagrin ; le remords le dévorait, et il se mit à boire pour noyer ses soucis et tuer le temps. Enfin, il se remit en route, et, après avoir fait quelque temps d'arrêt, il poursuivit son voyage, bien que la nuit fût venue. Il avait plu abondamment depuis quelques jours, et les chemins étaient mauvais : celui qu'il avait à suivre côtoyait la rive du grand canal qui sert à dessécher les marais Pontins, et dont les bords sont plantés de deux rangées d'arbres.

Corvinus avait recommencé ses libations à chaque halte, de sorte qu'il avait la tête échauffée par le vin, la colère et le remords. Le pas tardif de ses chevaux fatigués l'exaspérait encore, et il se mit à les frapper à grands coups de son fouet. Tandis qu'ils étaient ainsi excités, ils entendirent le galop d'autres chevaux qui arrivaient derrière eux sur la route ; ce bruit les effraya, et, changeant d'allure, ils s'élancèrent tout à coup sans que rien pût les arrêter. Bientôt toute la suite de Corvinus resta loin en arrière, et l'attelage épouvanté alla s'engager entre les arbres, dans l'étroit sentier qui longeait le canal, en continuant toujours sa course effrénée ; le char bondissait dans tous les sens, emporté avec une rapidité vertigineuse. Les cavaliers qui arrivaient derrière eux, entendant le bruit des chevaux et des roues, accompagné des cris des gardes, enfoncèrent leurs éperons dans les flancs de leurs montures, et s'élancèrent résolûment en avant. Déjà ils avaient dépassé les coureurs d'assez loin, quand tout à coup ils entendirent un craquement prolongé suivi du bruit que produit un corps tombant dans l'eau. La roue avait heurté le tronc d'un arbre, le char avait versé, et son conducteur, à moitié ivre, avait été précipité dans le canal, la tête la première. En un instant, Pancrace fut à bas de son cheval et auprès du rivage avec son compagnon.

A la lueur incertaine de la lune naissante, et au son de la voix, le jeune homme reconnut Corvinus, qui se débattait, impuissant, dans les ondes bourbeuses. L'eau n'était pas profonde, mais les bords étaient élevés, humides et glissants, et, à chaque tentative qu'il faisait pour escalader la rive, son pied glissait, et il retombait plus loin et plus profondément que jamais. Au moment où les deux cavaliers arrivèrent, il était déjà à peu près glacé de froid et épuisé par les efforts qu'il avait faits.

— Ce serait bien fait que de le laisser là, murmura le centurion.

— Silence, Quadratus! comment pouvez-vous tenir un semblable langage? Donnez-moi votre main. C'est cela, dit le jeune homme; et, se penchant sur le bord du canal, il saisit son ennemi par le bras, au moment où il venait de se prendre à des broussailles desséchées qui se brisaient dans sa main, le laissant retomber dans le courant. Certes, c'eût été son dernier effort. Ses deux libérateurs le tirèrent de l'eau et le déposèrent sur la route, dans un état à désarmer la colère de son plus mortel ennemi. Ils lui frottèrent les tempes et les mains pour le ranimer; il commençait à revenir à lui, quand ses gardes arrivèrent. Pancrace le remit à leurs soins, en même temps que sa bourse, qui était tombée de sa ceinture, au moment où ils l'avaient tiré du canal. Mais il reprit possession de son propre couteau, qui était tombé en même temps que la bourse, et que Corvinus portait constamment avec lui, comme pièce de conviction destinée à prouver qu'il était l'auteur de la lacération de l'édit. Quand Corvinus eut repris complétement l'usage de ses sens, ses serviteurs prétendirent que c'étaient eux qui l'avaient retiré de l'eau, mais que sa bourse sans doute devait être tombée dans la vase profonde, où elle s'était perdue. Ils le transportèrent dans une cabane voisine, pendant que des ouvriers s'occupaient à remettre le char en état. Et, tandis qu'il dormait, ses dignes serviteurs firent bombance avec son argent.

Ainsi, en ce même jour, deux vengeances avaient été accomplies — celle du païen et celle du chrétien.

XX. — LES TRAVAUX PUBLICS.

On se rappelle que, même avant la publication de l'édit de proscription, il avait été décidé que les Thermes de Dioclétien seraient érigés par le travail des captifs chrétiens; et, dès lors, on ne sera sans doute pas étonné de voir s'augmenter le nombre de ces victimes ainsi que leurs souffrances, par suite de l'accroissement de la persécution. L'empereur Dioclétien, lui-même, était attendu pour l'inauguration de son édifice favori, et cette circonstance avait fait doubler le nombre des travailleurs. Des troupes de prétendus coupables arrivaient chaque jour du port de Luna, de la Sardaigne, et même de la Crimée ou Chersonèse, où on les avait employés précédemment au travail des carrières ou des mines ; à Rome, on les mettait aux ouvrages les plus rudes de la construction. Transporter les matériaux, scier ou tailler les blocs de pierre et de marbre, remuer le mortier et élever les murailles, — tel était l'emploi des condamnés pour cause de religion ; la grande majorité d'entre eux était loin d'être accoutumée à ce genre de travaux. La seule récompense qu'ils recevaient pour leur peine était celle qu'on accordait aux mulets et aux bœufs qui partageaient leurs occupations : pour abri, des réduits qui ne valaient guère mieux que des étables, si toutefois ils valaient mieux ; de la nourriture, en quantité juste suffisante pour soutenir leurs forces ; des vêtements, ce qu'il en fallait pour les mettre à l'abri des plus rudes atteintes de la saison ; c'était là tout ce qu'ils avaient à attendre. Des entraves aux pieds et de lourdes chaînes destinées à prévenir toute tentative d'évasion ajoutaient à leurs souffrances ; et des surveillants d'autant plus en faveur auprès des chefs qu'ils se montraient plus tyranniques, armés de fouets et de bâtons, les épiaient sans cesse, toujours prêts à ajouter la torture à la fatigue du travail, soit pour satisfaire sur des victimes sans défense leur cruauté naturelle, soit pour complaire à leurs maîtres plus cruels encore.

Mais les chrétiens de Rome prenaient un soin tout particulier de ces saints confesseurs, qui étaient l'objet d'une vénération toute spéciale. Leurs diacres les visitaient et parvenaient auprès d'eux en corrompant leurs gardes ; et de dignes jeunes gens se glissaient bravement parmi eux, pour leur distribuer des aliments plus fortifiants, des vêtements plus chauds, ou de l'argent destiné à leur gagner la bienveillance de leurs gardiens, et à en obtenir ainsi un traitement plus humain. En même temps, ils se recommandaient à leurs prières, et baisaient avec respect les chaînes et les meurtrissures que ces saints confesseurs souffraient pour le Christ.

La réunion de ces hommes, convaincus du seul crime d'avoir fidèlement servi leur divin Maître, était encore utile aux persécuteurs sous un autre point de vue. Comme les cuves où le luxueux Lucullus faisait engraisser des lamproies toujours prêtes à figurer sur sa table ; comme les volières et les parcs où l'on gardait les oiseaux précieux et les bestiaux bien nourris pour les sacrifices, ou les fêtes d'un impérial anniversaire ; enfin comme les antres placés auprès de l'amphithéâtre, où l'on entretenait les bêtes féroces destinées à paraître dans les jeux publics; de même les travaux forcés servaient, pour ainsi dire, de dépôt humain, d'où l'on pouvait tirer, à l'instant donné, tous les éléments d'une sanglante hécatombe, ou flatter, à certains jours de fête, les goûts dépravés du peuple pour ces spectacles cruels. C'étaient des entrepôts publics de nourriture pour les bêtes fauves de l'arène, chaque fois qu'il prenait fantaisie au peuple romain de partager les délices de ces monstres.

Or, une de ces occasions approchait. La persécution venait d'éclater et ne faisait que languir. Aucun personnage notable n'avait encore été arrêté : les échecs du premier jour n'avaient pas été pleinement réparés, et l'on s'attendait à quelque chose de grand, de général, à une tuerie en masse. Le peuple demanda à grands cris ses réjouissances accoutumées; et l'approche d'un anniversaire impérial semblait fait exprès pour fournir l'occasion de le satisfaire. Les bêtes sauvages, que Sébastien et Pancrace avaient entendues un soir, réclamaient encore la proie humaine qui leur était promise; « *christianos ad leones*, » (les chrétiens aux lions,) ce cri, souvent répété par le peuple, semblait les autoriser à croire que « les chrétiens leur revenaient comme de droit. »

Pendant une après-midi de la fin de décembre, Corvinus se rendit aux bains de Dioclétien, accompagné de Catulus, qui savait juger du premier coup d'œil les chrétiens « convenables » pour les luttes de l'amphithâtre, comme un marchand de bestiaux expérimenté reconnaît le bon bétail au marché. Corvinus manda le surintendant de cette classe de condamnés, et lui dit :

— Rabirius, je suis venu par ordre de l'empereur, pour choisir un certain nombre de ces brigands de chrétiens qui sont sous votre charge; ils auront l'honneur de combattre dans l'amphithéâtre, à l'occasion de la fête qui s'approche.

— J'en suis fâché, répondit l'officier, mais je n'en ai pas un seul de trop, au contraire; je suis obligé de terminer ma besogne pour un temps donné, et cela me sera impossible, si l'on m'enlève des travailleurs.

— Oh! cela m'importe peu; on pourra s'en procurer d'autres pour remplacer ceux qu'on vous prendra. Ainsi donc, vous allez nous conduire, Catulus et moi, sur les travaux, et nous y choisirons ceux de vos scélérats qui nous paraîtront en valoir la peine.

Rabirius, cédant, malgré lui, à cette réclamation déraisonnable, invita les deux pourvoyeurs des arènes à le suivre, et les conduisit dans une vaste salle dont la voûte venait d'être terminée. On y pénétrait par un vestibule circulaire éclairé du haut comme le Panthéon. De là on avait accès dans un des petits côtés d'une immense salle, construite en forme de croix, sur laquelle s'ouvraient un certain nombre de chambres plus petites, mais fort belles aussi. A chaque angle de cette salle, où les bras de la croix se joignaient, on devait élever un énorme pilier d'un seul bloc de granit. Deux de ces piliers étaient déjà debout ; un troisième, enlacé de câbles roulés autour de cabestans, était prêt à être dressé le lendemain. Un grand nombre d'hommes étaient activement occupés à compléter les derniers préparatifs. Catulus fit un signe d'intelligence à Corvinus, et lui désigna du pouce deux beaux jeunes gens qui, nus jusqu'à la ceinture, comme tous les esclaves, montraient les formes les plus athlétiques.

— Il me faut ces deux-là, Rabirius, dit le pourvoyeur de victimes humaines ; ils font merveilleusement mon affaire. Je suis sûr que ce sont des chrétiens, car ils travaillent de tout cœur.

— Il m'est impossible de me passer d'eux en ce moment. A eux deux ils valent six hommes, et me font la besogne de deux chevaux au moins. Attendez jusqu'à ce que le gros de l'ouvrage soit terminé, et je les mettrai avec plaisir à votre service.

— Dites-moi leurs noms, afin que j'en prenne note ; et ayez soin de les entretenir en bon état.

— Ils se nomment Largus et Smaradus ; ce sont deux jeunes gens de très-bonne famille, quoiqu'ils travaillent comme des plébéiens, et je suis bien sûr qu'ils vous suivront sans la moindre répugnance, quand vous voudrez les livrer aux bêtes.

— Eh bien, il sera fait selon leurs désirs, dit Corvinus avec une hideuse joie.

Et, en effet, les deux frères furent par la suite jetés aux arènes.

Les deux bourreaux continuèrent leur route à travers les travaux publics, et, chemin faisant, ils choisirent un certain nombre de captifs. A chaque demande nouvelle, Rabirius essayait de résister, mais inutilement. A la fin, ils arrivèrent près d'une de ces chambres qui s'ouvraient à l'est de l'embranchement principal de la salle ; ils y virent un certain nombre de forçats — nous employons le mot consacré par les lois romaines — qui prenaient quelque repos dans l'intervalle de leur travail. Au centre du groupe se tenait un vieillard de vénérable apparence, portant une longue barbe blanche qui lui descendait jusqu'au milieu de la poitrine. Sa physionomie avait une expression pleine de douceur, sa parole était bienveillante, affectueuse, son geste animé encore, malgré sa faiblesse. C'était le confesseur Saturnius, qui était arrivé à sa quatre-vingtième année, et qui, pourtant, était chargé de deux lourdes chaînes. A ses côtés, se tenaient deux travailleurs plus jeunes, Cyriacus et Sisinnius, lesquels, à ce que rapporte la tradition, s'étaient entendus pour porter les fers du vieillard, tout en s'acquittant de leurs rudes travaux. Et, en effet, nous lisons que leur principal plaisir était, leur tâche achevée, de venir en aide à leurs frères plus faibles, en travaillant à leur place[1]. Toutefois leur temps n'était pas encore venu, et tous deux, avant de recevoir la couronne du martyre, devaient être nommés diacres sous le prochain pontificat.

Plusieurs autres captifs étaient étendus sur le sol, aux pieds du vieillard qui, assis sur un bloc de marbre, leur parlait avec une douce gravité, captivait leur attention et semblait leur faire oublier leurs souffrances. Que leur disait-il? Récompensait-il Cyriacus de sa sublime charité, en lui apprenant que, pour l'exalter, une partie de l'immense édifice qu'ils travaillaient à élever serait dédiée à Dieu, sous son invocation, deviendrait un *titre*, et terminerait enfin par un nom bien illustre, sans doute, la longue liste de ses titulaires[2]. Ou bien leur communiquait-il une autre vision plus glorieuse encore, dans laquelle il lui avait été révélé que ce modeste oratoire serait remplacé et absorbé par un temple magnifique érigé en l'honneur de la Reine des anges, que ce temple comprendrait toute l'étendue de cette superbe salle, avec son vestibule, et devait être construit et décoré sous la direction du plus puissant génie artistique que la terre ait jamais admiré[3]? Et quelle pensée plus consolante eût-il pu présenter à l'esprit de ces pauvres captifs opprimés, que de leur dire qu'ils travaillaient moins à construire des bains pour les luxurieux délassements d'une cité païenne, ou pour les prodigalités ruineuses d'un empereur pervers, qu'à ériger en réalité une des églises les plus magnifiques où le vrai

(1) Voyez Piazza, a propos de l'église de *Santa Maria degli Angeli,* dans son ouvrage sur les stations de Rome.

(2) Le dernier cardinal du titre, éteint aujourd'hui, de saint Cyriaque, dont l'église avait été construite d'une partie de ces bains, fut le cardinal Bembo.

(3) La noble et belle église de Santa Maria degli Angeli a été construite par Michel-Ange dans l'enceinte de la grande salle centrale et du vestibule circulaire que nous venons de décrire. Le sol fut élevé par la suite, de sorte que la hauteur des piliers a été diminuée de plusieurs pieds, ainsi que celle de tout l'édifice.

Dieu dût être adoré et dans laquelle serait, un jour, honorée la Vierge Mère qui avait porté le Verbe incarné dans son chaste sein!

Corvinus aperçut de loin le groupe, et, s'arrêtant, il demanda au surintendant les noms de tous les condamnés qui le composaient. Rabirius les lui énuméra rapidement, et ajouta : — Vous pouvez fort bien prendre ce vieillard, si vous en avez la moindre envie, car, en vérité, il ne mérite pas le pain qu'il mange, en ce qui concerne le travail.

— Grand merci, répliqua Corvinus; la jolie figure vraiment qu'il ferait dans l'amphithéâtre! Le peuple n'a que faire de pareilles décrépitudes, qu'un simple coup de griffe d'ours ou de tigre font passer de vie à trépas. Le peuple aime à voir couler du sang jeune; il aime à voir la vie abondante et vigoureuse luttant contre les flots du sang et les blessures béantes, jusqu'à ce que la mort vienne mettre fin à la lutte. Mais en voilà un là-bas que vous ne m'avez pas nommé; celui qui nous tourne le dos : il ne porte pas le costume des prisonniers, et n'a ni fers ni entraves. Qui donc cela peut-il être?

— Je ne sais pas son nom, répondit Rabirius; mais c'est un beau jeune homme qui passe une grande partie de son temps avec les prisonniers, il vient les encourager, les consoler, et même parfois il les assiste dans leur travail. Comme vous pensez bien, nous le faisons payer largement pour lui permetttre de faire tout cela; du reste, nous ne croyons pas avoir le droit de lui faire des questions.

— Mais c'est mon droit, à moi, dit vivement Corvinus.

Et il s'avança pour exécuter son dessein.

Le son de sa voix frappa l'oreille de l'étranger; il se retourna.

Corvinus bondit vers lui avec le regard et le geste d'une bête fauve, et, le saisissant par le bras, il s'écria dans les transports d'une joie féroce : — Qu'on le charge de fers à l'instant! cette fois du moins Pancrace, tu ne m'échapperas pas!

XXI. — LA PRISON.

Si un chrétien moderne désire réellement apprécier ce que ses ancêtres ont eu à souffrir pour la foi pendant trois siècles de persécution, il ne doit pas se contenter de visiter les Catacombes, que nous avons essayé de lui faire connaître en détail, et d'apprendre ainsi quel genre de vie ils étaient obligés de mener ; nous lui conseillons aussi de lire ces impérissables annales, les *Actes des Martyrs*, qui lui apprendront de quelle manière ils savaient mourir. Nous ne connaissons pas d'écrit aussi émouvant, aussi tendre, aussi consolant ; après la parole de Dieu même, consignée dans les livres saints, nous n'en connaissons pas qui inspire à l'âme plus de foi et d'espérance que ces monuments vénérables. Que si le lecteur, ainsi prévenu par nous, n'avait pas le loisir de faire, sur ce sujet, de longues lectures, qu'il se contente d'en choisir un seul trait, et de lire les Actes authentiques des saintes Perpétue et Félicité. Il est vrai qu'ils sont lus avec plus de profit par l'érudit dans le texte original de la latinité africaine ; mais nous espérons que bientôt nous pourrons avoir une bonne traduction de ces documents précieux des premiers âges du christianisme, avec quelques autres de même importance. Les Actes que nous venons de mentionner sont les mêmes qui furent connus de saint Augustin, et on ne peut les lire sans éprouver une profonde émotion.

Que le lecteur compare la sensibilité morbide et l'excitation exagérée qu'a tenté de produire un écrivain français moderne, en rédigeant le journal imaginaire d'un condamné à mort, depuis son arrêt jusqu'à l'approche immédiate de l'exécution — avec la simplicité émouvante et le ton de vérité charmante qui règnent dans le récit de circonstances analogues fait par Vivia Perpetua, jeune fille de vingt et un ans : il n'hésitera pas à conclure que les simples récits du christianisme l'emportent infiniment en grâce, en naturel et en intérêt, sur les plus audacieuses fictions de la poésie. Aussi, quand nos esprits sont attristés ou que les persécutions tracassières de notre époque poussent nos faibles cœurs au murmure, nous ne pouvons mieux faire que de tourner nos regards vers cette légende dorée, et qui mérite ce nom parce qu'elle est vraie, ou vers l'histoire des nobles martyrs de Vienne ou de Lyon, ou vers tant d'autres récits semblables qui existent encore de nos jours, pour retremper notre énergie et notre courage par la contemplation de ce qu'ont fait et souffert sans murmurer, pour la gloire du Christ, des enfants et des femmes, des catéchumènes et des esclaves.

Mais nous nous éloignons de notre récit. Pancrace, arrêté avec une vingtaine de condamnés dont Catulus avait fait choix pour les combats du cirque, fut chargé de fers, et tous, rivés à la même chaîne, furent conduits en prison à travers les rues de Rome. Pendant ce trajet, long et pénible, les gardes qui les conduisaient ne leur épargnaient ni violences, ni brutalités, et tous les passants qui se trouvaient à portée de les atteindre leur prodiguaient également, sans pitié ni remords, les coups et les bourrades. Les plus éloignés leur jetaient des pierres et des immondices à la tête et les accablaient des plus ignobles injures[1]. Ils arrivèrent enfin à la prison Mamertine ; dans le cachot où on les jeta, ils trouvèrent d'autres victimes des deux sexes qui attendaient le jour du sacrifice. Le jeune homme n'eut que le temps, tandis qu'on lui mettait les menottes, de prier un de ceux qui l'avaient arrêté d'aller informer sa mère et Sébastien de ce qui venait d'arriver ; et, pour prix du message, il lui glissa sa bourse dans la main.

Les prisons de l'ancienne Rome n'étaient pas des lieux où le pauvre pût désirer d'être enfermé dans l'espoir d'y trouver un meilleur gîte et de meilleurs repas que dans sa demeure. Deux ou trois de ces affreux donjons existent encore aujourd'hui ; et il nous suffira de décrire brièvement celui que nous venons de nommer, pour donner aux lecteurs une idée de ce qu'il en coûtait pour confesser la foi chrétienne, indépendamment du martyre, qui était souvent la conséquence de cette confession.

La prison Mamertine est composée de deux chambres carrées souterraines, placées l'une au-dessus de l'autre, avec une seule ouverture ronde au centre de chaque voûte, par laquelle passaient à la fois l'air, la lumière, la nourriture et les prisonniers. Quand l'étage supérieur était plein, on peut se figurer quelle somme de lumière et d'air pouvait arriver jusqu'à l'étage inférieur. Il n'existait et ne pouvait exister aucun autre moyen d'accès, de ventilation, ni d'écoulement. Les murailles étaient faites d'énormes blocs de granit, et de gros anneaux de fer y étaient scellés. Ces anneaux, que l'on voit encore aujourd'hui, servaient à attacher les prisonniers. La plupart du temps cependant, on les couchait sur le sol, en se bornant à leur mettre aux pieds des entraves . et la cruauté ingénieuse des persécuteurs se plaisait souvent à augmenter encore les tortures sur cette couche humide et glacée, en y semant des tessons de pots, où les membres déchirés et les corps épuisés des victimes se meurtrissaient davantage. Nous voyons qu'en Afrique toute une compagnie de martyrs, à la tête desquels se trouvaient saints Saturnius et Dativus, succomba aux

(1) Voir le récit de saint Pothinus. *Ruinart*, l. p. 145. Edit. Aug. 1802.

souffrances qu'on leur avait infligées dans leur prison. Les Actes des Martyrs lyonnais nous apprennent qu'un grand nombre de nouveaux venus expiraient dans la prison, tués par les privations, avant même qu'ils eussent été soumis aux tortures judiciaires. D'un autre côté, on en a vu qui revenaient sous ces voûtes méphytiques, après avoir subi des tortures telles, que leur mort paraissait imminente, recouvrer la santé, sans aucun remède ni secours[1]. Parfois les chrétiens libres parvenaient à s'introduire dans ces asiles de la douleur, mais non des regrets, et fournissaient à leurs frères persécutés et vénérés tous les soulagements qui pouvaient, dans ces circonstances cruelles, alléger leurs souffrances et augmenter leur bien-être spirituel et temporel.

La justice romaine demandait cependant que l'on daignât observer du moins quelques-unes des formalités extérieures de la légalité, de sorte que les captifs chrétiens passaient de la prison au tribunal ; là on les soumettait à des interrogatoires dont les Actes proconsulaires des Martyrs nous ont conservé de précieux exemples, en nous les transmettant tels qu'ils avaient été recueillis par le secrétaire ou greffier de la cour. Quand on demanda à l'évêque de Lyon, Pothinus, vieillard vénérable qui avait atteint l'âge de quatre-vingt-dix ans :

« — Quel est le Dieu des chrétiens? »

Il répondit avec une dignité simple et noble :

« — Quand vous en serez digne, vous le saurez[2]. »

Parfois, le juge s'avisait d'entrer en discussion avec l'accusé, et, comme on le pense bien, il était battu par lui à chaque réplique; mais presque toujours les chrétiens refusaient de poursuivre ces dissertations, et ils se contentaient de répondre à toutes les questions par une simple profession de foi. Souvent aussi, comme dans le procès d'un certain Ptolémée, qui a été si admirablement raconté par saint Justin, et dans celui de Perpétue, le juge se contentait de poser cette question sommaire :

— Etes-vous chrétien?

Et, sur la réponse affirmative, il prononçait aussitôt la sentence capitale.

Pancrace et ses compagnons comparurent devant le juge. Il fallait se hâter, car on n'était plus qu'à trois jours du *Munus*, c'est-à-dire des jeux dans lesquels ils devaient « lutter contre des bêtes sauvages. »

— Qui es-tu? demanda le juge à l'un d'eux.

(1) *Ruinart*, p. 145. (2) « *Si dignus fueris, cognosces,* » *Ruinart*.

— Je suis un chrétien, par la grâce de Dieu.

— Et toi ? dit le préfet à Rusticus.

— Je suis, je dois le dire, un esclave de César, répondit le prisonnier; mais, étant devenu chrétien, j'ai été affranchi par le Christ lui-même, et, par sa grâce et sa miséricorde, j'ai pu partager les espérances de ceux que vous voyez devant vous.

Se tournant ensuite vers un saint prêtre, nommé Lucianus, aussi vénérable par son âge que par ses vertus, le juge lui dit :

— Voyons, obéis aux dieux et aux édits impériaux.

— Personne, répondit le vieillard, ne peut être réprimandé ni condamné, quand il obéit aux préceptes de Jésus-Christ, notre Sauveur.

— De quelle espèce d'études et de travaux t'occupes-tu ?

— J'ai cherché à acquérir toute espèce de science, et j'ai essayé de me familiariser avec toutes les connaissances humaines. Mais j'ai fini par me rallier aux doctrines du christianisme, bien qu'elles ne soient pas de nature à plaire à ceux qui suivent les erreurs des fausses opinions.

— Malheureux ! quels charmes peux-tu trouver dans des études pareilles ?

— Le plus grand de tous, parce que je suis les chrétiens dans leur doctrine, qui est la seule vraie.

— Et cette doctrine, quelle est-elle ?

— La véritable doctrine à laquelle, nous chrétiens, nous sommes pieusement attachés, c'est de croire en un seul Dieu, l'auteur et le créateur de toutes les choses visibles et invisibles ; c'est de confesser Notre-Seigneur Jésus-Christ, le Fils de Dieu, qui a été autrefois annoncé par les prophètes, qui viendra un jour juger les hommes, et qui est le prédicateur et l'auteur de tout salut pour ceux qui veulent suivre sa doctrine. Je ne suis qu'un homme faible et insignifiant, je ne puis donc vous dire rien de grand, et rien qui soit digne de sa *Déité infinie* ; c'est le partage des seuls prophètes [1].

— Il me semble que tu es un de ceux qui enseignent l'erreur aux autres; à ce titre, tu mérites d'être puni plus sévèrement que les autres aussi. Qu'on mette les ceps à ce Lucianus, et qu'on lui écarte les pieds jusqu'à la cinquième oreillette [2].

— Et vous deux, femmes, quels sont vos noms et votre condition ?

(1) Voir les *Actes de saint Justin*. *Ruinart*, p. 129.

(2) C'est le plus grand écartement dont il soit fait mention.

— Je suis une chrétienne qui n'a pas d'autre époux que le Christ; mon nom est Secunda, dit l'une.

— Moi, je suis veuve, je me nomme Rufina, et je professe la même foi salutaire, ajouta l'autre.

Enfin, après avoir posé à tous des questions semblables et reçu de tous également des réponses analogues — à l'exception toutefois d'un seul, d'un malheureux qui, à la consternation de tous, céda devant la peur et consentit à offrir de l'encens aux divinités païennes, — le préfet se tourna vers Pancrace, et lui dit :

— Et maintenant, écoute, insolent jeune homme, toi qui as eu l'audace de lacérer l'édit des divins empereurs, pour toi-même il y aura miséricorde et pardon, si tu veux sacrifier aux dieux de l'empire. Montre-nous donc sans tarder ta piété et ta sagesse, car tu n'es encore qu'un enfant dont nous avons pitié.

Pancrace se signa du signe rédempteur de la croix, et répondit avec calme :

— Je suis le serviteur du Christ ; c'est lui seul que ma bouche reconnaît, que mon cœur aime, et que mon esprit *incessamment adore*. Cette jeunesse qui vous fait pitié en moi a la sagesse des cheveux blancs, quand elle ne reconnaît qu'un seul Dieu. Mais vos dieux, à vous, avec tous ceux qui les adorent, sont destinés à une destruction éternelle[1].

— Qu'on le frappe sur la bouche pour punir son blasphème, et qu'on le batte de verges! s'écria le juge exaspéré.

— Je te remercie, répondit doucement le noble jeune homme, de ce que je puisse subir ainsi la même peine qu'a subie mon Seigneur[2].

Le préfet prononça alors la sentence dans la formule consacrée : « Lucianus, Pancrace, Rusticus et les autres, et les femmes Secunda et Rufina, qui tous ont avoué appartenir à la secte des chrétiens, et qui refusent d'obéir aux ordres sacrés de l'empereur, ou d'adorer les dieux de Rome, sont condamnés par nous à être exposés aux bêtes féroces, dans l'amphithéâtre de Flavius. »

La foule salua cette odieuse sentence d'une exclamation de plaisir et de haine, et accompagna de ses cris sauvages les confesseurs jusqu'à leur prison; mais, à mesure qu'ils avançaient, la fureur s'abattait,

(1) *Ruinart*, p. 56. *Actes de sainte Félicité et de ses fils.*
(2) P. 220, *Actes de sainte Perpétue*, etc.

désarmée et vaincue par l'attitude digne des condamnés et la sérénité de leurs visages. Il y en avait qui affirmaient que ces chrétiens devaient s'être parfumés, « car, disaient-ils, on sent, en les approchant, une atmosphère balsamique d'une suavité inconnue, qui les accompagne et les entoure[1]. »

XXII. — LE VIATIQUE.

La scène qui se passa à l'intérieur de la prison offrit le contraste le plus frappant avec la fureur brutale qui grondait à l'extérieur. La paix, la sérénité, la gaîté et la joie y régnaient sans partage. Les pierres massives des murailles et les voûtes de la prison retentissaient d'une psalmodie triomphale, dans laquelle Pancrace donnait le ton. On eût pu dire que l'abîme y répondait à l'abîme, car les prisonniers du donjon inférieur répondaient à ceux du dessus, chantant en chœur alternativement les versets des psaumes les plus analogues à la situation.

La veille du jour où les condamnés devaient *lutter* avec les bêtes, c'est-à-dire devaient être mis en pièces par elles, était toujours un jour de liberté plus grande. On permettait aux amis des victimes de les venir visiter, et les chrétiens ne manquaient jamais de profiter de la permission pour se porter en foule à la prison et se recommander aux prières des saints confesseurs du Christ. Le soir, on leur servait ce qu'on appelait le « souper libre. » C'était un repas abondant et même délicat, dont on faisait une sorte de fête publique. La table était entourée de païens, curieux d'étudier la conduite et la physionomie des combattants du lendemain. Mais les observateurs ne pouvaient découvrir ni les bravades insolentes et furieuses, ni le découragement et l'amertume que l'on trouvait chez les condamnés ordinaires. Pour les convives, c'était véritablement une *agape*, ou banquet de charité, car ils soupaient avec calme et tranquillité, en discourant joyeusement. Pancrace, cependant, peiné de la curiosité dont ils étaient l'objet, et des observations cruelles des spectateurs, les réprimanda en leur disant : « La fête de demain ne vous suffit donc pas, que vous venez

(1) *Ruinart*, p. 219. Ib. 146. *Actes des martyrs lyonnais.*

encore contempler à loisir les objets de votre future haine? Aujourd'hui vous êtes encore nos amis, demain vous serez nos ennemis Mais regardez-nous bien, afin que vous puissiez reconnaître nos traits au jour du jugement. » Cette sortie inattendue frappa les auditeurs: plusieurs se retirèrent, qui y puisèrent plus tard le germe de leur conversion[1].

Mais, tandis que les persécuteurs préparaient ainsi un repas pour fêter les corps de leurs victimes, l'Eglise, leur mère, avait préparé un banquet bien plus précieux pour fêter les âmes de ses enfants. Les diacres ne les avaient pas quittés un seul instant, particulièrement Reparatus, qui eût donné beaucoup pour pouvoir partager leur martyre. Mais les devoirs de son ministère le lui défendaient pour le moment. Après avoir pourvu de son mieux à leurs besoins temporels, il s'était entendu avec le saint prêtre Dionysius, qui continuait d'habiter la maison d'Agnès, afin d'envoyer, vers le soir, des parts suffisantes du pain de vie pour pouvoir nourrir le lendemain, avant la bataille, les champions du Christ. Bien que les diacres eussent mission de transporter de l'église principale aux chapelles succursales les espèces consacrées, pour y être distribuées par les seuls titulaires, c'étaient les ministres inférieurs qui étaient chargés de les porter aux martyrs dans les prisons, et même aux mourants. En ce jour-là, où les passions hostiles de la cité païenne étaient plus que jamais surexcitées par l'approche du massacre d'un si grand nombre de chrétiens, c'était une mission pleine de dangers peu communs. De plus, les révélations de Torquatus venaient de faire connaître que Fulvius avait soigneusement noté le signalement de tous les ministres du sanctuaire, et que ce signalement avait été transmis à l'innombrable et active troupe de ses espions. C'est pour cela qu'ils n'osaient guère se risquer à sortir pendant le jour sans être déguisés.

Le pain sacré était prêt. L'officiant, du haut de l'autel sur lequel était placé le ciboire, se retourna pour voir lequel d'entre ses assistants conviendrait le mieux à la mission sainte qu'il lui réservait. Avant que personne eût eu le temps de s'offrir, le jeune acolyte Tarcisius s'avança et alla s'agenouiller devant lui. Ses mains étendues en avant, prêtes à recevoir le dépôt sacré, le regard qui illuminait sa belle figure, innocente et candide comme celle d'un ange, semblaient parler pour lui et réclamer la préférence.

(1) *Ruinart*, p. 219. Ib. 146. *Actes des martyrs lyonnais.*

— Tu es trop jeune, mon enfant, dit le bon prêtre ému d'admiration à la vue du touchant tableau qui s'offrait à lui.

— Ma jeunesse, saint père, sera ma meilleure protection. Oh ! ne me refusez pas cet immense bonheur !

Et des larmes brillaient dans les yeux de l'enfant, et ses joues s'empourpraient d'une émotion modeste en disant ces paroles. Et il étendit de nouveau ses mains vers le prêtre, et il le supplia d'un ton si plein de ferveur et de courage, que le saint homme ne put résister.

Il prit le sacrement du divin mystère, l'enveloppa respectueusement dans un linge blanc, le couvrit d'une seconde enveloppe, et le remit entre les mains de l'enfant, en disant :

— Souviens-toi, Tarcisius, qu'un céleste trésor est confié à tes faibles soins. Evite les endroits publics trop tumultueux, et n'oublie pas que les choses saintes ne doivent point être distribuées aux chiens, que les perles ne doivent point être jetées aux pourceaux. Tu garderas avec fidélité ces dons sacrés de Dieu.

— Je périrai plutôt que de les livrer, répondit le pieux jeune homme en plaçant le céleste dépôt dans le haut de sa tunique.

Et, d'un air recueilli, il partit pour accomplir sa mission. On pouvait voir sur sa physionomie l'expression d'une gravité au-dessus de son âge, quand il traversait d'un pas léger les rues de la ville, mettant un soin égal à éviter les places trop populeuses et les rues mal famées.

Comme il approchait de la porte d'une vaste maison, la maîtresse du logis, riche matrone sans enfants, le vit venir, et fut frappée de la beauté et de la douceur de ses traits. Et il était beau à voir, en effet, marchant rapidement, les bras croisés sur sa poitrine.

— Arrête un instant, mon enfant, dit-elle en se plaçant sur son chemin ; dis-moi ton nom et apprends-moi où demeurent tes parents.

— Je me nomme Tarcisius ; je suis orphelin, répondit-il, en levant les yeux avec un sourire, et je n'ai pas de demeure, si ce n'est un endroit qu'il ne vous serait peut-être pas agréable d'entendre nommer.

— Alors entre dans ma maison et prends-y quelque repos ; je désire te parler. Oh ! si j'avais un enfant comme toi !

— Pas maintenant, noble dame, je ne puis entrer maintenant. On m'a confié l'accomplissement d'un devoir sacré et solennel, et je ne puis différer un moment de le remplir.

— Alors, promets-moi du moins de me venir voir demain, cette demeure est la mienne.

— Si je vis demain, je viendrai, dit l'enfant avec un regard inspiré qui le faisait ressembler à un messager d'un autre monde.

Puis il s'éloigna. Pendant assez longtemps la dame le regarda s'éloigner, et, après quelque hésitation, elle se décida à le suivre. Mais bientôt elle entendit un grand tumulte accompagné de cris horribles qui la glacèrent d'épouvante; elle s'arrêta.... les cris cessèrent et elle continua sa route.

Cependant Tarcisius, l'esprit préoccupé de pensées plus élevées que celle d'être un jour l'héritier de cette noble matrone, marchait en hâte vers la prison; pour y arriver, il avait à traverser une grande place où des enfants, échappés d'une école voisine, commençaient leurs jeux.

— Il nous manque quelqu'un pour notre partie; comment allons-nous faire? venait de dire le chef de la bande.

— Voilà justement notre affaire! s'écria un autre; voici venir Tarcisius, que je n'ai pas vu depuis un siècle. C'est un bon garçon, très-habile à toutes sortes de jeux. Viens donc, Tarcisius, cria-t-il en l'arrêtant par le bras, où donc cours-tu si vite? Viens jouer avec nous, viens; tu seras bien gentil.

— Je ne puis en ce moment, Petilius; en vérité, je ne puis pas. Je suis chargé d'une commission très-importante.

— Bah! il n'y a pas de commission qui tienne! cria celui qui avait parlé le premier, grand et fort garçon qui avait l'air et les traits d'un rustre. N'essaye pas de résister, car je ne le souffrirais point. Ainsi, viens vite.

— Je vous en prie, dit le pauvre enfant d'un ton suppliant, je vous en prie, ne me retenez pas!

— Je n'écoute rien, répliqua l'autre. Mais, voyons, que caches-tu là si soigneusement dans ta poitrine? Une lettre, je suppose; eh bien, elle ne s'envolera pas pour être un instant hors de son nid. Donne-la-moi, je la mettrai en sûreté pendant que nous jouerons.

Et il tendit la main pour s'emparer du dépôt sacré que l'enfant portait sur sa poitrine.

— Jamais! jamais! répondit l'enfant en levant ses regards vers le ciel.

— Je veux voir cela, dit l'autre en insistant brutalement; je veux savoir ce que c'est que ce merveilleux secret.

Et il se mit à pousser violemment l'enfant en lui tirant le bras pour lui faire lâcher prise. Une foule d'hommes du voisinage se rassemblèrent autour d'eux, tous demandant avec curiosité de quoi il s'agissait. Ils voyaient un enfant qui, les bras croisés sur sa poitrine, semblait doué d'une force surnaturelle, car il résistait énergiquement à tous les efforts d'un garçon plus grand et plus fort que lui, qui cherchait à lui faire livrer le secret du message dont il était porteur. Les coups de poing, les soufflets et les violences de toute nature semblaient n'avoir sur lui aucun effet. Il les supportait sans murmurer, sans tenter d'y répondre, et rassemblait tous ses efforts pour défendre son dépôt sacré.

— Qu'est-ce? que peut être cela? se demandaient-ils les uns aux autres; et nul ne pouvait répondre, quand, par hasard, Fulvius vint à passer. Voyant ce rassemblement, il s'en approcha, et reconnut tout d'abord Tarcisius pour l'avoir vu pendant l'ordination. Sa mise et son air distingué lui ayant attiré les questions de la foule, il répondit d'un ton dédaigneux et en tournant sur le talon :

— Ce que c'est? c'est un âne chrétien qui porte des reliques[1].

Ces paroles suffirent. Fulvius dédaignait pour son propre compte une proie si mince, mais il ne savait que trop l'effet que devaient produire ses paroles. La curiosité païenne, désireuse de voir les mystères des chrétiens, pour les violer et les insulter, était éveillée, et un cri général s'éleva, réclamant avec toutes sortes de menaces le dépôt dont Tarcisius était chargé.

— Jamais, jamais, qu'avec ma vie! se bornait à répondre l'enfant.

Un coup de poing terrible lui fut asséné sur la tête par un gigantesque forgeron; l'enfant en fut étourdi, et le sang s'échappa de la blessure. Un second coup, puis un troisième suivirent, puis d'autres encore, tant qu'à la fin, le malheureux enfant, tout meurtri, mais tenant toujours ses bras croisés sur sa poitrine, tomba anéanti sur le sol. La foule aussitôt se rua sur lui, et vingt bras s'étendaient pour lui arracher le céleste dépôt, quand tout à coup les lâches assaillants se sentirent repoussés de droite et de gauche par un bras d'une force gigantesque. Les uns s'en vont rouler jusqu'à l'extrémité de la place, les autres demeurent étourdis au même endroit sans savoir ce qui leur arrive, et le reste se retire devant un officier à la taille athlétique, auteur de tout ce désordre. Quand la place eut été déblayée, l'officier s'agenouilla auprès de la victime presque évanouie, et, les larmes aux yeux, la

(1) *Asinus portans mysteria*, proverbe latin.

souleva doucement, avec les tendres soins qu'une mère eût pu y mettre; puis il lui demanda d'une voix douce :

— Souffrez-vous beaucoup, Tarcisius?

— Ne vous occupez pas de moi, Quadratus, dit l'enfant en ouvrant les yeux avec un sourire; c'est que je porte sur moi les divins mystères, prenez-en soin, vous.

Le soldat souleva l'enfant dans ses bras avec un respect qui témoignait que ce n'était pas seulement la douce victime d'un héroïque sacrifice, le corps d'un martyr qu'il portait, mais le vrai Roi et Seigneur des martyrs, et la divine Victime de la rédemption éternelle. La tête de l'enfant reposait avec un abandon plein de confiance sur les robustes épaules du soldat, mais ses mains et ses bras restaient croisés sur sa poitrine, pour veiller jusqu'au bout sur le trésor qui lui était confié. Le brave Quadratus ne sentait pas le poids du double et saint fardeau qu'il portait. Personne n'osa l'arrêter; mais, à quelques pas de là, il rencontra une dame qui fixa sur lui des yeux pleins d'étonnement et d'effroi. Elle s'approcha et vint regarder l'enfant de plus près.

— Est-il possible? s'écria-t-elle avec terreur, est-ce là Tarcisius que j'ai rencontré il n'y a qu'un moment, si jeune et si beau? Qui donc l'a mis dans un pareil état?

— Madame, répondit Quadratus, ils l'ont assassiné, parce qu'il est chrétien.

La dame attacha pendant quelques instants son regard sur le visage pâle de l'enfant. Il ouvrit les yeux, la vit, sourit et expira. Mais ce regard fit entrer dans le cœur de la noble femme le rayon de la foi; elle s'empressa d'embrasser la religion chrétienne.

Le vénérable Dionysius ne put retenir ses larmes qui voilèrent ses yeux lorsque, en écartant les mains de l'enfant, il découvrit sur sa poitrine, intact et inviolé, le dépôt glorieux, le Saint des saints. Il lui sembla que la victime ressemblait bien plus à un ange, endormi comme il l'était du sommeil des martyrs, que lorsqu'il était plein de vie, une heure auparavant. Quadratus le porta lui-même dans le cimetière de Callistus, où il fut enterré en présence des plus anciens dans la foi, qui pleuraient d'admiration; et, par la suite, le saint pape Damase composa pour lui une épitaphe qu'il est impossible de lire sans être convaincu que la croyance en la présence réelle du corps de Notre-Seigneur dans la divine Eucharistie était alors aussi générale et aussi ferme que de nos jours :

« *Tarcisium sanctum Christi sacramenta gerentem,*
Cum malesana manus peteret vulgare profanis
Ipse animam potius voluit dimittere cœsus
Prodere quam canibus rabidis cœlestia membra[1]. »

Il est mentionné dans le Martyrologe romain, à la date du 15 août, comme un martyr dont la fête commémorative se célébrait dans le cimetière de Callistus; ses reliques ont été transportées plus tard dans l'église de Saint-Sylvestre in Campo, ainsi que l'indique une vieille inscription.

La nouvelle de cet événement n'arriva aux prisonniers qu'après la fin de leur banquet; et, certes, la crainte d'être privés de la nourriture céleste dont ils attendaient la force, était la seule peut-être qui fût de nature à altérer la sérénité de leurs âmes. A ce moment, Sébastien arriva; à les voir, il s'aperçut aussitôt que quelque fâcheuse nouvelle avait été reçue, et il la devina aussi, car Quadratus l'avait déjà informé de tout ce qui s'était passé. Il s'empressa donc d'encourager et de consoler les confesseurs du Christ, leur donnant l'assurance qu'ils ne seraient pas privés de ce viatique si ardemment désiré; puis il dit quelques mots à voix basse à l'oreille du diacre Reparatus, lequel sortit aussitôt après avoir échangé avec lui un regard de joyeuse intelligence.

Sébastien, qui était connu des gardes, n'éprouvait aucune difficulté pour entrer et pour sortir de la prison à toute heure de la journée; aussi avait-il été infatigable dans les soins dont il avait entouré les condamnés. Cette fois, il était venu pour adresser ses derniers adieux à son ami le plus cher, à Pancrace, qui avait vivement désiré cette entrevue. Ils se retirèrent à part, et le jeune homme, prenant le premier la parole, dit :

— Eh bien, Sébastien, vous souvenez-vous de cette soirée où, de votre fenêtre, nous entendions rugir les bêtes sauvages, et nous

(1) — « Tarcisius enfant portait l'Eucharistie :
Les païens y voulaient jeter un œil impie;
Il aima mieux mourir sous leurs coups déchiré,
Que de livrer du Christ le corps si vénéré. »

Voir aussi les notes de Baronius au *Martyrologe*. Les mots « les membres divins (du Christ) » appliqués à la sainte Eucharistie sont une preuve accidentelle, mais frappante, de la foi en la présence de notre Sauveur dans les espèces sacramentelles. Ils sont le résultat d'une pensée habituelle plutôt que de l'usage de phrases étudiées et conventionnelles.

regardions les arches béantes de l'amphithéâtre, toutes prêtes pour donner passage au triomphe des chrétiens?

— Oui, mon cher enfant, je me la rappelle parfaitement; et il me semblait que votre cœur avait deviné par avance les scènes qui s'y préparent pour vous demain.

— Il le devinait, en effet. J'entendais en moi une voix intérieure qui m'assurait que je serais un des premiers à apaiser la fureur rugissante de ces interprètes de la cruauté humaine. Mais aujourd'hui que le moment est venu, j'ai peine à me croire digne d'un si immense honneur. Qu'ai-je donc pu faire, Sébastien, non pas pour le mériter, mais pour être choisi comme l'heureux objet d'une grâce si grande?

— Vous savez bien, Pancrace, que ce n'est pas celui qui a voulu, ni celui qui a couru qui arrive le premier, mais que Dieu seul fait miséricorde et choisit les élus. Dites-moi plutôt quels sentiments vous éprouvez en présence de la glorieuse destinée qui vous attend demain.

— A vous dire la vérité, cette destinée me semble si magnifique et tellement au-dessus de mes plus ambitieuses aspirations, que je me crois souvent le jouet d'un rêve et non dans la réalité. Mais vous-même, ne trouvez-vous pas quelque chose d'incroyable dans la pensée que moi, qui suis cette nuit dans un prison obscure, froide, hideuse, je serai demain, avant le coucher du soleil, dans les régions célestes, prêtant l'oreille aux mélodies éternelles des harpes angéliques, marchant dans le cortége des Saints à la robe éclatante, respirant le parfum de l'encens céleste et buvant à grands traits les eaux limpides de la source de vie? On croit à de pareils prodiges, quand on en lit le récit ou qu'on les entend dire d'un autre; mais j'ose à peine croire que, dans quelques heures, on racontera de moi ce que je pouvais à peine espérer.

— Et n'y a-t-il rien de plus que ce que vous venez de me dire, Pancrace?

— Oh! oui, bien plus encore, bien plus que je n'en pourrais dire sans orgueil. Quand je pense que moi, simple enfant à peine sorti de l'école, qui n'ai rien fait encore pour le Christ, je puis me dire : « Demain, je le verrai face à face, et je l'adorerai, et je recevrai de lui une palme et une couronne, et il m'embrassera avec affection; » — quand je songe à cela, je trouve cette espérance si belle, que je tressaille involontairement à l'idée que bientôt ce ne sera plus une espérance, mais une réalité. Et cependant, Sébastien, ajouta-t-il avec ferveur en saisissant les deux mains de son ami, et cependant c'est vrai tout cela ! c'est bien vrai !

— Et n'y a-t-il rien de plus encore, ô Pancrace ?

— Si fait, Sébastien, si fait, plus, bien plus encore ! Figurez-vous donc la joie du chrétien dont les yeux se ferment sur les traits des humains pour ne plus se rouvrir que sur les célestes traits de Dieu ! Son dernier regard n'a rencontré que les visages menaçants de dix mille ennemis qui, du haut des gradins de l'amphithéâtre, le contemplent avec fureur, avec haine, avec mépris ; son premier coup d'œil, dans le ciel, embrassera, en un instant, cette intelligence éclatante dont la splendeur brûlerait, réduirait en cendres, si les rayons qu'elle lance n'environnaient, ne baignaient, ne pénétraient l'âme fidèle. Puis ardente, elle s'élance d'un bond dans la fournaise du cœur de Dieu, et se plonge dans les flots brûlants de la miséricorde et de la charité divines, sans crainte de s'anéantir jamais. Oh ! Sébastien, n'est-ce pas trop d'orgueil que de dire : Demain, je... non, non, aujourd'hui, aujourd'hui même, car le veilleur du Capitole vient d'annoncer la moitié de la nuit, — aujourd'hui cette félicité sera mon partage.

— Heureux Pancrace ! s'écria le soldat, vous jouissez déjà par avance de ces ravissements ineffables qui seront votre partage dans quelques heures.

— Et savez-vous bien, cher Sébastien, continua le jeune homme sans paraître remarquer l'interruption, ce qui me frappe et me ravit le plus ? c'est la bonté et la miséricorde de Dieu, qui a bien voulu m'accorder une pareille mort. Qu'il doit être plus facile et plus doux à mon âge de quitter la terre, lorsque la mort met fin à tout ce qui est méprisable en ce monde, lorsqu'elle vous dérobe la vue de bêtes hideuses et d'hommes pécheurs non moins hideux qu'elles, lorsqu'elle éteint à vos oreilles les cris de carnage et les rugissements de tous ! Combien plus pénible me paraîtrait la mort, si elle me frappait sous les tendres regards d'une mère comme la mienne, s'il me fallait fermer l'oreille aux plaintes et aux regrets de sa voix tant aimée ! Je la verrai pourtant, et je l'entendrai, demain, pour la dernière fois, avant le combat, comme nous en sommes convenus, car je sais qu'elle ne cherchera pas à ébranler ma résolution par ses paroles.

Une larme s'était fait jour entre les paupières de l'enfant ; mais il la retint, et reprit bientôt d'un ton joyeux :

— A propos, Sébastien, vous n'avez pas rempli votre promesse —

la double promesse que vous m'avez faite — de me révéler les secrets que vous m'aviez cachés. Cette entrevue sera la dernière occasion que vous aurez de me parler; dites-moi donc tout et bien vite.

— Vous rappelez-vous bien quels étaient les motifs de ces secrets?

— Oh! très-bien vraiment, car ils m'ont assez embarrassé. D'abord, dans cette soirée où nous nous sommes tous réunis dans votre appartement, vous m'avez dit qu'il y avait un motif assez puissant pour arrêter l'ardent désir que vous aviez de mourir pour le Christ : et, tout récemment, vous avez refusé de me dire pour quelle raison vous m'envoyiez si précipitamment en Campanie; c'était le second secret, et vous me disiez de le réunir au premier; pour quel motif? je ne le sais vraiment pas.

— C'est qu'en réalité les deux secrets n'en font qu'un. J'avais promis de veiller sur votre âme, Pancrace; c'était un devoir d'amitié, de charité, dont je m'étais chargé. Je voyais combien vous étiez pressé de mourir pour la foi; je connaissais l'ardeur de votre jeune cœur; je craignais que vous ne vous compromissiez par quelque action téméraire qui pût ternir, fût-ce aussi légèrement que le souffle ternit un acier bien trempé, la pureté de votre désir, et faner la moindre feuille de votre palme glorieuse. C'est pourquoi je résolus d'imposer silence à mes plus chers désirs, jusqu'au temps où je vous verrais hors de danger. Avais-je tort?

— Oh! c'était généreux à vous, mon cher Sébastien; c'était noble et beau. Mais quel rapport y a-t-il entre cela et mon voyage?

— Si je ne vous avais pas envoyé, on allait vous arrêter pour l'action audacieuse que vous aviez commise en arrachant l'édit, ou pour votre sortie véhémente contre le juge pendant le supplice de Cœcilia. Vous auriez été certainement condamné, et vous auriez souffert pour le Christ; mais votre sentence eût été motivée d'une manière toute différente : on vous eût condamné pour une offense civile, pour crime de rébellion contre les empereurs. En outre, mon cher enfant, vous couriez risque d'être seul dans votre triomphe, d'être désigné avec éloge par les païens eux-mêmes comme un brave et hardi jeune homme, et peut-être qu'un nuage passager d'orgueil humain aurait troublé l'azur de votre ciel, au milieu même de votre supplice; mais ce qui eût été bien plus regrettable pour vous, on vous eût ainsi épargné cette ignominie qui fait le plus grand mérite et la gloire spéciale de ceux qui meurent pour la foi : c'est de mourir uniquement parce que vous êtes chrétien.

— Oh! c'est bien vrai, Sébastien, dit Pancrace en rougissant.

— Mais, continua le soldat, quand je vous ai vu arrêter dans l'accomplissement d'un acte de généreuse charité envers les confesseurs du Christ; quand je vous ai vu traîner par les rues, rivé à la chaîne des galères comme un condamné vulgaire; quand je vous ai vu battre et insulter comme les autres fidèles; quand je vous ai entendu confondre dans une sentence commune avec les autres, parce que vous êtes chrétien et pour nulle autre cause, alors j'ai compris que ma tâche était remplie, et je n'aurais pas levé le doigt pour vous sauver.

— Oh! votre amitié pour moi ressemble à l'amour de Dieu! Que vous êtes sage, généreux et dévoué! dit Pancrace en sanglotant. Et il se jeta au cou du soldat. Enfin, il lui dit :

— Promettez-moi une chose encore : c'est qu'aujourd'hui vous resterez auprès de moi jusqu'à la fin, et que vous porterez à ma mère mon dernier legs.

— Quand j'y devrais perdre la vie, je le ferais. D'ailleurs, nous ne serons pas séparés longtemps, Pancrace.

A ce moment le diacre fit savoir que tout était préparé pour l'oblation du saint sacrifice dans la prison même. Les deux jeunes gens regardèrent autour d'eux, et Pancrace fut frappé de surprise à la vue de ce qui se passait. Le saint prêtre Lucianus était étendu sur le sol, les membres péniblement tendus dans les *catastæ* (entraves, ceps), qui l'empêchaient de se lever. Reparatus avait étendu sur sa poitrine les trois linges de toile nécessaires pour l'autel; et sur ces linges étaient placés le pain sans levain et le calice de vin et d'eau que le diacre affermissait de la main. Le visage du vénérable prêtre était levé vers le ciel, tandis qu'il récitait les prières accoutumées et qu'il accomplissait les cérémonies prescrites pour l'offrande et la consécration. Puis chacun des assistants, s'approchant pieusement, les yeux humides des larmes de la reconnaissance, reçut de sa main consacrée sa part — c'est-à-dire la totalité — de la nourriture mystique des âmes [1].

Merveilleux et frappant exemple du pouvoir qu'a l'Eglise de Dieu de se faire à toutes les circonstances! Quelque immuables que soient

(1) Nous voyons dans les Actes d'un prêtre de ce nom, martyrisé à Antioche, la relation d'une pareille célébration des divins mystères. (V. *Ruinart*, tome III. p. 182, note.)

ses lois, son amour ingénieux trouve le moyen d'en démontrer les principes jusque dans leur relâchement, et l'exception même est une application plus sublime de la règle.

Ici nous voyons un ministre de Dieu, dispensateur de ses mystères, qui jouit une fois par exception du privilége inappréciable de ressembler à Celui qu'il représente plus que personne n'a jamais fait, en étant à la fois le prêtre et l'autel.

L'Eglise a prescrit que le saint sacrifice ne serait offert que sur les reliques des martyrs : ici nous voyons un martyr, qui, par une prérogative singulière, peut l'offrir sur son propre corps. Quoique vivant encore, il est « couché sous les pieds de Dieu. » La poitrine se soulevait bien encore sous l'action du souffle, et son cœur palpitait sous les divins Mystères, c'est vrai ; mais ce n'était là qu'une partie de l'action du ministre, car on pouvait le considérer comme réellement mort déjà par l'intention, et ayant fait le sacrifice complet de sa vie. Il n'y avait plus que la vie du Christ au dedans comme au dehors du sanctuaire de cette poitrine[1]. Le viatique des martyrs fut-il jamais plus dignement préparé ?

XXIII. — LE COMBAT.

Le lendemain matin, le jour se leva clair et froid ; le soleil, en frappant de ses rayons les ornements dorés des temples et des autres édifices publics, semblait leur donner un air de fête. Et le peuple aussi déborda bientôt dans les rues, vêtu de ses plus beaux habits, et étalant toutes ses richesses et toute sa joie. La foule se dirigeait vers un centre commun ; et ce centre était le théâtre de Flavius, mieux connu de nos jours sous le nom de Colysée. Chacun portait ses pas vers l'arche indiquée par le numéro inscrit sur son billet, et le monstrueux géant de pierre absorbait par degré ces traînées vivantes qui bientôt l'envahirent et gravirent les rangées ovales de ces immenses étages, jusqu'à ce que tout l'intérieur de l'amphithéâtre fût tapissé de faces humaines et que les murs semblassent onduler sous le remous de la masse vivante. Puis, lorsque tout ce peuple se sera enivré de la

(1) « Je vis maintenant, non pas moi, mais le Christ vit en moi. » *Gal.*, II, 20.

vue du sang et se sera repu de carnage et de furie, il se dispersera et s'écoulera au dehors à flots épais par les nombreuses avenues qui lui ont livré entrée et qui porteront alors avec vérité leurs noms de vomitoires, *vomitoria;* car certes jamais tourbe plus immonde et plus odieuse de toutes les sentines humaines ne fut vomie d'un réservoir plus infâme, par des issues plus polluées, que cette foule romaine enivrée du sang des martyrs, quand elle dégorgeait par tous les pores de ce splendide amphithéâtre.

L'empereur vint assister aux jeux, entouré de toute sa cour, avec toute la pompe et la solennité qui convenaient à une fête impériale. Il n'était pas moins avide que ses sujets de se repaître du spectacle horrible de ces luttes cruelles et de réjouir ses yeux de cette fête de carnage. Son trône était élevé à l'est de l'amphithéâtre, où un espace assez vaste — le *pulvinar* (le coussin, le dais) avait été réservé et richement décoré pour la cour impériale.

Divers jeux se succédèrent, et déjà plus d'un gladiateur, tué ou blessé, avait baigné de son sang le sable de l'arène, quand le peuple, impatient de voir commencer les combats plus féroces, se mit à demander à grands cris — ou plutôt à grands hurlements — les chrétiens et les bêtes sauvages. Il est donc temps, pour nous, de songer à nos condamnés.

Avant que le public fût placé, on les avait fait passer de la prison dans une cellule nommé *spoliatorium*[1]. Là on les avait débarrassés de leurs chaînes et de leurs entraves. Une tentative eut lieu pour leur faire revêtir le costume fastueux des prêtres et des prêtresses du paganisme ; mais ils avaient résisté, en rappelant qu'ils étaient venus spontanément aux arènes sanglantes, et qu'il était injuste de les y faire paraître sous un déguisement qu'ils avaient en horreur. Ils restèrent ainsi réunis pendant toute la matinée, s'encourageant mutuellement et chantant les louanges de Dieu, en dépit des cris et des hurlements qui couvraient par intervalles le son de leurs voix.

Pendant qu'ils se préparaient ainsi, Corvinus entra, et, avec un regard d'insolence et de triomphe, il dit à Pancrace :

— Grâces soient rendues aux dieux ! Il est enfin venu, ce jour que j'avais si longtemps désiré ! La lutte entre nous a été longue et difficile, mon ancien camarade ; mais, enfin, je l'emporte et pour toujours.

(1) C'était dans cette cellule également qu'on transportait les cadavres des gladiateurs, et qu'on achevait ceux qui avaient été blessés mortellement.

Est-il possible! s'écria-t elle avec terreur. est-ce là Tarcisius que j'ai rencontré il n'y a qu'un moment, si jeune et si beau? (P. 289.)

— Que dites-vous, Corvinus? quand donc et comment ai-je lutté contre vous?

— Toujours et partout. La nuit, tu me poursuivais dans mes rêves, et, le jour, tu dansais devant moi, comme un fantôme qui s'évanouissait à mon approche et que je cherchais vainement à saisir. Tu as été mon tortionnaire, mon mauvais génie. Je t'ai haï de toute la haine dont mon cœur est capable; je t'ai voué mille fois aux dieux infernaux; je t'ai maudit et exécré tous les jours, à toute heure; enfin le jour de la vengeance est venu!

— Mais il me semble, dit Pancrace souriant, que tout ce que vous venez de me dire ne ressemble guère à une lutte. Toute l'hostilité est toujours venue du même côté, car pour moi, je n'ai rien fait contre vous de tout ce que vous venez de dire.

— Non? penses-tu que j'ajoute foi à tes paroles, alors que je t'ai rencontré toujours sur mon chemin comme une vipère pour me mordre ou pour m'enlacer?

— Où cela? je vous le demande encore une fois.

— Partout, je le répète. A l'école, dans la maison d'Agnès, au Forum, dans le cimetière, au tribunal même de mon père, à la villa de Chromatius; partout, en un mot, partout!

— Et dans nul autre lieu que ceux que vous venez d'énumérer? Lorsque votre char s'est brisé sur la voie Appienne, n'avez-vous pas entendu derrière vous, sur la route, le galop de cavaliers qui s'efforçaient de vous rejoindre?

— Misérable! s'écria le fils du préfet, ne se possédant plus de colère, et c'est toi qui, lançant méchamment ton cheval au galop, as effarouché les miens et as failli causer ma mort?

— Non, Corvinus, écoutez-moi avec calme; c'est la dernière fois que nous causons ensemble. Je m'acheminais tranquillement vers Rome, avec un ami, après avoir rendu les derniers devoirs à notre maître Cassianus (Corvinus tressaillit, car il ignorait cette circonstance), quand nous entendîmes tout à coup le galop d'un attelage emporté; alors, en effet, j'ai éperonné mon cheval, et ce fut même un grand bonheur pour vous.

— Comment cela?

— Parce que, en me pressant ainsi, je suis arrivé à temps. Vos forces étaient presque épuisées, et votre sang commençait à se glacer dans vos veines, par suite de votre chute dans les eaux froides du canal; déjà votre bras, presque engourdi, se détendait et laissait échapper la dernière branche qui vous retenait au rivage, vous retombiez à la renverse dans l'eau et pour la dernière fois peut-être. Je vous vis, je vous reconnus en vous tirant à moi, inanimé. J'avais entre les mains le meurtrier d'un homme qui m'était bien cher, la justice de Dieu semblait s'être appesantie sur lui : il n'y avait que ma volonté entre le coupable et son châtiment. C'était mon jour de vengeance à moi, et je n'ai pas laissé échapper l'occasion de la satisfaire.

— Ah! et comment cela, je te prie?

— En vous arrachant au gouffre qui allait devenir votre tombeau, en vous déposant soigneusement sur le sol, et en vous donnant les soins nécessaires jusqu'à ce que les fonctions vitales eussent repris leur action. Et, après vous avoir ainsi sauvé la vie, je vous remis aux soins de vos serviteurs.

— Tu mens! s'écria Corvinus; mes serviteurs m'ont dit que c'étaient *eux* qui m'avaient tiré de l'eau.

— Et vous ont-ils donné mon couteau, en même temps que votre bourse de peau de léopard, que j'ai trouvée à terre après vous avoir tiré du canal?

— Non; ils m'ont dit que la bourse avait été perdue dans l'eau. En effet, c'était une bourse de peau de léopard, qui m'avait été donnée par une sorcière d'Afrique. Mais que me disais-tu de ton couteau?

— Que le voici, voyez : il est encore tout couvert de rouille, suite de son séjour dans l'eau. Votre bourse fut remise par moi à vos esclaves; mais j'ai gardé mon couteau. Regardez-le, oh! regardez-le de près. Me croyez-vous maintenant? Ai-je été une vipère pour vous chaque fois que vous m'avez rencontré sur votre chemin?

Trop peu généreux pour reconnaître qu'il était vaincu dans la lutte qu'il avait livrée à Pancrace, Corvinus ne sentait qu'une chose : c'est qu'il était battu, dégradé devant son ancien condisciple, écrasé, anéanti comme la poussière sous son pied. La honte avait envahi jusqu'à son cœur même. Il se sentait défaillir, ses jambes se dérobaient sous lui; il baissa la tête et sortit sans bruit, en maudissant les jeux, l'empereur, les bêtes rugissantes, la foule irritée, ses chevaux et son char, ses esclaves, son père et lui-même — tout enfin et toutes choses, une seule personne exceptée — il n'eût pas pu, il n'eût pas osé maudire Pancrace.

Il allait franchir le seuil du *spoliatorium*, quand le jeune homme le rappela. Il se retourna, et le regarda d'un air de respect qui ressemblait presque à de l'affection. Pancrace posa la main sur son bras, et lui dit :

— Corvinus, je vous ai pardonné de grand cœur et depuis longtemps. Mais il en est Un, là-haut, qui ne peut pardonner qu'au repentir. Tâchez de vous réconcilier avec lui. Si vous ne le faites pas, je vous prédis en ce jour que vous mourrez de la même mort que moi, quelle que soit celle qui m'attend.

Corvinus s'enfuit et ne reparut pas de toute la journée. Il n'assista pas à ce spectacle après lequel il avait aspiré pendant bien des mois, et dont son imagination sanguinaire s'était fait d'avance une si grande fête. Et, quand la solennité fut terminée, son père le rencontra dans un état complet d'ivresse. C'était la seule manière qu'il employât pour étouffer ses remords ; il les noyait.

Au moment où il quittait les prisonniers, le *lanista* ou chef des gladiateurs entra dans le *spoliatorium* et informa les condamnés que l'heure du combat était venue. Ils s'empressèrent de s'embrasser une dernière fois, et d'échanger leurs adieux en ce monde. Ils entrèrent dans l'arène par l'extrémité qui faisait face à la loge impériale, et eurent à passer entre deux files de *venatores* (chasseurs), qui avaient la garde des bêtes féroces. Chacun de ces hommes était armé d'un fouet long et pesant, dont il porta un coup à chaque condamné, à mesure qu'ils passaient. Puis, les combattants étaient livrés aux bêtes, soit un à un, soit par groupes, suivant le désir du peuple, ou le caprice des directeurs du spectacle. Quelquefois la victime était placée sur une plate-forme élevée, de manière à être mieux en vue ; d'autres fois, on l'attachait à des poteaux, pour lui ôter toute espèce de moyens de défense. Un des jeux favoris consistait à jeter une femme dans un filet, et à l'exposer ainsi pour la faire rouler, déchirer et percer à coups de cornes par des taureaux furieux[1]. Dès la première rencontre, le martyr était presque toujours terrassé et tué par l'animal furieux ; mais parfois on en lâchait successivement trois et même quatre, sans qu'ils infligeassent de blessures mortelles à la victime. En ce cas, le confesseur du Christ était ramené à la prison, pour être soumis à d'autres supplices, ou bien on le traînait au *spoliatorium*, où les valets des gladiateurs s'amusaient à l'achever.

(1) Voir les Actes des martyrs de Lyon (*Ruinart*, vol. I. p. 152) où l'on trouvera les détails complets du martyre d'un jeune homme de quinze ans. Voir aussi les Actes des saintes Perpétue et Félicité.

Nous nous contenterons de suivre dans ses derniers moments Pancrace, notre jeune héros. En passant par le corridor qui conduisait à l'amphithéâtre, il vit Sébastien qui se tenait sur un des côtés, accompagné d'une femme voilée, dont un ample manteau dissimulait la taille et la tournure. Pancrace la reconnut à l'instant, il s'arrêta devant elle, s'agenouilla, et, lui prenant la main, la baisa affectueusement.

— Bénissez-moi, mère chérie, dit-il, en cette heure glorieuse que vous m'aviez promise.

— Regarde les cieux, mon fils, répondit-elle, et tiens tes yeux fixés vers ces régions où le Christ t'attend avec ses saints. Combats vaillamment le combat de Dieu pour le salut de ton âme, et montre-toi fidèle et inébranlable dans l'amour de ton Sauveur[1]. Souviens-toi de celui dont tu portes la précieuse relique autour de ton cou.

— Cette relique aura doublé de valeur à tes yeux, ma douce mère, avant une heure d'ici, j'espère.

— En avant! en avant! Assez de ces sottises! cria le *lanista* en frappant Pancrace du bout de son bâton.

Lucine se retira, pendant que Sébastien serrait une dernière fois la main de Pancrace, en murmurant à son oreille :

— Courage, mon bien cher enfant; puisse Dieu vous bénir! Je serai immédiatement derrière l'empereur; dirigez de ce côté votre dernier regard, et donnez-moi votre bénédiction.

— Ha! ha! ha! fit une voix stridente qui retentit derrière lui. Etait-ce le rire d'un démon? Sébastien se retourna et n'aperçut rien que les plis flottants d'un manteau qui disparaissait derrière un pilier. Qui cela pouvait-il être? Le soldat ne le soupçonnait point. C'était Fulvius, qui avait entendu ses derniers mots à Pancrace, et qui y avait trouvé le dernier anneau d'une longue chaîne de preuves — chaîne forgée à force de peines, — pour établir, à n'en point douter, que Sébastien était chrétien.

Pancrace fut bientôt au milieu de l'arène. Il était le dernier de la troupe fidèle des confesseurs du Christ. On l'avait mis en réserve, dans l'espoir que la vue des souffrances des autres ébranlerait sa constance; mais l'effet produit avait été absolument contraire. Il se tint debout à l'endroit où on l'avait placé, et son corps blanc, frêle et délicat contrastait étrangement avec les membres rudes, musculeux et

(1) Voir les Actes de sainte Félicité et de ses sept fils. *Ruinart*, vol. I, 56.

hâlés des exécuteurs qui l'environnaient. Ces derniers s'écartèrent et le laissèrent seul. Pour donner une idée de ce qu'était Pancrace, nous croyons ne pouvoir mieux faire que de reproduire les paroles d'Eusèbe, témoin oculaire des derniers moments d'un jeune homme plus âgé que notre héros de quelques années.

« On put voir alors, dit-il, un tout jeune homme, un enfant qui n'avait pas encore atteint sa vingtième année, debout, sans entraves, les mains tendues en avant en forme de croix, les yeux levés vers le ciel et priant Dieu dans toute la ferveur d'un cœur fidèle et insensible au danger. Il ne bougea point, il ne trembla pas, quand les ours et les léopards, la gueule entr'ouverte, les narines sanglantes, s'élancèrent altérés de carnage pour le mettre en pièces. Et cependant leurs griffes menaçantes s'abaissèrent et se contractèrent par je ne sais quelle puissance mystérieuse et divine; et les monstres se retirèrent en même temps, sans lui faire de mal[1]. »

Telle était l'attitude et tel fut aussi le privilége de notre héroïque jeune homme. La foule était furieuse, en voyant plusieurs bêtes féroces l'entourer, pousser des hurlements terribles, battre leurs flancs de leurs queues impatientes, puis se retirer l'une après l'autre, sans même le toucher. Il paraissait entouré d'un cercle magique qu'aucune bête n'osait franchir. Un taureau furieux, lâché sur lui, s'élança avec des bonds effrayants, courut droit au martyr, la tête baissée, les cornes menaçantes, mais, arrivé à quelques pas de lui, il s'arrêta subitement, comme s'il avait donné de la tête contre un mur. Au lieu de continuer sa course, il frappa du pied le sol, et souleva en mugissant d'épais nuages de poussière.

— Provoque-le donc, lâche, provoque-le donc! vociféra l'empereur avec rage.

A sa voix, Pancrace leva les yeux comme un homme qui sort d'un rêve; il agita le bras et courut vers son terrible ennemi[2]; mais le taureau, loin de l'attendre, recula comme à la vue d'un lion; puis, faisant tout à coup volte-face, il s'enfuit vers l'entrée de l'arène, et là, rencontrant son gardien, il le souleva avec ses cornes et le jeta en l'air par-dessus sa tête. Tous étaient consternés à la vue de cette scène, tous, excepté le courageux jeune homme, qui avait repris son

(1) *Hist. Eccl.*, liv. VIII, chap. 7.

(2) *Eusèbe*, ibid. Voir aussi la *lettre de saint Ignace aux Romains, dans ses actes. Ruinart*, vol. I, p. 40.

attitude recueillie et qui continuait sa prière. A ce moment, une voix cria dans la foule :

— Il a un talisman autour du cou ! c'est un sorcier !

La multitude répéta ce cri jusqu'à ce que l'empereur, se levant, imposa silence de la main, et cria à Pancrace :

— Ote de ton cou cette amulette, et jette-la loin de toi, ou bien on le fera à ta place et plus rudement que tu ne le ferais toi-même.

— César, dit le jeune homme en élevant sa voix harmonieuse qui résonna au milieu de l'amphithéâtre attentif, ce n'est pas un talisman que je porte, mais un souvenir de mon père, qui, en ce même lieu, a glorieusement fait, pour le Christ, la même confession que je lui fais aujourd'hui en toute humilité ; je suis chrétien, et je donne ma vie avec joie pour l'amour de Jésus-Christ, Dieu et homme. Ne m'enlevez pas cet unique legs de mon père, je le destine à une autre personne, à qui je veux le rendre plus riche que je ne l'ai reçu. Faites encore une tentative : ce fut une panthère qui fit gagner à mon père sa couronne immortelle, peut-être qu'une panthère m'obtiendra aussi la même faveur !

Il y eut un moment de silence absolu, la foule paraissait attendrie, vaincue. La grâce et la beauté du noble jeune homme, son visage inspiré et radieux, la mélodie de sa voix, l'intrépidité de son langage, et son généreux dévoûment à sa cause, tout avait subjugué cette multitude aussi lâche que cruelle. Pancrace vit l'impression qu'il avait produite et trembla devant leur miséricorde, lui qui était resté impassible devant leur rage. Il avait espéré cueillir, en cette journée, la palme du martyre : devait-il être déçu dans ses espérances ? Des larmes jaillirent de ses yeux ; il étendit les bras vers le ciel, et s'écria d'une voix haute, qui alla vibrer de nouveau dans tous les cœurs :

— C'est aujourd'hui, oh ! oui, c'est aujourd'hui, mon divin Sauveur, le jour fixé pour ta venue. Ne tarde pas davantage. Tu as déjà suffisamment manifesté ta puissance à ceux qui ne croient pas en Toi : montre-moi maintenant ta bonté, à moi qui y crois.

— La panthère ! s'écria une voix.

— La panthère ! répétèrent vingt autres voix.

— La panthère ! hurlèrent ensemble cent mille voix furieuses, avec un bruit pareil à celui d'une avalanche[1].

Une cage surgit de terre, comme par enchantement, du milieu de

(1) L'amphithéâtre pouvait renfermer 150,000 hommes.

l'arène ; tandis qu'elle s'élevait, ses parois s'abaissèrent, donnant passage au captif du désert[1]. D'un bond gracieux, l'élégant et terrible animal conquit sa liberté ; et, quoique rendu furieux par l'obscurité, la solitude et la faim, il semblait si joyeux d'être délivré, qu'il se roulait en jouant sur le sable, sautait et bondissait sur le sol, sans produire le moindre bruit. Enfin il aperçut sa proie, et toute sa ruse et sa cruauté félines reprirent aussitôt leur empire, et semblèrent conspirer pour animer chacun des mouvements obliques et perfides de son corps au pelage de velours. L'amphithéâtre tout entier était devenu aussi silencieux qu'une cellule de cénobite ; tous les yeux, démesurément ouverts, étaient fixés sur l'animal, qui s'approchait de sa victime en rampant avec lenteur.

Pancrace était toujours debout à la même place, faisant face à l'empereur, et si absorbé en apparence dans la contemplation et la prière, qu'il ne remarquait pas les mouvements de son ennemi. La panthère, après avoir fait un tour, s'était arrêtée en face, comme si elle dédaignait d'attaquer par derrière un semblable adversaire. Couchée sur le ventre, elle se traînait en rampant toujours, avançant lentement une patte, puis l'autre, jusqu'à ce qu'elle fût arrivée à la distance nécessaire pour prendre son élan. Là, elle s'arrêta un instant, pendant lequel toutes les respirations demeurèrent suspendues. Tout à coup un sinistre miaulement retentit ; un corps décrivit une courbe dans l'air, et, contractée sur elle-même comme une sangsue, la panthère, s'appuyant de ses pattes de derrière sur la poitrine du martyr, lui enfonçait les griffes de devant dans le cou, tandis que de sa gueule elle l'étreignait à la gorge.

Pancrace resta debout quelques secondes encore ; il porta sa main droite à sa bouche, regarda Sébastien en souriant, et lui envoyant, d'un geste noble et gracieux, son dernier baiser — il tomba. Les artères du cou avaient été tranchées, et le sommeil du martyre ferma aussitôt ses paupières. Son sang, en se mêlant au sang de son père que Lucine avait suspendu à son cou, son sang le liquéfia, le colora, le raviva de nouveau[2]. Le sacrifice de la mère avait été accepté.

(1) C'était le procédé ordinaire. Les constructions souterraines employées à cet effet ont été découvertes dans le Colysée.

(2) Le martyr Saturus, déchiré par un léopard, et sur le point de mourir, s'adressa au soldat Pudens, qui n'était pas encore chrétien, et l'exhorta à se convertir. Il lui demanda sa bague, la plongea dans son sang et la lui rendit, « lui laissant ce gage et ce legs de salut, avec le souvenir de son sang. » *Ruinart*, vol. I, p. 223.

XXIV. — LE SOLDAT CHRÉTIEN.

Le corps du jeune martyr fut déposé en paix sur la voie Aurélienne, dans le cimetière, qui, bientôt après, porta son nom et le donna, ainsi que nous l'avons fait remarquer précédemment, à la porte voisine. Lorsque la paix fut rendue à l'Eglise, une basilique s'éleva sur sa tombe, et elle perpétue encore aujourd'hui le souvenir de sa gloire et de sa vertu.

La persécution allait croissant, et chaque jour multipliait le nombre des victimes. Un grand nombre de ceux dont les noms ont figuré dans les pages qui précèdent, et en première ligne les membres de la communauté religieuse de la villa de Chromatius, avaient payé de leur vie leur attachement à la foi. La première qui fut sacrifiée fut Zoé, la même dont Sébastien avait délié la langue. Elle fut surprise par une bande de païens, tandis qu'elle priait sur la tombe de saint Pierre. Traînée devant le juge et immédiatement condamnée à mort, elle avait été suspendue la tête en bas au-dessus d'un foyer ardent, jusqu'à ce que la mort s'ensuivît. Son mari, avec trois autres qui avaient été convertis en même temps que lui, furent pris ensuite, torturés à différentes reprises, et enfin décapités. Tranquillinus, le père de Marcus et de Marcellianus, jaloux de la couronne de Zoé, alla publiquement faire ses dévotions à la tombe de saint Paul. Surpris en prières, il avait été lapidé sur la place. Ses deux fils jumeaux subirent aussi une mort des plus cruelles. La trahison de Torquatus, en livrant aux délateurs le signalement de ses anciens compagnons, et particulièrement celui du brave Tiburtius — lequel avait été décapité[1] — était grandement venue en aide à cette œuvre de sanglante extermination.

Sébastien s'agitait au milieu de cette horrible tuerie, non pas comme l'architecte qui voit détruire par l'ouragan son œuvre inachevée, ni comme le berger qui voit piller son troupeau par d'audacieux maraudeurs ; non : il ressemblait plutôt à un général d'armée qui, sur le champ de bataille, ne songe qu'à la victoire ; il comptait, comme autant de héros, tous ceux qui donnaient leur vie pour la gagner, et

(1) Sa fête est célébrée le 11 du mois d'août, en même temps que celle de son père Chromatius, ainsi que nous l'avons mentionné plus haut.

était tout prêt lui-même à donner la sienne, si elle devait être le prix du triomphe. Chaque ami qui tombait devant lui était un lien de moins qui l'attachait à la terre, et un chaînon de plus qui l'attirait vers le ciel : c'était une inquiétude de moins ici-bas, un titre de plus là-haut. Parfois il allait s'asseoir, ou s'arrêtait, solitaire et rêveur, aux lieux où il avait conversé avec Pancrace, cherchant à se rappeler la vivacité joyeuse, les gracieuses pensées et la naïve vertu de cet aimable et digne jeune homme. Mais il ne se considérait pas comme séparé de lui plus que le jour où il l'avait envoyé en mission dans la Campanie. Il avait accompli son œuvre auprès de lui, et il comprenait que bientôt ce serait son tour de partir. Il le savait bien ; il sentait la grâce du martyre grandir dans son cœur, et il attendait avec une patiente certitude que son heure fût venue. Les préparatifs de départ étaient faits. Le peu d'argent qu'il possédait avait été distribué depuis longtemps aux pauvres, et il eut soin de disposer à l'avance de ses propriétés immobilières, de manière à les mettre à l'abri de la confiscation.

Fulvius s'était fait une part assez belle des dépouilles des chrétiens ; mais, en somme, ce butin avait été fort au-dessous de ses espérances premières. Il avait été dispensé de recourir à la cassette de l'empereur, dont il évitait soigneusement la présence ; mais il n'avait rien amassé, et ses richesses n'augmentaient pas. Tous les soirs, il lui fallait supporter les interrogatoires humiliants et les reproches d'Eurotas, qui lui faisait rendre un compte sévère de ses opérations de la journée. Enfin, un soir pourtant, il annonça à son impitoyable maître — car Eurotas l'était devenu réellement — qu'il était sur le point de frapper un grand coup, qu'il allait mettre la main sur un des officiers favoris de l'empereur, et cet officier, sans aucun doute, devait avoir amassé, depuis qu'il était au service, une fortune considérable.

Il n'eut pas à attendre longtemps l'occasion favorable. Le 9 janvier qui suivit, l'empereur tint une audience publique et solennelle, à laquelle, naturellement, assistèrent tous ceux qui avaient des faveurs à demander ou des mesures à prendre pour se mettre à l'abri des fureurs impériales. Fulvius était là, et, comme à l'ordinaire, l'empereur l'accueillit très-froidement. Après avoir supporté assez patiemment la mauvaise humeur et les reproches du maître, il s'avança hardiment, mit un genou en terre, et dit :

— César, votre divinité m'a souvent reproché de n'avoir, par mes découvertes, répondu que très-indignement à sa bienveillance et à ses libéralités. Aujourd'hui j'espère pouvoir me justifier de ce reproche. J'ai découvert le plus infâme et le plus odieux des complots, tramé avec la plus noire ingratitude par des gens qui sont en contact immédiat avec votre divine personne.

— Que veux-tu dire, butor? demanda le tyran avec impatience. — Voyons, parleras-tu? Ou faut-il que je t'arrache les paroles de la gorge avec un crochet de fer?

Fulvius se leva, et, joignant le geste à la parole, il dit d'une voix doucereuse :

— César, Sébastien est chrétien.

L'empereur bondit sur son trône, s'écriant avec fureur :

— Tu mens, drôle! tu vas prouver ce que tu viens de dire, sinon je te ferai subir un genre de mort tel que jamais chien de chrétien n'en a enduré!

— J'ai ici des preuves plus que suffisantes, répondit Fulvius en tirant de sa robe un rouleau de parchemin, qu'il présenta, toujours agenouillé, à l'empereur.

Ce dernier allait répondre par quelque injure nouvelle, lorsque, à son grand ébahissement, il vit Sébastien s'approcher de lui, le visage calme, le regard assuré, pour lui dire froidement :

— Seigneur, ne cherchez pas de preuves. Je suis chrétien, et je m'en glorifie.

Maximien, soldat habile, mais grossier, ne parvenait qu'à grand' peine, alors qu'il était calme, à s'exprimer en latin décent. Mais quand il était irrité, son langage ne se composait que de phrases hachées et incohérentes, unies entre elles par les épithètes les plus triviales. Or il était exaspéré, et il vomit contre Sébastien un torrent d'injures, l'accusa des crimes les plus odieux, et épuisa tout son fertile vocabulaire d'opprobres et d'exécrations. Il lui reprochait surtout deux crimes, sur lesquels il insistait principalement : l'ingratitude et la trahison. Il avait, disait-il, nourri dans son sein une vipère, un scorpion, un mauvais démon; et il s'étonnait de se voir vivant encore après avoir vécu avec ce traître.

L'officier chrétien supporta l'explosion de la colère impériale avec l'intrépidité qu'il avait si souvent déployée sur les champs de bataille en face de l'ennemi.

— Ecoutez-moi, mon royal maître — c'est sans doute pour la dernière fois, écoutez-moi. — Je vous ai dit que je suis chrétien, et cette déclaration devait être pour vous le meilleur gage de sécurité.

— Que voulez-vous dire, monstre d'ingratitude?

— Je m'explique, noble empereur ; s'il vous faut autour de votre personne une garde composée d'hommes qui verseront jusqu'à la dernière goutte de leur sang pour vous défendre, allez aux prisons ; faites détacher les chrétiens qui y meurent scellés au sol ou contre les murailles ; envoyez des ordres à tous vos tribunaux, et faites descendre du chevalet et du gril les confesseurs mutilés ; envoyez des ordres aux amphithéâtres, et faites arracher des griffes des tigres les victimes pantelantes ; faites-les guérir et fermez leurs blessures ; mettez-leur des armes entre les mains et placez-les autour de votre personne, et vous verrez que, dans cette troupe calomniée et proscrite, il y aura plus de fidélité, plus de loyauté, plus d'intrépidité pour votre service, que dans toutes vos légions de Daces et de Pannoniens. Vous avez fait couler la moitié de leur sang ; eh bien, ils verseront avec joie l'autre moitié pour votre service.

— Sottise et folie ! répondit la brute en ricanant. J'aimerais mieux m'entourer de loups affamés que de chrétiens. Votre trahison me prouve assez à quel destin je devrais m'attendre.

— Et qu'est-ce qui m'aurait empêché de me conduire en traître, si la moindre trahison était entrée dans mon esprit? N'ai-je pas eu accès auprès de votre personne la nuit aussi bien que le jour? Quand et comment vous ai-je trahi? Non, seigneur, nul ne vous a servi plus fidèlement que moi. Mais j'ai un autre maître à servir, un seigneur plus grand et plus puissant que vous, qui nous jugera un jour l'un et l'autre, et je dois obéir à ses lois avant d'obéir aux vôtres.

— Et pourquoi avez-vous, comme un lâche, caché votre religion? Sans doute pour échapper au supplice que vous avez mérité ?

— Non, César, je ne suis pas plus un lâche qu'un traître. Personne ne sait mieux que vous que je ne suis ni l'un ni l'autre. Tant que j'ai pu aider en quelque chose mes frères les chrétiens, je n'ai pas refusé de vivre au milieu du carnage et du deuil. Mais l'espérance a enfin cessé de vivre en moi, et je remercie de tout mon cœur Fulvius de m'avoir épargné, par son accusation, l'embarras de choisir entre le supplice de supporter la vie ou de chercher la mort.

— Eh bien ! cet embarras, je vais vous l'épargner. Vous avez mérité la mort, et nous aurons soin d'en trouver une assez lente pour que vous la sentiez venir. Mais, ajouta-t-il d'un ton plus bas et comme se parlant à lui-même, il ne faut pas que cela s'ébruite.

Tout doit se passer tranquillement, sans sortir du palais, de peur que la contagion de la trahison ne se répande. Approchez, Quadratus, et emparez-vous de votre tribun chrétien.... Eh bien ! êtes-vous insensé, Quadratus? m'entendez-vous? pourquoi ne m'obéissez-vous pas ?

— Parce que, moi aussi, je suis chrétien.

Une nouvelle explosion de colère provoqua un nouveau torrent d'épithètes odieuses, qui se terminèrent par la condamnation à mort du centurion, et son exécution immédiate. Mais une mort différente était réservée à Sébastien.

— Qu'on fasse venir Hyphax ! hurla le tyran. Quelques minutes après, un Numide à la taille gigantesque, nu jusqu'à la ceinture, parut dans la salle. Un arc d'une longueur démesurée, un carquois peint de mille couleurs et rempli de flèches, un sabre à la lame courte et large, composaient à la fois la parure et les armes du capitaine des archers africains. A le voir, debout et immobile devant l'empereur, on eût dit une belle statue de bronze avec des yeux d'émail.

— Hyphax, dit l'empereur, j'ai une exécution à vous confier pour demain matin ; ce doit être quelque chose de bien fait.

— On s'y appliquera, César, répondit le noir avec un sourire qui mit à nu des dents éclatantes de blancheur.

— Vous voyez le capitaine Sébastien? — Le nègre s'inclina en signe d'affirmation. — Il se trouve que c'est un chrétien !

Si Hyphax avait été dans son pays natal, et qu'il eût imprudemment placé le pied sur la queue d'un aspic ou dans un nid de scorpion, il n'eût pas tressailli plus violemment. La pensée de se trouver si près d'un chrétien le glaçait d'horreur, — lui qui adorait toutes les abominations, qui croyait à toutes les absurdités, qui pratiquait toutes les débauches, et qui commettait toutes les atrocités possibles.

Maximien continua, et Hyphax marqua chacune de ses phrases par un signe de tête affirmatif et par une contraction de physionomie qui était, à ce qu'il croyait, un sourire ; mais, certes, un pareil sourire n'avait rien d'humain.

— Vous conduirez Sébastien dans votre quartier, et demain matin, de bonne heure ; — non pas ce soir, écoutez bien, pas ce soir, car, à cette heure de la journée, je sais que vous êtes toujours tous ivres — mais demain matin, quand vos mains seront sûres, vous attacherez

Sébastien au tronc d'un arbre dans le bosquet d'Adonis, et là, vous le percerez lentement de vos flèches jusqu'à ce qu'il soit mort; mais lentement, surtout, lentement; pas de vos beaux coups qui percent d'emblée le cœur ou le cerveau. Il faut qu'il soit criblé de flèches et qu'il ne meure que par suite de la souffrance et de la perte de son sang. M'avez-vous compris? Alors emmenez-le tout de suite... et surtout du silence; ou sinon...

XXV. — LA DÉLIVRANCE.

Malgré tous les efforts qu'on avait faits pour garder le secret, toute la cour sut bientôt qu'on avait découvert que Sébastien était chrétien, et que, pour ce crime, il allait être percé de flèches le lendemain matin. Cette nouvelle produisit partout une émotion bien facile à comprendre; mais personne n'en fut plus vivement impressionné que Fabiola.

« Sébastien un chrétien! se dit-elle; le plus noble, le plus pur et le plus sage de tous les patriciens de Rome, appartenir à cette vile et stupide secte? Impossible! Et pourtant le fait paraît certain...

« Ai-je donc été trompée? N'était-il pas ce qu'il paraissait être? Etait-ce un misérable imposteur, qui affectait la vertu et qui se livrait en secret au libertinage? Oh! non, cela aussi est impossible. Cela n'est pas, cela ne peut pas être. J'en ai eu des preuves certaines. N'aurait-il pas, s'il l'avait voulu, obtenu ma fortune et ma main? Certes, je n'aurais pas repoussé sa demande; mais il a agi plus généreusement et plus délicatement à mon égard. Il est bien ce qu'il paraissait être, j'en suis convaincue. Ce n'était pas un éclat trompeur; son cœur et son esprit sont de l'or le plus pur. »

Mais comment s'expliquer un phénomène aussi inconcevable que celui d'un chrétien bon, vertueux et aimable?

Jamais il ne serait venu à l'esprit de Fabiola de supposer que c'était précisément *parce* qu'il était chrétien que Sébastien possédait toutes ces qualités. Elle ne considérait la question que sous son point de vue à elle, et se demandait : « Comment Sébastien peut-il être tout cela, *quoique* chrétien?

C'était en vain qu'elle tournait et retournait cette question dans son esprit. Enfin une idée lui vint : « Peut-être, après tout, que le bon vieux Chromatius avait raison, et que le christianisme n'est pas ce que j'avais supposé; j'aurais dû m'en enquérir et m'assurer du fait. Je suis sûre que Sébastien n'a jamais commis les crimes horribles qu'on impute aux chrétiens. Et cependant tout le monde les accuse de forfaits abominables...

« Ne pourrait-il y avoir deux formes distinctes dans cette religion, l'une abjecte et vile, l'autre plus noble et plus raffinée? — absolument comme il y avait deux formes distinctes dans la philosophie qu'elle pratiquait — l'épicuréisme; l'une se traînant dans les sphères matérielles, grossières et sensuelles, l'autre s'élevant par les raffinements de la pensée, le scepticisme et la réflexion? Sébastien, sans aucun doute, appartenait à cette classe supérieure; il haïssait les vices des chrétiens vulgaires et il les méprisait. »

Une pareille hypothèse était acceptable; et cependant Fabiola ne parvenait pas à s'expliquer comment, après tout, un homme d'un caractère aussi noble et d'un esprit aussi distingué avait pu s'associer à cette race haïe et méprisée. Et cependant il se disposait à mourir pour leur foi! Quant à Zoé et aux autres, elle n'en avait pas entendu parler, — n'étant revenue que la veille de son voyage en Campanie, pour arranger à Rome ses affaires de famille.

« Quel dommage, se disait-elle, de n'avoir pas songé à traiter plus souvent de ces matières-là avec Sébastien! mais il est trop tard maintenant; demain il ne sera plus! » Cette seconde pensée lui glaçait le cœur comme le passage d'une lame acérée. Il lui semblait qu'elle allait souffrir personnellement de la perte de Sébastien, comme si sa destinée, à lui, devait retomber sur quelqu'un qui lui était uni, à elle, par quelque lien secret et mystérieux.

Ses pensées devinrent plus tristes et plus sombres à mesure que son esprit méditait cet étrange événement et que la nuit avançait. Elle fut brusquement interrompue dans ses réflexions par l'arrivée d'une esclave qui apportait de la lumière. C'était Afra, qui venait préparer le souper de sa maîtresse. Fabiola avait exprimé le désir de souper seule dans son appartement. Tout en faisant les apprêts du repas, l'esclave dit :

— Avez-vous appris la nouvelle, madame?

— Quelle nouvelle?

— Mais que Sébastien va être percé de flèches demain matin. Quel dommage! un si beau jeune homme!

— Taisez-vous, Afra, à moins que vous n'ayez quelque nouveau détail à me donner sur cette affaire.

— Oh ! oui, j'en ai, maîtresse ; et des détails d'une nature bien étonnante encore. Savez-vous déjà qu'on a découvert qu'il appartenait à la race abominable de ces chrétiens ?

— Ne parlez pas de cela, je vous prie, et taisez-vous sur les choses que vous ne comprenez pas.

— Oh ! très-volontiers, je me tais, du moment que madame le désire ; je suppose que le sort de Sébastien est tout à fait indifférent à madame. Dans tous les cas, il m'importe peu, *à moi*. Ce ne sera pas le premier officier que mes compatriotes perceront de leurs flèches. Ils en ont tué quelques-uns ; ils en ont sauvé quelques autres ; mais c'était sans doute le hasard...

Il y avait dans ces paroles et dans le ton dont elles furent prononcées une intention qui n'échappa point à Fabiola. Elle leva les yeux, et, pour la première fois peut-être, examina attentivement le visage d'ébène de son esclave. Aucune trace d'émotion n'y était visible. Afra plaçait sur la table un flacon de vin d'un air de suprême indifférence, comme si elle n'avait pas ouvert la bouche. Enfin, la maîtresse prit la parole :

— Afra, que veux-tu dire ?

— Rien, maîtresse, rien. Que peut savoir une pauvre esclave ?... et surtout que peut-elle faire ?

— Voyons, voyons, ne jouons pas sur les mots. Tu veux dire quelque chose que j'ai intérêt à savoir.

L'esclave fit le tour de la table et vint se placer tout contre la couche sur laquelle Fabiola était étendue. Puis, après avoir regardé derrière et autour d'elle d'un air inquiet, elle dit tout bas :

— Maîtresse, tenez-vous à ce que Sébastien ne périsse pas ?

Fabiola tressaillit sur sa couche, et répondit :

— Certainement !

L'esclave posa le doigt sur ses lèvres pour recommander le silence, et dit :

— Cela coûtera cher.

— Dites votre prix.

— Cent *sesterces* (environ 20,000 francs) et ma liberté.

— J'accepte ; mais quelles seront mes garanties ?

— Vous ne me payerez que pour le cas où, vingt-quatre heures après l'exécution, Sébastien respire encore.

— D'accord; mais vos conditions, à vous?

— Votre parole, maîtresse.

— Allez, Afra, et ne perdez pas un moment.

— Il n'est pas besoin de se hâter, répondit tranquillement l'esclave.

Et, en effet, elle acheva, sans se presser, les préparatifs du souper. Puis elle se rendit au palais impérial, gagna le quartier des archers mauritaniens et entra directement dans l'habitation du commandant.

— Que viens-tu faire ici, à pareille heure, Jubala? dit-il, et que désires-tu? il n'y a point de fête cette nuit.

— Je le sais, Hyphax, mais j'ai à te parler d'affaires.

— De quoi s'agit-il?

— De moi, de toi et de ton prisonnier.

— Ah! mon prisonnier? Regarde, le voilà, dit le barbare en lui montrant l'autre bout de la cour, en face de sa porte. A le voir dormir si tranquillement, on ne dirait pas qu'il doit être percé de flèches demain matin. Mais vois donc, quel sommeil paisible! Il ne serait pas plus calme si, au lieu de mourir, il allait être marié.

— Comme nous le serons, Hyphax, le jour qui vient, dit la négresse.

— Allons, allons! pas si vite que cela, je suppose. Avant de nous marier, il y a certaines conditions à remplir.

— Fort bien, et quelles sont-elles?

— D'abord ton affranchissement. Je ne puis pas épouser une esclave.

— Bon! ce point-là est réglé.

— En second lieu, il te faut une dot, une *bonne* dot, tu entends? je dis *bonne;* car je n'ai jamais eu plus grand besoin d'argent qu'en ce moment.

— Réglé, ce point-là comme le premier. Combien voudrais-tu? voyons.

— Mais... sept à huit mille francs pour le moins [1].

— Eh bien, je t'en apporte quinze mille, moi.

— Excellent! où t'es-tu procuré cet argent? qui as-tu dépouillé, qui as-tu empoisonné, mon adorable prêtresse? Mais pourquoi attendre jusqu'à après-demain? Pourquoi ne pas nous marier dès demain, dès ce soir même, si tu veux?

— Comme tu y vas, à ton tour, Hyphax! Cet argent provient d'une source très-légitime, mais il faut le gagner, et à de certaines condi-

(1) Nous donnons les équivalents en monnaies françaises, pour faciliter l'intelligence au lecteur.

tions. Je te disais, en commençant, que je venais te parler aussi de ton prisonnier.

— Oui, mais quel rapport y a-t-il entre lui et notre hymen?

— Il y a un très-grand rapport, Hyphax, un rapport très-direct.

— Lequel?

— Il ne faut pas que le condamné périsse.

Le capitaine numide attacha sur elle un regard où se mêlaient à la fois la stupeur et la colère. Il fut sur le point de lever la main sur elle pour la frapper; mais elle resta devant lui, immobile et intrépide, et sembla lui imposer par la fascination de son regard, comme le serpent de son pays natal fascine, dit-on, le vautour.

— Es-tu folle? s'écria-t-il enfin, pourquoi ne me demandes-tu pas tout de suite de me faire couper la tête? Si tu avais vu la figure de l'empereur, quand il m'a donné l'ordre de passer le tribun par les flèches, tu aurais vu qu'il ne s'agit pas ici de badiner.

— Bah! bah! comme tu es prompt à t'effrayer! on exécutera le prisonnier; il passera pour mort et sera même porté comme tel.

— Très-bien, mais s'il se rétablit?

— Eh bien, alors ses frères, les chrétiens, auront soin de le cacher.

— Tu dis, n'est-ce pas, qu'il suffirait de le faire survivre pendant vingt-quatre heures? Ce serait plus facile, si l'on pouvait se contenter de douze.

— Oui, mais je sais que tu calcules bien. Or, qu'il meure pendant la vingt-cinquième heure, je m'en inquiète peu.

— C'est impossible, Jubala, impossible! Sébastien est un personnage trop important.

— Très-bien; donc, n'en parlons plus. On ne me donnait l'argent qu'à cette condition. C'est quinze mille francs de perdus, voilà tout.

Et elle fit mine de se retirer.

— Attends, attends, dit Hyphax vivement, le démon de l'avarice prenant le dessus : ne nous pressons pas tant. C'est que, vois-tu, il me faudra payer mes archers, les faire boire, les corrompre; la moitié de l'argent y passera.

— Soit, le cas était prévu. J'ai cinq mille francs en réserve pour cela.

— En vérité, ma princesse, ma sorcière, mon charmant lutin. Mais cinq mille francs, songes-y, ce sera trop pour des drôles tels que mes soldats : nous leur en donnerons la moitié et nous emploierons l'autre moitié à monter notre ménage. Veux-tu?

— Comme il te plaira, pourvu que la chose se fasse conformément à mes conditions.

— Ah ! c'est marché fait, alors. Il vivra vingt-quatre heures ; et après cela, nous aurons des noces magnifiques.

Sébastien cependant était loin de se douter des étranges négociations qui se faisaient pour sa délivrance ; adossé à la muraille de la cour, comme Pierre, il dormait d'un profond sommeil entre deux gardes. Fatigué des nombreux travaux de sa journée, il avait eu le privilége assez rare de pouvoir se reposer de bonne heure ; et le pavé de marbre était un lit assez moelleux pour un soldat.

Mais après quelques heures de sommeil, il se réveilla plus frais et plus dispos ; et, comme tout dormait autour de lui, il se leva, tendit les bras vers le ciel et s'adonna à la prière.

La prière du martyr n'est pas une préparation à la mort ; car sa mort, à lui, n'exige aucune espèce de préparation. Le soldat qui se déclare soudainement chrétien baisse la tête, tombe et mêle son sang à celui du pieux confesseur qu'il était venu exécuter. L'ami, au nom ignoré, qui salue le martyr, marchant au supplice, est saisi sur-le-champ, conduit au même échafaud et meurt volontairement avec lui[1]. Ce soldat, cet ami, est aussi bien préparé que s'il avait passé plusieurs mois en prison, se livrant à la prière la plus fervente. Il n'a pas besoin d'implorer le pardon de ses erreurs et de ses fautes passées ; car il a la conscience de cet amour parfait qui chasse toute crainte, l'assurance intérieure de cette grâce sublime qui ne peut habiter avec le péché.

Sébastien ne prie pas pour obtenir de Dieu le courage et la force, une pareille prière démontrerait qu'il craint d'être faible ou lâche, et le soldat chrétien ne peut être ni l'un ni l'autre. Il n'admet pas qu'après avoir si souvent affronté la mort intrépidement sur les champs de bataille pour son prince terrestre, il ne la recevra pas avec joie, en tous lieux, pour son céleste maître. Sa prière jusqu'au matin ne fut donc qu'un hymne joyeux de gloire et de triomphe en l'honneur du Roi des rois, hymne qui se mêlait aux flammes des Séraphins, au frémissement incessant de leurs ailes, hommage perpétuel de leur amour.

Puis, lorsque son regard rencontra les étoiles qui scintillaient dans la voûte éthérée, il les somma d'échanger avec lui, comme de vigilantes sentinelles, le mot d'ordre des louanges divines. Quand le vent

(1) Cet ami dont le nom est inconnu, ce compagnon du martyr, reçoit dans le martyrologe le nom de saint Adauctus (du latin *Adaugere*, augmenter, accompagner).

siffla avec un bruissement bizarre entre les branches dépouillées des arbres du bosquet d'Adonis, il imposa silence à cette harmonie funèbre et commanda aux arbustes vibrants de former de plus doux accords, les seuls que la terre pût élever vers le ciel dans ces nuits hivernales.

L'aurore approchait, car le coq avait déjà fait entendre son chant matinal. Tout à coup la pensée lui vint que bientôt il allait entendre ces branches murmurer encore au sifflement de flèches qui n'avaient jamais manqué leur but. Cette pensée le fit tressaillir de joie; il lui tardait de s'offrir aux sanglantes morsures de ces traits acérés qui allaient, comme autant de serpents, boire son sang généreux. Il fit à Dieu le sacrifice de sa vie, le priant de l'agréer en holocauste d'expiation. Il s'offrit surtout pour l'Eglise affligée et pria le Ciel de permettre que sa mort en pût soulager les souffrances.

Et ses pensées s'élevèrent avec sa prière, et il fut transporté de l'Eglise terrestre et militante à l'Eglise céleste et triomphante; il contemplait ces régions d'un monde supérieur, comme l'aigle, du sommet d'un pic élevé, contemple le soleil. Les nuages s'étaient écartés pour lui, et le voile brodé du firmament s'était déchiré, comme jadis celui du sanctuaire de Jérusalem, et son regard plongeait dans les profondeurs des révélations divines; il perçait au delà, bien au delà de l'assemblée des Saints et des légions des Anges, il voyait cette gloire intense et infinie qui s'était dévoilée à saint Etienne. Et sa voix se tut alors; et son hymne devint silencieux; les harmonies venaient à lui, trop suaves et trop parfaites pour qu'une voix humaine eût l'audace d'y mêler ses misérables accents; elles venaient à lui sans demander de retour, car elles faisaient descendre dans son âme un rayon du ciel; et qu'aurait-il pu donner en retour? C'était une fontaine vive, pure et rafraîchissante, qui semblait verser, au lieu d'eau, des flots de lumière, jaillissant des pieds de l'Agneau et inondant son cœur qui ne pouvait que s'ouvrir et recevoir le don céleste. Pourtant, au milieu de ces ondes éblouissantes, il apercevait, par intervalles, les visages radieux de ceux de ses anciens amis qui avaient eu le bonheur de partir avant lui pour le ciel; il les voyait s'abreuver, se baigner, se plonger et se fondre dans ces eaux vives et éternelles.

Son visage rayonnait comme si les reflets de cette vision l'avaient illuminé, et les premiers rayons de l'aurore — quelle aurore glorieuse et désirée! — le frappant en face, le trouvèrent debout, les bras en croix, tourné dans la direction de l'orient. Hyphax le surprit dans cette attitude, quand il ouvrit la porte de la cour, et il fut si frappé de la physionomie du martyr, qu'il fut sur le point de tomber à ses genoux et de l'adorer. — Sébastien alors sortit de son extase, et, le démon de l'avarice ayant fait tinter aux oreilles d'Hyphax le son des sesterces, il songea à les gagner d'une façon adroite. Il se rendit au quartier où logeaient ses cent archers numides et en choisit cinq parmi les plus adroits. Ces archers étaient si habiles, qu'ils fendaient d'un trait de flèche une autre flèche lancée en l'air. Il les fit rassembler dans sa chambre, leur indiqua la part de récompense qui leur serait attribuée, en ayant grand soin de cacher quelle part dans ce butin devait être la sienne. Puis il leur expliqua de quelle manière l'exécution devait avoir lieu. Quant au corps, des chrétiens avaient déjà secrètement offert une somme supplémentaire assez considérable pour obtenir qu'il leur fût délivré. Deux esclaves devaient attendre à l'extérieur la fin de l'exécution pour le recevoir et l'emporter. Du côté des siens, Hyphax était donc parfaitement sûr du secret.

Sébastien fut conduit alors dans la cour voisine du palais qui séparait le quartier des archers africains de son propre logement. Cette cour était plantée d'arbres alignés et consacrés à Adonis. Il marcha joyeusement au milieu de ses exécuteurs, suivi de tout le corps des archers qui devaient assister au supplice, mais seulement comme simples spectateurs, et pour juger des beaux coups d'adresse qui allaient être accomplis. Quand on fut arrivé à l'endroit désigné, l'officier fut dépouillé de ses vêtements, puis attaché à un arbre, tandis que les cinq archers choisis pour l'exécution allèrent, calmes et impassibles, se placer en face de lui. C'était là, en somme, une bien triste mort : pas un ami, pas un être sympathique ne se trouvait auprès de la victime; pas un chrétien qui pût se charger de porter aux fidèles ses derniers adieux, de leur répéter ses dernières paroles, et de porter témoignage de la constance avec laquelle il allait souffrir pour sa cause. Être debout au milieu de l'amphithéâtre envahi par la foule, avec tout un peuple pour admirer son courage chrétien, voir autour de soi des gestes et des regards encourageants, entendre murmurer tout bas les bénédictions et les vœux de quelques amis fidèles — il y avait là quelque chose de doux et de glorieux qui consolait et fortifiait, quelque chose qui prêtait du moins l'aide vulgaire des émotions humaines à l'action plus puissante de la grâce. Les cris même et les injures d'une multitude égarée ne servaient qu'à doubler l'ardeur du courage naturel, comme les cris du chasseur augmentent l'intrépidité du cerf aux abois. Mais ce supplice à l'aube du jour, dans un lieu silencieux et désert, dans l'enclos d'un bâtiment particulier; mais être attaché ainsi avec une froide indifférence, ni plus ni moins qu'un mannequin bourré de paille, pour servir de cible à des soldats, cruels exécuteurs des ordres d'un souverain plus cruel encore; mais se trouver seul ainsi au milieu de cette horde de sauvages à la figure hideuse, dont le langage même était inintelligible dans sa grossière étrangeté; entendre les plaisanteries triviales et les bons mots qu'ils échangeaient sans doute, comme font des gens avant de commencer une partie dont ils se promettent beaucoup de plaisir; tout cela ressemblait plutôt à un meurtre commis dans une forêt sombre par les mains de bandits, qu'à la confession éclatante et glorieuse du nom de Jésus-Christ. C'était plutôt un assassinat qu'un martyre.

Mais Sébastien ne songeait pas à tout cela. Du haut des murailles qui le séparaient du reste des humains, des anges lui souriaient et le contemplaient; et le soleil levant, qui éblouissait ses yeux, et qui le faisait ressortir davantage pour les archers, avait moins d'éclat que le regard de l'unique témoin qu'il désirait avoir du supplice qu'il allait souffrir pour l'amour de Lui.

Le premier Maure saisit son arc, le tendit jusqu'à ce que la corde fût à la hauteur de son oreille, — et la flèche alla se planter en tremblant dans le corps de Sébastien. Chacun des archers suivit à son tour, et des exclamations approbatrices saluaient chaque coup qui venait frapper la victime, mais sans atteindre, conformément à l'ordre de l'empereur, les parties vitales du corps. Et ce jeu cruel se poursuivit ainsi, chacun des assistants riant et plaisantant, et se livrant à une folle joie, et se félicitant de chaque nouveau coup, sans qu'un signe de pitié se manifestât pour l'infortuné dont le corps alangui se couvrait de sang. Tous s'abandonnaient à des accès d'une gaîté infernale, excepté le martyr, pour qui tout n'était qu'une trop sérieuse réalité, tout, — la morsure aiguë des flèches, la douleur des plaies ruisselantes, l'épuisement du sang, la fatigue, les liens et la torture de l'attitude à laquelle il était contraint. Et cependant combien était calme et sereine son âme soumise, son esprit invincible, sa foi inébranlable, sa patience angélique! Ardent était son désir de souffrir pour son Seigneur, ardente était sa prière, ardent le regard de ses yeux levés sur le ciel, ardente l'attention de son oreille à découvrir l'approche du chœur céleste qui venait le prendre et lui ouvrir les portes du ciel.

C'était vraiment une mort affreuse que celle-là, mais ce n'était pas la mort qui devait être la plus terrible partie du supplice. La mort ne venait pas; les portes d'or du ciel restaient closes; le martyr, d'intention et de cœur, était destiné sans doute à une gloire plus grande, même sur cette terre, car, au lieu de passer brusquement de la mort à la vie éternelle, il tomba évanoui, anéanti, dans le sein des anges qui, invisibles, l'environnaient. Les exécuteurs virent qu'ils étaient arrivés au point qui leur avait été indiqué; ils coupèrent les liens qui attachaient leur victime. Sébastien tomba sur le sol, épuisé et comme privé de vie, sur le linceul fumant que son propre sang lui avait préparé. Etait-il étendu comme un noble guerrier, ainsi que nous le représente la statue de marbre placée sous l'autel de l'église qui porte son nom. Nous ne pouvons du moins nous le figurer plus beau. Cette église nous est chère, et non-seulement cette église, mais aussi l'ancienne chapelle qui se trouve au milieu des ruines du Palatin, et qui marque l'endroit où il tomba [1].

XXVI. — LA RÉSURRECTION.

La nuit était fort avancée, lorsque l'esclave noire, après avoir arrangé à sa grande satisfaction, toutes les négociations relatives à son mariage, reprit le chemin de la demeure de sa maîtresse. C'était une nuit d'hiver, nuit très-froide. Aussi était-elle enveloppée d'un épais manteau et se hâtait, peu disposée à être dérangée dans sa course. Cependant la nuit était claire, et la lune argentait de ses rayons la nappe mobile de la *meta sudans* [2]. Arrivée là, elle s'arrêta, et, après un silence de quelques instants, laissa échapper un bruyant éclat de rire, provoqué sans doute par quelque ridicule souvenir qui lui revenait à la vue de cette belle fontaine. Elle allait continuer son chemin, quand elle se sentit brusquement arrêter par le bras.

— Si vous n'aviez pas ri, s'écria l'interrupteur d'un ton aigre, je

(1) Le lecteur, si jamais il visite le palais de cristal de Sydenham près de Londres, y trouvera dans la cour romaine un très-beau spécimen du Forum romain. Sur le monticule élevé de la colline Palatine, entre les arcs de Titus et de Constantin, il verra une chapelle isolée, de belles dimensions. C'est la chapelle à laquelle nous faisons allusion. Elle a été restaurée tout récemment par la famille Barberini.

(2) La fontaine que nous avons décrite plus haut.

ne vous aurais pas reconnue peut-être; mais ce rire d'hyène est reconnaissable entre mille. Ecoutez ! voici les bêtes sauvages, vos parentes d'Afrique, qui vous répondent du fond de l'amphithéâtre. Qu'est-ce donc qui vous réjouit ainsi, s'il vous plaît?

— C'est vous.

— Moi?

— Oui; je songeais à notre dernière entrevue qui a eu lieu en cet endroit même, et je me disais que vous aviez été bien ridicule.

— C'est bien aimable à vous, Afra, de songer ainsi à moi, d'autant plus que je ne songeais guère à vous en ce moment, mais bien à vos compatriotes qui hurlent là-bas dans leurs cellules.

— Allons, trêve d'impertinences, et appelez les gens par leur nom. Je ne suis plus Afra, l'esclave; du moins, j'aurais cessé de l'être dans quelques heures, pour devenir Jubala, la femme d'Hyphax, le commandant des archers mauritaniens.

— Homme très-respectable, sans aucun doute, et qui n'a qu'un tort, celui de parler un jargon inintelligible. Du reste, ces quelques heures suffiront pour l'affaire dont j'ai à vous parler. Vous vous êtes trompée quelque peu, il me semble, en disant tout à l'heure que je m'étais montré ridicule à notre dernière entrevue. Cela n'est pas exact; c'est vous qui m'avez rendu ridicule. Que sont devenues toutes les belles promesses que vous m'avez faites, en échange de mon argent bien plus beau que je vous ai remis? Mon argent était de bon aloi, vos promesses se sont envolées comme la poussière.

— Fort bien; mais vous ignorez un proverbe de mon pays, qui dit que « la poussière du bord de la robe d'un homme sage vaut mieux que l'or de la bourse d'un sot. » Mais venons au fait : est-ce que, par hasard, vous auriez jamais cru un instant au pouvoir de mes charmes et de mes philtres magiques?

— Comment! si j'ai cru? mais, certes; voudriez-vous dire que c'étaient autant d'impostures?

— Pas tout à fait; vous voyez bien que nous nous sommes débarrassés de Fabius, et que la jeune fille se trouve seule en possession de sa fortune. C'était là un grand point et de première nécessité.

— Eh quoi! voudriez-vous me faire croire que par vos sortiléges vous avez fait disparaître le père? demanda Corvinus en tressaillant et s'éloignant d'elle.

Afra, profitant du succès inespéré qu'avait eu son audace, continua sans hésiter :

— Certainement; cela vous étonne? Il n'est cependant pas difficile de se débarrasser des gens qui vous gênent.

— Bonsoir, bonne nuit, dit-il en reculant tout effrayé.

— Attendez donc un moment, répondit-elle d'un air de compassion. Cette nuit-là, Corvinus, je vous ai donné deux conseils qui valent plus que tout l'or que vous avez jamais possédé. Eh bien, de ces conseils, vous n'avez pas suivi l'un, et vous avez agi directement à l'encontre de l'autre.

— Comment cela?

— Ne vous avais-je pas conseillé de ne pas pourchasser les chrétiens, mais de les faire tomber adroitement dans les piéges que vous pouviez leur tendre? Fulvius l'a bien employé, ce moyen-là, et il y a gagné quelque chose; tandis que vous, qui avez fait le contraire, qu'en avez-vous retiré?

— Oh! rien que de la rage, de la confusion et des coups d'étrivières

— Donc, j'étais une sage conseillère en vous donnant ce premier avis; passons au second.

— Quel est-il?

— Je vous conseillais, après vous être bien enrichi des dépouilles des chrétiens que vous auriez dépistés, d'aller offrir à Fabiola votre main avec votre fortune. Elle a, jusqu'à ce jour, repoussé dédaigneusement toutes les propositions qui lui ont été faites; mais j'ai soigneusement observé une chose : c'est que de tous ceux qui aspiraient à sa main, pas un ne pouvait se dire riche. C'étaient tous gens prodigues et ruinés, qui convoitaient sa fortune pour réparer la leur. Ne perdez pas de vue ceci : c'est que celui qui s'adressera à elle devra commencer par ce principe, que « deux et deux font quatre. » Me comprenez-vous ?

— Très-bien, trop bien même; car je me demande inutilement d'où je ferais venir les *deux* que je dois ajouter aux siens?

— Ecoutez-moi bien, Corvinus, car ce sera notre dernière entrevue; je vous porte de l'affection, parce que je vous sais capable de comprendre la haine sans relâche, sans scrupule, sans pardon, sans miséricorde. Elle l'attira vers elle et lui dit à l'oreille :

— J'ai appris par Eurotas, à qui je fais dire tout ce que je veux, que Fulvius a en vue certaines prises chrétiennes magnifiques, une spécialement. Venez de ce côté, dans l'ombre, et je vous dirai tout bas comment il faut vous y prendre pour le prévenir et acquérir ce précieux trésor.

Laissez à Fulvius la froide satisfaction du meurtre, qui sera nécessaire peut-être, mais toujours désagréable; tâchez plutôt de vous placer entre lui et la dépouille. Il ne manquerait pas de vous en faire autant à l'occasion.

Et elle lui parla tout bas et avec vivacité pendant quelques minutes. Quand elle eut fini, Corvinus poussa une bruyante exclamation : — Excellent! — Quelle parole dans une telle bouche!

La négresse arrêta d'un geste l'expression trop bruyante de sa joie, et lui dit en lui indiquant l'édifice voisin :

— Silence! voyez là-bas....

Que de changement dans les hommes et dans les choses en peu de temps! La dernière fois que ces deux misérables s'étaient donné rendez-vous au même endroit, la fenêtre au-dessus de leur tête était occupée par deux vertueux jeunes gens, qui, semblables à deux génies bienfaisants, prêtaient l'oreille à leurs paroles pour déjouer leurs trames perfides et pour contre-miner leurs ténébreuses menées. Ces deux jeunes gens n'occupent plus les mêmes lieux : l'un d'eux est couché dans la tombe; l'autre dort tranquillement, bien qu'il soit à la veille de son exécution. La mort nous apparaît comme une puissance sacrée, à voir la préférence qu'elle met à s'emparer des bons plutôt que des méchants; elle arrache du champ terrestre la fleur odorante, et y laisse se développer la plante vénéneuse, jusqu'à ce qu'elle parvienne à pleine maturité et tombe pour se reproduire.

Mais, en ce moment, quand le digne couple leva les yeux vers la fenêtre, il la vit occupée par deux autres personnes.

— C'est Fulvius, dit tout bas Corvinus, c'est Fulvius qui vient de se montrer à cette fenêtre.

— Et l'autre est Eurotas, son mauvais génie, ajouta l'esclave.

Et tous deux se retirèrent dans l'angle le plus obscur de la muraille, pour prêter l'oreille à la conversation des nouveaux venus.

Fulvius reparut bientôt à la fenêtre, tenant à la main une épée qu'il tourna et retourna à la lumière de la lune pour mieux en examiner la poignée. Tout à coup il jeta l'épée à terre avec colère en blasphémant :

— Ce n'est que du cuivre! s'écria-t-il.

Eurotas s'approcha ensuite, tenant à la main un objet qui ressemblait à un riche baudrier. Comme son compagnon, il l'examina avec une attention scrupuleuse.

— Toutes les pierreries en sont fausses! Eh bien, je déclare que tout son bagage ne vaut pas douze cents francs. Vous avez fait là une assez mauvaise affaire, Fulvius.

— Toujours des reproches, Eurotas! Et cependant ce misérable bénéfice me coûte la vie d'un des officiers que l'empereur aimait le plus.

— Et je suis sûr qu'avec tout cela il ne vous en aura pas la moindre reconnaissance.

Eurotas avait raison.

Le lendemain matin, les esclaves qui reçurent des mains des archers le corps de Sébastien, furent saisis de surprise, en entendant une femme au visage noir leur dire tout bas, en passant rapidement :

— Il vit encore.

Au lieu donc de le porter au cimetière, ils le transportèrent avec les plus grands soins, dans l'appartement d'Irène. L'heure matinale et l'absence de l'empereur, qui était parti la veille au soir pour son palais favori de Lateran, rendaient ce transport facile. Aussitôt on envoya chercher Dionysius qui, après avoir examiné les blessures, déclara qu'aucune n'était mortelle ; mais que, le blessé ayant perdu beaucoup de sang, il lui faudrait plusieurs semaines avant d'être rétabli.

Pendant vingt-quatre heures, Afra vint prendre assidûment, et presque d'heure en heure, des nouvelles de Sébastien. Quand le délai fixé fut expiré, elle conduisit Fabiola chez Irène, afin qu'elle pût s'assurer personnellement qu'il respirait encore. Il est vrai qu'il ne faisait que respirer, mais Fabiola tint sa parole. Elle libéra son esclave sur l'heure, lui paya sa dot, et pendant toute la nuit le Palatin et le Forum furent tenus en émoi par les bacchanales et les hideuses cérémonies des noces de la négresse avec Hyphax.

Fabiola s'informait de l'état de Sébastien avec une si tendre sollicitude, qu'Irène ne douta point qu'elle ne fût chrétienne. Les premières fois, elle s'était contentée de prendre des nouvelles à la porte, et de faire accepter à l'hôtesse de Sébastien une somme assez forte pour payer les frais que pourrait entraîner sa guérison, mais après les deux premiers jours, quand le malade se trouva mieux, on l'invita courtoisement à entrer, et, pour la première fois de sa vie, elle se trouva au sein d'une famille chrétienne, et n'ignorant pas que cette religion y était pratiquée.

Irène, dit l'histoire, était la veuve de Castulus, l'un de ceux qui faisaient partie des néophytes convertis avec Chromatius. Son mari venait d'être mis à mort, mais elle était restée inaperçue et ignorée, dans l'appartement qu'il occupait au palais de l'empereur. Deux filles vivaient avec elle, et une différence marquée dans leur conduite et leur manière d'agir frappa tout d'abord Fabiola, quand elle eut fait avec elles plus ample connaissance. L'une, évidemment, considérait la présence de Sébastien comme une lourde charge et ne s'approchait jamais de lui, ou du moins très-rarement. Sa conduite envers sa mère était fière et hautaine; ses idées appartenaient exclusivement aux choses du monde; elle était égoïste, indiscrète et hardie. L'autre, qui était la cadette, offrait avec elle un contraste frappant; elle si douce, si docile et si affectueuse; si bienveillante pour les autres, si dévouée à sa mère, si bonne et si attentive pour le pauvre blessé! Irène elle-même était le type de la matrone chrétienne de la classe moyenne de la société. Fabiola ne trouva en elle ni intelligence supérieure, ni grande instruction, ni esprit subtil, ni politesse raffinée; mais elle la vit toujours calme, active, sensible et honnête. Ensuite elle était chaleureusement dévouée, généreuse, affectueuse et patiente. La jeune païenne n'avait jamais vu un pareil intérieur; tout y était simple, frugal et bien ordonné; rien n'en troublait la paix et l'harmonie, excepté le caractère de la sœur aînée. Au bout de quelques jours, on acquit la certitude que la visiteuse quotidienne n'était pas chrétienne; cette découverte toutefois ne changea rien à la manière dont on la traitait; mais elle fit, à son tour, une autre découverte qui la mortifia beaucoup. C'était que l'aînée des deux filles appartenait encore, elle aussi, au paganisme. Du reste, tout ce qu'elle voyait dans cette maison produisait en elle une impression favorable et détruisait la rude écorce dont les préjugés avaient entouré son esprit. Toutefois, pour le moment, ses pensées étaient concentrées tout entières sur Sébastien, dont la convalescence était lente et pénible. Elle formait avec Irène des plans pour le faire transporter dans sa villa de Campanie, où elle devait avoir le loisir de conférer avec lui au sujet de sa religion : mais un invincible obstacle vint s'opposer à ce projet.

Nous ne chercherons pas à faire connaître au lecteur les sentiments de Sébastien. Après avoir aspiré longtemps au martyre, l'avoir demandé à Dieu avec larmes, en avoir enduré toutes les souffrances, être, en quelque sorte, mort à la vie humaine, avoir perdu la vue et la conscience des choses de ce monde, et s'y réveiller de nouveau, non pas comme un martyr, mais comme un homme ordinaire, cherchant à faire son salut sans avoir la certitude d'y réussir, c'était là une épreuve plus douloureuse que le martyre même. C'était ressembler à un homme qui, au milieu d'une nuit d'orage, aurait cherché à franchir une rivière agitée, ou un bras de mer en courroux, et qui, après avoir lutté pendant toute la nuit contre les vents et les flots, et avoir vu son embarcation vingt fois sur le point de chavirer, se retrouverait le matin au même point de départ qu'il aurait quitté la veille. C'était être, comme saint Paul, rejeté sur la terre et livré aux tentations de Satan, après avoir entendu les paroles mystérieuses qu'une seule et suprême intelligence peut proférer. Et cependant aucun murmure, aucune expression de regret, ne s'échappa de ses lèvres. Il adora en silence la volonté de Dieu, dans l'espoir qu'il lui réservait la gloire plus grande d'un double martyre. Et cette seconde couronne, il la désirait si ardemment, qu'il rejeta toute proposition de fuite ou de retraite.

— J'ai déjà, disait-il généreusement, gagné l'un des priviléges des martyrs, celui de parler sans crainte aux persécuteurs. Ce droit, je veux en user le premier jour où il me sera possible de quitter mon lit. Soignez-moi donc bien, pour que ce jour arrive plus vite.

XXVII. — LA SECONDE COURONNE.

Le fameux complot que l'esclave noire avait révélé à Corvinus était le même auquel il avait déjà été fait allusion dans la conversation de Fulvius avec son tuteur. Les révélations innocentes de la jeune martyre aveugle lui avaient donné la conviction qu'Agnès était chrétienne, de sorte qu'il croyait avoir, pour réussir auprès d'elle, deux cordes à son arc : ou il devait, par la crainte, l'amener à l'épouser, ou il la livrait aux juges et il obtenait, par la confiscation, une bonne part de sa fortune. C'était vers ce dernier moyen que le poussaient les railleries amères et les exhortations criminelles d'Eurotas. Certain d'avance de ne plus trouver l'occasion d'une nouvelle entrevue, il écrivit à Agnès une lettre respectueuse, mais pressante, pour lui peindre son attachement désintéressé pour elle, et la supplier d'accepter son hommage. En finissant, il insinuait vaguement que ses devoirs pouvaient le pousser à adopter un autre système, si son humble demande n'était pas accueillie.

A cette missive, la jeune fille répondit par un refus calme et digne, mais sur la fermeté duquel il n'y avait pas lieu de se méprendre. Bien plus, la lettre indiquait, en termes clairs et précis, que celle qui l'écrivait était déjà l'épouse de l'Agneau sans tache, et qu'elle ne pouvait accepter d'aucun être périssable des expressions d'attachement personnel. Cette seconde défaite ferma pour jamais le cœur de Fulvius à la pitié : toutefois il résolut d'agir prudemment.

Cependant Fabiola, voyant que Sébastien était décidé à ne pas fuir la mort qui le menaçait, conçut le romanesque projet de le sauver malgré lui, en arrachant son pardon à l'empereur. Elle ne soupçonnait pas l'immense perversité que peut contenir un cœur humain. Elle croyait que le tyran pouvait bien sévir pour un moment, mais qu'il lui répugnerait de condamner deux fois un homme à la mort. Elle pensait qu'un sentiment de pitié, quelque léger qu'il fût, devait couver du moins au fond de son cœur, et que ses supplications éloquentes et ses larmes l'en feraient jaillir, comme la chaleur fait couler la sève des flancs du bois le plus dur. Fabiola écrivit donc pour demander une audience. Et, comme elle connaissait la cupidité de celui auquel elle s'adressait, elle prétexta que sa démarche avait pour objet de lui offrir un témoignage de son attachement à sa personne comme sa fidèle sujette, et un souvenir de respect de la part de son père défunt. Elle voulait lui faire présent d'une bague ornée de pierreries d'une rare beauté et d'une grande valeur. Le présent fut accepté ; mais l'empereur se borna à lui faire dire qu'elle eût à se rendre, le 20 du mois, au Palatin. Elle devait attendre, avec les autres solliciteurs, le passage de l'empereur, quand il descendrait le grand escalier pour se rendre au sacrifice. Quelque décourageante que fût cette réponse, Fabiola résolut de risquer la démarche et de faire ce qu'elle pourrait pour réussir.

Le jour fixé arriva ; Fabiola, vêtue de deuil — d'abord parce qu'elle venait solliciter l'empereur et ensuite à cause de la mort de son père — alla se ranger parmi les mères, les filles, les sœurs, créatures plus malheureuses qu'elle encore, qui venaient toutes tremblantes présenter des requêtes en faveur de ceux qui leur étaient chers et qui gémissaient dans les prisons et dans les mines. Elle sentit le peu d'espoir qu'elle avait conservé s'éteindre en elle à la vue de tant de misères, trop grandes et trop nombreuses pour qu'elles pussent espérer de la pitié. Mais ces dernières lueurs d'espérance devinrent bien plus faibles encore, quand elle aperçut le tyran descendant avec lenteur les degrés de marbre, bien que l'anneau précieux brillât à son doigt. A chaque pas, il arrachait un papier aux mains des solliciteurs suppliants, les regardait d'un œil plein de mépris, et, après avoir parcouru rapidement l'écrit, le déchirait avec colère ou le laissait dédaigneusement tomber à ses pieds. C'était à peine si, de loin en loin, il passait une de ces requêtes à son secrétaire, non moins pervers et non moins impérieux que lui.

Le tour de Fabiola vint enfin; l'empereur était à deux pas d'elle, et son cœur battait avec une violence extrême, car elle avait peur de cet homme, non pas pour elle-même, mais pour Sébastien, dont la vie ou la mort allait se décider. Elle se serait mise à prier, si elle avait su comment s'y prendre et à qui adresser sa prière. Maximien tendait la main pour prendre la requête qu'un suppliant lui offrait, lorsque, tout à coup, il tressaillit et tourna la tête, en entendant prononcer son propre nom d'un ton ferme et hardi. Fabiola se retourna aussi en pâlissant; elle avait reconnu la voix.

En face d'elle, au milieu de la muraille de marbre blanc, s'ouvrait une fenêtre surmontée d'une corniche de marbre jaune. Cette ouverture servait à donner du jour à un corridor qui conduisait aux appartements d'Irène. Guidée par la direction de la voix, Fabiola leva la tête et aperçut, se détachant sur le fond obscur de la baie, une apparition belle, mais effrayante à voir. C'était Sébastien, pâle et défait, les traits amaigris et comme idéalisés par les souffrances, mais le visage calme et impassible, comme s'il n'était plus capable d'émotion ni de douleur. Sa poitrine et ses bras, déchirés par d'horribles blessures, se montraient à travers les plis du manteau qu'il avait jeté sur lui. Il avait entendu les fanfares bien connues qui annonçaient l'approche de l'empereur; il s'était levé et péniblement traîné jusqu'à la fenêtre pour le saluer au passage[1].

— Maximien! cria-t-il d'une voix creuse, mais très-distincte.

— Qui est l'insolent qui prononce aussi familièrement le nom de son souverain? demanda le tyran en se tournant vers lui.

— Je suis un homme sorti de la tombe, où déjà il avait un pied, pour t'avertir que le jour de la colère et de la vengeance approche à grands pas. Tu as rougi le pavé de cette cité du sang des serviteurs de Dieu; tu as jeté leurs corps sacrés dans la rivière; tu les as fait traî-

(1) Voir les *Actes de saint Sébastien.*

ner aux Gémonies. Tu as renversé les temples de Dieu, profané ses autels, et volé l'héritage de ses pauvres. Pour cela, et pour tous les autres crimes et les abominations que tu as commises, pour tes injustices et tes oppressions, pour ta cupidité et ton orgueil, Dieu t'a jugé, et sa justice s'appesantira bientôt sur toi ; et tu mourras d'une mort violente, et Dieu donnera à son Eglise un souverain selon son cœur. Et ta mémoire sera maudite et exécrée dans l'univers entier jusqu'à la fin des temps. Repens-toi, tandis qu'il en est temps encore, homme impie; et demande pardon à Dieu, au nom du Crucifié que tu as persécuté jusqu'à ce jour.

Un profond silence avait régné, tandis que ces paroles étranges retentissaient. L'empereur semblait sous l'impression d'un sentiment d'effroi qui le paralysait ; car, ayant reconnu Sébastien, il se croyait en présence d'un mort sorti de la tombe : mais bientôt, reprenant son assurance, et, avec elle, sa colère, il s'écria :

— Holà ! quelqu'un ! qu'on monte à l'instant et qu'on me l'amène ici (il évitait de prononcer son nom). Hyphax ! où est Hyphax ? je l'ai vu ici tout à l'heure.

Cela était vrai, mais le Maure qui, lui aussi, avait reconnu Sébastien, avait cru prudent de s'esquiver et de courir à son quartier.

— Ah ! il est parti, à ce que je vois ; eh bien ! tu vas l'aller appeler, toi, maraud. Quel est ton nom ? dit-il, en s'adressant à Corvinus, qui avait accompagné son père au palais. Rends-toi à la cour des Numides, et dis à Hyphax de venir ici sur-le-champ.

Corvinus s'en alla, le cœur transi d'effroi, s'acquitter de la commission impériale. Mais Hyphax avait déjà raconté à ses hommes ce qui venait de se passer et les avait mis sur la défensive. Une seule entrée, à l'extrémité de la cour, avait été laissée ouverte, et, quand le messager y arriva, il n'osa pas la franchir. Cinquante hommes étaient rangés de chaque côté de la cour ; Hyphax et Jubala se tenaient en face de l'entrée. Silencieux et immobiles, avec leurs poitrines noires et leurs bras nus, chacun l'arc tendu et la flèche dirigée vers la porte, ils ressemblaient à une avenue de statues de basalte, conduisant à l'entrée d'un temple égyptien.

— Hyphax, dit Corvinus d'une voix tremblante, l'empereur vous fait demander.

— Dites de ma part à Sa Majesté, le plus respectueusement que vous pourrez, répondit l'Africain, que mes hommes ont juré que personne ne franchirait le seuil où vous voilà, soit pour entrer, soit pour sortir, sans recevoir, par le dos ou par la poitrine, cent flèches dans le cœur; et cela tant que l'empereur ne nous aura pas envoyé un gage de pardon pour tout ce que nous avons pu faire.

Corvinus s'empressa d'aller reporter cette réponse que l'empereur reçut en éclatant de rire. Les Numides étaient des gens avec lesquels il n'osait risquer de se mettre en guerre, car il comptait sur eux, soit dans les batailles, soit dans les émeutes, où leur adresse ne manquait jamais d'abattre les chefs et les meneurs.

— Les rusés coquins! s'écria-t-il. Tiens, va porter ce bijou à la femme d'Hyphax.

Et il lui donna la splendide bague de Fabiola. Corvinus courut, d'un pas plus léger que la première fois, pour annoncer cette bonne nouvelle, et il jeta dans la cour la bague, signe de pardon. En un instant, tous les arcs s'abaissèrent et toutes les cordes se détendirent. Jubala, toute joyeuse, s'élança pour ramasser la bague. Un lourd coup de poing de son mari la renversa sur la poussière aux applaudissements de tous les assistants. Le sauvage s'était emparé du joyau ; et la négresse se releva contusionnée et meurtrie, se demandant tout bas si elle n'avait pas échangé son esclavage pour un autre.

Hyphax, pour se justifier, se retrancha derrière l'ordre impérial.

— Si vous nous aviez permis, dit-il, de lui planter une flèche dans le cœur ou dans la tête, tout aurait été bien; mais avec une besogne telle que vous nous l'avez donnée, nous ne pouvons être responsables de ce qui a pu arriver.

— Quoi qu'il en soit, dit Maximien, je veux que cette fois l'on fasse bien mon ouvrage. Hé! là-bas, compagnons armés de massues, que deux d'entre vous sortent des rangs!

Deux exécuteurs s'approchèrent. Sébastien, à peine capable de se soutenir, se présenta en même temps toujours calme et intrépide.

— Holà, mes braves, dit le barbare, il ne faut pas que l'on répande de sang sur ces degrés ; vous allez me tuer cet homme-là d'un bon coup de massue. Faites la chose proprement.

Puis, se tournant vers Fabiola :

— Ah! madame, quelle est votre requête? dit-il en tendant la main avec grâce et d'un ton presque respectueux, car il l'avait reconnue. Mais elle, stupéfaite d'horreur et de dégoût, n'eut que la force de murmurer d'une voix éteinte :

— César, je crains bien qu'il ne soit trop tard.

— Comment? trop tard! dit l'empereur en jetant les yeux sur le papier qu'elle lui tendait. Un éclair brilla dans son regard : — Quoi ! s'écria-t-il, vous saviez que Sébastien était vivant, et vous ne le dénonciez pas ! seriez-vous donc chrétienne ?

— Non, César, répondit Fabiola.

Mais cette réponse lui brûla les lèvres au passage, comme l'aurait fait une imposture. Ah ! Fabiola, votre jour n'est pas loin.

— Eh ! dit l'empereur en lui rendant la pétition d'un air parfaitement calme, je crois que vous avez raison et qu'il est trop tard. Je pense que ce coup a dû être l'*ictus gratiosus* [1].

— Je me sens faiblir, César, dit-elle respectueusement, permettez-moi de me retirer.

— Sans doute, mais, avant de vous laisser partir, il faut que je vous remercie du bel anneau que vous m'avez envoyé ; je l'ai donné à la femme d'Hyphax, — à son esclave, à elle, — cela ira mieux à sa main noire qu'à la mienne. Adieu !

Et il lui envoya du bout des doigts un baiser accompagné du plus hideux sourire — comme s'il n avait pas eu, à deux pas de là, le corps d'un martyr, témoignant contre lui. Il avait dit vrai : le premier coup de massue appliqué sur la tête de la victime avait été fatal, et Sébastien se trouvait enfin dans le séjour de gloire, après lequel il avait si longtemps soupiré et où l'attendaient une double palme et une double couronne. Et cependant il avait subi une fin ignominieuse aux yeux du monde ; il avait été abattu sans cérémonie, tandis que l'empereur causait en lui tournant le dos. Quel martyre dans cette honte ! Malheur à nous, lorsque nous savons que nos souffrances ici-bas nous valent de la gloire. Le tyran, voyant que son œuvre de cruauté était accomplie, défendit que le corps de Sébastien fût jeté aux Gémonies ou dans le Tibre ; mais, ajouta-t-il, « qu'on attache à son corps des poids énormes et qu'on le traîne aux cloaques [2], pour qu'il y serve de pâture aux animaux immondes. Les chrétiens du moins ne l'auront pas. » Cet ordre odieux fut exécuté ; et nous voyons dans les Actes du saint que, la nuit suivante, le martyr apparut à la sainte matrone Lucine, pour lui révéler l'endroit où l'on devait retrouver ses restes sacrés. Elle suivit les indications qu'il lui donna, et son corps fut enterré avec honneur à l'endroit où s'élève la basilique qui porte encore son nom.

(1) Le *coup de grâce*, le coup par lequel les condamnés étaient mis « hors de peine. » Le bris des jambes des crucifiés était consideré comme un *ictus gratiosus*

(2) Les grands égouts de Rome.

XXVIII. — LA JOURNÉE CRITIQUE. PREMIÈRE PARTIE.

Il y a des journées critiques dans l'existence d'un homme comme il y a des journées critiques dans l'existence de l'humanité, et ce ne sont pas seulement les journées de Marathon, de Cannes et de Lépante, dont un résultat différent de ce qu'il a été aurait pu influer tout différemment sur les destinées sociales ou politiques de l'humanité. Il est probable que Colomb n'aura jamais oublié le jour et même l'heure précise où fut prise la décision qui assura au monde ce qu'il lui promettait et ce qui lui donna, ce qui lui assigna à lui-même la place illustre qu'il occupe parmi les illustrations humaines; de même pour chacun de nous, quelque humble et insignifiante que soit sa personnalité, nous avons eu tous notre jour critique; nous avons eu tous un jour, une heure, un instant qui a décidé de toute notre existence, notre jour providentiel, qui a modifié notre position personnelle et nos relations avec les autres; un jour de grâces, dans lequel l'esprit l'a emporté sur la matière. De quelque manière que ce soit, toute âme, comme Jérusalem[1], a eu son jour.

Et il en était ainsi de Fabiola. Pour elle, tout s'était mis d'accord afin d'amener une crise salutaire. L'empereur et l'esclave, son père et son hôte, les bons et les méchants, les chrétiens et les idolâtres, les riches comme les pauvres, la vie et la mort, la joie et le deuil, le sourire et les larmes, la science et la simplicité, le silence et la conversation — tout enfin s'était converti en agents, qui poussaient son esprit dans des voies opposées, mais qui toutes dirigeaient son âme noble et généreuse — quoique impétueuse et altière — dans la même voie, comme la brise et le gouvernail luttent ensemble, uniquement pour maintenir le navire dans le droit chemin. Par quelle puissance sera déterminée la résolution de ces forces contradictoires? La clef de ce problème n'est pas du domaine de l'intelligence humaine : c'est la sagesse et non la philosophie qui doit le décider. Nous avons rapporté des événements qui se passaient à la date du 20 janvier; que le lecteur examine un calendrier, le lendemain de cette date, il reconnaîtra aussitôt que ce jour doit être d'une grande importance dans notre récit.

(1) Oh ! si toi aussi tu eusses connu, dans cette tienne journée ! *S. Luc*, XIX, 42.

Au sortir de l'audience, Fabiola se retira dans les appartements d'Irène, où elle ne trouva que la désolation et les larmes. Elle sympathisait complétement avec la douleur qui éclatait autour d'elle ; mais elle vit et sentit qu'il y avait une différence entre son affliction et la leur. On voyait percer l'espérance à travers leurs larmes, il y avait une sorte de joie dans leur détresse ; les nuages qui assombrissaient leurs pensées s'illuminaient par intervalles d'un vif rayon de soleil. Sa douleur, à elle, était morne et sombre ; c'était une nuit épaisse et ténébreuse qui pesait sur son esprit ; il lui semblait qu'elle avait fait une perte irréparable. Son désir de s'instruire dans le christianisme, qui se confondait en elle avec l'idée de quelque chose d'aimable et d'intelligent, ce désir semblait éteint. Celui-là seul qui aurait pu l'éclairer et dont elle eût reçu les enseignements avec joie, celui-là n'était plus. Quand la foule se fut retirée du palais, Fabiola prit affectueusement congé de la veuve et de ses filles, mais sans pouvoir s'expliquer ce qui se passait en elle ; il lui semblait qu'elle ne pourrait jamais avoir pour la païenne l'affection qu'elle ressentait pour sa sœur.

Seule, assise dans sa chambre, elle essaya de lire ; elle prit successivement tous les livres qu'elle aimait le plus et qui traitaient de la mort, de la fortune, de l'amitié, de la vertu ; mais tous lui semblaient également insipides, vides et faux. Sa mélancolie devint de plus en plus profonde et se prolongea jusqu'au soir. Une lettre qui lui fut remise vint la tirer de sa rêverie. L'esclave grecque, Graja, qui l'avait apportée, se retira à l'autre extrémité de la salle, stupéfaite et effrayée de ce qu'elle venait de voir. Car, à peine Fabiola avait-elle parcouru le billet, qu'elle poussa un cri étouffé, se leva d'un seul bond, et, sans respect pour sa belle chevelure, se mit à presser son front et ses tempes avec la violence du désespoir. Ses yeux démesurément ouverts étaient sans regard ; elle se laissa retomber sur son fauteuil, en faisant entendre un sourd gémissement. Elle y resta comme anéantie pendant quelques minutes, tenant dans ses deux mains la lettre fatale, les bras inertes comme si elle n'avait pas conscience de ce qu'elle faisait, ni de ce qui se passait autour d'elle.

— Qui a apporté cette lettre ? demanda-t-elle enfin.

— Un soldat, madame, répondit la suivante.

— Faites-le entrer.

Fabiola profita de l'absence de Graja pour se remettre et réparer le désordre de sa coiffure et de ses vêtements. Quand le soldat parut, le dialogue suivant s'établit entre lui et la jeune patricienne :

— D'où venez-vous?

— Je suis de garde à la prison Tullienne.

— Qui vous a donné cette lettre?

— La jeune Agnès elle-même.

— Elle est donc en prison, la pauvre enfant! Et pour quel motif?

— Sur l'accusation d'un homme, nommé Fulvius, qui l'a dénoncée comme chrétienne.

— Pour aucune autre cause?

— Pour aucune autre, j'en suis sûr.

— Pour ce cas, l'affaire sera bien vite arrangée; je puis donner la preuve du contraire. Dites à Agnès que je cours à l'instant à la prison, prenez ceci pour votre peine.

Le soldat se retira, et Fabiola demeura seule. Quand il fallait agir, son esprit reprenait tout d'un coup son énergie et se concentrait dans cette seule pensée, jusqu'à ce que la tendresse de son âme impressionnable reprît le dessus, pour lui faire sentir plus douloureusement ses peines. Elle s'enveloppa précipitamment dans son manteau et se rendit seule à la prison. On la conduisit dans une cellule particulière, qu'Agnès avait obtenue, en considération de son rang — en considération surtout des largesses qu'avaient faites ses parents pour obtenir une pareille faveur.

— Que signifie ceci, Agnès? demanda-t-elle vivement, après avoir embrassé avec effusion la douce captive.

— Cela signifie que j'ai été arrêtée il y a quelques heures, et conduite ici.

— Ce Fulvius a donc été assez stupide et assez indigne pour porter contre vous une accusation aussi absurde, accusation que je vais confondre avant cinq minutes? Je vais de ce pas chez Tertullus contredire d'emblée cette ridicule accusation.

— Quelle accusation, mon amie?

— Mais celle qui est portée contre vous. Ne prétend-on point que vous êtes chrétienne?

— Eh bien, mais je le suis, grâces à Dieu! répondit Agnès en faisant le signe de la croix.

Cette déclaration inattendue parut ne produire sur Fabiola aucune impression. Au lieu de la frapper comme un coup de foudre, de la stupéfier, de l'irriter, de l'étonner, cette nouvelle la laissa impassible. La mort de Sébastien avait ôté à un pareil aveu tout ce qu'il aurait eu d'amertume pour elle, quelques jours avant. Elle avait constaté que la foi chrétienne existait dans un homme qu'elle s'était plu à considérer comme le type de toutes les vertus mâles et guerrières ; elle n'était donc pas surprise de retrouver cette même foi dans Agnès, qu'elle avait chérie de tout temps comme le modèle de la perfection féminine. L'élévation simple et sublime de cette enfant, sa candide innocence, sa bonté angélique et toujours égale, avaient, dès longtemps, provoqué chez Fabiola presque de l'adoration. Cette découverte diminuait les difficultés secrètes qu'elle éprouvait; elle la rapprochait de la solution de son problème. Elle avait cru jusque-là que ces deux plantes si belles n'étaient que le produit du hasard ; elle voyait en ce jour que toutes les deux avaient puisé la vie à la même semence. Elle baissa la tête en signe de vénération pour l'enfant, et lui dit :

— Depuis combien de temps êtes-vous chrétienne ?

— Je l'ai toujours été, chère Fabiola; j'ai sucé les principes du christianisme avec le lait de ma mère.

— Et vous me l'avez caché, à moi !

— C'est que je voyais combien était violents vos préjugés contre nous ; vous nous aviez en horreur, vous croyiez que nous pratiquions les superstitions les plus absurdes, que nous commettions les plus odieuses abominations. Je voyais que vous nous méprisiez comme inintelligents et grossiers, mal élevés, sans philosophie ni raison. Vous eussiez refusé d'entendre prononcer la moindre parole en notre faveur ; et le seul objet de haine que connût votre esprit généreux, c'était le nom même de chrétien.

— C'est vrai, ma chère Agnès ; et cependant je crois que, si j'avais su que vous fussiez chrétiens, vous et Sébastien, je n'aurais pu avoir cette haine pour votre doctrine. J'étais prête à tout aimer en vous.

— Vous le croyez aujourd'hui, Fabiola ; mais vous ne connaissez pas la force d'un préjugé universel, l'autorité d'une imposture chaque jour répétée. Que de nobles esprits, de brillantes intelligences, de cœurs aimants, se sont laissés égarer au point de croire de bonne foi que nous sommes ce que nous ne sommes pas, c'est-à-dire la race la plus abominable qui ait jamais souillé la face de la terre !

— Eh bien, Agnès, c'est de l'égoïsme de ma part, que de discuter froidement avec vous, dans la situation où vous vous trouvez. J'espère bien que vous allez obliger Fulvius à prouver que vous êtes chrétienne.

— Oh! certes, non, chère Fabiola ; je l'ai déjà reconnu, et je compte renouveler ma confession en public, demain matin.

— Demain matin! — Comment, demain? demanda Fabiola épouvantée de la pensée que le jugement pouvait suivre l'arrestation de si près.

— Oui, demain. Pour prévenir les manifestations et les clameurs auxquelles mon procès pourrait donner lieu (quoique je sois convaincue que peu de personnes s'intéressent à moi), je serai interrogée de fort bonne heure, et on procédera avec moi d'une manière sommaire. N'est-ce pas là une bonne nouvelle, mon amie? demanda Agnès en saisissant avec vivacité les mains de sa cousine. Puis soudain, levant vers le ciel un de ces regards extatiques dont elle avait l'habitude, elle s'écria : « Et voilà ce que j'ai si longtemps désiré, je le vois; ce que j'ai si ardemment espéré, je le tiens; je me sens déjà unie dans le ciel à Lui seul, à Celui que j'ai aimé sur cette terre avec toute la dévotion de mon âme[1]. Oh! n'est-il pas d'une incomparable beauté, Fabiola, plus beau mille fois que les anges qui l'entourent? quelle douceur dans son sourire! quelle mansuétude! quelle bonté infinie dans toute l'expression de son visage! Et cette mère, si douce et si pleine de grâces, qui l'accompagne toujours, notre reine et notre maîtresse, qui l'aime, Lui seul, avec quelles instances elle m'invite à me joindre à elle pour faire partie de sa suite glorieuse! Je viens! je viens! — Ils sont partis, Fabiola; mais ils reviendront demain matin au point du jour; au point du jour, entendez-vous? et alors j'irai vers eux, et nous ne nous séparerons plus jamais! »

Fabiola sentit son cœur se fendre et s'épanouir, comme si un élément nouveau y était entré. Elle ne savait pas ce que c'était, mais il lui semblait que c'était quelque chose de plus doux qu'une simple émotion humaine. Elle n'avait pas encore entendu prononcer le nom de « grâce. » Agnès, toutefois, remarqua le changement favorable qui venait de s'opérer dans l'esprit de Fabiola et en rendit grâces à Dieu du fond de son cœur. Elle pria sa cousine de lui faire une seconde visite le lendemain matin, avant l'aurore, pour recevoir ses derniers adieux.

Cependant il y avait délibération dans la maison du préfet, entre ce digne fonctionnaire et son digne fils.

— Certainement, disait le magistrat, si la vieille sorcière a dit vrai sur un point, elle a dû le dire également sur l'autre. Je sais, par

(1) « *Ecce quod concupivi jam video, quod speravi jam teneo; ipsi sum juncta quem in terris posita tota devotione dilexi.* » (*Office de sainte Agnès.*)

expérience, combien est grande la puissance de l'or, pour avoir raison d'une résistance quelconque.

— Et vous conviendrez aussi, répliqua Corvinus, que parmi les gens qui aspiraient à la main de Fabiola et que nous venons d'énumérer, il n'y en avait pas un seul qui ne fût plus épris de sa cassette que de sa personne.

— En vous comptant sans doute, mon cher Corvinus?

— Je n'en disconviens pas. Mais il n'en sera pas de même, je suppose, si je parviens à lui offrir, en même temps que ma personne, l'immense fortune de la noble Agnès.

— De plus, il me semble que ce sera un excellent moyen de s'emparer de son esprit, que l'on dit être généreux et élevé. Lui offrir ces richesses sans aucune condition, puis vous offrir vous-même, ce sera la placer entre cette double alternative, ou de vous accepter pour époux, ou bien de vous restituer les richesses.

— Admirable, mon père! Je n'ai jamais connu de femme qui ait choisi la seconde alternative. Mais croyez-vous qu'il n'y ait pas moyen de réussir sans l'aide de Fabiola?

— Impossible. Naturellement, Fulvius réclamera sa part; et il ne serait pas extraordinaire que l'empereur déclarât qu'il a l'intention de garder le tout pour lui, car il a Fulvius en haine. Mais, si je proposais un plan plus légal et plus raisonnable, si je proposais de céder toute la fortune d'Agnès à sa plus proche parente, à une femme qui adore les dieux? Fabiola les adore, n'est-ce pas?

— Certainement, mon père.

— Je suis sûr qu'il accepterait cette idée. D'autre part, je suis bien assuré qu'il ne me ferait jamais de présent spontané et volontaire. Une proposition pareille, de la part d'un juge, le mettrait en fureur.

— Comment donc vous y prendrez-vous, alors, mon père?

— Je vais, pendant la nuit, préparer un décret impérial, et le rédiger de manière à ce qu'il ne reste plus qu'à y mettre la signature. Immédiatement après l'exécution, je me rendrai au palais, et je représenterai à l'empereur, en exagérant beaucoup, combien cet acte de rigueur est impopulaire. Je rejetterai toute la faute sur Fulvius, et je démontrerai comment, en accordant toute la propriété aux plus proches parents de la suppliciée, l'empereur augmenterait son influence et sa gloire. Il est aussi vain que cruel et rapace, et le premier de ces vices imposera peut-être silence aux autres.

— Rien de mieux, mon cher père; je vais aller, grâce à vous, reposer avec l'esprit tranquille. Demain sera le jour critique de ma vie. Tout mon avenir dépend de l'acceptation ou du rejet de ma demande en mariage.

— J'aurais bien voulu pourtant, dit Tertullus en se levant, voir un peu cette beauté fameuse, afin de sonder ses dispositions, avant de m'aventurer définitivement dans cette opération.

— Soyez sans crainte, mon père ; elle est digne en tous points d'être votre belle-fille. Ainsi donc, c'est demain que ma fortune et mon avenir vont se décider !

On voit que Corvinus lui-même avait son jour critique. Pourquoi Fabiola n'aurait-elle pas le sien ?

Tandis que cette conférence de famille avait lieu, un autre conseil domestique se tenait entre Fulvius et son digne parent. Ce dernier, qui était rentré tard, avait trouvé son neveu seul et triste dans sa maison. Il l'aborda en ces termes :

— Eh bien, Fulvius, est-elle arrêtée ?

— Elle est en lieu sûr, mon oncle ; de bons barreaux et de solides murailles nous répondent de sa personne, mais son esprit est aussi libre et aussi indépendant que jamais.

— Ne vous préoccupez pas de cela : avec une lame bien affilée, on a bientôt raison de toute cette indépendance d'esprit. Son sort est-il certain, et les conséquences en sont-elles assurées ?

— Mais si aucun obstacle ne se présente, son sort est inévitablement fixé ; pour le reste, nous devons nous attendre à quelque caprice de l'empereur Cependant je dois avouer que ce n'est pas sans remords que je sacrifie une existence si jeune, et pour arriver à un résultat si peu certain.

— Voyons, Fulvius, dit le vieillard d'un ton sévère et froid comme le roc aux brumes du matin, — voyons, Fulvius, pas de faiblesse, s'il vous plaît, dans cette affaire. Vous rappelez-vous bien quel jour c'est demain ?

— Oui, c'est le douzième jour avant les calendes de février (le 21 janvier).

— Remarquez que ce jour-là a toujours été un jour critique pour vous. C'est à cette date, il vous en souvient, que, pour gagner la fortune d'un autre, vous avez commis...

— Assez ! assez ! interrompit Fulvius pâle et haletant. Pourquoi me rappeler sans cesse des choses que j'ai tant à cœur d'oublier ?

— Voici pourquoi : c'est que vous cherchez à vous oublier vous-même, et cela ne doit pas être. Il faut que je vous ôte de l'esprit toute prétention à vous laisser guider par ces préjugés qu'on appelle la conscience, la vertu ou l'honneur. C'est de la folie que d'afficher une compassion ridicule pour la vie d'un être qui vous barre la route de la fortune, surtout après ce que vous avez fait à *l'autre*.

Fulvius se mordit les lèvres avec rage, mais il garda le silence, et de ses mains frémissantes se couvrit le visage. Eurotas le calma en disant :

— Eh bien donc, demain sera pour vous une nouvelle journée critique, et il est à espérer que ce sera la dernière. Il nous faut en peser avec prudence et circonspection toutes les chances. Vous irez trouver l'empereur, et lui réclamerez la part à laquelle vous avez droit dans les propriétés confisquées. Supposons que le tyran vous l'accorde.

— Je la vends le plus tôt possible, je paye mes dettes, et je pars pour quelque pays lointain, où mon nom n'ait jamais été prononcé jusqu'ici.

— Supposons maintenant qu'il vous refuse.

— Impossible ! impossible ! s'écria Fulvius, que la seule pensée d'un refus faisait frémir ; c'est mon droit, et je l'aurai assez chèrement payé, l'empereur ne peut le nier.

— Tout doucement, mon jeune ami ; discutons les affaires avec moins d'emportement. Rappelez-vous le proverbe : « De l'étrier à la selle, il y a place pour bien des chutes. » *Supposons* donc que vos droits soient méconnus.

— Alors je serais un homme ruiné ! Je n'ai pas d'autre perspective devant moi, pas d'autre moyen de rétablir notre fortune ; et il me faut fuir d'ici.

— Bien ; et que devez-vous à l'arcade de Janus[1] ?

— Quelque chose comme deux cents sesterces[2], en ajoutant au capital les intérêts que ce fripon de juif, Ephraïm, me fait payer au taux de 50 pour cent.

— Quelle garantie lui avez-vous donnée ?

— Mes espérances certaines dans le partage de la succession d'Agnès.

— Et, si vous échouez, croyez-vous qu'il vous laisse prendre la fuite ?

(1) Dans le Forum ou dans le voisinage, il y avait plusieurs arcades dédiées à Janus, qu'on appelait indistinctement « arcades de Janus. » C'était là que les usuriers et les prêteurs sur gages tenaient leurs comptoirs. (2) 40,000 francs de notre monnaie.

— Oh! très-certainement non, s'il sait la chose. Mais il faut que nous nous préparions, dès ce moment, à toutes les éventualités, et cela le plus secrètement possible.

— Reposez-vous de ce soin sur moi, Fulvius; vous voyez que la journée de demain, ou plutôt celle d'aujourd'hui, car voici l'aurore qui approche, doit être une journée importante pour vous? C'est une affaire de vie ou de mort; c'est le plus grand jour de votre existence. Courage donc, ou plutôt prenez une inflexible détermination : devenez d'airain, pour accomplir sans scrupule ce que votre destinée vous commande.

XXIX. — LA JOURNÉE CRITIQUE. DEUXIÈME PARTIE.

Le jour ne commence pas encore à poindre, et cependant nous parlons déjà de la deuxième partie de ce jour. Comment cela se fait-il?

Ami lecteur, ne vous avons-nous pas conduit jusqu'à ses premières vêpres, divisées, comme elles le sont, entre le martyr de la veille — Sébastien — et la martyre d'aujourd'hui — Agnès? Ne les ont-ils pas chantées tous les deux ensemble, sans jalousie et avec une fraternelle impartialité, l'un du haut du ciel où il était monté le matin, l'autre des profondeurs de la prison où elle était descendue le soir? Glorieuse Eglise de Dieu! grande dans la combinaison indivisible de ton unité, tu embrasses et les régions élevées du ciel, et les entrailles de la terre, partout enfin où peut se trouver le séjour d'un juste.

Fulvius sortit de son logis pour respirer l'air froid et âpre de la nuit, rafraîchir ainsi sa tête, et calmer l'agitation qui le dévorait. D'abord il erra à l'aventure, sans but arrêté; mais, à son insu, il se rapprocha insensiblement de la prison Tullienne. Comme son cœur était littéralement étranger à toute espèce d'affection, quelle raison mystérieuse le poussait donc vers ce lieu? C'était un sentiment singulier composé des éléments les plus amers qui aient jamais rempli la coupe d'un empoisonneur. Le remords le rongeait; l'orgueil blessé se révoltait en lui, l'avarice impatiente le pressait, la honte le suffoquait, et le sentiment terrible de l'approche du moment où son crime allait être consommé dominait par-dessus tout. Il n'était que trop vrai : il avait été repoussé, méprisé, humilié par une simple enfant, et cela quand il avait besoin de la fortune de cette enfant pour échapper à la misère et à la mort, — c'était du moins ainsi qu'il raisonnait. Et pourtant il eût mille fois préféré obtenir sa main que voir tomber sa tête. Le meurtre qu'il allait faire commettre lui paraissait d'une révoltante atrocité, et cependant ce meurtre était absolument inévitable. Il avait donc résolu de lui offrir une autre chance.

Il arriva ainsi à la porte de la prison dont il connaissait le mot de passe : il le dit aux sentinelles, et fut admis à pénétrer dans la cellule de sa victime. Agnès ne fut point effrayée en le voyant entrer ; elle ne se réfugia point dans un coin de sa cellule, comme un oiseau effarouché qui voit un épervier s'approcher de sa cage. Calme et intrépide, elle se tint debout devant lui.

— Vous me respecterez ici, du moins, Fulvius, dit-elle d'une voix douce. Je n'ai plus que quelques heures à vivre : laissez-moi les passer en paix.

— Madame, répondit-il, je suis venu vous offrir le moyen de changer les heures en années, si vous le désirez ; et, au lieu de la paix, je vous offre le bonheur.

— Je ne sais si je vous comprends bien, Fulvius, mais il me semble que le temps de ces tristes vanités est passé. Parler ainsi à une femme que vous avez livrée à la mort, en vérité c'est le comble de l'ironie.

— Vous vous trompez, douce Agnès : votre destinée est entre vos mains ; ce sera votre seule obstination qui vous livrera à la mort. Je suis venu pour vous renouveler, une dernière fois, mes offres, et, avec ma main, je viens vous apporter la liberté et la vie. C'est votre dernière chance de salut.

— Ne vous ai-je pas déjà dit que je suis chrétienne, et que je donnerais mille vies, si je les avais, plutôt que de trahir ma foi ?

— Mais je ne vous demande plus aujourd'hui le sacrifice de vos croyances. Les portes de la prison peuvent s'ouvrir pour vous sur un seul mot de ma bouche. Fuyez avec moi ; et, en dépit des décrets de l'empereur, vous serez chrétienne et vous vivrez.

— Mais ne vous ai-je pas dit aussi clairement que je suis déjà l'épouse de mon Seigneur et Sauveur Jésus-Christ, et que c'est à Lui seul que je veux consacrer éternellement mon amour et ma foi ?

— Folie que tout cela ! Persévérez dans cette obstination jusqu'à demain, et il vous arrivera ce que vous craignez plus peut-être que la mort, et ce qui ôtera à jamais cette illusion de votre esprit.

— Je ne crains rien, appuyée que je suis sur le Christ : car sachez bien que j'ai un ange qui veille sur moi sans cesse, et qui ne souffrira pas que la servante de son maître soit profanée[1]. Et maintenant faites trêve à ces importunités indignes, et laissez-moi le dernier privilége du condamné, — la solitude.

Fulvius avait peu à peu perdu patience; il ne put contenir plus longtemps sa colère. Repoussé de nouveau, méprisé une fois de plus par une enfant, et cela au moment où le glaive du bourreau était suspendu sur sa tête! Un jet de flamme s'élança de l'incendie qui couvait en lui; et en un instant toutes les passions venimeuses que nous avons décrites tout à l'heure et qui se partageaient son cœur, se mêlèrent et se confondirent en un seul sentiment, amer, sinistre, hideux, — *la haine*. Le regard ardent, le geste furieux, il éclata.

— Misérable femme! je te donne une dernière fois l'occasion d'échapper à la mort. Que choisis-tu? la vie avec moi, ou sans moi, la mort?

— La mort pour elle plutôt que la vie avec un monstre tel que toi! cria derrière lui une voix frémissante d'indignation.

— Elle l'aura! s'écria-t-il, en menaçant de son poing fermé et de son regard haineux la personne qui venait de parler, — elle l'aura, et toi aussi, toi-même, si tu viens encore une fois jeter sur mon chemin ton ombre maudite!

Il sortit, et Fabiola demeura seule avec Agnès, pour leur dernière entrevue. Elle avait suivi pendant quelques instants, sans être observée, la scène qui se passait entre ces deux êtres que, si elle avait été chrétienne, elle eût pu appeler l'ange de la lumière et l'esprit des ténèbres. Et, en effet, si l'on peut dire qu'une créature humaine ressemble à un ange, Agnès avait cette ressemblance. Pour se préparer à la fête prochaine de ses noces avec l'Agneau, à cet instant suprême où elle allait sceller de son sang, comme il l'avait fait lui-même, le contrat d'éternel amour, elle avait revêtu par-dessus ses vêtements de deuil la robe blanche et sans tache de la fiancée. Au milieu de cette obscure prison, éclairée par une lampe solitaire, elle paraissait rayonnante et presque éblouissante; tandis que son tentateur, enveloppé dans un sombre manteau, se courbant pour sortir par l'entrée basse de la cellule, ressemblant à un démon humilié et vaincu, qui rentrait dans l'abîme des gouffres infernaux.

(1) « *Mecum enim habeo custodem corporis mei, angelum Domini.* » *Bréviaire.*

Quand Fabiola jeta les yeux sur le visage de sa cousine, il lui sembla qu'elle n'y avait jamais vu pareille expression de douceur. Il ne portait nulle trace de colère, de peur, de trouble ni d'agitation; on n'y voyait ni le rouge de l'emportement, ni la pâleur de l'effroi, ni même ces alternatives d'excitation fiévreuse ou de morbide abattement. Ses yeux avaient une expression plus douce que d'habitude, plus intelligente et plus sereine encore; son sourire avait la même placidité joyeuse que dans les moments où les deux parentes conversaient paisiblement. Puis il y avait dans toute sa personne un air de noblesse, dans son regard et ses manières une dignité souveraine, que Fabiola comparait tout bas à cet air noble et divin, à cette atmosphère parfumée qui, dans la poésie mythologique, servait à distinguer les hôtes des sphères célestes du commun des hommes[1]. Ce n'était pas de l'inspiration, car la passion y faisait défaut; mais c'était une expression telle que Fabiola y retrouvait tous les signes que, dans sa pensée, la noblesse, la vertu et l'intelligence peuvent imprimer aux traits d'une mortelle. Ce qu'elle ressentit en ce moment fut tel, que l'affection qu'elle éprouvait pour Agnès fit place à un sentiment d'une nature plus élevée où dominaient le respect et l'admiration.

Agnès lui prit les mains dans les siennes, les croisa sur sa poitrine calme et virginale, et, la regardant en face avec une ineffable douceur, lui dit :

— Fabiola, j'ai une dernière demande à vous adresser, avant de mourir; vous ne m'avez jamais rien refusé : je suis assurée que vous m'accorderez celle-ci.

— Ne me parlez pas ainsi, ma chère Agnès; vous n'avez pas à me supplier, vous avez à m'ordonner maintenant.

— Eh bien, promettez-moi donc que vous allez immédiatement appliquer votre esprit à connaître la doctrine du christianisme. Je sais que vous l'embrasserez, et alors vous ne serez plus pour moi ce que vous êtes aujourd'hui.

— Que voulez-vous dire?

— Aveugle, aveugle, chère Fabiola. Quand je vous regarde ainsi, je vois en vous une noble intelligence, un caractère généreux, un esprit cultivé, un sentiment moral élevé et une vie vertueuse. Que peut-on désirer de plus dans une femme? Et cependant sur toutes ces qualités splendides un nuage reste suspendu, une ombre sinistre,

(1) « *Incessu patuit Dea.* »

l'ombre de la mort. Chassez cette ombre, dissipez ce nuage, et tout en vous sera brillant et radieux.

— Je le sens, ma chère Agnès, je le sens. Quand je suis devant vous, il me semble que je fais tache sur l'éclat qui vous environne. Et vous croyez que, en embrassant le christianisme, je deviendrai comme vous ?

— Vous devez passer, Fabiola, à travers le torrent qui nous sépare. — Fabiola tressaillit à ces paroles : le souvenir de son rêve lui revint à la mémoire ; — des eaux rafraîchissantes couleront sur votre corps, et une huile d'allégresse embaumera votre chair ; et votre âme sera lavée et deviendra blanche comme la neige fraîchement tombée, et votre cœur sera adouci comme celui d'un enfant. Au sortir de ce bain, vous serez une nouvelle créature, et vous renaîtrez à une autre vie qui sera éternelle.

— Ne perdrai-je pas alors toutes les qualités que vous venez de louer en moi ? demanda Fabiola avec quelque inquiétude.

La jeune martyre répondit :

— De même que le jardinier choisit une plante forte et robuste, mais inutile, sur laquelle il greffe une bouture d'une autre plante plus frêle et plus tendre, sans pour cela que les fleurs et les fruits qui poussent sur la première lui ôtent de sa grâce, de sa grandeur ou de sa force première ; de même la nouvelle vie que vous recevrez ennoblira, élèvera et sanctifiera — ce dernier mot est de ceux qu'il ne vous est pas encore donné de comprendre, — toutes les qualités précieuses que la nature et l'éducation ont mises en vous. Quelle admirable femme le christianisme fera de vous, Fabiola !

— C'est un monde nouveau pour moi que celui que vous me découvrez là, chère Agnès. Oh ! pourquoi faut-il que vous me quittiez, alors que je suis encore sur le seuil extérieur ?

— Ecoutez ! s'écria Agnès dans une extase de joie. Ils viennent, ils viennent ! Entendez-vous le pas mesuré des soldats dans la galerie ? Ce sont les témoins de mon mariage qui viennent me chercher. Mais je vois là haut les compagnes de mon Fiancé qui viennent à moi dans leurs robes blanches et portées sur les nuages que dore le soleil levant : Elles me font signe d'aller vers elles. Oh ! venez ! ma lampe est prête et je vais au-devant de mon Fiancé. Adieu, Fabiola, ne pleurez pas sur moi. Oh ! si je pouvais vous faire sentir, comme je le sens moi-même, le bonheur de mourir pour le Christ ! Et maintenant, je vais vous dire un mot que jamais je ne vous ai adressé jusqu'à ce jour : « Que

Dieu soit avec vous! » Elle fit le signe de la croix sur le front de Fabiola. Un embrassement convulsif de la part de Fabiola, calme et tendre chez Agnès, fut leur dernière marque d'affection sur la terre. L'une rentra chez elle, le cœur plein d'un nouvel et généreux projet; l'autre se remit aux mains de ses gardes honteux de leur emploi.

Nous jetons un voile sur la première partie du supplice infligée à la jeune martyre, bien que d'anciens pères de l'Eglise, et l'Eglise elle-même, s'y arrêtent et la décrivent, comme un double titre de gloire[1]. Il suffit de dire que son ange gardien la protégea contre tout danger[2], et que la pureté de sa présence convertit en un saint et glorieux sanctuaire un bouge d'infamies et d'impuretés[3]. Il était encore de bonne heure, lorsqu'elle reparut au Forum devant le tribunal du préfet; aucune altération ne se remarquait sur sa physionomie; son visage souriant n'avait pas rougi, son cœur innocent n'avait pas éprouvé la moindre angoisse de douleur. Seulement, ses longs cheveux non coupés, — symbole de virginité — s'étaient dénoués et retombaient en nappe d'or sur sa tunique éblouissante de blancheur[4].

C'était une douce matinée. Plusieurs se rappelleront avoir vu la pareille au jour de son anniversaire, quand ils sont sortis de la Porte Nomentane, aujourd'hui Porta Pia, pour aller à l'église qui porte le nom de notre vierge-martyre, et y voir bénir sur son autel les deux agneaux dont la laine sert à tisser les *palliums* envoyés par le Pape aux archevêques de sa communion. Déjà les amandiers blanchissent, non sous les frimas, mais sous les fleurs suaves; la terre est bêchée au pied des vignes, et le printemps semble se cacher dans les bourgeons gonflés, qui n'attendent que le signal de la brise du sud pour

(1) « *Duplex corona est præstita martyri.* » (*Prudentius.*)

(2) « *Ingressa Agnes turpitudinis locum, angelum Domini præparatum invenit.* » *Bréviaire.*

(3) L'église de Sainte-Agnès dans la Piazza Nuova, une des plus belles places de Rome.

« *Cui posse soli cuncti potens dedit*
Castum vel ipsum reddere fornicem
. . . .
Nil non pudicum est, quod pia visere
Digneris, almo vel pede tangere. » (*Prudentius.*)

(4) « *Non intorto crine caput comptum.* » Sa tête n'était pas coiffée de cheveux tressés. *Saint Ambroise,* liv. I. *de Virgine*, c. 2. Voir la description que fait Prudentius de sainte Eulalie, περι στεφ. Hym. III, 31.

éclater et s'étendre[1]. Le jour monte dans le calme azur des cieux, et l'atmosphère a cette température que l'on aime tant et que donne un soleil déjà fort, mais non brûlant, qui adoucit sans l'échauffer l'air vif de l'hiver. C'est ainsi que très-souvent nous avons trouvé le jour de sainte Agnès, quand nous allions, avec des milliers de compagnons, visiter ses reliques précieuses.

Le juge était assis en plein air dans le Forum, et une foule assez nombreuse faisait cercle autour de l'enceinte redoutable, où peu de gens aimaient à pénétrer, à l'exception des seuls chrétiens. Parmi les assistants, il y en avait deux dont l'extérieur attirait l'attention générale; ils se tenaient en face l'un de l'autre, aux deux extrémités de l'hémicycle formé par la multitude. L'un était un jeune homme, enveloppé dans sa toge dont un pan, ramené sur sa tête, couvrait le visage, de manière à dissimuler ses traits. L'autre était une femme à l'air aristocratique, grande et svelte, et d'un extérieur tel, qu'on en rencontre peu en pareil lieu et à un semblable spectacle. Elle portait, drapé autour d'elle, et si ample qu'elle en était couverte de la tête aux pieds, comme la magnifique statue antique de la Modestie (*Pudicitia*), un manteau de tissu indien, brodé des plus riches dessins de cramoisi, de pourpre et d'or. C'était un véritable manteau d'empereur, et cette parure semblait plus étrange encore dans ce lieu de torture et de sang que la présence de celle qui la portait. Une esclave de classe supérieure accompagnait sa maîtresse, soigneusement voilée comme elle. Le regard de la dame semblait rivé sur un objet. Elle restait immobile, le coude appuyé contre un pilier de marbre.

Agnès fut amenée par ses gardes dans l'enceinte, et vint se placer, debout, calme et intrépide, devant le tribunal. Ses pensées semblaient éloignées de tout ce qui se passait autour d'elle, et elle ne fit aucune attention aux deux personnages qui avaient été, jusqu'au moment de son arrivée, l'objet de l'attention universelle.

— Pourquoi n'est-elle pas enchaînée? demanda le préfet en colère

— Ce n'était pas nécessaire : elle marchait avec tant de bonne volonté, et elle est si jeune! répondit Catulus.

— Oui; mais elle est aussi obstinée que les plus âgées. Qu'on lui mette les menottes sur-le-champ!

L'exécuteur chercha dans un énorme tas de ces ornements de prison — tels du moins aux yeux des chrétiens — et finit par en choisir une

(1) « *Solvitur acris hiems, grata vice veris et Favoni.* » (*Horace.*)

Enfin il aperçut sa proie, et toute sa ruse et sa cruauté félines
reprirent aussitôt leur empire... (P. 303.)

paire, la plus petite et la plus légère qu'il pût trouver, et les mit aux poignets d'Agnès, qui sourit, secoua ses mains, et les fers, comme la vipère qui s'attacha à la main de saint Paul, tombèrent avec bruit à ses pieds [1].

— Ce sont les plus petites que nous possédions, seigneur, dit l'exécuteur attendri : une enfant si jeune devrait porter d'autres bracelets que ceux-ci.

— Silence ! esclave, s'écria le juge exaspéré ; puis, se tournant vers la prisonnière, il lui dit d'un ton plus doux :

« Agnès, j'ai pitié de ta jeunesse, de ta position, et je prends en considération la mauvaise éducation que tu as reçue. Je désire te sauver, s'il est possible. Réfléchis, tandis qu'il est temps encore. Renonce aux fausses et pernicieuses maximes des chrétiens, obéis aux édits de l'empereur et sacrifie aux dieux. »

— Il est inutile, dit-elle, de me tenter plus longtemps. Ma résolution est inébranlable. Je méprise tes fausses divinités, et je ne puis aimer et servir que le seul Dieu vivant. « Eternel dispensateur de toutes choses, ouvre toutes grandes les portes du ciel qui ont été jusqu'ici fermées aux mortels. Christ-Sauveur, appelle à toi l'âme qui s'attache à toi : je me suis dévouée à toi d'abord par ma consécration virginale ; je me dévoue maintenant à ton Père par l'immolation du martyre [2]. »

— Je perds mon temps, je le vois, dit le préfet qui remarquait avec impatience des symptômes de pitié se manifester dans la multitude. — Greffier, écrivez la sentence. Nous condamnons Agnès, pour mépris des édits de l'empereur, à être punie par le glaive.

— Sur quelle route et sur quelle borne milliaire [3] le jugement doit-il être exécuté ? demanda le bourreau.

— Qu'on l'exécute sur-le-champ, répondit le préfet.

(1) *Saint Ambroise, ubi supra.*

(2) — *Æterne rector, divide januas*
Cœli, obseratas terrigenis prius,
Ac te sequentem, Christe, animam voca,
Cum virginalem, tum Patris hostiam.

(*Prudentius,* περι στεφ. 14.)

(3) C'était l'habitude ordinaire de décapiter hors des portes de la ville, sur la seconde, la troisième ou la quatrième borne milliaire ; mais, par les récits de Prudentius et d'autres écrivains, il est clair qu'Agnès a subi la mort sur le lieu même où fut prononcée la sentence. Nous avons plusieurs exemples de faits semblables.

Agnès leva un instant les mains et les yeux vers le ciel, puis s'agenouilla tranquillement. De ses mains elle ramena par-devant sa longue et soyeuse chevelure et exposa son cou au tranchant du fer[1]. Il y eut un moment d'arrêt, car l'exécuteur tremblait d'une émotion extraordinaire et ne parvenait pas à brandir son glaive[2]. Quand l'enfant s'agenouilla ainsi d'elle-même, vêtue de sa robe blanche, avec sa tête inclinée, ses bras modestement croisés sur sa poitrine, et ses cheveux de la riche teinte de l'ambre pendant jusqu'à terre et voilant ses traits, on eût pu véritablement la comparer à quelque plante rare, dont la tige frêle et blanche comme le lis, s'incline sous le poids luxuriant de sa végétation dorée.

Le juge plein de colère reprocha à l'exécuteur son hésitation, et lui ordonna de faire son devoir sans tarder. L'homme passa sur ses yeux humides le revers de sa rude main et leva son glaive. Un éclair brilla : et l'instant d'après la fleur et la tige étaient étendues, séparées, mais à peine déplacées, sur le sol. On aurait pu croire qu'elle était prosternée pour la prière, si sa robe blanche ne s'était colorée aussitôt d'une riche pourpre, baignée qu'elle était du sang de l'Agneau.

D'un œil ferme, l'homme qui était à la droite du juge avait suivi le coup, et sa lèvre s'était plissée d'un sourire de triomphe en voyant tomber la victime. La dame placée en face avait détourné la tête jusqu'à ce que le murmure qui succède toujours à un moment de suprême oppression dans la foule lui annonçât que tout était fini. Alors elle s'avança hardiment, dépouilla son riche manteau, et l'étendit comme un poêle funèbre sur le cadavre mutilé. De vifs applaudissements saluèrent cet acte gracieux de sensibilité féminine[3], tandis que la dame restait debout, vêtue de deuil, devant le tribunal.

— Seigneur, dit-elle d'une voix émue, mais claire et distincte, daignez m'accorder une faveur. Que les rudes mains de vos serviteurs ne puissent plus toucher et profaner les restes vénérables de celle que j'ai aimée plus que toutes choses au monde ; permettez-moi de les transporter dans le sépulcre de ses pères, car sa race était aussi noble que son cœur était bon.

Tertullus répondit, d'un ton visiblement irrité :

— Madame, qui que vous soyez, je ne puis vous accorder ce que

(1) Prudentius. (2) Saint Ambroise.

(3) Prudentius rapporte qu'une neige épaisse tombant soudainement recouvrit comme d'un linceul le corps de sainte Eulalie étendu dans le Forum. *Ubi supra.*

vous demandez. Catulus, veillez à ce que ce corps soit brûlé ou jeté à la rivière, selon la coutume.

— Je vous supplie, seigneur, reprit la dame en insistant, par tous les droits que peut avoir sur vous la vertu d'une femme, par les pleurs qu'a pu verser sur vous la tendresse d'une mère, par les douces paroles que vous a pu prodiguer une sœur, dans les maladies ou les douleurs, par les caresses que leurs mains vous ont données, je vous supplie d'acquiescer à mon humble prière. Et, quand vous retournerez chez vous ce soir, si vous devez rencontrer sur le seuil des filles qui baiseront vos mains, bien qu'elles soient teintes du sang d'une victime si pure que vous seriez fier de voir vos filles lui ressembler, faites en sorte de pouvoir leur dire au moins que vous n'avez pas refusé de payer un si faible tribut à cette délicatesse virginale qu'elles estiment sans doute plus que tout au monde.

Un murmure de sympathie circula si hautement dans la foule, que Tertullus, pour y mettre un terme, demanda brusquement à la dame :

— Seriez-vous aussi chrétienne, par hasard?

Elle hésita un instant avant de répondre :

— Non, seigneur, je ne suis pas chrétienne; mais j'avoue que, s'il est une chose au monde capable de me faire embrasser cette religion, c'est ce que je viens de voir aujourd'hui.

— Que voulez-vous dire?

— Je veux dire qu'il est odieux que, pour préserver la religion de l'empire, il faille mettre à mort des êtres tels que la jeune fille que vous avez frappée, — et des larmes étouffaient sa voix, — tandis que des monstres qui déshonorent le nom et la figure de l'humanité puissent vivre et prospérer ! Ah ! seigneur, vous ne savez pas quel trésor vous avez enlevé à la terre aujourd'hui ! C'était la plus pure, la plus douce et la plus sainte créature que j'aie jamais connue. C'était la fleur de notre sexe, bien que tout enfant encore. Et elle vivrait en ce moment, si elle n'avait pas repoussé un misérable aventurier qui avait eu l'audace de demander sa main, qui la poursuivait de ses propositions infâmes dans la retraite de sa villa, dans le sanctuaire du toit paternel et jusque dans le dernier asile de la prison où elle attendait la mort. Voilà pourquoi elle est morte, c'est qu'elle ne voulait pas livrer ses richesses et sa personne à un misérable, c'est qu'elle ne voulait pas honorer de sa main cet espion d'Asie.

Et elle montra du doigt, avec un geste de mépris, Fulvius, qui bondit en avant, s'écriant avec fureur :

— Elle ment, elle ment impudemment et me calomnie, seigneur! Agnès a avoué ouvertement qu'elle était chrétienne.

— Permettez-moi, seigneur, de le confondre, reprit la dame avec une noble dignité, et regardez son visage pour y lire la preuve de ce que j'avance. N'est-il pas vrai, Fulvius, que ce matin, avant l'aube, vous avez été trouver cette douce et malheureuse enfant dans son cachot, et que là — je vous ai vu et entendu, vous le savez, — vous lui avez formellement promis, si elle voulait accepter votre main, non-seulement de lui sauver la vie, mais encore de lui laisser pratiquer la foi chrétienne, au mépris des ordres de l'empereur?

Fulvius se tenait immobile et pâle comme la mort; il restait *debout*, de même qu'un homme atteint d'une balle au cœur ou frappé par la foudre, reste debout un instant avant de tomber pour ne plus se relever. Il était comme un homme dans l'attente de la sentence qui doit le condamner, non pas à la mort, mais au pilori perpétuel, lorsque le juge, prenant la parole :

— Fulvius, dit-il, ta pâleur et ton trouble suffisent pour confirmer l'accusation portée contre toi. Pour ce crime, je pourrais, sur l'heure, faire tomber ta tête. Mais j'aime mieux te donner un conseil : fuis à l'instant et ne te montre plus ici. Fuis, et après une semblable infamie, dérobe-toi à l'indignation de tous les hommes justes et à la vengeance des dieux irrités. A l'avenir ne montre tes traits ni ici, ni au Forum, ni dans aucun lieu public de Rome. Et si tel est le désir de la noble citoyenne, je vais sur-le-champ recueillir sa déposition contre toi. Puis-je, madame, lui demanda-t-il respectueusement, puis-je avoir l'honneur de connaître votre nom?

— Fabiola, dit-elle.

Le juge s'empressa de mettre dans ses paroles et ses manières une complaisance empressée, car il se trouvait en présence de celle qu'il espérait voir bientôt devenir sa belle-fille. « J'ai souvent entendu parler de vous, madame, dit-il, de vos hautes qualités et de vos rares vertus. De plus, vous êtes très-proche parente de l'infortunée victime de la trahison de ce misérable. Vous avez donc droit de réclamer son corps. Il est à votre disposition. » Ces paroles furent interrompues à leur début par une explosion de sifflets et de cris, qui saluaient la sortie de Fulvius. Il s'enfuit, pâle à la fois de honte, de peur et de rage.

Fabiola remercia le préfet avec émotion et appela Syra, l'esclave qui l'accompagnait. La suivante, de son côté, fit un signe à quelqu'un, et bientôt parurent quatre esclaves portant une litière de femme

Fabiola ne permit à personne de toucher aux reliques sacrées de la sainte martyre. Elle seule, aidée de Syra, releva ses précieux restes, les plaça sur les coussins de la litière et les couvrit du riche manteau.

— Portez ce trésor à la demeure de ses parents, dit-elle; et elle suivit avec Syra ce lugubre cortége de mort.

Une petite fille, tout en pleurs, lui demanda timidement si elle pouvait se joindre à elles.

— Qui es-tu? demanda Fabiola.

— Je suis la pauvre Emerantiana, sa sœur de lait, reprit l'enfant; et Fabiola la prit avec elle et la conduisit en la tenant par la main.

Immédiatement après que le corps eut été enlevé, une foule de chrétiens, hommes, femmes et enfants, se précipitèrent pour recueillir sur des éponges et des linges de toile le précieux sang de la victime.

En vain les gardes voulurent les repousser à coups de fouets, de bâtons et même en se servant de leurs armes, ils se laissèrent battre, et plusieurs d'entre eux mêlèrent leur sang au sang de la sainte.

Lorsqu'un souverain, à son couronnement ou à sa première entrée dans sa ville capitale, jette à la foule, suivant une ancienne coutume, des poignées d'or et d'argent, il ne provoque pas un empressement aussi vif, pour recueillir les trésors qu'il prodigue, qu'il y en avait parmi les premiers chrétiens pour recueillir ce trésor bien plus riche à leurs yeux que l'or et les pierreries, c'est-à-dire les gouttes vermeilles qu'un martyr avait versées de ses veines pour la gloire de son Seigneur.

Mais tous respectèrent les droits de l'un d'entre eux à en prendre la première part; c'était le diacre Reparatus qui, au péril de sa vie, était venu, une fiole à la main, pour recueillir le sang du sacrifice d'Agnès, afin de le suspendre à sa tombe comme un témoignage de son martyre.

XXX. — LA JOURNÉE CRITIQUE. TROISIÈME PARTIE.

Tertullus s'était empressé de se rendre au palais — fort heureusement ou fort malheureusement pour ces aspirants au martyre. Il y trouva Corvinus qui attendait, avec le décret tout préparé, et élégamment écrit en *onciales*. c'est-à-dire en caractères majuscules. Il eut le privilége d'être admis sans délai en présence de l'empereur, et il lui rapporta aussitôt la mort d'Agnès, en exagérant les mécontentements qu'elle allait soulever dans le public, et en prenant grand soin d'en rejeter tout l'odieux sur la folie et la maladresse de Fulvius. Il se garda bien toutefois de dévoiler la faute principale de l'espion, de peur d'être obligé de le juger et d'amener ainsi la révélation de ses projets personnels. Il déprécia la valeur des biens d'Agnès, et termina en disant que ce serait un acte de gracieuse clémence et un excellent moyen de contrebalancer le sentiment d'impopularité répandu dans la foule que d'abandonner ses biens à sa plus proche parente qui était son héritière naturelle. Il parla alors de Fabiola comme d'une jeune femme d'une intelligence et d'un savoir extraordinaire, très-dévouée au culte des dieux, et qui, chaque jour, rendait hommage au génie des empereurs.

— Je la connais, dit Maximien en éclatant de rire, comme au souvenir d'une chose fort plaisante. Pauvre femme ! Elle m'a envoyé un magnifique anneau, et hier elle m'a demandé en retour la grâce de ce misérable Sébastien, juste au moment où on venait de l'assommer. Et il s'interrompit pour se livrer à un accès de joie immodérée. — Oui, oui, en vérité, un petit héritage la consolera, sans doute, de la perte de ce joli garçon. Faites préparer un décret, et je le signerai.

Tertullus présenta celui qu'il avait préparé, en disant qu'il avait tellement compté sur la clémence magnanime de l'empereur, qu'il avait écrit le décret d'avance. L'impérial Barbare y traça une signature dont aurait rougi un écolier, et le préfet s'empressa d'aller remettre la pièce à son fils.

A peine avait-il quitté le palais, que Fulvius s'y présenta. Il était rentré chez lui pour revêtir un costume de cour, et pour effacer de ses traits, par un bain et par les artifices du parfumeur, les traces de son émotion du matin. Quelque chose lui disait qu'un fâcheux désappointement l'attendait. La froide discussion d'Eurotas, la veille au soir, l'y avait préparé ; le renversement de tous ses projets et ses mécomptes multipliés de la journée avaient fortifié cette conviction instinctive. Une seule et même femme, en effet, semblait née tout exprès pour se trouver sur son chemin et ruiner ses projets, quels qu'ils fussent ; « mais, grâces soient rendues aux dieux, se dit-il, elle ne se trouvera pas sur mon chemin ici. Ce matin elle m'a déshonoré à tout jamais, mais elle ne peut pas du moins venir réclamer ma récompense légitime ; elle a bien pu m'avilir, mais elle n'a pas, du moins, le pouvoir de me ruiner. » Cette récompense paraissait être son unique espérance. La nécessité et le désespoir le poussaient en avant, et il venait bien déterminé à disputer sa part des biens confisqués d'Agnès au seul rival dont la cupidité fût à craindre, celle du rapace empereur lui-même. Il était décidé à risquer sa vie, s'il le fallait, puisque, aussi bien, en cas d'échec, il était complétement perdu. Après avoir attendu quelque temps, il fut introduit dans la salle d'audience et s'avança avec le plus flatteur de ses sourires jusqu'au pied du trône, où il s'agenouilla humblement.

— Que venez-vous faire ici, vous? lui cria l'empereur en manière de salutation.

— César, répondit-il, je suis venu supplier humblement votre royale justice, afin qu'elle daigne m'autoriser à entrer en possession immédiate de la part qui me revient dans les biens de la chrétienne Agnès. Elle a été dénoncée par moi, et vient de subir la peine prononcée contre tous ceux qui osent désobéir aux édits impériaux.

— Tout cela est très-bien; mais nous avons appris comment vous avez conduit toute cette affaire, c'est-à-dire avec votre sottise habituelle. Vous avez soulevé contre nous des mécontentements et des murmures dans le peuple. Aussi, je vous conseille de sortir promptement de ma présence, et de ce palais et de cette ville. Le plus tôt sera le mieux pour vous. N'avez-vous pas compris? nous n'avons pas l'habitude de répéter deux fois des ordres de cette nature.

— Je suis toujours prêt à obéir immédiatement à tous les commandements de votre volonté suprême. Mais qu'il me soit permis de vous dire que je suis dans une complète détresse. Veuillez ordonner que ma part légitime dans la succession d'Agnès me soit délivrée, et je pars à l'instant.

— Pas un mot de plus, répliqua le tyran; partez sur l'heure! Quant aux biens que vous réclamez avec tant d'opiniâtreté, vous ne pouvez les avoir. Nous les avons accordés tout entiers, par un décret irrévocable, à une noble et digne personne, qui les méritait mieux que vous, à la vertueuse Fabiola.

Fulvius ne dit pas un mot de plus; il baisa la main de l'empereur et se retira lentement. Il était ruiné, brisé, anéanti. C'est à peine, si, en franchissant la porte du palais, il eut la force de dire : « Eh bien, après tout, c'est encore elle qui m'a réduit à la mendicité. » Quand il rentra chez lui, Eurotas, qui lut la fatale réponse dans le regard de son neveu, fut étonné de son calme.

— Je vois ce qui s'est passé, dit-il sèchement ; tout est perdu ?

— Oui, tout ! Vos préparatifs de départ sont-ils terminés, Eurotas ?

— A peu près. J'ai vendu les bijoux, les meubles et les esclaves, moyennant une légère perte ; mais, avec le peu qui me restait, nous aurons suffisamment d'argent pour arriver jusqu'en Asie. J'ai conservé Stabio, comme le plus fidèle de nos serviteurs. C'est lui qui portera sur son cheval notre petit bagage de voyageurs. On prépare deux autres chevaux pour vous et moi. Il ne me faut plus qu'une seule chose avant de me mettre en route, et, dès que je l'aurai, nous partirons.

— Et cette chose, c'est ?

— Du poison. Je l'ai commandé la nuit dernière, mais il ne sera prêt que pour le milieu du jour.

— Et ce poison, à quel usage est-il destiné ? demanda Fulvius alarmé.

— Vous ne le devinez pas ? répliqua l'autre sans s'émouvoir. Je suis décidé à faire une dernière tentative quelque part, pour nous sauver de la ruine ; mais songez bien à une chose, c'est que la famille de mon père ne doit pas s'éteindre dans la mendicité. Il faut qu'elle finisse avec honneur.

Fulvius se mordit les lèvres, et dit :

— Eh bien, qu'il en soit comme vous le désirez ; je suis las de la vie. Quittons cette maison le plus tôt possible, car je redoute la visite d'Ephraïm, et trouvez-vous avec vos chevaux à la troisième borne hors de la porte Latine, après la nuit tombée. Je vous y rejoindrai, car, moi aussi, j'ai une affaire importante à régler avant de partir.

— Et quelle est cette affaire ? demanda Eurotas avec une vive curiosité.

— Je ne puis le dire, pas même à vous. Mais, si je ne vous ai pas rejoint deux heures après le coucher du soleil, ne m'attendez plus, sauvez-vous sans moi.

Eurotas fixa sur lui un de ces regards sombres et froids, qui lisaient jusqu'au fond de la pensée de Fulvius ; il cherchait à deviner si l'espion ne projetait pas quelque ruse pour échapper à son étreinte. Mais le visage de Fulvius était plus serein et plus calme qu'à l'ordinaire, et le vieillard n'en demanda pas davantage. Tout en causant, Fulvius s'était dépouillé de son costume de courtisan, pour revêtir un habit de voyage. Il se préparait si évidemment à un départ irrévocable, que, pour éviter de revenir chez lui, il emporta ses armes. Outre son épée, il glissa dans sa ceinture et cacha sous son manteau un de ces poignards à la lame recourbée, d'une trempe inimitable et d'une forme si fatale, qui n'étaient connus alors qu'en Orient.

Eurotas se rendit directement au quartier numide du palais impérial, et demanda Jubala. La négresse vint à lui avec deux petits flacons de grandeur différente, les lui remit et se préparait à lui donner quelques explications, quand son mari survint et s'approcha, ivre à la fois de fureur et de vin. Eurotas n'avait eu que le temps de cacher les flacons et de glisser une pièce d'argent dans la main de la négresse, quand Hyphax les rejoignit. Sa femme lui avait parlé des offres qu'Eurotas lui avait faites avant son mariage, et avait, par ces révélations, excité dans son sang africain une jalousie qui avait pris toutes les proportions d'une haine féroce. Le Barbare poussa brutalement Jubala hors de la chambre, et il n'eût pas manqué de chercher querelle au Syrien, si ce dernier, une fois son projet accompli, n'avait jugé prudent de faire retraite, en donnant au chef des archers l'assurance qu'il ne le reverrait de sa vie.

Mais il est temps que nous allions retrouver Fabiola. Le lecteur s'attend probablement à nous entendre dire qu'elle est revenue chez elle chrétienne ; et cependant il n'en est pas ainsi. Car jusqu'à présent que connaissait-elle du christianisme, pour que l'on pût dire qu'elle le professait ? Elle s'était, il est vrai, sentie heureuse d'admirer chez Sébastien et chez Agnès une vertu généreuse, désintéressée et plus que terrestre, qu'elle était toute portée à attribuer à cette religion. Elle voyait bien que celle-ci donnait des motifs d'action, des principes de conduite, une élévation d'esprit, un courage de conscience, une solidité de vertueuse volonté, tels que n'en pouvait faire naître aucun autre système, aucune autre croyance. Mais quand bien même — comme sa sagacité le lui faisait soupçonner, et comme elle avait l'intention de s'en assurer dans un temps plus calme, — les révélations sublimes de Syra au sujet d'une sphère de vertu encore ignorée et du Maître omniscient qui la réglait eussent eu la même source, qu'en résultait-il de plus, après tout, qu'un grand système intellectuel et moral, en partie pratique, en partie théorique, comme le sont tous les codes d'enseignements philosophiques ? Et certes c'était là une chose bien différente encore du christianisme. Jusqu'à présent, elle n'avait rien appris de la doctrine réelle qui en fait l'essence, des profondeurs insondables et cependant accessibles de ses mystères ; elle ne connaissait rien encore de l'édifice de la foi, de ce monument écrasant, immense, haut comme les cieux, que l'âme la plus simple peut contenir, comme l'œil d'un enfant réfléchit l'image tout entière d'une montagne, au sommet de laquelle un géant ne saurait parvenir. Elle n'avait encore rien appris de ce Dieu, unique dans sa Trinité ; de son Fils coéternel fait homme pour sauver l'homme. On ne lui avait encore rien dit de l'histoire merveilleuse de la rédemption par les souffrances et la mort de Dieu. Elle ne savait rien de Nazareth, ni de Bethléem, ni du Calvaire. Comment eût-elle pu se dire chrétienne ou l'être, dans l'ignorance de tout cela?

Combien de noms encore inconnus ou barbares pour elle ne devaient pas lui devenir familiers et chers ! — Marie, Joseph, Pierre, Paul et Jean ; sans compter le plus doux de tous, ce nom qui est comme un baume pour le cœur blessé, ou comme le miel qui découle du rayon qu'on vient de briser. Et combien elle avait encore à apprendre, relativement au trésor des moyens terrestres de salut que l'Eglise possède, dans la grâce, les sacrements, la prière, l'amour, la charité envers le prochain ! Que de régions inexplorées au delà de l'espace étroit qu'elle avait parcouru !

Non ; quand Fabiola revint chez elle, presque épuisée par les émotions du jour précédent, de la nuit et des tristes scènes de la matinée, quand elle se retira dans son appartement particulier, elle n'était plus philosophe peut-être, mais elle n'était pas encore chrétienne. Elle défendit à tous ses serviteurs d'approcher de la cour qui lui était réservée, afin qu'aucun bruit ne vînt la troubler, et défendit que personne approchât d'elle. Elle demeura ainsi plusieurs heures dans l'isolement et le silence, mais trop agitée pour pouvoir chercher le sommeil. Elle pleura longtemps sur Agnès, comme pleurerait une mère sur l'enfant qui vient de lui être subitement ravi. Mais le nuage de deuil dont elle voyait la sainte entourée ne recélait-il pas un rayon lumineux, qui manquait à celui qui avait couvert les restes de son père. Ne lui semblait-il pas que c'eût été insulter à la raison, outrager l'humanité, que de penser qu'*elle* aurait péri tout entière, qu'il pourrait se faire qu'elle n'eût passé si souriante, si joyeuse, si simple de cœur dans sa blanche robe que pour aller tomber tout droit dans le néant ; que la conscience, la justice, la pureté, la vérité, n'eussent été que des leurres qui l'entraînaient vers un précipice béant, au fond duquel s'ouvrait l'annihilation, et cela dans le moment même où elle étendait des bras fervents pour les saisir? Oh ! non, Agnès, elle en était sûre, était heureuse, n'importe où, n'importe comment; ou bien la justice n'était qu'un vain mot.

« Qu'il est donc étrange, se disait-elle, que tous ceux en qui j'ai reconnu des qualités supérieures, qu'un homme comme Sébastien, qu'une femme comme Agnès, aient appartenu à cette race si méprisée des chrétiens ? Un seul d'entre eux me reste à éprouver : je veux l'interroger demain. »

Quand, au contraire, elle reportait ses regards sur le monde des païens, sur Fulvius, Tertullus, l'empereur, Calpurnius — elle frissonnait en se surprenant tout près d'y ajouter le nom de son père — elle était navrée d'y voir la bassesse faire contraste à la dignité, le vice à la vertu, la stupidité à la sagesse, les sens à l'esprit. Son esprit se modelait ainsi peu à peu comme un vase qui devait finir par se briser, s'il tardait à recevoir les flots de quelque doctrine d'excellente morale; son âme brûlait comme un sol desséché, qui doit devenir un désert éternel, si le ciel n'envoie ses ondes pour le désaltérer.

Certes, Agnès méritait bien la gloire d'opérer ainsi, par sa mort, la conversion de sa parente ; mais une autre âme plus humble encore n'y avait-elle pas un droit antérieur ? une autre qui avait sacrifié sa liberté, qui avait offert sa vie pour cette conquête désintéressée ?

Fabiola était ainsi seule et désolée, lorsqu'un étranger introduit et annoncé comme « envoyé de l'empereur » — titre terrible — vint la troubler. Le portier s'était d'abord refusé à le laisser entrer ; mais, sur l'assurance qu'il était porteur d'un message important de l'empereur, il s'était vu forcé de consulter l'intendant ; et celui-ci lui avait déclaré que l'entrée devait être libre à quiconque se présentait sous un pareil titre.

Fabiola, surprise et contrariée, s'adoucit cependant à l'aspect étrange de celui qui se présentait avec tant de solennité. C'était Corvinus qui , s'approchant avec gaucherie , et dans un discours prétentieux, tout semé de fleurs de rhétorique, mais confié à une fort mauvaise mémoire, venait mettre à ses pieds le décret impérial, son affection la plus sincère, les biens de la noble Agnès, et sa lourde et grossière main. Fabiola s'efforça en vain de découvrir le rapport qu'avaient entre eux ces deux présents combinés, il ne lui vint pas à l'esprit que l'un n'était que l'appât de l'autre. Aussi se contenta-t-elle de charger le messager de remercier respectueusement l'empereur de sa gracieuseté, en ajoutant :

— Dites-lui que je suis trop souffrante aujourd'hui pour m'aller présenter à lui et lui rendre mes devoirs.

— Mais ces biens, vous le savez, étaient perdus et confisqués, dit-il avec effort et tout décontenancé, et c'est mon père qui vous les a fait obtenir.

— C'était inutile, dit Fabiola ; depuis longtemps on en avait disposé en ma faveur, et ils sont devenus miens depuis le moment... — la voix lui manqua, et il lui fallut faire un effort pour maîtriser son émotion et continuer — depuis le moment où ils ont cessé d'être à une autre : la confiscation ne pouvait les frapper.

La confusion avait rendu Corvinus muet : il parvint enfin à balbutier quelques mots qui, dans son idée, devaient être une humble requête, pour être admis au rang des aspirants à sa main, mais que Fabiola crut être une demande de salaire, pour lui avoir procuré ou apporté un document de cette importance. Aussi lui donna-t-elle l'assurance qu'elle accorderait à ses réclamations toute la considération qui leur était due, mais dans un temps plus propice ; qu'elle se sentait extrêmement fatiguée et souffrante, et qu'elle était forcée de le prier de la laisser seule pour le moment. C'est ce qu'il fit, tout transporté de joie, et se figurant que sa conquête était certaine.

Quand il fut parti, elle jeta à peine un regard sur le parchemin, qu'il avait laissé déroulé sur une petite table à côté du lit de repos sur lequel elle était assise ; elle se remit à songer aux tristes scènes auxquelles elle avait assisté. C'est ainsi que le jour s'écoula pour elle jusqu'à environ une heure avant le coucher du soleil. Ses souvenirs la reportaient successivement d'un épisode à l'autre de ces événements, et elle en était justement arrivée à sa rencontre avec Fulvius, dans le Forum. La scène tout entière se représentait vivante à sa mémoire, et elle sentait peu à peu la douleur et l'indignation s'emparer de son cœur, quand, pour y mettre fin, elle s'écria :

— Grâce au ciel ! je ne reverrai plus jamais les traits de ce misérable.

A peine ces mots étaient-ils sortis de sa bouche, qu'elle se dressa sur son lit de repos, et protégeant son regard de sa main, elle le dirigea vers la porte. Etait-ce une hallucination de son imagination surexcitée ? était-ce, au contraire, une réalité que lui faisaient voir ses yeux fidèles ? Son oreille vint résoudre la question en lui faisant entendre ces mots :

— Et quel est, s'il vous plaît, madame, celui que vous honorez de cette flatteuse épithète ?

— Vous, Fulvius, dit-elle en se levant avec fierté; eh quoi! vous osez vous glisser ici! Ce n'est donc point assez de forcer la maison, la villa, la prison? Il vous faut encore violer l'asile le plus secret de la retraite d'une femme, et d'une femme que vous avez dépouillée et qui pleure! Sortez à l'instant, ou je vous fais chasser honteusement.

— Asseyez-vous et calmez-vous, madame, reprit l'audacieux intrigant, cette visite est ma dernière; mais nous avons un compte de quelque importance à régler ensemble. Pour ce qui est d'appeler, de crier à l'aide, ne vous en donnez pas la peine; vos serviteurs n'ont que trop bien exécuté votre ordre de s'éloigner. Il n'en est pas un qui puisse vous entendre.

C'était la vérité. Corvinus avait, sans s'en douter, ouvert le chemin à Fulvius; lorsque celui-ci s'était présenté à la porte, le gardien, qui l'avait vu deux fois dîner chez ses maîtres, lui avait répété les ordres sévères qu'on lui avait donnés, et lui avait déclaré ne pouvoir l'introduire, à moins qu'il ne vînt de la part de l'empereur, car telle était sa consigne. Fulvius avait répondu qu'il était précisément dans ce cas; et l'esclave l'avait laissé passer, tout en s'étonnant de voir en un seul jour tant d'envoyés de l'empereur. Fulvius lui avait dit de laisser la porte entr'ouverte, pour le cas où il n'y serait pas lorsqu'il sortirait; « car il était pressé, et désirait ne point troubler le deuil dans lequel la maison était plongée; du reste, il n'avait pas besoin de guide, il connaissait le chemin de l'appartement de Fabiola.

Fulvius, s'étant assis en face d'elle, continua en ces termes :

— Ne soyez pas blessée, Madame, si je parais devant vous à l'improviste, et si je surprends vos bienveillants monologues sur mon compte; le moyen me vient de vous, vous me l'avez donné dans la prison Tullienne : mais c'est de plus haut encore que je dois reprendre mes comptes. Quand je fus invité pour la première fois à la table de votre digne père, j'y rencontrai quelqu'un — je n'ai pas besoin maintenant de prononcer son nom — dont le regard, les discours, conquirent soudain mes affections, et dont le cœur, par une sympathie excessive, me paya de retour.

— Insolent! s'écria Fabiola, toucher un pareil sujet et dans ce lieu! c'est faux, jamais pareille affection n'exista entre vous, ni de votre côté ni du sien.

— Quant à la noble Agnès, reprit Fulvius, j'ai pour moi la meilleure autorité, celle de votre père tant regretté, qui, plus d'une fois, m'encouragea dans mon dessein, en m'assurant que sa cousine lui avait confié qu'elle répondait à mon amour.

Fabiola demeura interdite ; ce n'était que trop vrai, elle se le rappelait en songeant aux preuves que lui avait souvent données Fabius de l'erreur dans laquelle il était à cet égard.

— Je sais, en effet, que mon père se faisait illusion sur ce point ; mais moi, à qui la pauvre enfant ne cachait rien...

— Sauf sa religion, interrompit Fulvius avec un rire ironique.

— Silence ! continua Fabiola, ce mot sur vos lèvres ressemble à un blasphème ; — je savais, moi, que vous n'étiez pour elle qu'un objet de dégoût et d'horreur.

— Oui, après que vous m'avez rendu tel à ses yeux. Dès notre première entrevue, vous êtes devenue mon implacable, ma mortelle ennemie, de concert avec cet officier perfide, qui a déjà reçu sa récompense, et que vous destiniez à la place que j'ambitionnais ; oh ! contenez votre colère, Madame, car je *veux* être entendu jusqu'au bout. — C'est vous qui m'avez perdu de réputation, qui avez altéré ses sentiments pour moi, qui avez changé mon amour en une haine implacable.

— Votre amour ! s'écria Fabiola avec indignation ; quand même tout ce que vous venez de dire ne serait pas un tissu des plus vils mensonges, quel amour pouviez-vous donc ressentir pour elle ? Comment auriez-vous pu apprécier sa simplicité ingénue, sa droiture naturelle, sa haute intelligence, sa candide innocence ? Comme le loup apprécie la douceur de l'agneau, le vautour la tendresse de la colombe, peut-être ? Non, sa fortune, l'alliance de sa famille, son haut rang, voilà ce que vous convoitiez en elle et rien de plus : c'est là ce que j'ai lu dans l'ardeur de vos yeux, dès la première fois où, comme le venimeux basilic, vous les avez portés sur elle.

— C'est faux ! répondit-il ; si l'on m'avait accordé l'objet de ma demande, si cette alliance dont j'étais digne avait eu lieu, l'on m'aurait trouvé l'égal de ma position, doux, satisfait, aimant, aussi digne d'être son époux que....

— Que peut l'être, s'écria Fabiola, un homme qui, au moment où il offre sa main, se déclare également préparé à égorger ou à épouser en trois heures celle qu'il prétend aimer. Des deux alternatives elle préfère la première, et lui, il a l'infamie de tenir sa parole ! Otez-vous de mes yeux, vous souillez l'air que vous respirez !

— Je m'en irai quand j'aurai accompli ma tâche, et alors vous n'aurez pas lieu de vous en réjouir. Vous avez donc, de propos délibéré, sans provocation de ma part, détruit et renversé pour moi toute perspective de vie honorable, vous avez anéanti ma dernière espérance, vous m'avez chassé de la société, dépossédé d'un rang respecté, d'une aisance honnête, du bonheur domestique. Ce n'était pas assez. Il vous a fallu, pour mettre le sceau à ma réprobation, m'espionner, surprendre mes discours ; et ce matin, dépouillant tout sentiment de pudeur féminine, vous vous êtes donnée en spectacle dans le Forum, pour achever en public ce que vous aviez commencé dans l'ombre, pour exciter contre moi le tribunal suprême, et par lui l'empereur même ; pour soulever les clameurs et les vengeances injustes du peuple ! de sorte que, sans le projet qui m'a amené ici, projet qui fait taire en moi la crainte, j'en serais réduit maintenant à me glisser dans l'ombre comme un loup traqué de toutes parts, jusqu'à ce que je pusse m'enfuir par la porte la plus prochaine.

— Eh ! Fulvius, sachez-le bien, interrompit Fabiola, dès que vous en aurez franchi le seuil, le niveau des vertus s'élèvera dans cette ville corrompue. Mais, au moins, sortez de chez moi d'abord : je vous l'ordonne, ou je quitterai moi-même votre odieuse présence.

— Nous n'en sommes pas encore là, dit Fulvius, dont la face s'empourprait davantage de moment en moment, tandis que ses lèvres devenaient d'une pâleur mortelle ; et, la saisissant rudement par le bras, il la rejeta sur son siége. Gardez-vous, ajouta-t-il, d'un nouvel effort pour vous échapper ou appeler à l'aide, votre premier cri sera le dernier, quoi qu'il puisse m'en arriver. Ainsi, vous avez fait de moi le rebut non-seulement de votre monde, mais de Rome entière ; un exilé, un vagabond errant sur un sol ennemi, était-ce assez pour satisfaire votre vengeance ? Non ; vous deviez encore m'enlever mon bien, la richesse que j'avais légalement et si péniblement acquise : repos, honneur, moyens d'existence, vous m'avez tout volé, à moi qui vous étais étranger !...

— Misérable insolent ! s'écria la fière Romaine hors d'elle-même et sans songer au danger qu'elle courait, vous payerez cher votre audace. Dans ma propre demeure, oser m'accuser de vol !

— Oui, je l'ose ; et je vous dis que c'est à vous, aujourd'hui, de rendre compte, et non à moi. J'avais gagné, par un crime peut-être, soit, peu vous importe, ma part des biens confisqués de votre cousine. Cette part, je l'avais payée de souffrances, de tortures, de larmes et de déchirements de cœur, de nuits sans sommeil, passées à lutter contre des ennemis qui l'ont emporté, et contre un autre ennemi domestique plus terrible encore qu'eux tous; je l'avais payée de jours et de nuits passés à poursuivre sans relâche des preuves et des témoignages, seul avec la désolation de mon âme fière sans cesse humiliée. N'ai-je pas bien le droit d'en jouir? Ah! dites de cet or ce qu'il vous plaira, appelez-le le prix du sang; plus il sera infâme, plus vous serez vile de me l'avoir ravi. Vous serez comme le valet de meute qui vient arracher de la gueule du chien la chétive proie pour laquelle la bête s'est meurtri les pieds et déchiré le corps.

— Je ne veux plus chercher à vous qualifier comme vous le méritez; quelque erreur égare vos esprits, dit Fabiola d'un ton sévère mais non exempt d'alarme. Elle se sentait en présence d'un furieux, dont la colère, s'exaltant sous le fouet d'une imagination troublée et sans frein, se montait à ce degré de fureur folle, véritable frénésie de l'intelligence, où le meurtrier lui-même se croit un vertueux vengeur. Fulvius, poursuivit-elle en s'efforçant d'être calme, et en le regardant fixement, partez, je vous en *prie!* si vous avez besoin d'argent, vous en aurez; mais partez, partez, au nom du ciel! avant que la colère n'ait anéanti votre raison.

— Et de quelle erreur vouliez-vous parler tout à l'heure? demanda Fulvius.

— Mais de cette idée que, dans un jour comme celui-ci, j'aurais pu songer aux richesses d'Agnès ou mettre à profit sa triste mort.

— Et il en est ainsi cependant; je tiens de la bouche même de l'empereur qu'il vient d'en disposer en votre faveur. Prétendriez-vous me faire croire qu'un prince aussi libéral, aussi généreux, eût consenti à se dessaisir d'une seule obole sans en avoir été supplié; que dis-je? sans avoir été payé pour cela peut-être.

— J'ignore ce que vous voulez dire. Ce que je sais seulement, c'est que j'eusse préféré mourir de misère plutôt que de mendier une obole de ces richesses-là!

— C'est chercher à me faire croire qu'il s'est trouvé dans cette cité quelqu'un d'assez désintéressé pour avoir fait cette demande en votre faveur sans en avoir été prié? Non, non, Fabiola, ceci est par trop invraisemblable. Mais que vois-je là? s'écria-t-il en saisissant avec avidité le décret impérial, resté, sans qu'on y prît garde, là où Corvinus l'avait laissé. L'effet que produisit sur Fulvius la découverte de cet écrit fut semblable à celui que fit sur Énée la vue du baudrier de Pallas porté par Turnus. Sa fureur, qui semblait s'être apaisée par les efforts qu'il faisait pour trouver des preuves de culpabilité chez Fabiola, s'enflamma de nouveau à la vue du fatal écrit. Il le parcourut en un moment; puis, dans un transport de rage et grinçant les dents, il s'écria : — Ah! madame, je puis vous convaincre enfin de plus d'infamie, de cupidité, de lâche cruauté que vous n'aviez jamais osé m'en reprocher ! Regardez ce décret, regardez cette belle écriture, ces lettres dorées, ces marges ornées; aurez-vous encore l'effronterie de prétendre que c'est là l'ouvrage d'une heure, de cette heure qui s'est écoulée entre la mort de votre cousine et le moment où l'empereur m'a dit qu'il venait de le signer? Et ce généreux ami qui vous a procuré ces largesses, le connaissez-vous? Eh quoi! tandis qu'Agnès était dans son dernier cachot; tandis que vous pleuriez et que vous gémissiez sur son sort; tandis que vous me reprochiez ma cruauté et ma trahison envers elle, — à moi, un étranger, presque un inconnu pour elle, — vous, la noble dame, la vertueuse philosophe, la parente dévouée et chérie, vous, mon inflexible accusatrice, vous projetiez froidement de tirer profit de mon crime, en vous emparant des biens de la victime, et vous vous occupiez de découvrir l'habile scribe dont le pinceau élégant allait dorer votre cupidité, et recouvrir de l'éclat du *minium* (couleur rouge) la trahison que vous tramiez contre votre propre chair et votre propre sang!

— Arrête, insensé, arrête! s'écria Fabiola, s'efforçant, mais en vain, de dominer le regard foudroyant de Fulvius.

Il poursuivit d'un ton plus farouche encore :

— Et, après m'avoir ainsi lâchement dépouillé, vous osez m'offrir de l'argent! après m'avoir frappé, vous vous apitoyez! vous m'avez réduit à mendier, et vous m'offrez l'aumône, — prise sur mon propre salaire, sur le salaire que le *Tartare* même (enfer du paganisme) laisse ici-bas à ceux qui seront un jour sa proie!

Fabiola s'était levée; mais il la ressaisit d'une main furieuse, et cette fois sans relâcher son étreinte, il poursuivit :

— Et maintenant, prêtez une oreille attentive à ce que je vais vous dire, ou ces paroles seront les dernières que vous aurez entendues. Rendez-moi ces biens injustement acquis; il ne serait pas juste que j'eusse commis le crime et que vous en eussiez le prix. Signez-m'en la cession librement consentie, à titre de don, et je m'éloigne. Sinon, vous avez prononcé votre arrêt.

Un regard sombre et menaçant suivit ces paroles.

Toute la fierté de Fabiola se révolta en elle; son cœur vraiment romain ne trembla pas. Le danger avait fait fuir toute crainte ; et, ramenant autour d'elle les plis flottants de sa robe, elle répondit avec la dignité d'une matrone offensée :

— Fulvius, écoutez-moi bien : il peut se faire que ce soient là mes dernières paroles, mais certainement ce sont les dernières que vous entendrez de moi. Vous rendre ces biens ? Je préfèrerais en faire don au premier lépreux que je rencontrerais. De tout ce qui a appartenu à cette sainte fille, vous n'aurez jamais rien, ni perle, ni brin de paille. Ce contact serait une souillure. Prenez, si vous le voulez, tout mon or : quant à ce qui lui a appartenu, à elle, je ne sais pas de trésor qui puisse m'en payer la rançon. Il est un legs surtout que j'estime plus que tout son héritage. Vous venez de m'offrir le choix entre deux alternatives, comme vous le lui avez offert la nuit dernière : vous obéir ou mourir. Agnès m'a montré ce que je dois choisir. Partez, vous dis-je encore une fois, partez !

— Vous laisser maîtresse de ce qui m'appartient ? vous laisser triomphante, et triomphante pour m'avoir joué, — vous honorée et moi méprisé, — vous riche et moi misérable, — vous heureuse et moi désespéré ? Non, jamais ! Si je ne puis me sauver du destin que vous m'avez fait, je puis au moins vous empêcher de devenir ce que vous n'avez pas le droit d'être. C'est pour cela que je suis ici, le jour de *Némésis* (vengeance) est donc venu pour moi ! Eh bien, meurs !

Tout en proférant ces imprécations, de la main gauche il avait repoussé graduellement Fabiola vers la couche d'où elle s'était levée, tandis que de la droite il fouillait en tremblant dans les plis de sa toge.

A ce dernier mot, il la renversa avec violence et la saisit par les cheveux. Elle ne se débattit pas, elle ne cria pas, elle se sentit oppressée, près de défaillir ; mais aussitôt un noble sentiment de fierté vint refouler toute expression d'une crainte indigne d'elle, devant un méprisable ennemi. Au moment où elle fermait les yeux, elle vit comme un éclair au-dessus de sa tête ; étaient-ce les yeux enflammés de Fulvius ? était-ce un fer étincelant ? elle n'eût pu le dire.

L'instant d'après, elle se sentit suffoquer : il lui sembla qu'un objet pesant venait de tomber sur elle, et qu'un ruisseau tiède arrosait sa poitrine.

Une voix douce et grave se fit entendre alors :

— Arrête, Orontius ! je suis ta sœur Miriam...

Fulvius, d'une voix altérée par la fureur, reprit :

— Tu mens ! rends-moi ma proie !

Puis vinrent quelques mots d'une langue inconnue à Fabiola, prononcés d'une voix affaiblie; elle sentit qu'on lâchait ses cheveux, elle entendit la chute du poignard sur le marbre, et Fulvius s'écrier avec désespoir, en s'élançant hors de la salle :

— O Christ! c'est là ta Némésis!

Les forces de Fabiola lui revenaient; elle sentait en même temps s'accroître le poids qui l'oppressait. Elle se débattit et se dégagea. Une autre femme, couverte de sang et qui semblait morte, gisait à sa place.

C'était la fidèle Syra, qui s'était jetée entre la vie de sa maîtresse et le poignard de son frère.

XXXI. — DIONYSIUS.

ΔΙΟΝΥϹΙΟΥ
ΙΑΤΡΟΥ
ΠΡΕϹΒΥΤΕΡΟΥ

(Tombe) de Denis, médecin et prêtre[1].

Les réflexions sérieuses que cet événement devait naturellement faire naître dans l'âme si élevée de Fabiola durent momentanément céder devant les exigences de sa situation. Son premier soin fut d'arrêter l'effusion de sang par tous les moyens qui étaient à sa portée, et, pendant qu'elle s'en occupait, les esclaves accouraient à grand bruit. Le stupide gardien de la porte commençait à s'inquiéter de la longueur de la visite de Fulvius (dont le lecteur sait maintenant le véritable nom), lorsqu'il le vit tout à coup se précipiter au dehors comme un insensé ; il avait cru remarquer des taches de sang sur ses vêtements, et aussitôt il avait donné l'alarme à toute la maison.

Fabiola, d'un geste, arrêta la foule au seuil de sa porte, et ne laissa entrer qu'Euphrosyne et sa suivante grecque : celle-ci, depuis que l'esclave noire avait cessé d'exercer sur elle son influence, s'était prise d'affection pour Syra (c'est le nom que nous devons continuer à lui donner), et avait prêté une oreille docile à ses instructions morales. On dépêcha immédiatement un esclave à la recherche du médecin qui

(1) Récemment découverte à l'entrée de la crypte de saint Cornélius, dans le cimetière de Callistus.

avait soigné Syra dans toutes ses maladies : c'était Dionysius qui habitait la maison d'Agnès, ainsi que nous l'avons vu.

Dans l'intervalle, Fabiola avait vu, avec joie, que le sang cessait de couler aussi rapidement, et surtout que les yeux de Syra s'ouvraient et se dirigeaient vers elle. Ils s'étaient refermés aussitôt, mais elle n'eût pas donné pour un empire le doux sourire dont ce regard avait été accompagné.

Quelques instants après, le bon médecin arriva. Il examina la blessure avec soin, et déclara que, pour le moment, elle n'offrait pas de danger. Dirigé comme il l'était, le coup s'en allait droit au cœur de Fabiola. Mais sa fidèle esclave, en dépit de la défense, n'avait cessé de rôder tout le jour autour de sa maîtresse, évitant d'être importune, mais désireuse de saisir toute occasion d'aider les salutaires dispositions que les scènes du matin n'avaient pu manquer de faire naître. Elle était dans une chambre voisine, quand tout à coup elle avait reconnu les accents de colère d'une voix qui ne lui était que trop familière; elle s'était aussitôt glissée sans bruit chez Fabiola à la faveur du rideau qui fermait l'entrée de la chambre, et avait attendu là, dans l'ombre, à l'endroit même où, peu de mois auparavant, elle avait reçu les consolations d'Agnès.

Elle y était à peine, que la dernière lutte commençait. Alors, tandis que le meurtrier repoussait sa maîtresse, elle l'avait suivi pas à pas, et, quand il avait levé le bras, elle s'était élancée et avait couvert de son corps celui de la victime; le coup l'avait atteinte; mais elle avait fait dévier le bras de l'assassin et l'arme mal dirigée l'avait frappée au cou, en y laissant une blessure profonde que la clavicule avait arrêtée. Avons-nous besoin de dire combien lui avait coûté ce sacrifice? Ni la peur de la souffrance, ni la crainte de la mort, n'aurait pu l'arrêter un seul instant; mais l'horreur de marquer le front de son frère du sceau réprobateur de Caïn, l'idée qu'il allait se rendre doublement fratricide, voilà ce qui l'avait profondément troublée. Elle avait cependant offert sa vie pour celle de sa maîtresse. Lutter contre l'assassin eût été un effort inutile; elle connaissait trop la force et la souplesse dont il était doué; donner l'alarme à la maison avant que le coup fatal fût porté, il n'y fallait pas songer; il ne lui restait donc qu'à accomplir son sacrifice, en se substituant à la victime désignée. Toutefois elle avait voulu sauver à son frère l'horreur d'achever son crime, et c'est en l'essayant qu'elle avait révélé devant Fabiola et leur parenté et leur véritable nom.

Aveuglé par sa fureur, Fulvius s'était refusé à la croire; mais ces mots, dits dans leur langue maternelle : « Rappelle-toi mon écharpe que tu as trouvée en ces lieux! » lui avaient retracé le souvenir d'une histoire de famille tellement tragique, que si, à ce moment, la terre s'était entr'ouverte sous ses pas, il se serait précipité dans le gouffre pour y ensevelir sa honte et ses remords.

Cependant, chose étrange! il n'avait jamais permis à Eurotas de s'emparer de cette relique de famille; depuis qu'il l'avait retrouvée, il l'avait toujours précieusement gardée à part comme une chose sacrée, si bien qu'en faisant ses préparatifs de départ il n'avait pas voulu que ce tissu prît place dans ses effets, mais il l'avait soigneusement plié et caché dans son sein. En fouillant précipitamment sous son manteau pour y prendre son poignard, le malheur voulut qu'il tirât aussi par mégarde la funeste écharpe; elle était tombée, et plus tard on retrouva les deux objets sur les dalles.

Dès qu'il eut pansé la blessure et administré quelques cordiaux qui rendirent à la blessée l'usage de ses sens, Dionysius donna l'ordre de la laisser complétement tranquille, de ne lui permettre de voir que le moins de monde possible, pour prévenir toute agitation, et de continuer jusqu'à minuit le traitement qu'il avait prescrit.

— Je reviendrai, ajouta-t-il, demain de grand matin, afin de voir la malade seule. Et, s'inclinant vers elle, il murmura à son oreille quelques mots qui parurent la soulager plus que tous les remèdes, car ses traits s'illuminèrent d'un sourire angélique.

Fabiola l'avait fait placer dans son propre lit, et, confinant ses femmes dans une salle voisine, elle se réserva la tâche, qu'elle regardait comme un privilége, de soigner la servante envers laquelle, peu de mois auparavant, elle se croyait à peine obligée des soins qu'elle en avait reçus durant sa maladie. Elle avait rapporté à ceux qui l'entouraient de quelle façon la blessure avait été reçue, mais en tenant cachés les liens qui unissaient son assassin à sa libératrice.

Bien qu'accablée elle-même de fatigue et de fièvre, elle ne voulut pas quitter le chevet de la malade; et, quand minuit fut passé et qu'il ne resta plus de remèdes à administrer, elle se laissa tomber, pour y chercher quelque repos, sur une couche basse placée auprès du lit. Quelles furent alors les pensées auxquelles elle ouvrit son esprit et son cœur, au milieu de la demi-obscurité de cette chambre de malade? Elles furent simples et graves. Elle vit d'un coup d'œil la vérité de tout ce que son esclave lui avait dit jusqu'alors. Dans leur dernier entretien, les principes qu'elle avait écoutés avec ravissement lui avaient paru complétement impossibles à pratiquer; elle y avait vu de belles, mais irréalisables théories. Quand Miriam lui avait décrit cette sphère suprême de vertu, où, dédaigneux des récompenses et des louanges des hommes, on ne recherchait que le regard approbateur de Dieu, elle avait admiré cette idée dont avait été frappé son cœur généreux; mais elle s'était raidie contre la pensée d'en faire la règle incessante de ses actions de tous les jours, et cependant, si le coup au-devant duquel Miriam s'était jetée lui avait coûté la vie, ce qui eût été possible, où donc eût-elle trouvé sa récompense? Le motif de son action pouvait-il être, dès lors, autre que cette même idée de responsabilité envers un pouvoir invisible?

Quand Miriam avait parlé de l'héroïsme dans la vertu comme devant en être la marque ordinaire, combien ce principe lui avait semblé chimérique! Et cependant voilà qu'à l'improviste, sans délibération, sans excitation, sans gloire, — et même avec un désir marqué d'être inconnue — cette esclave venait d'accomplir un acte de dévoûment en tous points héroïque. D'où cela pouvait-il venir, sinon de l'exercice habituel de l'héroïsme dans la vertu, sinon d'une disposition incessante à faire à toute heure ce qui suffirait pour couvrir à jamais de gloire le nom d'un soldat? Ce n'était donc pas une enthousiaste, une théoriste que Miriam; mais une observatrice réelle et sérieuse des règles qu'elle enseignait. Etait-ce donc là de la philosophie? Oh non! ce devait être une religion! la religion d'Agnès et de Sébastien, à la hauteur desquels Miriam s'élevait entièrement à ses yeux. Ah! comme elle désirait avoir avec elle un nouvel entretien!

Fidèle à sa promesse, le médecin revint de grand matin, et trouva beaucoup d'amélioration dans l'état de la malade. Il ordonna qu'on le laissât seul avec elle; puis, ayant couvert la table d'une toile de lin et placé dessus deux cierges allumés, il tira de son sein une écharpe brodée, et découvrit un coffret d'or, dont Miriam connaissait bien le contenu sacré. Dionysius s'approcha d'elle et lui dit :

— Mon enfant bien-aimée, comme je vous l'avais promis, je vous apporte le remède le plus sûr pour tous les maux soit du corps soit de l'âme; c'est le Médecin lui-même, Celui dont la parole répare toutes choses[1], dont l'attouchement ouvre les yeux aux aveugles et les oreilles aux sourds, dont la volonté purifie les lépreux, dont la robe même

(1) « *Qui verbo suo instaurat universa.* » *Le Bréviaire.*

communique par ses bords la force de tout guérir. Etez-vous préparée à le recevoir?

— De tout mon cœur! répondit-elle en joignant les mains. J'aspire à posséder Celui seul que j'ai aimé, en qui j'ai cru, à qui mon cœur appartient.

— Vous n'avez dans le cœur ni indignation ni colère contre celui qui vous a blessée? Vous ne sentez ni vanité, ni orgueil s'élever en votre âme, à l'idée de ce que vous avez fait? Avez-vous connaissance de quelque faute qui nécessiterait une humble confession et l'absolution, pour que vous puissiez recevoir en vous ce don sacré?

— Je sais que je suis remplie d'imperfections et de péchés, ô mon véritable père; mais je n'ai conscience, en ce moment, d'aucune offense volontaire. Je n'ai pas besoin de pardonner à celui dont vous voulez parler; je l'aime trop pour cela, et je donnerais volontiers ma vie pour le sauver. Et quant à m'enorgueillir, ne suis-je pas une humble servante qui n'a fait qu'exécuter les commandements du Seigneur?

— En ce cas, mon enfant, invitez le Seigneur à descendre en votre demeure, afin qu'y étant venu il vous guérisse et vous remplisse de sa grâce.

Et, s'approchant de la table, il y prit un fragment de la sainte Eucharistie, sous la forme de pain sans levain, et, comme il était sec, il l'humecta dans l'eau, puis le mit dans sa bouche entr'ouverte[1]. Elle la referma et demeura quelques instants plongée dans la contemplation.

C'est ainsi que le bienheureux Dyonisius s'acquittait du double office de médecin et de prêtre, que lui attribue l'inscription de son tombeau.

XXXII. — LE SACRIFICE ACCEPTÉ.

Pendant toute cette journée, la malade ne parut s'occuper que de pensées graves, mais consolantes. Fabiola, qui ne la quittait que pour donner quelques ordres, l'observait avec un mélange de bonheur et de

(1) Eusèbe, à propos de Sérapion, nous apprend que telle était la manière d'administrer la sainte communion aux malades, sans calice et sous une même espèce.

vénération. Il lui semblait parfois que l'âme de son esclave se détachait du monde extérieur, pour entrer en communication avec une sphère entièrement différente. Elle voyait tantôt un sourire passer, comme un rayon de soleil, sur ses traits altérés, tantôt une larme trembler au bord de sa paupière, ou descendre lentement sur ses joues ; tantôt ses regards s'élevaient vers le ciel et y restaient longtemps fixés, tandis qu'une douce expression d'heureuse et calme béatitude s'étendait sur tout son être; tantôt elle se retournait avec une expression de tendresse infinie vers sa maîtresse, à qui alors elle tendait la main pour en recevoir une affectueuse étreinte. Des heures se passaient ainsi dans le silence qui continuait à être ordonné, et Fabiola se disait que le contact d'un type aussi rare de vertu était un honneur, un bienfait pour elle-même.

Enfin, vers le milieu du jour, après avoir donné quelque nourriture à sa malade, elle lui dit avec un sourire :

— Je trouve, Miriam, que vous allez déjà beaucoup mieux. Votre médecin doit vous avoir apporté quelque remède miraculeux?

— Miraculeux en effet, ma chère maîtresse.

Fabiola parut affligée, et, se penchant vers elle, lui dit à demi-voix :

— Oh! ne m'appelez plus ainsi, je vous en prie. S'il fallait encore employer ce nom, ce serait plutôt à moi à vous le donner. D'ailleurs, il n'est plus vrai : j'ai réalisé ce que je projetais depuis longtemps; j'ai ordonné que l'on dressât votre acte de libération, non comme pour une affranchie, mais comme pour une *ingenua*[1], car je sais que vous l'êtes.

Pour ne pas l'affliger de nouveau, Miriam la remercia du regard seulement; et toutes deux continuèrent à jouir en silence de leur mutuel bonheur.

Dionysius revint vers le soir, et trouva tant d'amélioration chez la malade, qu'il permit une nourriture plus substantielle, et un peu de conversation tranquille.

— Il faut, dit Fabiola, dès qu'elles furent seules, il faut que je commence par remplir un devoir que mon cœur brûlait d'accomplir, celui de vous remercier, — je voudrais connaître un mot plus éner-

(1) Les esclaves devenus libres gardaient le nom d'*affranchi* ou d'*affranchie* (*libertus*, *liberta*), de celui à qui ils avaient appartenu ; *affranchi d'Auguste*, par exemple. Lorsqu'ils étaient nés libres, ils le redevenaient sous le nom d'*ingenuus* ou *ingenua* (né-libre), et rentraient par émancipation dans la classe des citoyens libres de naissance.

gique — non de m'avoir sauvé la vie, mais du sacrifice magnanime que vous avez fait de la vôtre, et, permettez-moi de le dire, de l'éclatant exemple de la vertu héroïque qui seule pouvait inspirer un pareil dévoûment.

— Qu'ai-je donc fait de plus que mon devoir? Ma vie vous appartenait, quand même il ne se fût pas agi de sauver la vôtre, répondit Miriam.

— Pour vous, sans doute, c'est peu de chose, reprit Fabiola; pour vous, qui avez été nourrie de cette doctrine dont la sublimité m'écrasait, de cette doctrine qui fait des actes les plus héroïques des devoirs de tous les jours.

— C'est justement là, dit vivement Miriam, ce qui leur fait perdre le caractère que vous voulez bien leur attribuer.

— Non! non! s'écria Fabiola avec enthousiasme. N'essayez pas de me rabaisser à mes propres yeux, en m'enseignant à déprécier ce que je ne puis assez admirer comme un acte de vertu sans égal. J'y ai bien réfléchi, et le jour et la nuit, depuis que j'y ai assisté, et mon cœur n'a point cessé de désirer ardemment vous en entretenir, et cependant, en ce moment j'hésite encore, je crains que votre faiblesse ne souffre de la violence de mes sentiments. C'était noble, c'était grand, c'était au-dessus de tout éloge; et cependant vous ne voulez pas de louanges, je le sais. Il n'est rien, selon moi, qui puisse ajouter à la sublimité de votre conduite; il ne me paraît pas possible que la vertu humaine atteigne plus haut.

Miriam, qui s'était levée à demi, prit la main de Fabiola dans les siennes, et, se tournant vers elle, lui dit d'un air à la fois grave et doux :

— Chère et aimable Fabiola, veuillez me prêter quelques instants d'attention. Je ne veux point rabaisser ce qu'il vous plaît de priser si haut, puisque cela vous afflige; je ne veux que vous montrer combien nous sommes loin encore de ce qu'on peut faire; et pour cela, laissez-moi vous faire le récit de scènes du même genre, mais où les rôles seront intervertis. Supposez un esclave — pardonnez-moi, chère Fabiola, ce mot qui vous blesse, je le vois bien, pardonnez-le-moi encore une fois, ce sera la dernière — oui, un esclave abruti, ingrat, rebelle au plus doux, au plus indulgent des maîtres. Supposez que le coup qui le menace soit, non celui d'un assassin, mais celui d'une justice sévère. Quel nom donneriez-vous à l'action de ce maître, comment qualifieriez-vous sa vertu, si, par pur amour pour ce misérable et afin de le sauver, il s'élançait sous la hache, et même au-devant des verges honteuses qui précèdent l'exécution, et laissait après lui, par son testament, ses titres, ses biens à cet esclave; s'il l'appelait son héritier, son frère?

— O Miriam, Miriam! ce que vous venez de dépeindre est trop sublime pour pouvoir être cru de l'homme. Vous n'avez pas, pour moi, effacé votre action, car je ne voulais parler que de vertu *humaine*. Or agir comme vous venez de le dire ne pourrait être, si c'était possible, que l'œuvre de la vertu d'un Dieu.

Miriam pressa contre son cœur la main qu'elle étreignait, et, dirigeant vers Fabiola, muette de surprise, un regard plein d'inspiration céleste, elle reprit d'une voix douce et grave :

— AUSSI JÉSUS-CHRIST, QUI A FAIT TOUT CELA POUR L'HOMME, ÉTAIT-IL VRAIMENT DIEU?

Fabiola se couvrit le visage de ses mains et demeura longtemps silencieuse, tandis que Miriam priait avec ferveur dans le repos de son âme.

— Merci, Miriam, merci du fond de mon cœur, dit enfin Fabiola. Vous avez exécuté votre promesse de me servir de guide. Pendant un certain temps, j'avais craint que vous ne fussiez pas chrétienne; mais ce n'était pas possible.

Et maintenant, dites-moi, ces mots si puissants et cependant si doux que vous venez de me faire entendre, ces mots que j'ai senti pénétrer dans mon cœur, comme s'enfonce dans les profondeurs de l'Océan la pièce d'or tombée sur la calme surface de ses eaux, sans bruit, sans secousse, pour toujours, — ces mots ne sont-ils qu'un des détails de la doctrine chrétienne, ou bien en sont-ils le principe essentiel?

— Grâce à la puissance de votre esprit, une simple allégorie vous a fait atteindre et saisir d'un bond la clef de voûte de toute notre foi. Au feu de votre vive intelligence, les doctrines les plus saillantes, les plus vitales du christianisme viennent de se condenser en une seule idée. Vous en avez extrait l'essence constitutive :

L'homme, créature de Dieu et son esclave, se révolta contre son Seigneur; la justice irrésistible le poursuivit et le condamna; ce même Seigneur prit la forme et la nature d'un serviteur, en se rendant semblable aux autres hommes[1]; c'est sous cette forme qu'il endura les outrages, les coups, les railleries, une mort ignominieuse et qu'il

(1) Phil. II. 7.

devint « le crucifié, » comme les païens l'appellent ; par là, il racheta l'homme et l'admit au partage de son royaume et de ses richesses : tout cela est compris dans les mots que j'ai prononcés.

Et vous avez atteint la véritable conclusion : « Dieu seul pouvait accomplir une action aussi divine et offrir une expiation aussi sublime. »

Fabiola rentra de nouveau silencieuse dans ses pensées, et n'en sortit que pour demander timidement :

— Etait-ce à cela que vous faisiez allusion en Campanie, quand vous me dites que Dieu seul était une victime digne de Dieu ?

— Oui ; mais j'ai fait allusion aussi à la continuation du sacrifice qui, par l'effet merveilleux d'un amour tout-puissant, se perpétue jusqu'à nos jours. Mais je ne dois pas parler de cela pour le moment.

Fabiola conclut en ces termes :

— Je vois, à chaque instant, combien tout ce que vous m'avez dit s'accorde et se lie, comme les diverses parties d'une seule plante ; tous les jets s'élancent l'un de l'autre. Je croyais que votre système ne portait que les fleurs éclatantes d'une élégante théorie, mais vous m'avez montré, par votre exemple, que ces fleurs peuvent se transformer en fruits suaves et nourrissants. Dans la doctrine que vous venez de m'exposer, je crois distinguer le tronc sublime d'où partent toutes les autres branches et même les fruits dont nous venons de parler. Car qui pourrait refuser de faire à autrui bien moins que ce que Dieu lui a fait à lui-même ? Mais, Miriam, il doit y avoir une source invisible et profonde d'où jaillit tout ceci, obscure peut-être au-delà de toute contemplation, profonde au-delà de toute recherche, si complexe, qu'elle échappe à l'analyse des hommes, et cependant assez simple, peut-être, pour ne pas dépasser la portée d'un esprit confiant. Si, dans mon ignorance actuelle, j'osais parler, je dirais que cette source est assez abondante pour arroser la nature entière, assez riche pour remplir la création de tout ce qu'elle contient de parfait et de bon, assez féconde pour développer la croissance de votre noble tronc, jusqu'à ce que son sommet dépasse les étoiles et que ses branches s'étendent jusqu'aux extrémités de la terre. — C'est ainsi que je m'explique votre pensée sur ce Dieu que vous m'avez fait craindre, et que vous ne m'avez fait connaître que comme notre vigilant gardien, notre juge sévère quand vous m'en parliez en philosophe ; mais que, j'en suis sûre, vous me ferez aimer alors que, chrétienne, vous me montrerez en lui la source et la racine d'une tendresse et d'une miséricorde aussi céleste. — Sans quelque profond mystère, encore caché pour moi dans la nature de ce Dieu, je ne puis concevoir complétement cette étonnante doctrine de la rédemption des hommes.

— Fabiola, répondit Miriam, des maîtres plus instruits que moi entreprendront l'enseignement d'une personne douée d'un esprit aussi pénétrant que le vôtre ; mais aurez-vous confiance en moi, si j'essaie de vous donner une courte explication ?

— Miriam, reprit Fabiola avec chaleur, celle qui est prête à mourir pour une autre ne voudra certainement pas la tromper.

— Voyez, reprit la malade en souriant, vous venez de nouveau de saisir encore un grand principe — celui de la FOI. Je vais donc me borner à n'être que la simple narratrice de ce que nous enseigne Jésus-Christ, qui est vraiment mort pour nous. Vous voudrez bien croire à ma parole de fidèle témoin ? vous voudrez bien aussi croire à celle d'un Dieu infaillible ?

Fabiola inclina la tête et prêta une oreille attentive à celle qu'elle avait si longtemps honorée comme l'adepte d'une sagesse merveilleuse, apprise par elle à une école inconnue, mais qu'elle adorait presque maintenant comme un ange, qui pouvait lui ouvrir les digues d'un océan éternel dont les eaux sont l'insondable sagesse qui inonde la terre.

Miriam exposa, dans les termes simples de l'enseignement catholique, la sublime doctrine de la Trinité ; après avoir conté la chute de l'homme, elle développa le mystère de l'Incarnation, donnant, dans les propres termes dont se sert saint Jean, l'histoire du Verbe éternel, jusqu'à ce qu'il se fît chair et demeurât parmi les hommes. Souvent elle fut interrompue par les expressions d'assentiment ou d'admiration que murmurait son élève ; jamais, par des objections ou des doutes. La philosophie cédait devant la religion, la sublimité devant la docilité, l'incrédulité devant la foi.

Mais il lui semblait qu'une triste émotion s'emparait du cœur de Fabiola ; Miriam la lut dans ses yeux et lui en demanda la cause :

— J'ose à peine vous la dire, reprit-elle, mais tout ce que vous venez de m'apprendre est si beau, si divin, qu'il me paraît nécessaire de ne pas aller plus loin. Le VERBE (quel noble nom !), c'est-à-dire l'expression de l'amour de Dieu, la manifestation de sa sagesse, l'évidence de son pouvoir, le souffle vivifiant de sa vie, c'est-à-dire lui-même : ce Verbe s'est fait chair ! Qui lui donnera cette chair ? Ramassera-t-il dans la fange le rebut d'une humanité corrompue ? ou bien va-t-on créer pour lui une humanité nouvelle? Prendra-t-il place dans une double généalogie et recevra-t-il ainsi, en lui, le torrent d'une double corruption? Y aura-t-il sur la terre quelqu'un d'assez téméraire et d'assez puissant pour s'appeler son père?

— Non, murmura doucement Miriam; mais il y en aura *Une* qui sera assez humble et assez sainte pour être digne de se dire sa mère. — Environ huit cents ans avant que le Fils de Dieu fût venu au monde, un prophète parla, et il inscrivit sa prédiction dans un livre qu'il remit entre les mains des Juifs, ennemis invétérés du Christ; ces mots étaient ceux-ci : « Et voici, une Vierge concevra et enfantera un Fils, et son nom sera Emmanuel[1], » ce qui, en hébreu, « signifie Dieu avec nous, c'est-à-dire avec les hommes. » — Cette prophétie fut nécessairement accomplie par la conception et la naissance du Fils de Dieu sur la terre.

— Et qui était-*Elle?* demanda Fabiola d'un ton respectueux.

— Celle dont le nom est béni par quiconque aime sincèrement son Fils; *Marie* est le nom sous lequel vous devez la connaître; *Miriam*, son nom original dans sa propre langue, est celui par lequel je l'honore. Ah! combien ne fut-elle pas préparée par sa sainteté et ses vertus, à la haute destinée qui lui était réservée! En elle il n'y eut point de tache à faire disparaître, elle était sans tache, elle ne fut point purifiée, elle fut pure toujours : elle ne fut point délivrée du péché, elle en fut exempte. Le torrent dont vous parliez fut arrêté devant Marie par la digue d'un décret éternel; cette barrière s'opposa à ce que la sainteté de Dieu fût mêlée au péché, qu'elle ne pouvait racheter qu'en lui restant étrangère.

Brillant comme le sang d'Adam, quand le souffle de Dieu le répandit dans ses veines; pure comme la chair d'Ève pendant qu'elle était encore dans le moule des mains du Tout-Puissant qui la fit sortir des flancs de l'homme endormi : tels étaient le sang et la chair que l'Esprit de Dieu forma dans la glorieuse humanité que Marie transmit à Jésus.

Et, quand un si beau privilége a été accordé à notre sexe, serez-vous surprise qu'un grand nombre d'entre nous, à l'exemple de notre douce Agnès, choisissent cette Vierge sans pareille pour modèle de leur vie? qu'elles trouvent, en celle que Dieu a élue, l'exemple de toutes les vertus? et que, plutôt que de se laisser attacher, même

(1) Isaïe, VII, 14.

par les liens les plus doux, au joug de ce monde, elles cherchent à s'élever au ciel sur les ailes d'un amour sans partage, comme l'amour de Marie?

Après un court instant de recueillement, Miriam continua l'histoire sommaire de la naissance de Notre-Seigneur, de sa jeunesse laborieuse, de sa vie publique si active et si pleine de souffrances, et enfin de sa passion ignominieuse. Plus d'une fois, le récit fut interrompu par les sanglots et les larmes de l'élève docile et de l'institutrice zélée. L'heure du repos était pourtant venue lorsque Fabiola demanda timidement :

— Etes-vous trop fatiguée pour répondre à une dernière question?

— Non, répondit Miriam avec joie.

— Quelle espérance peut-il encore rester à une femme qui ne peut arguer de son ignorance, car elle prétendait tout savoir ; à une orgueilleuse qui ne cessa jamais d'étudier, car elle affectait une vive ardeur pour la science; insensée qui ne peut aujourd'hui que s'accuser d'avoir rejeté la sagesse véritable et d'avoir blasphémé Celui qui en est le dispensateur; de s'être raillée des tourments par lesquels Dieu a prouvé son amour pour les hommes; d'avoir ri avec mépris de la mort sacrée qui les racheta, de la mort de Celui dont elle se moqua si souvent, en le nommant avec dérision « le crucifié. »

Un déluge de larmes lui coupa la parole. Miriam se tut jusqu'à ce que cette explosion de douleur réparatrice se fût transformée en cette suave rosée qui attendrit le cœur. Puis, d'une voix persuasive et tendre, elle reprit :

— Aux jours du Seigneur, vivait une femme qui portait le même nom que cette mère sans tache ; cette femme avait péché publiquement, honteusement, et comme vous auriez horreur de pécher vous-même, Fabiola; mais, comme vous, Fabiola, elle eut enfin horreur de ses péchés. Elle connut — comment? on l'ignore — le souverain Rédempteur ; bientôt, dans le secret de son âme, elle se livra à une contemplation fervente ; puis, elle adora de tout son être la condescendance et la gracieuse familiarité qu'il déployait envers les pécheurs, l'indulgence et la mansuétude qu'il montrait envers tous les coupables. Elle aima de plus en plus, et bientôt, s'oubliant elle-même, elle ne songea plus qu'aux moyens de manifester son amour afin de pouvoir l'honorer, lui, quelque faiblement que ce fût, dût-il lui en coûter à elle la honte et l'humiliation aux yeux de tous.

Elle se rendit dans la demeure d'un homme riche, où les attentions de l'hospitalité avaient été refusées à l'hôte divin; elle entra sous le toit de l'homme orgueilleux qui, dans la présomption de son âme, méprisait la pécheresse publique; elle voulut suppléer aux attentions qu'on avait négligées envers Celui qu'elle aimait, et, comme elle devait s'y attendre, elle fut méprisée à cause de son importune douleur.

— Comment fit-elle, Miriam?

— Elle s'agenouilla à ses pieds pendant qu'il était à table, elle les arrosa de ses larmes, les essuya de ses longs cheveux, les baisa avec ferveur et les oignit des plus riches parfums.

— Et qu'arriva-t-il?

— Jésus la défendit contre les railleries mordantes de son hôte; il dit à cette femme qu'il lui était beaucoup pardonné, parce qu'elle avait beaucoup aimé, et elle partit remplie des plus douces consolations.

— Et que devint-elle?

— Quand Jésus eut été crucifié sur le Calvaire, deux femmes eurent le privilége de demeurer auprès de lui; c'étaient Marie sans tache et Marie la pécheresse, comme pour montrer par là que l'amour immaculé et l'amour repentant peuvent se donner la main et marcher côte à côte avec Celui qui était venu sur la terre « non pour appeler les justes, mais les pécheurs au repentir. »

Telle fut la fin de l'entretien pour cette nuit. Miriam, brisée par l'effort, tomba dans un sommeil paisible. Fabiola s'assit près d'elle, le cœur plein, jusqu'aux bords, de ce récit d'amour divin. Elle le recommença cent fois dans sa mémoire, et demeura de plus en plus convaincue de l'union et de la force qui liaient toutes les parties de cet admirable système. En effet, si, guidée par l'exemple de l'amour de Jésus, Miriam avait voulu mourir pour elle, elle n'avait pas été moins prompte que lui à lui pardonner à elle de l'avoir involontairement blessée. Chaque chrétien, elle le sentait bien, devait être une copie, une image de son maître; celle qui reposait si paisiblement près d'elle en était, Fabiola n'en doutait point, une image fidèle et pouvait bien représenter le Sauveur à ses yeux.

Quand, après quelques heures de repos, Miriam ouvrit les yeux, elle vit sa maîtresse (car son acte d'affranchissement n'était pas encore rempli) étendue sur ses pieds, où elle s'était endormie en pleurant. Elle comprit aussitôt l'intention et le mérite de cette humiliation volontaire; elle ne s'en émut point, mais elle remercia Dieu, du fond du cœur, de ce que son sacrifice avait été accepté.

Fabiola, en s'éveillant, se glissa sur sa couche, pensant n'avoir point été vue. Il lui avait fallu un effort secret et suprême pour vaincre son orgueil, mais elle y était parvenue, et s'était complétement humiliée. Elle sentit alors, et pour la première fois, qu'elle était chrétienne dans le cœur.

XXXIII. — HISTOIRE DE MIRIAM.

En arrivant le lendemain matin, Dionysius trouva la malade et sa gardienne si heureuses et si rayonnantes de joie, qu'il les félicita toutes deux d'avoir passé une nuit si calme. Cette idée les fit sourire, mais elles convinrent cependant que cette nuit avait été la plus heureuse de leur existence. Dionysius manifesta sa surprise; mais cette surprise cessa quand Miriam, prenant Fabiola par la main, lui dit :

— Vénérable ministre de Dieu, je confie à vos soins paternels cette catéchumène qui désire être complétement instruite des mystères de notre sainte foi, et régénérée par les eaux du salut éternel.

— Comment, s'écria Fabiola surprise, êtes-vous autre chose qu'un médecin?

— Oui, mon enfant, reprit le vieillard; j'occupe aussi, quoique indigne, la haute position de prêtre de l'Église de Dieu.

Sans hésiter un instant, Fabiola s'agenouilla devant lui et lui baisa la main. Le prêtre, lui posant, à son tour, la main droite sur la tête, lui dit :

— Ayez courage, ma fille; vous n'êtes point la première de votre maison que Dieu ait fait entrer dans son Eglise. Je fus, il y a bien des années, appelé ici sous le même prétexte qu'à présent, par une autre esclave qui n'existe plus aujourd'hui : le motif réel de ma visite était de baptiser, quelques heures avant sa mort, la femme de Fabius.

— Ma mère! s'écria Fabiola. Elle est morte immédiatement après m'avoir donné le jour. Est-elle donc morte chrétienne?

— Oui, et je ne doute pas que son esprit ne soit demeuré avec vous, pendant toute votre vie, à côté de votre ange gardien, et qu'il ne vous ait conduite, invisible, à cette heure fortunée. Prosternée devant le trône de Dieu, votre mère n'aura pas cessé de le supplier pour vous.

Cette nouvelle rendit les deux amies cent fois plus heureuses encore.

Des arrangements furent pris avec Dionysius pour les instructions nécessaires et les préparatifs qu'exigeait l'admission de Fabiola au sacrement du baptême. Ces soins terminés, Fabiola se rendit auprès de Miriam et lui demanda d'une voix discrète et douce :

— Puis-je désormais, Miriam, vous appeler ma sœur?

Une tendre pression de main fut la seule réponse que Miriam émue put faire à cette demande.

Euphrosyne, la vieille nourrice, et l'esclave grecque, se placèrent d'elles-mêmes, avec leur maîtresse, sous la direction du vénérable Dionysius, pour se préparer aussi à recevoir le baptême la veille de Pâques. N'oublions pas non plus de mentionner au nombre des catéchumènes Emérantiana, la sœur de lait d'Agnès, que Fabiola avait recueillie chez elle. Emérantiana se montrait heureuse de pouvoir se rendre utile et d'être la messagère chargée d'établir les communications entre la chambre de la malade et le reste de l'habitation.

Miriam, pendant sa convalescence, raconta à Fabiola l'histoire entière de sa vie; et comme ce récit est de nature à jeter quelque jour sur ce qui précède, nous le répèterons succinctement au lecteur.

Quelques années avant le commencement de notre histoire vivait à Antioche un homme qui, bien qu'il ne fût pas d'une famille très-ancienne, possédait de grandes richesses et fréquentait les meilleures maisons de cette ville luxueuse. Les dépenses auxquelles ses relations l'entraînaient, le manque absolu d'ordre et d'économie, finirent par absorber sa fortune et même par lui occasionner de sérieux embarras financiers. Il avait épousé une femme très-vertueuse qui, s'étant faite chrétienne, dissimula d'abord le secret de sa conversion, mais finit bientôt, avec l'assentiment de son époux, assentiment qui ne fut donné qu'avec répugnance, par pratiquer ouvertement ses devoirs religieux. Ses deux enfants, un fils et une fille, furent élevés par ses soins. L'aîné, Orontius, nommé ainsi du nom du fleuve qui arrosait la ville, avait quinze ans quand son père découvrit le secret de la conversion de sa femme. Il avait été initié, par sa mère, aux principes de la doctrine chrétienne. Il avait assisté bien des fois, avec elle, aux cérémonies du culte, et avait acquis ainsi la connaissance de secrets dangereux, dont il devait faire plus tard un bien déplorable usage; mais il n'avait nul désir d'embrasser les doctrines ou d'adopter les pratiques de la religion chrétienne.

Il ne voulait pas entendre parler de recevoir le baptême. Il était volontaire, artificieux, ne mettait pas de frein à ses passions et n'avait aucun principe de moralité. Il ambitionnait les distinctions mondaines, et se jetait avec ardeur dans les entraînements et les plaisirs du monde. Il avait reçu — et continuait à recevoir — une éducation brillante. Indépendamment du grec, qu'on parlait généralement à Antioche, il possédait la langue latine qu'il parlait correctement et avec grâce, comme nous l'avons vu, quoique avec un léger accent étranger. Dans l'intimité de la famille, et dans ses rapports avec les domestiques, il parlait, comme tout le monde, la langue du pays.

Quand ce fils eut atteint sa quinzième année, et que son père l'eut soustrait au contrôle de sa mère, il n'en éprouva nul regret, et il souscrivit avec plus de plaisir encore au désir de son père de continuer à pratiquer la religion dominante et favorite de l'Etat.

Quant à la fille, qui avait trois ans de moins qu'Orontius, le père ne s'en inquiétait point. Il lui semblait puéril et au-dessous de sa dignité d'attacher une grande importance aux questions religieuses ; changer de culte, abandonner celui de l'empire, était, selon lui, un signe de faiblesse. Que les femmes, dont l'imagination est plus ardente que celle des hommes et qui résistent moins aux entraînements du sentiment, cédassent à de telles fantaisies, c'était là, disait-il, chose toute naturelle et dont il ne fallait guère s'inquiéter. En conséquence, il permit à sa fille Miriam (dont le nom était syrien, attendu que sa mère descendait d'une famille riche d'Édesse), de suivre librement les pratiques de sa foi nouvelle. Miriam, dont l'éducation mentale avait été soigneusement cultivée, devint bientôt un modèle de vertu. Elle plaisait surtout par sa simplicité et par l'absence de toute prétention. N'oublions pas d'ajouter que ceci se passait à une époque où Antioche était célèbre par l'enseignement de ses philosophes, dont la plupart étaient des chrétiens de mérite distingué.

Quelques années plus tard, quand le fils eut atteint l'âge d'homme et donné des preuves de ses mauvaises inclinations, la mère vint à mourir ; mais, avant son trépas, elle eut la douleur de prévoir la ruine prochaine et inévitable de son mari. Ne voulant pas que sa fille fût victime de l'incurie de son époux ni du fatal égoïsme et de l'ambition de son fils, elle avait eu soin de placer sur la tête de Miriam toute sa fortune personnelle qu'elle était parvenue à soustraire à leur double convoitise. Elle résista avec fermeté aux influences, aux artifices employés pour la faire renoncer à sa résolution. Elle ne voulut céder à aucune obsession qui pût exposer ses biens à disparaître parmi les ressources de la famille, ou aider à satisfaire les exigences des créanciers. Bien plus, à son lit de mort, elle enjoignit à sa fille, entre autres recommandations maternelles, de considérer comme un devoir filial de s'opposer toujours à ce qu'il fût porté atteinte à ses dernières volontés.

Les affaires empirèrent de plus en plus, les créanciers devenaient pressants, les biens avaient été imprudemment vendus, quand un homme mystérieux, du nom d'Eurotas, apparut dans la famille ; personne, si ce n'est le père d'Orontius et de Miriam, ne semblait le connaître, et il le considérait comme étant à la fois une bénédiction et une malédiction, comme un messager de ruine ensemble et de salut.

Le lecteur connaît les aveux d'Eurotas : il suffit d'ajouter qu'il était l'aîné et qu'il n'ignorait pas que son caractère hautain, morose, sinistre même, le rendait peu propre à occuper la position de chef de famille ou à administrer paisiblement des propriétés foncières. Il avait cependant une ambition effrénée : c'était d'élever sa famille à un rang supérieur et même d'en augmenter l'opulence. Dans ce but, il se munit d'une certaine somme d'argent, disparut pendant quelques années, se livra aux spéculations aventureuses du trafic dans l'intérieur de l'Asie, pénétra dans la Chine et dans l'Inde, et revint avec une grande fortune et une riche collection de pierres précieuses qui facilita à son neveu la courte carrière qu'une mauvaise direction devait faire aboutir à sa ruine dans Rome.

Au lieu d'une riche famille, à qui il aurait pu prodiguer des richesses superflues, Eurotas, à son retour, ne retrouva qu'une maison en faillite à relever de sa ruine. Son orgueil de famille prévalut, et, après d'amers reproches et de violentes querelles avec son frère, — querelles soigneusement cachées au monde, — il paya toutes les dettes en sacrifiant son propre capital, et devint ainsi, virtuellement, maître des débris de la fortune de son frère et le tyran de la famille entière.

Après quelques années d'une vie agitée, le père s'affaiblit et mourut. A son lit de mort, il avoua à Orontius qu'il n'avait rien à lui transmettre, que tout ce qui l'avait fait vivre depuis quelques années, que le toit même qui l'abritait, appartenaient à son ami Eurotas. Sans indiquer les liens de parenté qui l'attachaient à cet homme, le moribond dit à son fils qu'il allait désormais n'avoir plus sur la terre d'autre protecteur ni d'autre guide. Dévoré d'orgueil, d'ambition et de l'amour des plaisirs, le jeune homme se vit tout d'un coup livré à un homme sans principes et sans cœur, à un homme non moins avide que lui, et qui lui prescrivait pour base d'une mutuelle confiance une soumission absolue à sa volonté de fer. Quant à lui, il devait, aux yeux du monde, passer pour l'inférieur d'Orontius, à condition que ce dernier agirait conformément à ce principe, qu'il n'y avait rien de trop grand ou de trop petit, rien de bien ou rien de mal, qu'il ne dût faire pour rendre à la famille une fortune et une position.

Demeurer à Antioche après la ruine de la maison était chose impossible. Orontius sentait qu'avec une somme d'une certaine importance il produirait plus d'effet partout ailleurs que dans sa ville natale. Mais il reconnut bien vite que la vente du reste des biens de son père suffirait à peine pour couvrir les dettes qu'il avait laissées. Il ne restait plus d'intact que la fortune de Miriam ; les deux complices reconnurent, de commun accord, qu'il leur *fallait* s'en rendre maîtres. Prières, artifices, insinuations, tout fut employé ; mais Miriam résista simplement et avec fermeté, tant pour accomplir les volontés de sa mère mourante que pour exécuter son projet d'établir une maison, où, en compagnie d'autres vierges consacrées, comme elle, au service du Seigneur, elle pût passer le reste de sa vie. Elle venait d'atteindre l'âge légal et pouvait, par conséquent, disposer de ses biens. Cependant elle offrit à son frère ainsi qu'à Eurotas tout ce qu'elle crut devoir faire dans leur intérêt ; elle leur proposa de vivre, pour un temps du moins, des revenus de sa fortune. Mais ce n'était pas là ce qu'ils voulaient ; et, voyant qu'ils n'obtenaient rien par la ruse, Eurotas commença à faire comprendre à Orontius qu'il faudrait peut-être en venir à faire disparaître celle qui s'opposait si énergiquement à l'accomplissement de leurs vues.

Le jeune homme frémit rien qu'à cette pensée. Eurotas s'appliqua à le familiariser peu à peu avec elle, jusqu'à ce que — tout en se révoltant encore contre l'idée de commettre actuellement un fratricide — il en vint à se dire qu'il ferait presque une action vertueuse. C'est ainsi que les frères de Joseph se persuadèrent la même chose, lorsqu'ils employèrent un moyen plus lent et moins féroce pour se débarrasser d'un frère importun. Un stratagème, un acte de violence cachée, ne tombant pas sous l'application des lois et que personne n'osa révéler, lui offrait les meilleures chances du succès.

Au nombre des priviléges dont jouissaient les chrétiens des premiers siècles, nous avons déjà mentionné celui de pouvoir conserver chez eux la sainte Eucharistie, pour communier en particulier. Nous avons décrit la manière dont on l'enveloppait dans un *orarium*, ou voile de lin, préservé lui-même par une riche couverture. Ce don précieux, saint Cyprien nous l'apprend[1], était soigneusement renfermé dans un coffret (*arca*) fermant à clef. Orontius ne l'ignorait pas ; il savait aussi que ce qu'il contenait était mille fois plus estimé que l'or ou l'argent, et que les Pères de l'Eglise considéraient comme un crime le fait de perdre la moindre parcelle du pain consacré[2]. Le nom « de perle » donné au plus petit fragment[3], indiquait le prix qu'y attachaient les chrétiens, prix tellement élevé à leurs yeux, qu'ils sacrifiaient avec joie tout ce qu'ils possédaient pour sauver de la profanation la sainte Eucharistie.

Le voile richement brodé de perles dont il a été tant de fois question dans notre récit était la couverture extérieure dans laquelle la mère de Miriam renfermait jadis son trésor ; sa fille le conservait soigneusement à un double titre : comme un précieux héritage et comme un objet consacré qu'elle continuait à employer au même usage.

Un jour qu'elle s'était agenouillée de bonne heure devant son tabernacle (*arca*), elle voulut, après une fervente prière, en soulever le couvercle. A sa grande surprise et à sa profonde douleur, elle vit la serrure ouverte et son trésor enlevé ! Comme Marie-Magdeleine au sépulcre, elle pleura amèrement, parce qu'on lui avait pris son Seigneur et qu'elle ne savait ce qu'on en avait fait[4]. Comme elle aussi, « en répandant des larmes, elle se baissa et regarda » dans le coffret et vit un papier que, dans le premier moment de trouble, elle n'avait point remarqué.

Le papier lui apprit que ce qu'elle cherchait était en sûreté dans les mains de son frère, et qu'elle pouvait le racheter, moyennant rançon. Elle courut chez son frère, qui s'était enfermé avec l'homme sinistre dont la présence la faisait toujours trembler ; elle se jeta à

(1) « *Cum arcam suam, in qua Domini sanctum fuit, manibus indignis tentasset aperire, igne inde surgente deterrita est, ne auderet attingere* ; quand elle essaya d'ouvrir, de ses mains indignes, le coffret dans lequel était le saint (*corps*) de Notre-Seigneur, elle en fut violemment empêchée par les flammes qui s'en échappèrent. » *De Lapsis*.

(2) Voyez Martenne, *De Antiquis Ecclesiæ ritibus*.

(3) D'après les liturgies orientales, Fortunatus appelle la sainte Eucharistie « *Corporis Agni margaritum ingens*, la perle précieuse du corps de l'Agneau. » Lib. III, vers 25.

(4) Saint Jean, XXI. 13.

leurs pieds et les supplia de lui rendre ce qu'elle estimait bien plus que sa fortune entière. Orontius était sur le point de se rendre à ses larmes et à ses supplications, quand Eurotas, arrêtant sur lui son regard implacable, le subjugua, et, s'adressant à la malheureuse jeune fille, lui dit :

— Miriam, nous vous prendrons au mot. Nous voulons mettre à l'épreuve la vérité et la sincérité de votre foi. Votre offre est-elle sincère?

— Je donnerai tout au monde, tout ce que je possède, pour racheter de la profanation le Saint des saints.

— Signez donc ce papier, reprit Eurotas avec un sourire ironique.

Miriam saisit une plume, jeta un regard sur le document et signa. C'était une donation de tous ses biens à Eurotas. Orontius était furieux de se voir frustré par l'homme même auquel il avait suggéré le piége tendu à sa sœur, mais il était trop tard. Il n'en était que plus avant dans les filets de son tyran. Par la suite, ils surent arracher à Miriam une renonciation régulière de tous ses droits, laquelle fut revêtue de toutes les formalités voulues par les lois romaines.

Miriam fut d'abord traitée avec douceur ; puis on lui insinua qu'elle eût à songer à partir, parce qu'Orontius et son ami avaient l'intention de se rendre à Nicomédie, résidence de l'empereur. Elle demanda à être envoyée à Jérusalem, où elle espérait obtenir d'être admise dans une communauté de saintes femmes. Elle fut, en conséquence, embarquée, avec de faibles ressources, sur un navire dont le capitaine était un homme des plus suspects. Elle passa autour de son cou le trésor auquel elle attachait tant de prix, puisqu'elle l'avait préféré à tout ce qu'elle possédait. D'après ce que saint Ambroise raconte de son frère Satyrus, étant encore catéchumène, il paraît que les chrétiens, à cette époque, portaient sur leur poitrine la sainte Eucharistie au moment de s'engager dans un long voyage[1]. Il serait superflu d'ajouter que Miriam enveloppa soigneusement la sainte hostie dans le seul objet de valeur qu'elle voulût emporter de la maison paternelle.

Dès que le vaisseau fut en pleine mer, le capitaine, au lieu de tourner la proue vers Joppé ou tout autre port de la côte, cingla droit devant lui, comme s'il eût voulu voguer vers un lointain rivage. Il eût été difficile de pénétrer ses intentions; mais sa conduite suspecte alarma le petit nombre de passagers qu'il avait à bord, et une vive altercation

(1) *De Morte Satyri.*

s'ensuivit. Une tempête soudaine y mit un terme; le malheureux navire, ballotté au gré des vents pendant plusieurs jours, finit par se briser contre les rochers d'une île peu éloignée de Chypre. Comme Satyrus, Miriam attribua son salut au précieux fardeau qu'elle portait sur elle. Seule elle échappa à la mort, du moins elle ne revit aucun de ses compagnons de voyage. Si quelqu'un d'entre eux parvint à se sauver, il retourna plus tard à Antioche, où il répandit le bruit de son trépas ainsi que de celui de tous les autres passagers et matelots du navire.

Elle fut recueillie par des hommes du pays qui ne vivaient que d'épaves de naufrages. Abandonnée, sans amis, sans secours, elle fut vendue à un marchand d'esclaves, conduite à Tarse, dans l'intérieur du pays, et revendue ensuite à une personne de qualité qui la traita avec douceur.

Quelque temps après, Fabius chargea un de ses agents en Asie de se procurer, n'importe à quel prix, une esclave vertueuse et de manières distinguées, autant que possible, pour en faire la suivante de sa fille; c'est ainsi que Miriam, sous le nom de Syra, vint à Rome, pour apporter le salut dans la maison de Fabius.

XXXIV. — MORT GLORIEUSE.

Quelques jours après les événements rapportés dans notre avant-dernier chapitre, on était venu dire à Fabiola, qu'un vieillard accablé d'inquiétudes, réelles ou simulées, insistait pour la voir. Elle descendit aussitôt et demanda à cet homme quels étaient son nom et le motif de sa venue. Il répondit :

— Mon nom, noble dame, est Éphraïm ; je possède une forte créance hypothéquée sur les biens de feue la patricienne Agnès, biens qui, d'après ce que j'ai entendu dire, sont passés entre vos mains : je viens, en conséquence, réclamer auprès de vous; reconnaissez la dette, sinon, je suis ruiné.

— Comment cela est-il possible? demanda Fabiola avec surprise, je ne puis croire que ma cousine ait jamais contracté des dettes.

— Non, pas elle précisément, reprit l'usurier un peu confus; mais bien un patricien nommé Fulvius, à qui les biens d'Agnès devaient revenir par confiscation. Je lui ai avancé sur son titre une forte somme.

La première idée de Fabiola fut de renvoyer cet homme ; mais le souvenir de celle qu'elle avait aimée comme une sœur revint à sa mémoire, et elle répondit avec beaucoup de politesse :

— Quelles que soient les dettes que Fulvius ait contractées, je les payerai ; mais je vous préviens que ce sera au taux de l'intérêt légal, et sans tenir compte d'aucune espèce de contrats usuraires.

— Mais songez donc aux risques que j'ai courus, madame : je me suis montré fort modéré dans mes conditions, je vous l'assure.

— Bien, dit-elle ; allez trouver mon intendant et il règlera cette affaire avec vous. Vous ne courez plus de risques, du moins maintenant.

Par suite de cette promesse, Fabiola donna des instructions à l'affranchi chargé de l'administration de ses biens, pour qu'il eût à payer la dette de Fulvius aux conditions posées par elle, ce qui réduisit de moitié les prétentions de l'usurier. Mais l'intendant eut encore bientôt à remplir, sur son ordre, une besogne plus difficile : celle de vérifier tous les comptes laissés par son père et de réparer scrupuleusement toutes les injustices et les actes d'oppression que ferait connaître cet examen. Fabiola ne s'en tint pas là. Sur la certitude acquise que Corvinus avait réellement obtenu par Tertullus, son père, le rescrit impérial qui avait sauvé ses propres biens de la confiscation, elle ordonna, quoiqu'elle refusât toujours de le voir, qu'il lui fût compté une indemnité suffisante pour vivre dans l'aisance jusqu'à la fin de ses jours.

Ses affaires temporelles étant terminées de la sorte, Fabiola partagea son temps entre les soins que réclamaient la malade et l'instruction religieuse qui devait précéder son initiation au christianisme. Afin de hâter la guérison de Miriam, elle la conduisit, avec une partie des gens de sa maison, dans un lieu cher à toutes deux, la villa Nomentane. Le printemps était venu : Miriam pouvait faire glisser son lit près de la fenêtre, ou bien encore, pendant les plus belles heures du jour, se faire transporter dans le jardin qui s'étendait devant la maison, et là, ayant Fabiola d'un côté, Emérantiana de l'autre, et couché à ses pieds le pauvre Molossus, qui avait perdu toute son ardeur, elle s'entretenait avec ses deux compagnes de leurs amis perdus et principalement de celle dont le souvenir remplissait tout ce qui les entourait. Dès que le nom d'Agnès était prononcé, le chien fidèle levait les oreilles, remuait la queue et cherchait autour de lui. Toutes deux parlaient souvent aussi de sujets religieux, lorsque Miriam pouvait suivre, humblement et sans aucune prétention, mais avec cette ardeur qui avait eu, dès l'abord, tant de charmes pour Fabiola, les instructions et les préceptes développés par le vénérable Dionysius.

Ainsi, par exemple, quand il avait parlé de la vertu et du sens attachés au signe de la croix en usage dans la cérémonie du baptême, « soit sur le front des croyants, soit au-dessus de l'eau par laquelle ils allaient être régénérés, soit avec l'huile et le chrême dont on les oignait, soit avec l'hostie du saint sacrifice qui les nourrissait[1], » Miriam expliquait aux catéchumènes son usage pratique et journalier; elle les exhortait à l'employer avec foi et onction, comme tous les fidèles chrétiens le faisaient dans les principaux actes de la journée, c'est-à-dire : « pendant le cours et au commencement de tout ouvrage; en entrant et en sortant; en revêtant ses habits; en chaussant ses sandales; avant de se laver; en prenant place à table; en allumant la lampe; en se mettant au lit; en s'asseyant, et au commencement de toute conversation quelle qu'elle fût[2].

Mais chacun, à l'exception de Fabiola, remarquait avec douleur que, quoique la plaie fût cicatrisée, la blessée ne reprenait point ses forces. La mère ou la sœur sont souvent les dernières à s'apercevoir des sourds ravages du mal, dans l'enfant ou dans la sœur. L'amour est si plein d'aveuglement et d'espoir! La joue de Miriam brillait de l'incarnat de l'étisie; elle était faible et amaigrie, et une toux sèche s'échappait de temps en temps de sa poitrine oppressée. Elle avait de longues insomnies et désirait que son lit fût placé de manière que, dès le point du jour, elle pût diriger ses regards vers un endroit qui lui paraissait surpasser en beauté le parterre le plus brillant et le plus riche.

Pendant longtemps, il avait existé, à la villa, une entrée donnant sur le cimetière de la route, cimetière qui, depuis peu, avait reçu le nom d'Agnès, car c'était près de là qu'avait été inhumé le corps de la sainte martyre. Ses restes reposaient dans un *cubiculum* ou chambre souterraine, sous une tombe voûtée. Au-dessus de cette crypte, au centre du terrain sous lequel elle était construite, on avait ménagé

(1) S. Aug., Tract. CXVIII, in Joan.

(2) Tertullien (qui vivait moins de 200 après Jésus-Christ et qui fut le premier écrivain ecclésiastique latin), *de Corona*. c. 3.

pour l'air et la lumière un espace ouvert et circulaire, entouré d'un parapet peu élevé, et dissimulé par des broussailles. Miriam se plaisait à diriger ses regards vers cet endroit ; c'était le seul moyen qu'elle eût, dans le triste état de sa santé, de s'approcher du sépulcre de celle qu'elle aimait et vénérait avec une si vive ardeur.

Un jour, de grand matin, par un temps beau et calme, peu de semaines seulement avant Pâques, Miriam regardait dans la direction de la crypte. Elle aperçut un groupe d'une demi-douzaine de jeunes gens qui, allant pêcher dans l'Anio, voisin de là, traversèrent le jardin de la villa pour raccourcir leur route par cet acte de transgression. Ils passèrent ainsi près du monument consacré, et l'un deux, ayant été regarder ce qu'il signifiait, appela aussitôt ses compagnons.

— Venez voir ici une des cachettes souterraines des chrétiens.

— Un des terriers de leur garenne?

— Entrons-y, proposa l'un deux.

— Oui, mais comment en sortirons-nous? demanda un second.

Miriam ne pouvait rien entendre de ce qu'ils se disaient, mais elle vit ce qui s'ensuivit. Un d'eux, ayant regardé dans la crypte avec plus d'attention que les autres, en protégeant ses yeux contre les rayons du soleil, engagea ses compagnons à l'imiter, en les invitant par signes à garder le silence. En moins d'un instant ils eurent arraché les pierres du roc factice qui bordait une fontaine tout près de là, et les lancèrent, par volées, sur quelque chose au fond du monument. Ils partirent en riant de tout leur cœur. Miriam s'imagina qu'ils avaient vu dans la crypte un serpent ou quelqu'autre animal nuisible, et qu'ils s'étaient amusés à le lapider.

Quand les gens de la maison furent levés, elle leur dit ce qui s'était passé afin qu'ils allassent enlever les pierres qui avaient été jetées. Fabiola s'y rendit elle-même avec quelques domestiques, car elle prenait un soin scrupuleux de la tombe d'Agnès. Elle fut frappée d'horreur et de consternation en trouvant la pauvre Émérantiana, qui était allée prier sur la tombe d'Agnès, baignée dans son sang et ayant rendu le dernier soupir. On découvrit que la veille au soir, Émérantiana étant passée près de la rivière, au moment où des païens se livraient à une orgie, avait été invitée à y prendre part et que non-seulement elle avait refusé, mais encore qu'elle leur avait reproché leur corruption et leur cruauté envers les chrétiens. Furieux de ces reproches, ils l'avaient assaillie à coups de pierres et l'avaient blessée grièvement, mais elle était parvenue à se soustraire à leurs mauvais traitements en s'enfuyant dans la direction de la villa. Se sentant blessée, affaiblie, elle s'était glissée, inaperçue, dans la tombe, pour y prier. Elle n'avait pas eu la force de sortir de la crypte où quelques-uns de ses ennemis de la veille l'avaient plus tard découverte. Les cruels avaient usurpé la mission des ministres de l'Église, en lui conférant le baptême de sang. Elle fut inhumée près d'Agnès, et l'humble fille du paysan reçut les honneurs de la commémoration que l'on fait pour les saints.

Fabiola et ses compagnes continuèrent à suivre le cours habituel des instructions chrétiennes, qui furent abrégées cependant à cause de la persécution. Vivant près de l'entrée d'un cimetière, et d'un cimetière qui renfermait les plus vastes églises, elles purent traverser les trois stages imposés aux catéchumènes. Elles furent d'abord *audientes*, — c'est-à-dire admises à être présentes pendant la lecture des leçons ; — ensuite *genuflectentes*, — on désignait ainsi ceux qui assistaient à une partie des prières liturgiques, — et enfin *electi* ou *competentes*, — ce qui veut dire préparés au baptême.

Parvenus dans cette classe, les catéchumènes avaient à se rendre fréquemment à l'église, principalement les mercredis qui suivent les premier, quatrième et dernier dimanches du carême, jours auxquels le missel romain prescrit encore aujourd'hui de secondes collectes et des leçons, conformément à cette ancienne coutume. Quelqu'un qui lirait le rite actuel du baptême adopté dans l'Eglise catholique, principalement pour les adultes, verrait dans un seul office ce qui était anciennement réparti dans plusieurs cérémonies diverses. Un jour était consacré à la renonciation à Satan, préalablement à la répétition de ce vœu qui précédait le baptême; un autre jour était affecté à l'attouchement des oreilles et des narines, ou l'*ephpheta*, comme on disait; puis on répétait les exorcismes, les génuflexions, les signes de croix sur le front et sur le corps [1], les souffles sur les candidats et autres rites mystérieux. La cérémonie la plus solennelle de toutes était l'onction, qui ne se bornait pas seulement à la tête, mais qui s'étendait sur toutes les parties du corps.

Le symbole des Apôtres était étudié avec ferveur et appris par cœur, mais la doctrine de la sainte Eucharistie n'était enseignée qu'après le baptême.

(1) On trouvera les explications particulièrement en ce qui concerne le baptême des adultes, jointes aux répétitions du *Notre Père*.

Pendant ces exercices préparatoires si multipliés, l'époque de pénitence de carême s'écoulait tranquillement et solennellement, jusqu'à ce qu'on atteignît enfin la veille de Pâques.

Il n'entre pas dans notre sujet de décrire les cérémonies de l'Eglise dans l'administration des sacrements. Le système liturgique ne reçut tous ses développements qu'après la paix ; la plupart de ces formalités extérieures et splendides étaient, à l'époque de notre histoire, incompatibles avec la cruelle persécution que l'Eglise supportait.

Il nous suffit d'avoir montré que non-seulement les doctrines et les grands rites sacrés, mais encore les cérémonies et les accessoires étaient, pendant les trois premiers siècles de l'ère chrétienne, les mêmes qu'à présent. Si l'on croit que notre exemple vaille la peine d'être suivi, quelqu'un voudra peut-être illustrer une période plus brillante que celle dont nous avons fait choix.

Le baptême de Fabiola et de ses femmes n'excita dans leur tranquille foyer, qu'une joie purement spirituelle. Toutes les églises de la ville étaient fermées, et, parmi elles, celle de Saint-Pastor avec son baptistère papal.

C'est pourquoi, dès l'aube du jour fortuné, les néophytes se glissèrent le long des murs jusqu'au côté opposé de la cité et suivirent la voie Portuensis, ou route qui conduisait au port à l'embouchure du Tibre ; ils entrèrent dans une vigne près des jardins de César et descendirent dans le cimetière de Pontianus, célèbre comme lieu de repos des martyrs persans, saint Abdon et saint Sennen.

Le matin fut consacré aux prières et aux préparatifs, jusqu'à ce que commençât, vers le soir, l'office solennel qui devait s'accomplir pendant la nuit.

Quand le moment de l'administration du baptême fut arrivé, il ne marqua en réalité qu'une cérémonie lugubre. Les eaux d'une source souterraine, coulant profondément dans les entrailles de la terre, avaient été réunies dans un carré de maçonnerie ou citerne de quatre à cinq pieds de profondeur. Elles étaient claires, sans doute, mais froides et blêmes, si l'on peut s'exprimer ainsi, dans leur bassin souterrain, creusé dans le tuf ou roc volcanique. Une longue suite de marches conduisaient à ce rude baptistère, et un léger rebord était établi pour le ministre et le candidat qui était immergé trois fois dans les eaux purifiantes

Tout cela existe encore aujourd'hui dans le même état qu'alors, si ce n'est qu'au-dessus de l'eau on voit à présent un tableau représentant saint Jean-Baptiste baptisant Notre-Seigneur, ajouté probablement un ou deux siècles plus tard.

Immédiatement après le baptême suivait la confirmation, et puis le néophyte, ou enfant nouveau-né de l'Eglise, était, après avoir reçu l'instruction nécessaire, pour la première fois admis à la table du Seigneur et nourri du pain des Anges.

Ce ne fut que très-avant dans la journée du dimanche de Pâques que Fabiola put revenir à la villa ; une longue et silencieuse étreinte marqua sa première rencontre avec Miriam. Elles étaient toutes deux si heureuses, si satisfaites, si bien payées de tout ce qu'elles avaient été l'une pour l'autre depuis si longtemps, qu'aucune parole ne pourrait exprimer leurs sentiments. L'idée fixe de Fabiola, son orgueil dominant, ce jour-là, était de penser qu'elle s'était élevée au niveau de son ancienne esclave, non en vertu, non en beauté de caractère, non en grandeur d'âme, non en sagesse céleste, non en mérite devant Dieu ; loin de là : en tous ces points elle se sentait bien inférieure ; mais comme fille de Dieu, comme héritière d'un royaume éternel, comme membre vivant du corps du Christ, comme admise au partage de toutes ses miséricordes et de tout le prix de sa rédemption, comme une de ses nouvelles créatures ; enfin elle sentait qu'elle était l'égale de Miriam, et, pleine d'allégresse, elle lui fit part de ses impressions.

Jamais elle ne s'était sentie aussi fière d'une splendide toilette qu'elle l'était de la robe blanche qui lui avait été donnée au sortir des fonts, et qu'elle devait porter pendant huit jours.

Mais un père miséricordieux sait comment mêler ensemble nos joies et nos peines, et nous envoyer ces dernières, quand il nous y a le mieux préparés. Dans la chaleureuse étreinte dont nous avons parlé, Fabiola s'aperçut, pour la première fois, du souffle haletant et de l'oppression de la poitrine de sa chère sœur. Elle ne voulut point arrêter sa pensée sur ce triste sujet, mais elle fit prier Dionysius de venir le lendemain. Le même soir, elles célébrèrent ensemble la fête de Pâques, dans un banquet que Fabiola fut heureuse de présider à côté de Miriam. Ses esclaves converties et celles d'Agnès, qu'elle avait toutes conservées, prirent place avec elle à la même table. La riche patricienne ne se souvenait point d'avoir jamais assisté à un souper aussi joyeux que celui-là.

Le lendemain, de très-grand matin, Miriam appela Fabiola près d'elle, et d'un ton doux, caressant, qu'elle n'avait jamais eu auparavant, elle lui dit :

— Que ferez-vous, ma chère sœur, lorsque je vous aurai quittée?

La pauvre Fabiola demeura muette de douleur.

— Allez-vous donc me quitter? dit-elle. J'avais espéré que nous pourrions vivre à jamais ensemble comme deux sœurs. Mais si vous désirez quitter Rome, ne puis-je vous accompagner, pour vous soigner, au moins pour vous servir?

Miriam sourit; mais une larme trembla dans son œil quand, prenant la main de sa sœur, elle lui montra le ciel. Fabiola la comprit, et dit :

— Oh! non, non, chère sœur. Priez Dieu, qui ne vous refusera rien, que je ne vous perde point. C'est de l'égoïsme, je le sais; mais que puis-je faire sans vous? Et maintenant que, moi aussi, j'ai appris à connaître combien, par leur intercession, peuvent faire pour nous ceux qui règnent avec le Christ, je prierai Agnès[1] et Sébastien d'implorer Dieu pour qu'il détourne de moi cette immense calamité. Je vous en prie, Miriam, guérissez; je suis persuadée que votre mal n'a rien de sérieux : le temps chaud, le doux et sain climat de la Campanie, vous rétabliront bientôt. Nous irons nous asseoir ensemble auprès de la source, et nous causerons d'autre chose que de philosophie.

Miriam secoua la tête, non avec tristesse, mais avec joie, et reprit :

— Ne vous flattez pas d'un vain espoir, ma bien-aimée. Dieu m'a conservée pour me faire assister à cet heureux jour. Mais sa main s'étend maintenant sur moi pour m'appeler à lui, comme elle s'est étendue sur moi pour me conserver la vie. Je la bénis avec joie cette main sacrée! Je connais trop bien le compte de mes jours!

(1) — Agnæ *sepulchrum est Romulea in domo,*
Fortis puellæ, martyris inclytæ.
Conspectu in ipso condita turrium
Servat salutem virgo Quiritum :
Necnon et ipsos protegit advenas,
Puro ac fideli pectore supplices. (*Prudentius.*)

Agnès, la vierge forte et l'illustre martyre,
Orne de son tombeau les murs de Romulus;
Bâti près des créneaux où la guerre respire,
Ce sépulcre défend les Romains abattus.
Et que l'humble étranger qui gémit et soupire
Vienne invoquer Agnès, bientôt il peut se dire :
Mes vœux sont exaucés, je ne souffrirai plus.

— Oh! que ce ne soit pas sitôt! sanglota Fabiola.

— Non pas tant que vous aurez la robe blanche, chère sœur, répondit Miriam. Je sais que vous voudrez porter mon deuil; mais je ne veux pas vous enlever un seul instant de votre mystique blancheur.

Dionysius arriva et reconnut un grand changement dans l'état de la malade, qu'il n'avait pas visitée depuis quelque temps. Ce qu'il avait redouté était arrivé. La pointe perfide de la dague avait contourné l'os et atteint le poumon ; une étisie en avait été la conséquence immédiate. Il confirma les sinistres pressentiments de Miriam.

Fabiola alla prier auprès de la tombe d'Agnès pour demander à Dieu la résignation; elle pria longtemps avec ferveur et revint après avoir versé d'abondantes larmes :

— Sœur, dit-elle avec fermeté, que la volonté de Dieu soit faite! Je suis prête même à vous rendre à lui : mais, dites-moi, que voulez-vous que je fasse après que vous m'aurez été enlevée?

Miriam leva les yeux au ciel et répondit :

— Déposez mon corps aux pieds d'Agnès, et demeurez pour nous garder ; priez pour elle et pour moi, jusqu'à ce qu'il vienne de l'Orient un étranger porteur de bonnes nouvelles.

Le dimanche d'ensuite, « le dimanche aux vêtements blancs, » Dionysius, par une permission spéciale, célébra les saints mystères dans la chambre de Miriam, et lui administra la très-sainte communion, en viatique. Cette célébration privée, d'après ce que nous rapportent saint Augustin et d'autres encore, n'était pas un privilége rare[1]. Après le saint sacrifice, il donna, avec les prières consacrées, les saintes huiles à la mourante, dernier des sacrements que l'Eglise confère aux hommes.

Fabiola et ses suivantes, qui avaient assisté, en prières et en larmes, à ces rites solennels, descendirent ensuite dans la crypte et revinrent après les offices, vêtues de leurs vêtements les plus sombres, dans la chambre de Miriam.

— L'heure est venue, dit Miriam, en prenant la main de Fabiola. Pardonnez-moi si j'ai été souvent au-dessous des devoirs que j'avais à

(1) Saint Ambroise dit la messe dans la maison d'une dame au delà du Tibre (Paulinus, dans sa vie, tome II, oper. ed. Bened.) Saint Augustin cite un prêtre disant la messe dans une maison qu'on croyait hantée par de mauvais esprits. *De. Civ. D.*, lib. XXII, c. 8.

remplir envers vous, et si je ne vous ai pas toujours montré le bon exemple.

C'était plus que Fabiola n'en pouvait supporter, et elle éclata en sanglots. Miriam l'apaisa, et lui dit :

— Portez à mes lèvres le signe du salut, lorsque je ne saurai plus parler ; et vous, bon Dionysius, souvenez-vous de moi à l'autel de Dieu, quand je ne serai plus sur la terre.

Dionysius pria aux pieds de son lit, et elle répondit aux prières jusqu'à ce que la voix l'abandonnât. Mais ses lèvres se mouvaient encore, et elle les collait contre la croix qui lui était présentée. Elle parut sereine et joyeuse jusqu'au moment où, levant la main à son front et la reportant à sa poitrine, elle y retomba inerte en faisant le signe du salut. Un sourire passa sur ses traits et elle expira, comme des milliers d'enfants du Christ ont expiré depuis.

Fabiola pleura longtemps cette perte douloureuse ; mais cette fois elle pleura comme on pleure quand on espère encore.

L'animal furieux s'élança sur lui, et, passant ses pattes à travers les barreaux, saisit dans ses griffes le cou et la gorge de Corvinus qu'il sillonna d'effroyables blessures. (P. 399.)

TROISIÈME PARTIE.

VICTOIRE.

I. — L'ÉTRANGER DU LEVANT.

Il semble que nous marchions à travers une solitude. Ceux dont les paroles, les actions et les pensées nous ont jusqu'ici accompagnés et soutenus, ont disparu, l'un après l'autre, et autour de nous l'horizon présente un aspect lugubre. Faut-il s'en étonner? L'époque que nous avons dépeinte n'est pas une période de paix et d'existence régulière, mais bien une époque de guerres, de sang et de batailles. Est-il donc étrange que les plus braves et les plus vaillants soient tombés, en rangs épais, autour de nous? Nous avons rappelé la mémoire d'une des persécutions les plus cruelles que l'Eglise ait souffertes, persécution pendant laquelle il fut proposé d'ériger une colonne portant pour inscription que le nom chrétien était anéanti. Est-il donc étrange que les plus saints et les plus purs aient, les premiers, obtenu la couronne?

Et cependant l'Eglise du Christ eut encore à supporter bien des années d'une persécution plus acharnée encore que celle que nous avons décrite. Une succession de tyrans et d'oppresseurs lui livrèrent, pendant vingt ans, une guerre cruelle et incessante, dans l'une ou l'autre des parties du monde, même après que Constantin en eut arrêté les effets partout où s'étendait son pouvoir. Dioclétien, Galère, Maximin et Licinius, en Orient; Maximien et Maxence, en Occident, n'accordèrent, sous leurs différents règnes, aucun repos aux chrétiens : semblable à une de ces trombes qui parcourent un hémisphère et qui étendent sur certaines contrées leur destructive énergie, pendant que leurs sombres préludes ou leurs terribles traces les obscurcissent toutes simultanément; de même, cette persécution déchargeait sa fureur d'abord sur un pays, puis sur un autre, détruisant tout ce qui était chrétien, passant de l'Italie à l'Afrique, de la Haute-Asie à la Palestine et à l'Egypte, revenant à l'Arménie, ne laissant la paix nulle part, mais demeurant suspendue sur l'empire entier, comme un nuage chargé de tempêtes et d'éclairs.

Et cependant l'Eglise augmentait, prospérait et défiait ce monde de péché. Pontife sur pontife passaient des marches du trône papal aux degrés de l'échafaud; les conciles se tenaient dans les sombres galeries des Catacombes; les évêques venaient à Rome, au péril de leur vie, pour consulter le successeur de saint Pierre; des lettres pleines de sympathies, d'encouragements et d'affection s'échangeaient entre les églises dispersées au loin et le chef suprême de la chrétienté, et entre différentes églises. Un évêque succédait à un évêque sur le siége épiscopal, ordonnait des prêtres et d'autres ministres du saint culte pour prendre la place de ceux qui étaient tombés, et placés pour servir de but, sur les remparts de la cité, aux coups de l'ennemi; et l'œuvre du royaume impérissable du Christ s'accomplissait sans interruption et sans craindre la ruine.

C'était, en effet, au plus fort de ces alarmes et de ces conflits que furent posées les fondations d'un système puissant, destiné à produire d'étonnants résultats dans le cours des âges. La persécution entraîna un grand nombre d'habitants des villes dans les solitudes de l'Egypte, où l'état monastique prospéra au point que « le désert, dans l'allégresse, fleurissait comme le lis : il poussait et germait de toutes parts, il était dans une effusion de joie et de louanges[1]. » Ainsi, quand Dioclétien, dépouillé de sa pourpre, fut mort dans une vieillesse indigente et délaissée; quand Galère, dévoré vivant par les ulcères et les vers, eut reconnu, dans un édit public, la vanité de ses efforts; quand Maximien-Hercule se fut étranglé; quand Maxence eut péri dans le Tibre; quand Maximin, frappé par la justice divine, eut expiré au milieu des tortures, qui égalaient et surpassaient même toutes celles qu'il avait infligées aux chrétiens, au point que ses yeux sortirent de leurs orbites; quand Lucinius eut été condamné à mort par Constantin, l'épouse du Christ, que tous avaient juré de détruire, apparut plus jeune et plus florissante que jamais, prête à entrer dans sa grande carrière d'extension et de puissance universelles.

(1) Isaïe, xxxv, 1, 2.

Ce fut en l'an 313 que Constantin, ayant défait Maxence, donna pleine liberté à l'Eglise. Si les anciens auteurs ne l'avaient pas décrite, nous ne pourrions nous imaginer la joie et la gratitude des pauvres chrétiens à l'époque de ce grand affranchissement. C'était comme la première sortie et la première entrevue, si joyeuses et cependant si pleines de larmes, que font les habitants d'une ville après qu'elle a été décimée par la peste, quand on vient proclamer publiquement la cessation du fléau. Car ici, après dix années de séparation et de retraite, quand les familles ne pouvaient que rarement se réunir aux cimetières les plus proches, beaucoup ignoraient quels étaient, parmi leurs amis ou leurs parents, ceux qui étaient tombés victimes, ou ceux qui survivaient encore. Timides d'abord, plus courageux ensuite, ils s'aventurèrent au dehors ; bientôt les anciens lieux d'assemblées, que les enfants, nés depuis dix ans, n'avaient pas vus encore, furent purifiés ou réparés, appropriés et réconciliés[1] et ouverts au culte public et libre enfin.

Constantin ordonna aussi que toutes les propriétés, publiques ou privées, appartenant à des chrétiens, et qui avaient été confisquées, leur fussent restituées, mais avec cette sage disposition que les possesseurs actuels seraient indemnisés par le trésor impérial[2]. L'Eglise s'appliqua bientôt à produire toutes les splendeurs de ses admirables rites et de ses institutions ; toutes les basiliques existantes furent affectées à son usage, et d'autres furent bâties aux endroits les plus apparents de Rome.

Le lecteur ne doit pas craindre que nous le conduisions à travers le récit d'une longue histoire. Cette tâche appartient à quelqu'un de plus capable que nous de développer la grandeur, les charmes du christianisme libre et délivré de ses fers. Nous avons seulement à faire voir des hauteurs de la colline la terre promise qui s'étend à nos pieds comme un paradis attrayant ; nous ne sommes pas le Josué qui doit y conduire les autres. Le peu que nous avons à dire dans cette rapide et troisième partie de notre humble travail est uniquement ce qui est nécessaire à son achèvement.

Nous allons donc supposer que nous sommes arrivés à l'an 318, quinze années après notre dernière scène de mort. Le temps et des lois stables ont donné de la sécurité à la religion chrétienne, et mis l'Eglise à même d'établir plus complétement son organisation. Un

(1) Cérémonie employée après la profanation. (2) Eusèbe. II. E. lib., X, c. 5.

grand nombre de ceux qui, au retour de la paix, avaient baissé la tête, parce qu'ils avaient échappé à la mort, par quelque acte de lâche faiblesse, ont depuis expié leur chute par la pénitence; et de temps en temps un vieillard est salué respectueusement par les passants, quand ils voient que son œil droit est brûlé par le feu, ou sa main mutilée, ou quand ils devinent, à sa démarche embarrassée, que ses jarrets ont été coupés dans la dernière persécution, pour la cause du Christ[1].

Si, remontant à cette époque, le lecteur bienveillant veut nous suivre hors de la porte Nomentane, vers la vallée qui lui est déjà familière, il verra que les beaux arbres et les plates-bandes fleuries de la villa de Fabiola ont subi de tristes ravages. Des supports d'échafaudages remplacent ceux-là; des briques, des blocs de marbre, des fûts de colonnes, gisent sur l'emplacement de celles-ci. Constance, la fille de Constantin, était venue, avant sa conversion au christianisme, prier sur la tombe de sainte Agnès pour obtenir la cure d'un ulcère virulent, et, après avoir eu une vision, avait été guérie. La princesse, ayant été baptisée, voulut acquitter la dette de reconnaissance qu'elle avait contractée envers sainte Agnès, en faisant bâtir sur sa tombe une superbe basilique. Les fidèles avaient obtenu le libre accès de la crypte où reposaient les restes mortels de la sainte, et une grande foule de pèlerins s'y rendaient de toutes les parties du monde.

Un soir que Fabiola retournait de la ville à sa villa, après avoir consacré la plus grande partie de la journée à soigner les malades d'un hôpital établi par elle dans sa propre demeure, le fossoyeur chargé du soin du cimetière, l'accostant avec un air de grande importance et de vive agitation, lui dit :

— Madame, je crois en vérité que l'étranger du Levant, attendu par vous, depuis si longtemps, est enfin arrivé.

Fabiola, qui s'était toujours souvenue des dernières paroles de Miriam, demanda avec vivacité : — Où est-il ?

— Il est reparti, répliqua-t-il.

Le désappointement parut sur les traits de Fabiola.

— Mais, demanda-t-elle encore, pourquoi croyez-vous que ce soit lui ?

Le fossoyeur reprit : — J'ai remarqué ce matin, parmi la foule, un homme qui n'a pas encore atteint la cinquantaine, mais qui, usé par les

(1) Quelques gouverneurs des provinces du Levant, fatigués ou plutôt rassasiés de meurtres, adoptèrent, vers la fin de la persécution, ce mode de traitement moins barbare à l'égard des chrétiens. — *Voir* Eusèbe.

chagrins et les mortifications, est arrivé à une vieillesse prématurée. Ses cheveux et sa barbe grisonnent. Il porte le costume des Levantins et son manteau est celui des moines de ces contrées. En arrivant devant la tombe de sainte Agnès, il s'est jeté sur les dalles en versant une si grande abondance de larmes, avec tant de gémissements et de sanglots, qu'il excita une compassion générale autour de lui. Plusieurs s'approchèrent de lui en murmurant : — « Frère, ta détresse est grande, mais ne pleure pas ; la sainte est miséricordieuse. » D'autres lui dirent : « Ne crains rien, nous prierons tous pour toi[1]. » Mais rien ne semblait pouvoir le consoler. Je me dis alors qu'en présence d'une sainte aussi affable et aussi bonne, personne, si ce n'est un seul homme, ne pourrait demeurer inconsolable et s'abandonner au désespoir.

— Poursuivez, poursuivez ! s'écria Fabiola, que fit-il ensuite ?

— Longtemps après, continua le fossoyeur, il se leva et tira de son sein un anneau des plus beaux et des plus étincelants, qu'il posa sur la tombe. Je crois l'avoir déjà vu, cet anneau, il y a bien des années.

— Et puis ?

— Il regarda autour de lui, m'aperçut et reconnut mon habit. Il s'approcha de moi, et je sentis qu'il tremblait quand, sans lever les yeux sur moi, il me demanda d'une voix timide : « Frère, ne saurais-tu pas me dire si l'on a enterré quelque part dans les environs une fille syrienne nommée Miriam ? J'indiquai, silencieusement, du doigt, la tombe. Après un nouvel intervalle de pénible silence, il me demanda encore, avec une agitation si grande, que sa voix en était altérée : « Sais-tu, frère, de quoi elle est morte ? — De consomption, repris-je. — Merci, mon Dieu, » murmura-t-il avec un soupir de soulagement ; et il tomba prosterné sur le sol. Là encore, il pleura et gémit pendant plus d'une heure ! puis, s'approchant de la tombe, il y colla affectueusement ses lèvres et se retira.

— C'est lui, Torquatus, c'est lui ! s'écria chaleureusement Fabiola ; pourquoi ne l'avez-vous pas retenu ?

— Je n'osais pas, madame : je n'avais pas le courage de rencontrer son regard, après avoir vu ses traits. Mais je suis sûr qu'il reviendra ; car il est allé dans la direction de la ville.

— Il faut qu'on le trouve, ajouta Fabiola ; — chère Miriam, tu avais donc cette consolante prévision avant ta mort ?

(1) Cette scène est historique.

II. — L'ÉTRANGER A ROME.

En traversant le Forum, le lendemain matin, de bonne heure, le pèlerin vit un groupe de gens rassemblés autour de quelqu'un qui, évidemment, leur servait de risée. Une scène de ce genre, sur la voie publique, n'aurait guère attiré son attention, si elle n'eût été frappée par un nom familier à son oreille. Curieux d'en savoir davantage, il se rapprocha du groupe. Au centre du rassemblement était un homme moins âgé que lui; mais, si sa propre figure, pâle et amaigrie, le vieillissait en apparence, l'autre, par des causes contraires, avait le même aspect. Il était chauve et bouffi; son visage était pourpre, enflé et couvert de pustules et de boutons. Un regard cauteleux brillait dans son œil aviné, sa démarche et le son de sa voix étaient ceux d'un homme dont l'ivresse est l'état habituel. Ses habits étaient sales et toute sa personne négligée.

— Oui, oui, Corvinus, dit un jeune homme, vous allez recevoir bientôt le prix de vos mérites. Ne savez-vous pas que Constantin vient à Rome cette année, et ne croyez-vous pas que les chrétiens auront bientôt le dessus?

— Ils ne l'auront pas, répondit l'homme que nous avons dépeint; non, ils n'ont pas assez de courage pour cela. Nous l'avons craint, quand Constantin, après la mort de Maxence, a publié son premier édit sur la liberté du christianisme; mais il a dissipé nos alarmes l'année d'ensuite, en permettant la complète liberté des cultes[1].

— Tout cela est très-bien, répliqua un autre, déterminé à continuer la plaisanterie, oui, comme règle générale; mais il ne faut pas croire qu'il fermera les yeux sur ceux qui ont pris une part active à la dernière persécution; ils seront soumis à la *lex talionis*[2] : coup pour coup, feu pour feu, et bête féroce pour bête féroce.

— Qui dit cela? demanda Corvinus en pâlissant.

— Tiens, cela ne serait que tout naturel, dit quelqu'un.

— Et très-juste, ajouta un autre.

— Oh! n'importe, dit Corvinus, ils laisseront toujours en repos tout

(1) Eusèbe. *ub. sup.*

(2) La loi du talion, la même que celle que prescrivait la loi de Moïse « œil pour œil, dent pour dent, » etc.

homme qui voudra se faire chrétien ; et, quant à moi, je déclare que je me ferai tout ce qu'on voudra plutôt que d'être...

— Où Pancratius a été, interrompit un troisième, plus méchant.

— Retenez votre langue ! s'écria l'ivrogne avec l'accent de la rage ; nommez-le encore, si vous l'osez ! — Et il montra le poing en lançant un regard furieux à l'interrupteur.

— Oui, parce qu'il vous a dit comment vous deviez mourir ! s'écria le jeune homme en prenant la fuite. — Holà ! holà ! une panthère pour Corvinus !

Tous s'écartèrent devant cette bête humaine, devenue furieuse, avec plus d'empressement qu'ils n'en auraient montré pour les bêtes du désert. Corvinus les poursuivit en leur lançant des pierres et des malédictions.

Le pèlerin, qui avait vu cette scène à quelque distance, s'éloigna également. Corvinus suivit avec plus de lenteur le même chemin que lui, celui qui conduit à la basilique de Lateran, devenue depuis la cathédrale de Rome. Tout à coup on entendit un rugissement aigu, accompagné d'un cri perçant. En passant par le Colysée, près des fosses des bêtes fauves, amenées là pour la lutte entre elles à l'occasion de l'arrivée de l'empereur, Corvinus, poussé par la curiosité morbide qui est naturelle à ceux qui se croient victimes de la fatalité attachée à un objet particulier, s'approcha de la cage où était enfermée une magnifique panthère. Il se plaça contre les barreaux et provoqua l'animal par des gestes et des mots en disant : « Oui, oui, il fera beau le jour où vous serez cause de ma mort ! Vous êtes très-bien dans cette cage, restez-y ; ah ! ah ! ah ! » Au même instant, l'animal furieux s'élança sur lui, et, passant ses pattes à travers les barreaux, saisit dans ses griffes le cou et la gorge de Corvinus, qu'il sillonna d'effroyables blessures.

Le malheureux fut relevé et transporté à son logis, qui n'était pas éloigné. L'étranger le suivit dans son appartement, qu'il trouva misérable, sale et incommode au dernier point, et n'ayant pour tout domestique qu'un seul esclave, vieux et décrépit, et, suivant toute apparence, aussi méchant que lui. L'étranger envoya l'esclave chercher un chirurgien qui fut lent à venir, et, en attendant, il fit tout ce qu'il pouvait pour étancher le sang qui coulait à flots.

Pendant qu'il s'occupait ainsi, le malade fixa sur lui des regards empreints de démence ou de délire.

— Me reconnaissez-vous ? demanda le pèlerin d'une voix douce.

— Vous reconnaître? non. — Oui. Voyons. — Ah! le renard! mon renard! Vous rappelez-vous les chasses que nous avons faites ensemble à ces détestables chrétiens? Où avez-vous été depuis ce temps? Combien en avez-vous pris?

Et il se livra à un accès d'épouvantable hilarité.

— Silence, silence! Corvinus, reprit l'autre. Il faut vous tenir tranquille, sinon il n'y aura plus d'espoir pour vous. Et puis, je désire que vous ne fassiez pas de telles allusions, car je suis chrétien maintenant.

— Vous? un chrétien! s'écria Corvinus avec égarement, vous qui avez versé de leur meilleur sang plus que personne au monde? Avez-vous été pardonné? Avez-vous dormi tranquillement là-dessus? N'êtes-vous pas poursuivi chaque nuit par d'implacables furies? N'êtes-vous point assailli de fantômes? Aucune vipère ne vous mord donc au cœur? S'il en est ainsi, dites-moi ce que vous avez fait pour en être débarrassé : que je fasse de même; sinon, ils viendront, ils viendront! Vengeance et furie! Pourquoi seriez-vous moins tourmenté que moi?

— Silence, Corvinus; j'ai souffert comme vous, mais j'ai trouvé le remède, et je vous l'indiquerai aussitôt que le médecin vous aura pansé : il arrive.

Le chirurgien vint, pansa la plaie, mais donna peu d'espoir, surtout à cause de l'état d'inflammation où se trouvait le sang du blessé, état qui n'était que la suite de son intempérance.

L'étranger reprit place près de lui; il lui parla de la miséricorde de Dieu et de son empressement à pardonner au plus coupable des pécheurs. N'en était-il pas lui-même la preuve vivante? Le malheureux blessé semblait être plongé dans une espèce de stupeur; s'il écoutait, à coup sûr il ne comprenait pas. Son charitable instructeur, lui ayant exposé ainsi les mystères fondamentaux du christianisme, dans l'espoir, non dans la certitude, de le convaincre, ajouta :

— Maintenant, Corvinus, vous me demanderez comment le pardon peut être accordé à celui qui croit tout cela? C'est par le baptême, c'est en naissant de nouveau par l'eau et par le Saint-Esprit.

— Par quoi? demanda le malade avec dégoût.

— Par la grâce que l'on puise dans la piscine de l'eau régénératrice.

Il fut interrompu par un cri rauque, ressemblant plutôt à un rugissement convulsif qu'au gémissement d'un malade.

— De l'eau! de l'eau! Pas d'eau pour moi! Enlevez-la!

Et un spasme violent souleva la gorge du patient.

Le pèlerin, alarmé, chercha à le calmer.

— Ne croyez pas, dit-il, que l'on vous enlèvera d'ici, avec la fièvre que vous avez en ce moment, pour vous plonger dans l'eau (le malade frissonna et frémit); quelques gouttes suffisent pour le baptême clinical[1]; il n'en faut pas plus que ne peut en contenir ce gobelet. — Il lui montra l'eau renfermée dans un petit vase; mais, à cette vue, le malade se tordit de rage, sa bouche s'emplit d'écume et tout son être s'agita dans une violente convulsion. Les sons qui s'échappaient de sa bouche ressemblaient aux hurlements d'un animal sauvage plutôt qu'aux accents d'une voix humaine.

Le pèlerin s'aperçut de suite que l'hydrophobie, avec tous ses horribles symptômes, s'était emparée du patient, par suite de la morsure de la panthère, qui, elle-même, en était atteinte. L'esclave et lui durent réunir toutes leurs forces pour le contenir. Il éclatait parfois en effroyables paroxysmes de blasphèmes contre Dieu et les hommes. L'accès calmé, il reprit en gémissant :

— De l'eau! ils veulent me donner de l'eau! De l'eau! de l'eau! Je n'en veux pas! C'est du feu, du feu que je respire! et c'est mon partage. Je suis tout en feu, au dedans, au dehors! Voyez comme il se glisse vers moi, tout autour de moi! il s'avance, il s'approche, plus près, plus près encore! — Et il s'efforçait de chasser de ses mains les flammes fantastiques qu'il croyait voir des deux côtés de son lit, tandis que, de son souffle, il essayait d'éteindre celles que son imagination en délire lui montrait enveloppant sa tête. Puis, se tournant vers ses gardiens attristés, il leur criait : Pourquoi ne les éteignez-vous pas? vous voyez bien qu'elles me dévorent!

Ainsi s'écoula cette triste journée; elle fut suivie d'une nuit terrible. La fièvre augmenta et, avec elle, le délire et les accès de fureur, bien que le corps du malade fût épuisé. — A la fin, il se dressa sur son lit, et, regardant fixement devant lui avec des yeux glauques et vitreux, il s'écria d'une voix altérée par la rage la plus amère :

— Arrière, Pancrace, arrière! Tu m'as assez poursuivi de ton regard implacable. Retiens donc ta panthère! Tenez-la bien, vous dis-je, elle va me sauter à la gorge; elle vient! Oh! — Et, de ses doigts crispés, comme s'il voulait écarter un animal qui l'eût saisi à

(1) Le baptême clinical, ou celui des personnes retenues dans leur lit, s'administrait en répandant de l'eau sur la tête du néophyte ou même en se bornant à l'en asperger un peu. — Voyez *Bingham*, liv. XI, c. II.

la gorge, il arracha les bandages de sa plaie. Des flots de sang jaillirent, et son cadavre, inerte et hideux, retomba sur le lit.

Son ancien ami put voir comment mouraient les persécuteurs endurcis.

CHAPITRE III ET DERNIER.

Le lendemain matin, le pèlerin se mit en devoir d'accomplir l'œuvre dont l'avaient distrait les événements rapportés au chapitre précédent. On put le voir d'abord s'informer activement de quelqu'un dans les environs des arcades de Janus au Forum. La personne fut à la fin trouvée, et tous deux s'acheminèrent vers un petit bureau sale et obscur situé sous le Capitole, sur la montée nommée la *Clivus Asyli*. De vieux livres tout poudreux furent ouverts et parcourus, colonne par colonne, jusqu'à ce qu'ils indiquassent la date des « consuls Dioclétien Auguste, pour la huitième fois, et Maximien Hercule, pour la septième fois[1]. » Là, se trouvèrent plusieurs notes renvoyant à certains documents. On prit un rouleau de parchemins moisis, de l'époque précitée, et le titre portant le numéro correspondant du registre fut ouvert et examiné avec soin. Le résultat de l'investigation parut satisfaire complétement les deux individus.

— C'est la première fois de ma vie, dit le propriétaire du logis, que j'ai vu une personne qui a fui devant ses créanciers revenir, après quinze années d'absence, pour s'acquitter de ses dettes. Un chrétien, sans doute, seigneur?

— Certainement, par la grâce de Dieu!

— C'est ce que j'ai pensé; bonjour, seigneur, je serai heureux d'avoir affaire avec vous, en tout temps, à un prix raisonnable, comme le faisait mon père Ephraïm, qui est maintenant avec le patriarche Abraham. — C'est un grand sot que cet homme; voilà pour sa peine : je lui en demande bien pardon, ajouta-t-il quand l'étranger fut hors de la portée de sa voix.

Celui-ci se rendit tout droit à la villa de la route Nomentane, d'un pas plus délibéré et avec un visage moins sombre qu'auparavant; là,

(1) A. D. 303.

après avoir renouvelé ses dévotions à la crypte de sainte Agnès, il se releva le cœur plus léger, et, s'adressant au fossoyeur, du même ton que s'ils ne s'étaient jamais quittés :

— Torquatus, dit-il, puis-je voir la noble Fabiola?

— Certainement, répondit l'autre ; venez par ici.

Pendant qu'ils marchaient ensemble, aucun d'eux ne fit d'allusion, ni au temps passé, ni à ce qui leur était arrivé depuis leur dernière rencontre. Il semblait qu'instinctivement chacun d'eux comprît que le passé devait être effacé devant les hommes, comme ils espéraient qu'il l'était devant Dieu. Dans l'espoir du retour de l'étranger, Fabiola n'avait point quitté la maison, ce jour-là ni la veille. Elle était assise, au jardin, au bord d'une fontaine. Torquatus l'indiqua du doigt et se retira.

Fabiola se leva à l'approche du visiteur si longtemps attendu, et une émotion indescriptible s'empara de ses sens, quand elle le vit en sa présence.

— Madame, dit-il d'un ton d'humilité profonde et de grave simplicité, je n'aurais jamais eu la hardiesse de me présenter devant vous, si un sentiment de justice et de nombreux motifs de gratitude ne m'y eussent obligé.

— Orontius, reprit-elle — est-ce le nom que je dois vous donner? (il fit un signe d'assentiment) — vous ne pouvez avoir d'obligation envers moi, si ce n'est celle que nous prescrit notre grand apôtre, de nous aimer les uns les autres.

— Je sais que vous pensez ainsi ; cependant je n'aurais pas osé, dans mon indignité, me présenter devant vous, pour aucune autre cause que celle d'un impérieux devoir à remplir. Je n'ignore pas la reconnaissance que je vous dois pour la bonté et l'affection que vous avez témoignées à celle qui m'est plus chère maintenant qu'une sœur ne peut l'être sur la terre, et pour la manière dont vous avez acquitté envers elle des devoirs de charité que j'avais négligés.

— Et par là vous me l'avez envoyée, interrompit Fabiola, pour être l'ange de ma vie. Rappelez-vous, Orontius, que Joseph fut vendu par ses frères, uniquement pour qu'il pût devenir le sauveur de sa famille.

— Vous êtes trop indulgente, en vérité, pour un indigne, reprit le pèlerin ; je ne vous remercierai point de votre bonté pour celle qui vous a si libéralement rémunérée ; mais je vous ai d'autres obligations. C'est depuis ce matin seulement que j'ai connaissance de votre générosité à l'égard de quelqu'un qui n'y avait aucun droit.

— Je ne vous comprends pas, répondit Fabiola.

— Je m'expliquerai plus clairement, reprit Orontius. Depuis bien des années, je suis membre d'une de ces communautés d'hommes qui vivent séparés du monde, dans le désert, en Palestine, partageant leurs journées, et même leurs nuits, entre le chant des louanges du Seigneur, la contemplation et le travail de leurs mains. De dures expiations pour nos fautes passées, le jeûne, les larmes, la prière sont les plus grands devoirs de notre état de pénitence. Avez-vous jamais entendu parler de cette classe d'hommes?

— La renommée de Paul et d'Antoine est aussi grande en Occident qu'en Orient.

— J'ai vécu longtemps avec le plus grand disciple de ce dernier, soutenu par son éclatant exemple et par les consolations qu'il m'a prodiguées. Mais une pensée me poursuivait sans cesse et m'empêchait même, après de longues années d'expiation, de jouir de l'espoir fondé de faire mon salut. Avant de quitter Rome, j'avais contracté une lourde dette, qui, par l'accumulation des intérêts fixés à un taux énorme, a dû monter à un chiffre accablant. C'était une dette contractée de propos délibéré et qui ne pouvait être équitablement éludée. Je ne suis qu'un pauvre cénobite[1], vivant péniblement du produit des nattes en feuilles de palmier que je tresse et des rares herbes qui poussent dans nos sables. Comment aurais-je pu m'acquitter de mes obligations?

« Il me restait un seul moyen : c'était de me livrer à mon créancier, de me faire son esclave, de travailler pour lui, de supporter avec patience ses mauvais traitements et ses amers reproches, ou bien de lui permettre de me vendre pour ce que je vaux, car je suis fort encore. J'avais, dans l'une ou l'autre de ces alternatives, l'exemple de mon Sauveur pour me soutenir et pour me fortifier. Dans tous les cas, j'aurais donné tout ce dont je pouvais disposer — moi-même.

» Je me suis rendu ce matin au Forum, j'y ai trouvé le fils de mon créancier, j'ai examiné son compte et j'ai découvert que vous avez acquitté la totalité de ma dette. Je suis, par conséquent, votre esclave au lieu d'être celui du juif, madame.

Et il s'agenouilla humblement aux pieds de Fabiola.

— Relevez-vous, dit-elle en détournant ses yeux mouillés de larmes vous n'êtes pas mon esclave, mais un frère bien cher en Notre-Seigneur.

(1) Les religieux vivant en communauté étaient nommés ainsi.

Puis, le forçant à s'asseoir à ses côtés, elle continua : — Accordez-moi une grande faveur, Orontius. Dites-moi comment vous avez été conduit au genre de vie que vous avez courageusement embrassé.

— Je vous le dirai aussi succinctement que possible. Je m'enfuis de Rome, vous le savez, par une triste nuit, en compagnie d'un homme qui... sa voix s'arrêta.

— Je sais, oui, je sais de qui vous voulez parler, — Eurotas, interrompit Fabiola.

— Lui-même, le malheur de notre maison, l'auteur des souffrances de ma sœur et des miennes. Nous parvînmes à frêter, à grands frais, un vaisseau, à Brundisium, d'où nous mîmes à la voile pour l'île de Chypre. Nous tentâmes le commmerce et d'autres spéculations, mais rien ne réussit. Une malédiction empêchait, évidemment, la réussite de toutes nos combinaisons. Nos ressources s'épuisèrent, et nous fûmes obligés de partir pour une autre contrée plus favorable. Nous traversâmes la Palestine, et nous nous arrêtâmes, quelque temps, à Gaza. Nous fûmes bientôt réduits à la détresse ; chacun nous évitait, nous ne savions pourquoi : mais ma conscience me disait que je portais sur mon front la marque de Caïn.

Orontius s'arrêta, pleura pendant quelque temps et continua :

— Tout étant épuisé à la fin, et n'ayant plus rien que quelques bijoux, d'un prix considérable, il est vrai, mais dont, je ne sais pourquoi, Eurotas ne voulait point se dessaisir, il m'engagea à prendre l'odieuse résolution de dénoncer les chrétiens ; c'était au moment d'une persécution violente. Pour la première fois de ma vie, je me révoltai contre ses ordres, je refusai d'obéir. — Il m'engagea un jour à me promener avec lui hors des portes de la ville ; nous marchâmes longtemps, jusqu'à ce que nous arrivâmes à un endroit délicieux au milieu du désert. C'était un vallon étroit, couvert de verdure, à l'ombre des palmiers. Il y coulait un étroit et clair ruisseau, s'échappant de la fissure d'un roc au sommet de la vallée. Nous vîmes dans le roc des grottes et des cavernes ; mais l'endroit paraissait inhabité. On n'y entendait d'autre bruit que le frais murmure de l'eau.

„ Nous étions assis, nous reposant, quand Eurotas m'adressa un épouvantable discours. Le temps était venu, me dit-il, d'accomplir la terrible résolution que nous avions prise, celle de ne pas survivre à la ruine de notre famille. Il fallait mourir là, tous les deux ; les bêtes fauves dévoreraient nos cadavres, et personne ne saurait jamais quelle avait été la fin des derniers rejetons de notre maison.

« En parlant ainsi, il me fit voir deux flacons étroits, d'inégale dimension, me tendit le plus grand et avala le contenu du plus petit.

» Je refusai de l'imiter, et je lui reprochai de m'avoir destiné la plus forte dose ; mais il me répondit qu'il était vieux, et que j'étais jeune ; que d'ailleurs le contenu des fioles avait été proportionné à nos forces respectives. Je refusai encore, ne voulant point mourir. Mais une sorte de fureur démoniaque sembla s'emparer de lui : pendant que j'étais assis, il me saisit, avec une étreinte de géant, me renversa en arrière et s'écria : « Nous devons périr ensemble ! » et m'introduisit de force, sans en répandre une goutte, le contenu de la fiole dans le gosier...

» Je perdis, en un instant, la conscience de moi-même, et demeurai longtemps ainsi. Je m'éveillai dans une caverne, et demandai à boire d'une voix faible et plaintive. Un vénérable vieillard, à barbe blanche, porta à mes lèvres un vase de bois rempli d'eau. « Où est Eurotas ? demandais-je. — Est-ce votre compagnon ? répliqua le vieux moine. — Oui, répondis-je. — Il est mort, » me répondit-il. Je ne savais par quelle fatalité tout ceci avait eu lieu ; mais je remerciai Dieu de m'avoir épargné.

» Ce vieillard était Hilarion, natif de Gaza, qui, après avoir passé de longues années en Egypte, avec saint Antoine, était revenu depuis quelques mois[1] pour établir dans son propre pays ses pratiques cénobitiques et mener la vie d'ermite. Il avait déjà réuni plusieurs disciples. Ils vivaient dans les cavernes et les creux des rochers des environs ; ils prenaient leurs sobres repas sous l'ombre des palmiers et trempaient dans le ruisseau la nourriture peu abondante qu'ils prenaient.

» Leurs bontés pour moi, leur douce et sereine piété, leur sainte vie, me touchèrent profondément après mon rétablissement. Je vis, sous un aspect sublime, la religion que j'avais tant persécutée ; je me rappelai bientôt les instructions de ma mère chérie et l'exemple de ma sœur, de sorte que, cédant enfin à la grâce, je déposai le fardeau de mes péchés aux pieds du ministre de Dieu[2], et je reçus le baptême la veille des saintes Pâques. »

— Alors nous sommes doublement frères, nous sommes deux ju-

(1) A. D. 303.

(2) La confession des péchés avait lieu en particulier avant le baptême. Voyez Bingham, *Origines*, liv. XI, ch. VIII, § 14.

meaux de la même Eglise, car je naquis aussi ce jour-là à la vie éternelle. Mais que comptez-vous faire maintenant?

— M'en retourner dès ce soir. J'ai accompli les deux buts de mon voyage. Le premier concernait ma dette; le second était de déposer une offrande sur la châsse de sainte Agnès. Vous vous rappelez, ajouta-t-il en souriant, que votre bon père me fit concevoir l'idée qu'elle convoitait les bijoux dont je faisais étalage. Insensé que j'étais! Mais je résolus, après ma conversion, de lui faire hommage du plus précieux de ceux qu'Eurotas avait gardés, et je l'ai apporté en effet.

— Mais avez-vous des ressources suffisantes pour votre voyage? demanda Fabiola d'un ton timide.

— J'en trouverai abondamment, reprit-il, dans la charité des fidèles. J'ai, de l'évêque de Gaza, des lettres qui me procurent partout le logement et la subsistance, mais j'accepterai de vous, comme disciple de Jésus-Christ, une coupe d'eau et un morceau de pain.

Ils se levèrent et se dirigeaient vers la maison quand soudain une femme échevelée, la démarche égarée, s'élança à travers les arbustes et vint tomber à leurs pieds en s'écriant :

— Oh! sauvez-moi, chère maîtresse, sauvez-moi; il me poursuit pour me tuer!

Fabiola reconnut dans la pauvre créature son ancienne esclave Jubala; mais quel changement! sa pâleur, ses yeux hagards, ses cheveux gris, en désordre, tout son ensemble dénotait la plus abjecte misère. Fabiola lui dit de s'expliquer.

— Mon mari, dit-elle, s'est toujours montré dur et cruel pour moi, mais aujourd'hui il est plus brutal que jamais. Oh! sauvez-moi de lui!

— Vous êtes hors de danger ici; mais je crains, Jubala, que vous soyez loin d'être heureuse. Il y a bien longtemps que je ne vous ai vue.

— Hélas! ma chère maîtresse, pourquoi serais-je venue vous conter tous mes malheurs? Ah! pourquoi vous ai-je quittée? pourquoi suis-je partie de cette demeure, où j'aurais pu vivre si heureuse? J'aurais pu alors, avec vous, Graja et la bonne vieille Euphrosyne qui n'est plus, apprendre à être bonne moi-même. J'aurais embrassé le christianisme!

— Comment! y avez-vous réellement songé, Jubala?

— Depuis longtemps, madame, j'y songe, au milieu de mes chagrins et de mes remords. N'ai-je point vu le bonheur de tous les chrétiens, de ceux-là mêmes qui ont été aussi mauvais que je le suis moi-même? C'est pour avoir dit cela ce matin à mon mari qu'il m'a battue et qu'il me menace de m'arracher la vie. Mais, Dieu merci, les leçons d'un ami m'ont enseigné la doctrine des chrétiens, et je veux être chrétienne.

— Depuis combien de temps êtes-vous maltraitée ainsi, Jubala? demanda Orontius, qui, par son oncle, avait ouï parler de ce triste ménage.

— Je l'ai toujours été, reprit-elle. Peu de temps après mon mariage, je lui parlai d'une offre qui m'avait été faite auparavant par un étranger au visage basané, nommé Eurotas. Oh! c'était un méchant homme, aux sombres passions, au cœur endurci : mes souvenirs les plus cruels se rattachent à cet homme.

— Comment cela? demanda Orontius avec une ardente curiosité.

— C'est que, avant de quitter Rome, il me demanda de lui préparer deux narcotiques; le premier, disait-il, était destiné à un ennemi qui serait fait prisonnier. Ce devrait être un breuvage mortel; le second, destiné à ne produire d'autre effet que de suspendre le sentiment de l'existence pendant quelques heures, devait, dans un cas donné, être absorbé par lui-même.

« Quand il vint prendre les deux fioles, j'allais lui expliquer que, contrairement aux apparences, la plus petite contenait un poison des plus subtils, concentré dans une faible dose, tandis que la plus grande ne renfermait qu'un narcotique assez faible et grandement étendu d'eau, pour l'empêcher de produire de pernicieux effets. Mais, en ce moment même, mon mari rentra à l'improviste, et, dans un accès de jalousie, il me chassa de la chambre, sans me permettre de dire un mot. Je crains donc qu'il en soit arrivé quelque malheur et qu'une mort involontaire ait été la conséquence de cette fatale méprise. »

Fabiola et Orontius se regardèrent en silence, admirant les justes décrets de la Providence; quand tout à coup ils furent arrachés à leurs pensées par un cri épouvantable poussé par la malheureuse Jubala. Ils furent frappés d'horreur à la vue d'une flèche qui frémissait encore dans son sein. Fabiola s'élança pour la soutenir; et Orontius, en se retournant, surprit le regard d'un visage noir qui grimaçait hideusement à travers les branches du taillis. Au même instant, il vit un Numide fuyant de toute la vitesse de son cheval, l'arc tendu par-dessus son épaule, à la manière des Parthes, prêt à lancer un second trait contre quiconque s'aviserait de le suivre. La flèche mortelle avait passé entre Orontius et la noble matrone, sans qu'aucun d'eux l'eût remarquée.

— Jubala, demanda Fabiola, veux-tu mourir en chrétienne?

— De tout mon cœur, répondit-elle.

— Crois-tu en un seul Dieu en trois personnes?

— Je crois fermement tout ce que la sainte Eglise chrétienne nous enseigne.

— Crois-tu que Notre-Seigneur Jésus-Christ est né et mort pour nos péchés?

— Oui, et je crois aussi tous les autres articles de votre foi.

Cette dernière réponse fut faite d'une voix mourante.

— Hâtez-vous! hâtez-vous, Orontius! cria Fabiola en montrant la fontaine.

Orontius était déjà auprès du bassin; il remplit ses deux mains réunies, revint au même instant, et répandit l'eau sur la tête de la pauvre Africaine en prononçant la formule du baptême; elle expira, et l'eau régénératrice se mêla au sang de l'expiation.

Après cette déplorable et pourtant consolante scène de mort, Fabiola et Orontius entrèrent dans l'habitation, et donnèrent à Torquatus des instructions pour l'ensevelissement de la convertie doublement baptisée.

Orontius fut frappé de la modeste propreté de la demeure, contrastant si étrangement avec la splendeur des anciens appartements de Fabiola. Mais, dans une petite salle intérieure, son attention fut bientôt attirée par une superbe châsse, une cassette, ornée de bijoux, et à demi-voilée par un rideau brodé qui ne laissait voir que les contours du reliquaire. Il s'approcha et lut l'inscription suivante : « CECI EST LE SANG DE LA BIENHEUREUSE MIRIAM, VERSÉ PAR DES MAINS CRUELLES! »

Le visage d'Orontius passa d'une pâleur mortelle au rouge le plus ardent; il chancela.

Fabiola le vit, et, s'avançant vers lui d'un air de bonté et de franchise, elle lui prit le bras en disant de sa voix la plus douce :

— Orontius, ce qui est là doit nous faire profondément rougir, mais ne doit pas nous désespérer.

Après avoir dit ces mots, elle écarta le rideau et découvrit aux regards d'Orontius une plaque de cristal sous laquelle on apercevait l'écharpe brodée, si étroitement mêlée à l'histoire de sa sœur et à sa propre histoire. Sur l'écharpe se croisaient deux armes aiguës dont le sang avait rouillé la pointe. L'une — il la reconnut — était son propre poignard ; l'autre lui sembla être un de ces instruments de vengeance féminine avec lesquels les dames païennes avaient coutume — il le savait — de châtier leurs esclaves.

— Nous avons tous deux, dit Fabiola, involontairement versé le sang de celle que nous honorons maintenant comme une sœur au ciel. Pour moi, depuis le jour où, en la frappant, je lui ai donné l'occasion de montrer sa vertu, de ce jour-là date le moment où la grâce est descendue dans mon âme. — Que dites-vous, Orontius ?

— Je dis, à mon tour, que depuis l'instant où je l'ai rendue malheureuse, et où je l'ai obligée à déployer tant d'héroïsme chrétien, j'ai commencé à sentir que la main de Dieu s'étendait sur moi. C'est elle qui m'a conduit au repentir et au pardon.

— Il en sera toujours ainsi, conclut Fabiola. L'exemple du Seigneur a fait les martyrs, et l'exemple des martyrs nous a conduits vers Dieu. Leur sang attendrit nos cœurs. Le sien seul peut purifier nos âmes. Le sang des martyrs crie miséricorde, celui de Notre-Seigneur Jésus-Christ l'obtient.

— Puisse l'Eglise, dans ses jours de paix et de victoires, n'oublier jamais ce qu'elle doit au siècle des martyrs ! Nous lui devons tous deux d'être nés à la vie spirituelle. Puissent ceux qui liront l'histoire de leurs actes sublimes y puiser la même miséricorde et la même grâce !

Orontius et Fabiola s'agenouillèrent, et tous deux prièrent en silence devant le reliquaire.

Puis ils se séparèrent pour ne plus se revoir.

Après quelques années, consacrées par Orontius à la pratique de la plus fervente pénitence, un monticule vert, sous les palmiers d'une petite vallée, près de Gaza, indiqua la place où il dort du sommeil des justes.

Après de longues années, remplies par la charité et la sainteté, Fabiola obtint la paix éternelle, en compagnie d'Agnès et de Miriam.

FIN.

TABLE.

PREMIÈRE PARTIE.

PAIX.

DEUXIÈME PARTIE.

COMBATS.

TROISIÈME PARTIE.

VICTOIRE.

Tournai, typ. Casterman. 1120